D1630198

ソフィーの世界

哲学者からの不思議な手紙

ヨースタイン・ゴルデル＝著　須田 朗＝監修／池田香代子＝訳

NHK出版

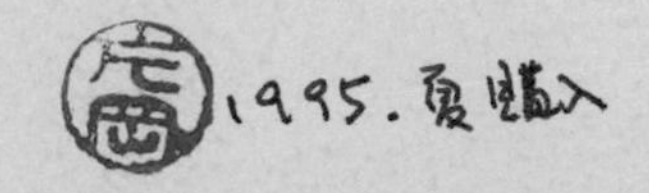

そう書いてある。ぜんぜんわからない、とソフィーは思った。そんなこと、だれにもわかるわけがない！　なのにいっぽうで、この問いかけはもっともだ、とも思った。ソフィーは、世界がどこからきたのか、せめて問いかけもしないでその世界に生きるなんて、ほとんど不可能だ、と考えた。でも、こんなことを考えるなんて、生まれて初めてだった。

二通の謎の手紙のために、ソフィーは頭がくらくらしてきた。それで、ほら穴に行くことにした。ほら穴というのはソフィーの秘密の隠れ家で、とても腹がたった時や、悲しかったりうれしかったりした時、ソフィーはそこにこもる。きょうのソフィーは、なにがなんだかわからなかった。

赤い家は広い庭に囲まれていて、庭のあちこちには花壇や、赤スグリやラズベリーの茂みや、いろいろなくだものの木があった。広い芝生には背もたれつきのブランコがあった。それから、祖父が祖母のためにつくった小さな四阿(あずまや)も。二人の初めての子どもが、生まれてほんの数週間で死んでしまった時、祖父はこれをつくった。そのかわいそうな女の赤ちゃんはマリーと名づけられた。お墓にこう書いてある。「小さなマリー　わたしたちのもとを訪れ　挨拶をしたのみにて　また去りぬ」

庭の隅、ラズベリーの茂みの奥に、花も咲かない、実もつけない大きな藪(やぶ)があった。もとは生け垣で、森との境になっていた。けれどもここ二十年、ぜんぜん手入れをしなかったのでどんどん生い茂り、とてもとおり抜けられそうにない藪になっていた。お祖父(じい)さんが言っていたっけ。「この生け垣は戦争ちゅう、庭で鶏を放し飼いにしていた時、狐が入ってこれないようにしていたんだよ」

今では古い生け垣は、庭の隅に転がっている空っぽの兎小屋と同じように、だれにも見向きもされない。けれども、それはソフィーの秘密を知らないからだ。ソフィーは今でも、生け垣にくぐり抜けられる小さな穴を見つけた時のことをよく憶(おぼ)えている。もぐりこんでしばらく進むと、穴は大きく広がっている。そこがソフィーのほら穴なのだった。ここならだれにも見つかる心配はない。

ソフィーは二通の手紙をもって庭をつっきり、四つん這いになって生け垣をくぐった。ほら穴はソフィーがちゃんと立てるほど高かったが、今は剝き出しの太い根っこに腰をおろした。ここに座ると、枝や葉っぱのあいだの小さな二つの穴から外が見える。穴はコインよりも小さいけれど、庭全体が見渡せた。小さい頃、自分を捜して木立のあいだをあちこちする母や父をここからながめて面白がったものだ。

いつもソフィーはこの庭を世界そのもののように思っていた。聖書の「創世記」のエデンの園の話を聞くたびに、自分のほら穴と、そこからながめるソフィーの小さな世界を思い浮かべた。

世界はどこからきた？

そんなこと、ぜんぜんわからない。もちろんソフィーは、この世界がとてつもなく大きな宇宙のほんの小さな惑星だということは知っていた。でも、宇宙はどこからきたのだろう？

もちろん、宇宙はずっと前からあった、と考えてもいい。そうすれば、宇宙はどこからきたのか、という問いに答えなくてすむ。だけど、何かが永遠に続くなんてありだろうか？　ソフィーのなかで何かが、そんなのおかしい、と言った。あるものにはすべて、始まりがあるはずだ。だったら、宇宙もいつか何かから生まれたのだ。

でも、もしも宇宙が何かほかのものから生まれたのだとしたら、その何かほかのものもいつかもっと何かほかのものから生まれたということになる。ソフィーは、この問いはどこまで行ってもきりがない、と思った。とにかく、いつか何かが無から生まれたはず。でも、そんなことってあり？　こんな考えは、世界はずっと前からあったというのと同じくらい、まちがっているんじゃない？

宗教の時間に、神が世界を創造した、と教わった。ソフィーは、まあいろいろあるけれど、この問題に決着をつけるにはそう考えるのがいちばんいい、と納得しようとした。なのに、ソフィーはまた考えはじめてしまった。神が世界を創造した、というのはいい。でも、神自身は？　神は自分を無からつくった？　また何かがソフィーのなかで、そんなのおかしい、と言った。たしかに神はあらゆるものをつくれるかもしれない。でも神自身がいて、それで初めて創造できるわけで、その神自身が存在する前に自分自身をつくれるはずがない。とすると、考えられるのはあと一つ。つまり、神はずっと前からいたのだ。けれどもこの考えも、ソフィーはもう捨てていた。あるものにはすべて始まりがあるはずなのだった。

「いやんなっちゃう！」

もう一度、ソフィーは二つの封筒をあけた。

「あなたはだれ？」

「世界はどこからきた？」

なんてくだらない質問！　いったいこの二通の手紙はどこからきたのだろう？　それこそ本当に謎だった。

ソフィーをありふれた日常からひきさらい、突然、宇宙などという大問題をつきつけたのは、いったいだれなのだろう？

ソフィーは郵便箱を見に行った。これで三度めだ。

こんどは郵便配達がふつうの郵便をもってきていた。ソフィーは一抱えほどもあるダイレクトメールと、新聞と、それから母宛ての二通の手紙を取り出した。絵はがきも一通、混ざっていた。どこか南の国の海岸の写真だ。ソフィーは絵はがきを裏返してみた。切手はノルウェイのもので、国連軍のスタンプがおしてある。パパから？　でも、パパがいるのはこんなところじゃないんじゃなかった？それに、これはパパの字ではない。

宛名に目を走らせるうちに、ソフィーは胸がドキドキしてきた。「ソフィー・アムンセン様方、ヒルデ・ムーレル＝クナーグ様、クローバー通り三番地……」住所はあっている。

　はがきにはこう書いてあった。

《愛するヒルデ
　十五歳のお誕生日おめでとう。パパはヒルデに、なにかおとなになるのに役立つようなプレゼントをしたいと思っている。このはがきはソフィーに送る。そうするのがいちばん手っとり早かったのだ。

愛しているよ　パパ》

　ソフィーは家に駆けもどり、キッチンに飛びこんだ。まるで体のなかで嵐が荒れ狂っているみたいだった。まただわ、これはいったいなんなの？　ヒルデってだれ？　ソフィーよりも丸まる一カ月早く十五歳になるらしいこの子は？

　ソフィーは玄関から電話帳をもってきた。ムーレルという人はいっぱいいた。クナーグという人も。

　ソフィーはもう一度、謎の絵はがきをまじまじと見つめた。でも、切手もスタンプも、どこもおかしなところはない。

　どうしてこの父親はバースデイ・カードをソフィーの住所なんかに送りつけたのだろう？　ぜんぜんちがうところに送るべきでしょう？　カードをお門違い（かどちがい）のところに送って、誕生日に娘をがっかりさせる父親なんているかしら？　「いちばん手っとり早かったのだ」って、どういうこと？　それにしても、どうやってヒルデという子を捜したらいいのだろう？

　頭をかかえる問題がまた増えた。ソフィーはもう一度、頭のなかを整理しようとした。

昼下りのほんのひとときに、三つもの謎をつきつけられたのだ。第一の謎は、二通の白い封筒をソフィーの家の郵便箱に入れたのはだれか、ということ。第二の謎は、その二通が投げかけるむずかしい問題。第三の謎は、ヒルデ・ムーレル＝クナーグとはだれか、なぜソフィーがこの見知らぬ女の子のバースデイ・カードを受けとったのか、ということ。

三つの謎はきっとどこかでつながっている——そう、ソフィーは確信した。なぜなら、それまでソフィーは、謎なんて一つもない、ごくふつうの毎日を送っていたのだから。

シルクハット——いい哲学者になるためにたった一つ必要なのは、驚くという才能だ

ソフィーは、匿名の手紙の主がまたなにか言ってくるのを待つことにした。そして、当分この手紙のことはだれにも黙っていよう、と決めた。

学校では授業になかなか身が入らなかった。ソフィーは突然、先生はどうでもいいことばかりしゃべっている、と気がついた。どうして先生は、人間とは何かとか、世界とは何かとか、世界はどのようにしてできたかとか、そういう話をしてくれないのだろう？

学校でもどこでも、みんなどうでもいいようなことにかかずらっている。学校の勉強よりもずっと大切な、考えなくてはならない大きくてむずかしい問題があるのに——こんな気持は初めてだった。ああいう問いに答えた人なんているのかしら？　ソフィーは、不規則動詞の変化をとなえるよりもそっちを考えるほうが大切だ、と思った。

最後の授業の終わりのチャイムが鳴ると、ソフィーはあっというまに校門を飛び出した。ヨールンがあわてて追いかけてきた。

少しして、ヨールンがたずねた。

「今夜、トランプしない？」

ソフィーは肩をすくめた。

「そうねえ、わたしもう、トランプ飽きちゃった」

ヨールンはびっくりしたようだった。

「飽きちゃったって？　じゃあ、バドミントンする？」

ソフィーはアスファルトを、それから友だちを見つめた。

「そうねえ、わたしもう、バドミントンも飽きちゃった」

「じゃあ、いいわよ！」

ヨールンの声にとげとげしい響きがあった。

「何が急にそんなに大切になっちゃったのか、話してくれてもいいと思うけど」

ソフィーは首を横にふった。

「それは……秘密なの」

「へーえ！　あなた、だれかさんのことを好きになったんだ！」

話がとぎれたまま、二人は並んで歩いていった。サッカー場まで来た時、ヨールンが言った。

「わたし、サッカー場をつっきるわ」

「サッカー場をつっきる」のはヨールンの近道だったけれど、ヨールンが近道をするのは、お客があるとか歯医者の予約があるとかで、いそいで帰らなければならない時だけだった。

ヨールンを傷つけてしまって、つらいな、とソフィーは思った。でも、なんて答えたらよかった？　わたしはだれかってことと、世界はどうやってできたのかってことで急に忙しくなったから、バドミントンをする暇がないって言う？　そんなこと、ヨールンはわかってくれただろうか？

なによりも大切な、そしてなによりも当然な問題にとりくむのが、どうしてこんなにやっかいなのだろう？

郵便箱をあける時、ソフィーは胸がドキドキしてくるのがわかった。ちらっと見たところでは、口座通知と母宛ての大きな茶封筒が何通かあるだけだった。つまんないの。ソフィーは見知らぬ差出人の手紙がまたきていることを、心から待ち望んでいたのだ。

　門をしめながら、ソフィーは大きな封筒の一つに自分の名前があることに気がついた。裏側には「哲学講座　親展」と書いてある。

　ソフィーは砂利道を走っていって、バッグを階段の上に置いた。そして残りの郵便物を玄関マットの下につっこむと、庭を横切ってほら穴の隠れ家に向かった。この大きな手紙は、どうしてもあそこで開かなくては。

　シェレカンがついてきたが、どうしようもない。でも、猫はぜったいにおしゃべりしないから大丈夫。

　封筒にはタイプで打った大判の紙が三枚入っていた。クリップで止めてある。ソフィーは読みはじめた。

哲学とは何か?

親愛なるソフィー
世の中にはいろんな趣味があるものです。古いコインや切手を集めている人はざらだし、手芸に凝る人もいます。暇さえあればスポーツに打ちこむ人もいます。
読書好きもけっこういます。けれども、何を読むかはじつにさまざまです。新聞かマンガしか読まない人もいれば、小説ファンもいる。天文学とか、動物の生態とか、科学の発見とか、いろんなテーマに手を伸ばす人もいる。
もしもわたしが馬や宝石の愛好家だったとして、ほかのすべての人と趣味の話で盛りあがるとは期待できません。わたしがテレビのスポーツ番組には目がないとしても、スポーツなんかつまらないと言う人がいることは、まあ、そんなものだと思うしかない。

すべての人に関心のあることなんてあるだろうか？　だれにでも、世界のどこに住んでいる人にでも、あらゆる人間に関係あることなんて、あるのだろうか？　あるんですよ、親愛なるソフィー。その、すべての人間がかかわらなければならない問題をあつかうのが、この講座です。

生きていく上でいちばん大切なものはなんだろう？　もしも、飢えている人びとにたずねたら、答えは食べることですね。同じ質問を凍(こご)えている人にしたならば、答えは暖かさです。さらに、一人ぼっちでさびしがっている人にたずねたとしましょうか、答えは決まってますね、ほかの人びととのつきあいです。

けれども、こういう基本条件がすべて満たされたとして、それでもまだ、あらゆる人にとって切実(せつじつ)なものはあるだろうか？　哲学者たちは、ある、と言います。哲学者たちは、人はパンのみで生きるのではない、と考えるのです。もちろん、人はみな、食べなければならない。愛と気配りも必要です。けれども、すべての人びとにとって切実なものはまだある。わたしたちはだれなのか、なぜ生きているのか、それを知りたいという切実な欲求を、わたしたちはもっているのです。

わたしたちはなぜ生きているのか、ということへの関心は、だから、たとえば切手のコレクションのような、いわば「ひょんなきっかけではまってしまう」興味とは別物です。この問題に関心をもった人は、わたしたち人間がこの惑星に生きてきたのとほとんど同じくらい長いこと議論されてきたことがらにかかわることになる。宇宙と地球と生命はどのようにしてできたのか、ということは、このあいだのオリンピックでだれがいちばんたくさん金メダルをとったか、ということよりもずっと大きな、ずっと大切な問題なのです。

哲学の世界に入っていくいちばんいい方法は問題意識をもつこと、つまり、哲学の問いを立てることです。

世界はどのようにつくられたのか？　今ここで起こっていることの背後には意志や意味があるのか？　死後の命はあるのか？　どうしたらこういう問いの答えは見つかるのか？　そしてなによりも、わたしたちはいかに生きるべきか？

こうしたことを人間はいつだって問いかけてきました。人間とは何か、世界はどのようにしてできたかと問わなかった文化はありません。

哲学の問いは、それほどいろいろと立てられるものでもありません。いちばん大切な二つの問いはもう立てました。ところがそれにたいして哲学の歴史が教えてくれる答えは、それこそさまざまです。

だから、問いに答えようとするよりも問いを立てる、このほうが哲学に入っていきやすいのです。

今でも、一人ひとりがこれらの問いに自分流の答えを見つけなければなりません。神はいるかとか、死後の生はあるかとかを、事典で調べることはできない。事典は、わたしたちはいかに生きるべきか、ということにも答えてくれない。でも、生命や世界について自分なりのイメージをもとうとするなら、ほかの人たちの考えを知ることは助けになります。

真理を追い求める哲学者たちの営（いとな）みは、そうですね、ミステリー小説にたとえるといいかもしれない。殺人犯はアナーセンだ、と言う人もいれば、ニールセンが犯人だ、いや、イェープセンだと、意見はてんでんばらばらです。現実の事件なら、いずれ警察が解決してくれるでしょう。もちろん、警察も謎が解けなくて事件は迷宮（めいきゅう）入りということもある。それでも謎にはかならず答えがあるのです。

だから、問いに答えるのがむずかしくても、問いには一つの、そう、たった一つの正しい答えがあると考えることはできる。死後に人はなんらかの形で存在するとか、いや、そんなことはない、とかね。

ところで、古来からの多くの謎は科学が解いてきました。昔は、月の裏側がどうなっているかは大きな謎でした。これは議論したからといって解決できる問題ではなかった。答えはそれぞれのファンタジーにゆだねられていた。けれどもこんにち、わたしたちは月の裏側のありさまを知っています。わたしたちはもう、月に兎が住んでいるとか、月はチーズでできているとか、信じることはできません。

今から二千年以上も前の古代ギリシアの哲学者は、人間が「なんかへんだなあ」と思ったのが哲学の始まりだ、と考えました。人が生きているというのはなんておかしなことだろう、と思ったところから、哲学の問いが生まれた、というのです。

それは手品に似ています。わたしたちは手品を見て、どうしてそんなことになるのか、さっぱりわけがわからない。それであとから、どんなからくりであの手品師は二枚の白い絹のスカーフを生きた兎に変えてしまったのだろう、と首をひねります。

多くの人びとにとって、世界はちょうど、手品師が今の今まで空っぽだったシルクハットからふいに取り出した兎のように、まるでわけがわからない。

兎についてなら、手品師がわたしたちの目をだましているのだ、ということははっきりしています。でも世界となると、話はちょっとちがってくる。わたしたちは、世界はまやかしなんかではないと知っている。なにしろ、わたしたちはこの大地を走りまわっているのだし、わたしたちが世界の一部だからです。つまり、わたしたちがシルクハットから取り出された白兎だというわけです。白兎との違いはただ一つ、兎は自分が手品に一役買っているとは知らない、ということだけです。わたしたちはちがう。わたしたちは、自分たちがなにか謎めいたことがらに参加していると知っていて、すべてはどんな仕組みになっているのかつきとめたいと思うのです。

追伸　白兎は全宇宙になぞらえたほうがいいかもしれない。わたしたち、ここにいるわたしたちは、兎の毛の奥深くでうごめく蚤です。けれども哲学者たちは、大いなる手品師の全貌をまのあたりにしようと、細い毛をつたって這いあがろうとしてきたのでした。

ちょっと面食らったかな？　ソフィー。この続きはまたこんど。

ソフィーはすっかりぼーっとしてしまった。そうよ、面食らっているわ！　こんなに息をつめて何かを読んだことは、これまで一度もなかった。

この手紙をくれたのはだれ？　いったいだれなの？

ヒルデ・ムーレル＝クナーグにバースデイ・カードを送ったのと同じ人、というのはありえない。なぜなら、カードには切手とスタンプがちゃんとあったもの。でもこの茶封筒は、二通の白い封筒と同じように、郵便局をとおさずにじかに郵便箱に入れられていた。

ソフィーは時計を見た。まだ三時十五分前。母が仕事から帰ってくるのは二時間も先だ。

ソフィーはもう一度、郵便箱に走っていった。もっと入っていたりして？

またソフィー宛ての茶封筒が見つかった。ソフィーはあたりを見渡した。だれもいない。森の入り口まで走っていって、道のまんなかであちこちをうかがった。けれども、人っ子一人見つからない。

ふいに森の奥で、小枝がポキッと折れる音がしたように思った。でも気のせいかもしれないし、見に行ってもしかたがない。だれかが立ち去ろうとしていたとしても、追いすがるのはもう無理だった。

ソフィーは玄関をあけて、通学バッグと母にきた手紙を床に置いた。そして自分の部屋に行って、きれいな石がいっぱい入った大きなクッキーの缶から石を床にぶちまけると、二通の大きな封筒を入れた。それから缶をかかえて、もう一度、庭に走っていった。その前にシェレカンに餌をやった。

「シェレカン、ごはんよ、シェレカン!」
ふたたびほら穴に腰をおろしたソフィーは、封を開いて、タイプ書きの手紙を読みはじめた。

おかしなもの

また会いましたね。たぶんもうわかったと思うけど、このささやかな哲学講座はちょうどよい分量ずつ届きます。ついでにもう少し案内をしておきます。

いい哲学者になるためにたった一つ必要なのは、驚くという才能だとは、もう言いましたっけ? まだだったら、ここで言っておくね。いい哲学者になるためにたった一つ必要なのは、驚くという才能だ。

赤ん坊はみんな、この才能をもっています。これははっきりしている。生まれてほんの数カ月で、赤ん坊はま新しい現実へと押し出されます。けれども、大きくなるにつれてこの才能はだんだんとなくなっていくらしい。どうしてそうなるのかな? ソフィー・アムンセンは、この問いに答えられるかな?

まあ、いいでしょう。とにかく、もしも小さな赤ん坊に話ができたら、きっと、なんておかしな世界にきてしまったのだろう、と言うんじゃないかな。なぜならわたしたちも知っているように、話はできなくても、赤ん坊はあたりを指さして、部屋にあるものに興味しんしんでさわるものね。

ことばが出てくると、犬を見たりするたびに立ち止まり、言います。「ワン、ワン!」赤ん坊がベビーカーのなかでピョンピョン飛びはねて腕をふりまわすのを見たことがあるでしょう。「ワンワン、ワンワン!」とね。年上のわたしたちは赤ん坊のはしゃぎようを、ちょっぴりおおげさと感じます。わたしたちはわけ知り顔で、「そう、ワンワンだね」と言います。それから「さあ、もうおりこうさんにお座りしなさい」なんて。わたしたちはそんなにうれしくないのです。犬ならもうとっくに見たことがあるから。

この突拍子もない反応は、子どもが犬とすれちがってもうれしくてわれを忘れるなんてことにならなくなるまで、おそらく数百回はくりかえされます。象でもカバでも同じことです。そして、子どもがちゃんとことばを覚えるずっと前に、あるいは哲学的に考えることを知るずっと前に、世界はなれっこのものになってしまう。

もしもソフィーがわたしの言うことにきょとんとしたとしたら、残念です。

まさかソフィーは、世界をわかりきったものだと思っている人の仲間ではないよね？ これはわたしにとって切実な問題なのです、親愛なるソフィー。だから念のため、哲学講座の本題に入る前に、想像のなかで二つ、体験をしてみましょう。

さあ、想像してみて。ソフィーは森を散歩しています。突然、行く手に小さな宇宙船を見つけます。宇宙船の上には一人の小さな火星人がよじ登って、ソフィーをじっと見おろしている……。

さあ、そんな時、ソフィーなら何を考えるだろう？ まあ、それはどうでもいいとして。でも、自分を異星人みたいに感じたことはない？

ほかの惑星の生物にでくわすなんて、そんなにありそうなことではない。ほかの惑星に生命が存在するかどうかもわからないし。けれども、ソフィーがソフィー自身にでくわす、ということはあるかもしれない。ある晴れた日、ソフィーがソフィー自身をまったく新しく体験してはっとする、ということは。ちょうど森を散歩している時なんかにね。

わたしっておかしなもの、とソフィーは考える。わたしは謎めいた生き物、と……。

ソフィーは、まるで何年もつづいたいばら姫の眠りから目覚めたように感じる。わたしはだれ？ ソフィーはたずねる。ソフィーは、自分が宇宙のある惑星の上をごそごそ動きまわっている、ということは知っている。でも宇宙とはなんだろう？　なんであるのだろう？

もしもソフィーがこんな自分に気がついたなら、ソフィーは自分自身をさっきの火星人と同じくらい謎めいたものとして発見したことになるのです。いえ、宇宙からやってきたものを見てびっくりするほうが、まだましなくらいだ。ソフィーはソフィー自身をとびきりおかしなものとして、とっくりと深く感じるのです。

わたしの話についてきている？　ソフィー。もう一つ想像の体験をしますよ。

ある朝、パパとママと小さなトーマスが、そう、二つか三つの男の子です、キッチンで朝食を食べている。ママが立ちあがり、流し台のほうに行く、するとそう、突然パパが天井近くまでふわっと浮かびあがる。

トーマスはなんて言ったと思う？　たぶんパパを指さして、「パパが飛んでる！」と言うでしょう。もちろんトーマスはびっくりだけど、どうせトーマスはいつもびっくりしています。パパはいろいろおかしなことをするから、ちょっとばかり朝食のテーブルの上を飛ぶなんて、トーマスの目にはべつにたいしたことには映らない。パパは毎日へんてこな機械で髭をそるし、しょっちゅう屋根に登って、テレビのアンテナをあちこちひん曲げる。かと思うと、自動車に首をつっこんで、鴉みたいにまっ黒になって出てくる。

さて、こんどはママの番です。ママはトーマスの声に、何気なくふり返る。ソフィーは、キッチンのテーブルの上を飛びまわるパパを見て、ママがどう反応すると思う？

ママの手からジャムのガラスビンが落ち、ママはびっくり仰天してけたたましく叫びます。パパが椅子に戻ったあと、ひょっとしたらママは医者に診てもらわなければならないかもしれない。（パパがテーブルマナーを守らなかったばっかりに、とんだ大騒ぎだ。）

どうしてトーマスとママの反応はこんなにちがうのかな？　ソフィーはどう思う？

これは「習慣」の問題です。(このことば、メモして!)ママは、人間は飛べないということをとっくに学んでいる。トーマスは学んでいない。トーマスはまだ、この世界では何がありで何がありではないか、よく知らない。

でもソフィー、この世界そのものはどうなっているんだったっけ? こんな世界はありかな? 世界もパパのように宇宙空間にふわふわと漂っているんじゃなかったっけ……。

悲しいことに、わたしたちはおとなになるにつれ、重力の法則になれっこになるだけではない。世界そのものになれっこになってしまうのです。

わたしたちは子どものうちに、この世界に驚く能力を失ってしまうらしい。それによって、わたしたちは大切な何かを失う。哲学者たちは、その何かをもう一度目覚めさせようとします。なぜなら、わたしたちの心のどこかで何かが、生きていることは大きな謎だ、と語りかけているからです。わたしたちは、生きることについて考えるのを学ぶずっと以前から、この語りかけを聞いているのです。

もっとはっきり言いましょう。人はだれでも哲学の問いに向きあいはするけれど、だからといってすべての人が哲学者になるのではありません。ほとんどの人びとは、さまざまな理由から日常にとらわれて、生きることへの驚きを深いところに押しこんでしまう。(人びとは兎の毛の奥深くにもぐりこみ、そこの居心地(いごこち)がよくなって、人生の残りを毛皮のなかで過ごすのです。)

子どもにとって世界は、そして世界にあるすべてのものは驚きを呼びさます「新しいもの」です。おとなはそんな見方はしない。たいていのおとなは、世界を当たり前のこととして受けいれている。だからこそ、哲学者たちはたいへん珍しい例外なのです。哲学者には、世界にすっかりなれっこになるなど、どうしてもできない。男でも女でも、哲学者にとって世界はいつまでたってもわけがわからない。そう、謎だらけで秘密めいている。哲学者と幼い子どもは、大切なところで似た者同士なわけです。哲学者は、一生幼い子どものままでいる例外人間と言えるでしょう。

さあ、親愛なるソフィー、あなたは今、選ばなければならない。ソフィーは、まだ世界に「なれっこ」になっていない子どもかな？　それとも、なれっこになどぜったいにならないと誓って言える哲学者かな？

もしもソフィーがあっさりと首を横にふって、自分は子どもだとも、また哲学者だとも思っていないと言うなら、それはソフィーが、もう世界に驚かされることもないほどに、この世界になれっこになっているのです。だとしたら、危険はもうすぐそこまで迫っている。だからこそ、この哲学講座が届いたのです。わたしは、ほかでもないソフィーが、投げやりで無関心な人びとの仲間であってほしくない。はつらつと生きる人であってほしいのです。

この講座はいっさい無料です。だから、受けないことにしても払い戻しはありません。もしもある日やめたくなっても、ちっともかまわない。郵便箱にわたし宛ての通知を入れるだけでいい。生きた蛙（かえる）とか、まあ、なんでもいいでしょう、あまり郵便屋さんを驚かしたくはないから、なにか緑色のものを入れておいてください。


短いまとめ。白兎は空っぽのシルクハットから引っぱり出されます。とても大きな兎なので、この手品の仕込みには数億年かかります。か細い毛の先っぽに、すべての人の子が生まれるでしょう。だからすべての人の子は、このありえない手品に驚きあきれるでしょう。けれども、人の子たちは大きくなると、どんどん兎の毛の根元のほうへともぐりこむ。そしてそこにうずくまる。そこはあんまり居心地がいいもので、毛皮のか細い毛をもう一度上までよじ登ろうなどという気は起こさない。哲学者たちだけが、ことばと存在のいちばんはしっこまでの危険な旅に果敢（かかん）に乗り出します。なかにはとちゅうで行方不明になってしまう人びともいるけれど、兎の毛にしっかりとしがみついて、ずっと下のほうで白い毛にぬくぬくとうずくまってお腹いっぱい食べたり飲んだりしている人びとに呼びかける哲学者たちもいる。

「みなさーん、わたしたちは空っぽの空間に漂っていますよー！」

けれども、毛の根っこにいるだれ一人、哲学者たちのそんな叫び声には耳をかさない。

「やれやれ、うるさい連中だなあ」と人びとは言います。

そして、さっきの話の続きをします。バター取ってくれる？　きょうの株式市況はどうかな？　このトマトいくらした？　ねえねえ、聞いた？　レディ・ディがまた妊娠したらしいってよ！


夕方、母が帰ってきた時、ソフィーはぼうぜんとしていた。謎の哲学者の手紙を入れた缶はしっかりとほら穴に隠してあった。ソフィーは宿題に向かおうとしたが、さっき読んだことで頭がいっぱいだった。

今まで、こんなにどっさり考えたことなんてなかった！　わたしはもう子どもではない。でも、まだ一人前のおとなでもない。ソフィーは、自分がもう、黒いシルクハットから引き出された世界という兎のふかふかの毛の奥深くにもぐりこもうとしていた、ということがよくわかった。けれども今、あの哲学者がわたしをつれ戻してくれた。彼――それとも彼女？――は、わたしの首根っこをしっかりとつかんで、子どものわたしが遊んでいた毛の先のほうにもう一度つれ出してくれた。そしてわたしはか細い毛の先っぽで、世界をもう一度、まるで初めて見るように見ている。あの哲学者はわたしを救ってくれた。

ソフィーは母をリビングルームにつれてきて、むりやりソファに座らせた。

「ママ、生きているっておかしなことだと思わない？」

母はびっくりしたあまり、とっさに答えが思いつかなかった。いつもなら、母が帰ってくると、ソフィーは宿題に向かっていた。

「そうねえ、たしかに時どきは思うわね」

「時どき? あのさあ、だいたい世界があるって、おかしなことだと思わない?」

「ちょっとソフィー、あなたなんのことを言ってるの?」

「ママにきいてるの。ママは、世界なんてまるでどうってことないと思う?」

「そうね。そうだわね。だいたいはね」

ソフィーは、あの哲学者は正しい、と思った。おとなは世界を当たり前だと思っている。おとなはありきたりの生活といういばら姫の眠りに落ちたきり、ぐっすりと眠りこけている。

「あーあ! ママったら、もう世界がママを驚かすこともないくらい、この世界になれっこになってるのね」

「悪いけど、なに言ってるのかさっぱりわからない」

「この世界になれっこになっちゃってるのねって、言ったの。ほかの言い方だと、どうかしてるってこと」

「そんな口のきき方をするもんじゃありません、ソフィー」

「じゃあ、もっとほかの言い方をする。ママは、たった今黒いシルクハットから引っぱり出された世界っていう兎の毛の奥でぬくぬくとしているの。そしてもうすぐじゃがいもを火にかけようとしているの。そのあと新聞を読んで、三十分こっくりこっくりして、それからテレビのニュースを見るの」

母の顔を心配そうな表情がさっとかすめた。母は本当にキッチンに行って、じゃがいもを火にかけた。そしてすぐにリビングに戻ってくると、こんどは母がソフィーをソファに座らせた。

「ちょっとお話があるの」母は切り出した。その声からソフィーは、なにかまじめな話なのだ、とピンときた。

「あなた、どっかにドラッグを隠してるんじゃない?」

ソフィーは思わず笑ってしまった。でも、こんな質問が飛び出すのも無理はないとも思った。

「おかしなママ！　そんなものやったら、もっとドン臭くなっちゃうじゃない！」

この日はもう、ドラッグのことも白兎のことも話題にならなかった。

神話——いい力と悪い力があやういバランスを

つぎの朝、郵便箱に手紙は入っていなかった。学校の勉強はたいくつで、時間がやたらと長く感じられた。休み時間には、ヨールンにいつも以上にやさしくしようと心がけた。帰り道、二人は、森の雪が解けて地面が乾いたら、キャンプに行く約束をした。

そしてソフィーは、また郵便箱の前に立っていた。ソフィーはまず、メキシコのスタンプのおしてある小さな封筒をあけた。父の手紙だった。父は、みんなの顔が見たい、と書いていた。それから、チェスで一等航海士に初めて勝った、と書いていた。冬に帰宅した時にもっていった二〇キロの本はほとんど読んでしまった、とも。

そして郵便箱にはこのほかにも、表にソフィーの名前が書かれた大きな茶封筒が入っていた！　ソフィーはバッグと郵便物を家のなかに入れると、ほら穴に走っていった。そして、タイプ書きの分厚い紙の束を取り出して、読みはじめた。

神話が描く世界像

ハロー、ソフィー。わたしたちの講座は盛りだくさんです。ですからさっそく始めましょう。

紀元前六〇〇年頃にギリシアで始まった哲学によって、わたしたち人間はまったく新しい考え方を身につけました。それまでは、さまざまな宗教が人間のあらゆる問いに答えていました。宗教によるそうした説明は、世代から世代へ、神話の形で語り伝えられました。

　神話とは、人間たちはなぜこのような生き方をしているのかを説明しようとする、神々の物語です。

　数千年ものあいだ、世界のいたるところで、神話によるそうした説明がまるで花園のように乱れ咲いていました。神話が哲学の問いに答えていたのです。ところがギリシアの哲学者たちが、人間はそういう説明に満足しているわけにはいかない、と言い出した。

　だから、最初の哲学者たちの考え方を理解するためには、神話で世界をとらえるとはどういうことかをつかんでおかなければなりません。例として北欧の神話を取りあげます。ここでの目的のためには、ほかのいろいろな神話にまで目配りすることはありません。

　槌（つち）をもつトールのことは聞いたことがありますね。キリスト教がノルウェイにやってくる前、ここノルウェイの人びとは、トールが二頭の雄山羊（おやぎ）に曳（ひ）かせた車に乗って空を行くと信じていた。トールが槌をふると、稲妻と雷が起こります。ノルウェイ語の雷（トールデン）はもともと「トール・ドゥン」、「トールのとどろき」という意味です。スウェーデン語では雷は「オースカ」、本来は「オース・アカ」ですが、これは「神々の天の道行き」という意味です。

　雷が鳴り稲妻が走ると、雨も降る。ヴァイキング時代の農民にとって、雨は生きていく上で欠かせない、大切なものだった。それでトールはおそるべき神として敬われたのです。

　なぜ雨が降るのかということへの神話の答えは、だから、トールが槌をふるったから、なのでした。そして雨が降ると、畑には穀物が芽吹き、成長しました。

　なぜ畑に植物が生えて実りをもたらすのか、それは結局のところわけがわかりませんでした。けれども農民たちは、これはどうも雨と関係がある、ということは知っていた。それから、雨は雷とつながりがあるらしいということも。そんなわけで、北欧ではトールは最大級の力をもつ神とされたのです。

　トールが重きをおかれたのには、もう一つわけがありました。トールは全世界の秩序の維持ともかかわっていました。

　ヴァイキングたちは、自分たちの世界を島だと考えていました。この島はたえず外からおびやかされています。世界のこの一角を、ヴァイキングたちはミッドガールと名づけました。まんなかにある国、という意味です。ミッドガールにはさらにオスガール、神々の故郷がありました。ミッドガールはウトガール、つまり外の国と接していました。ここには恐ろしいトロールたちが住んでいて、いつも世界を滅ぼそうとたくらんでいる。トロールのような悪の怪物は、ひっくるめて「渾沌（カオス）の勢力」とも呼ばれます。ノルウェイの宗教でもほかのほとんどの文化でも、人びとは、いい力と悪い力があやういバランスを保っている、と感じていました。

　トロールがミッドガールにダメージをあたえる手口の一つに、豊饒（ほうじょう）の女神フレイヤを奪う、というのがありました。フレイヤがいなければ、畑に植物は生えないし、女たちは子どもを産まない。だからなにがなんでも、善い神々がトロールを押さえこんでくれなければ困るのです。

　ここでもトールが主役です。トールの槌は雨を降らせるだけではなく、危険な渾沌の勢力と戦うための武器ともなる。槌をもてばトールには絶大な力がそなわります。たとえば、トールは槌をトロールに投げつけて殺すことができる。それで槌がなくなる心配はない。槌はまるでブーメランのように、いつもトールのもとに帰ってきます。

　これが、自然のバランスはどのように保たれているか、なぜ善と悪はつねに戦いつづけるのかということへの、神話による説明です。哲学者たちが、とうてい受けいれられない、と考えたのがまさにこういう説明だった。

ところで、神話で説明がつけばそれでいいかというと、そんなことはなかった。干ばつや疫病などの禍いにおびやかされると、人間は神々がなんとかしてくれるのを、ただ手をこまねいて待ってはいられませんでした。人間自身、いてもたってもいられなくて悪との闘いに加わった。それは、宗教的なさまざまな営み、つまり儀礼をとりおこなうということでした。

太古のノルウェイにはきわめて重要な宗教的な営みがありました。犠牲です。犠牲を捧げられると、神々はよりいっそう強くなりました。神々に渾沌の勢力をうちひしぐほど強くなってもらうために、人間たちは犠牲を捧げる必要があったのです。捧げられるのは動物で、たとえばトールにはふつう雄山羊が奉納されたようです。オーディンには人間が捧げられることもありました。

ノルウェイのいちばん有名な神話は、『スリュムの歌』というエッダ、北欧の神々の叙事詩に出てきます。こんな物語です。トールが眠っています。目が覚めると、槌がない。トールは怒りのあまり髭をびりびりふるわせ、髪をさかだてた。トールは従神ロキをつれてフレイヤのところへ行き、翼を貸してほしい、と言いました。その翼をつけたロキがユートゥンハイメンまで飛んでいって、トロールがトールの槌を隠していないかどうか調べてくる、というのです。その地でロキはトロールの王、スリュムに出会います。スリュムは得意満面で、その槌なら自分が地の底八マイルのところに埋めた、と言います。そして豊饒の女神、フレイヤを嫁にくれたら槌を返してやる、と。

どういうことだかわかる？　ソフィー。善い神々は、突然とんでもない人質事件に直面したのです。今やトロールたちは、神々のもっとも大切な武器を手中におさめている。これはのっぴきならない事態です。トロールたちは、トールの槌をもっているかぎり、神々と人間の世界にたいして生殺与奪の力を握っている。槌を返してほしければフレイヤをよこせという。けれどもこの交換条件ものめたものではない。もしもあらゆる命を守る豊饒の女神を引き渡してしまえば、畑の緑は枯れ、神々も人間も死んでしまうのだから。にっちもさっちもいかないとはこのことです。ロンドンかパリのまんなかでテロリスト集団が、危険な要求がとおらなければ爆弾に火をつける、と脅迫しているところを想像すれば、きっとわたしの話はわかってもらえるでしょう。

神話はつづきます。ロキはオスガールに帰って、フレイヤに、花嫁衣裳を着るように言いました。これからトロールと結婚式をあげることになっているから、と。いやですよね、そんなの！　フレイヤはかんかんに怒って言います。トロールなどと結婚したら、見境がないと思われる、と。

その時、ヘイムダルという神がいいことを思いついた。トールが花嫁に変装すればいい、髪を結って胸に石ころを縛りつければ女に見える、というのです。もちろんトールは、こんなアイディアに乗り気ではないけれど、結局は神々が槌を取りもどすにはそれしかない、ということになった。トールは花嫁に化け、ロキは付添いの乙女としてトールについていく。「さあ、わたしたち二人の女、トロールどものもとへまいりましょう」とロキは言いました。

現代風に言うなら、トールとロキは神々の「対テロリスト特殊部隊」といったところです。女装した二人は、トールの槌奪還のためにユートゥンハイメンのトロールの城に乗りこんだ。

二人がやってくると、トロールたちはこぞって婚礼のしたくにとりかかっていました。ところが婚礼の宴で、花嫁になりすましたトールは雄牛を丸ごと一頭、それに鮭を八匹、平らげてしまった。そのうえビールを三樽飲んだので、スリュムは、これはあやしい、と思った。対テロリスト特殊部隊は正体を見破られるのか？　危機一髪、ロキが言いつくろった、フレイヤはこの一週間、なにも食べていないのです、なにしろユートゥンハイメンに来るのが楽しみで。

さて、花嫁にキスをしようと、ヴェールをもちあげたスリュムは、トールの恐ろしいまなざしにぶつかって飛びのいた。こんどもロキが助け船を出します。花嫁は輿入れがうれしくて、この一週間、一睡もしていないのです、とね。さてそこでスリュムは槌をもってこさせ、式のあいだ、花嫁の膝にのせておくよう、命令しました。

膝に槌をのせられると、トールは思いきり高笑いした。そして槌でまずはスリュムを、そしてユートゥンハイメンのトロールたちをすべて殺してしまった。こうして、いまわしい人質事件は無事、解決しました。またしてもトール、神々のバットマンあるいはジェームズ・ボンドは悪の勢力に勝ったのでした。

神話はこのように語っています、ソフィー。けれども、神話はわたしたちにいったい何を言おうとしているのだろう？　神話は面白半分につくられたのではありません。この神話も何かを説明しようとしています。ここではこんな解釈が考えられます。

大地が干ばつに見舞われると、人間は、なぜ雨が降らないのか、説明を求めます。トロールがトールの槌を盗んだのではないだろうか、とね。

この神話は、季節の移り変わりを理解しようとしている、とも考えられます。つまり冬、自然が死に絶えるのは、トールの槌がユートゥンハイメンにあるからだが、春には取りもどされる、というわけです。このように神話は、人間たちにはわけのわからないことを説明しようとするのです。

けれども人間は神話で自然を説明しただけではなかった。人間は、神話にちなんださまざまな宗教儀礼をすることによって、自分たちにとって大切な出来事に影響をおよぼそうとした。つまり干ばつや凶作に見舞われると、神話にもとづく芝居をしたと考えられるのです。たぶん、一人の村の男が石をおっぱいにして花嫁に扮装し、トロール役から槌を奪い返したのでしょう。そうすることによって人間は、雨が降り、畑に穀物が実ることを後押ししてきたのです。

自然の営みをうながすために「季節の神話」劇を演じる例は、世界じゅうにたくさんあります。

わたしたちはほんの少し、ノルウェイの神話世界をのぞいてみました。このほかにもトールやオーディン、フレイ、フレイヤ、ホド、バルデルにまつわる神話は、あげていたらきりがありません。このほかさらにたくさんの、じつにたくさんの神々の物語も。哲学者たちが詮索(せんさく)を始めるまでは、そのような神話は世界じゅうにありました。ギリシア人も、最初の哲学が生まれた時、神話的な世界像をもっていました。神々の物語は何百年ものあいだ、世代から世代へと語りつがれていました。ギリシアの神々は、ほんの少しだけ名前をあげれば、ゼウス、アポロン、ヘラ、アテネ、ディオニュソス、アスクレピオス、ヘラクレス、ヘファイストスなどでした。

紀元前七〇〇年頃、ホメロスとヘシオドスがそれぞれにギリシア神話を大きな書物にまとめました。これはまったく新しい状況を招きました。ひとたび神話が文字に書かれると、神話について議論できるようになったのです。

最初のギリシアの哲学者たちはホメロスの神話に批判の目を向けました。そこに描かれた神々はあまりにも人間と似ていたからです。じっさい、神々は自分中心で不道徳で、わたしたちとそっくりです。人類史上初めて、ひょっとしたら神話は人間の空想の産物なのではないか、ということが言われ出したのです。

神話批判をした哲学者に、たとえば紀元前およそ五七〇年に生まれたクセノファネスがいます。人間は自分たちの姿になぞらえて神々を創造した、とクセノファネスは考えました。「人間は神々が自分たちのように、生まれたものであり、服を着たり声や姿をもっていると妄想する……。エチオピア人は、自分たちの神々を肌の黒い、鼻が上を向いたものと想像する。トラキア人は青い目で赤い髪だと想像する……。もしも牛や馬やライオンに手があって、絵を描くことや、人間のように作品をつくることができたなら、馬は馬に、牛は牛に似た神の像を描き、彼らの性格をそなえた神を創造するだろう」

この時代、ギリシア人はギリシア本土や、さらには南イタリアや小アジアといった植民地にも、多くの都市国家(ポリス)をつくりました。都市国家では肉体労働はいっさい奴隷のものとされ、自由市民は政治や文化に専念できました。そうした生活条件のなかで、人間の思考は飛躍をとげました。社会はどのように組織されるべきか、人びとはみずから問いはじめました。同じように、伝えられてきた神話に頼ることをやめて、哲学の問いも立てました。

この時代は、神話的な思考から経験と理性を踏まえた考え方が発展していった時代と言えます。最初のギリシアの哲学者たちが目指したのは、自然の営みの自然にそくした説明でした。

ソフィーはほら穴を出て、広い庭を歩きまわった。学校で習ったことはいったんすっかり忘れてみようとした。とりわけ理科の教科書に書いてあったことを忘れること、これが肝心だった。

もしもこの庭で、自然についてなにも知らないままに大きくなったとしたら、わたしは春をいったいどんなふうに受けとめるかしら?

どうしてある日突然、雨が降り出すのか、わたしは説明のようなものを考え出す?　どうして雪は消えるのかとか、太陽は空に昇るのかとか、自分なりに納得できるような物語をつくる?

そう、そのとおり。気がつくと、ソフィーはこんな物語をつくっていた。

冬は凍える手で大地をつかみました。なぜなら、悪いムリアトが美しいズィキタ姫を冷たい牢屋に閉じこめたからです。けれどもある朝、勇敢なブラヴァト王子がやってきて、姫を助け出しました。ズィキタ姫はよろこんで、冷たい牢屋でつくった歌をうたいながら、草原で踊りはじめました。すると大地と花は心を動かされて、雪を涙に変えました。太陽も空に現れて、涙をすっかり乾かしました。鳥たちはズィキタにつられてうたいました。美しい姫が金色の髪をほどくと、巻き毛が地面に落ちて野の百合の花になりました……。

ソフィーは、わたしの物語、すてき、と思った。もしも季節の移り変わりにほかの説明がなかったら、わたしはきっとこの物語を信じたわ。

ソフィーは、人間はいつも自然の営みを説明したいと思ってきた、ということを理解した。たぶん人間はそういう説明なしには生きていけないのだ。だから、まだ科学がなかった時代には神話を考え出したのだ、と。

自然哲学者たち――無からはなにも生まれない

この日の夕方、母が仕事から帰ってきた時、ソフィーはブランコに座って考えていた。この哲学講座と、父親からバースデイ・カードをもらえないことになるヒルデ・ムーレル＝クナーグという子には、いったいどんな関係があるのだろう?

「ソフィー!」母が声をかけた。「あなたにお手紙よ!」

ソフィーはぎくっとした。郵便ならさっき取った。だから、きっとあの哲学者からきたのだ。ママにはなんて言おう?

ソフィーはのろのろとブランコから立ちあがると、母のほうに歩いていった。

「切手がないわ。ははあ、ラブレターのようですねえ」

ソフィーは手紙を受けとった。

「あら、あけてみないの?」

ここはなんとかごまかさなくては。

「母親が後ろからのぞいてるのに、ラブレターを開く人なんている?」

ママにはラブレターだと思いこんでおいてもらおう。もちろん、ラブレターなんてきまりが悪かった。でも、見ず知らずの哲学者から手紙がくる、しかも哲学者とソフィーは猫と鼠（ねずみ）のような関係で、ソフィーは完全に受け身、むこうが一方的にむずかしい通信教育の教材を送りつけてくるなんてことが知れたらと思うと、なぜかラブレターをもらうよりももっときまりが悪かった。

おなじみの小さな白い封筒だった。ソフィーは自分の部屋に入ると、小さな紙に書かれた三つの問いを読んだ。


あらゆるものをつくっているおおもとの素材はあるか？

水はワインに変われるか？

どうすれば土と水は生きた蛙になれるか？


なんてへんてこな問いだろう、とソフィーは思った。けれどもへんてこな問いはその日、夜眠るまでずっと、ソフィーの頭のなかをぐるぐるまわっていた。つぎの日、学校に行ってからも、三つの問いはかわるがわる浮かんできた。

あらゆるものになる「おおもとの素材」なんてあるのかしら？　でも、もしも全世界のすべてのもののおおもとの素材があるとしたら、その素材はどうやってきんぽうげの花や、それからたとえば象に変わるのだろう？

水はワインに変われるかという問いも、同じようなものだった。イエスが水をワインに変えた話は知っている。でも、わたしはこの話をそのまま信じているわけではない。もしもイエスがほんとに水をワインに変えたなら、それは奇跡よ。本来はありえないことだから奇跡っていうんじゃない？　ワインには、そして自然のほとんどあらゆるものには水がふくまれている、ということなら知っている。でも、きゅうりは九五パーセントが水だけど、きゅうりをきゅうりにしているのは水だけじゃない。

それから蛙のこと。わたしの哲学の先生は、なにかというとすぐ蛙をもちだす。ほんとにおかしなことだけど、先生と蛙はなんかあやしい。蛙が土と水でできているというのは、なんとか受けいれられる。土は一つの物質からできているのではないもの。土がさまざまな物質からできているとすれば、もちろん、土と水とがいっしょになって蛙になる、という言い方もありだ。でも忘れてはならないのは、土と水が蛙の卵とおたまじゃくしという回り道をとおるということ。だって、どんなにきちんと水やりをしても、家庭菜園に蛙は生えないのだから。

この日の午後、ソフィーが学校から帰ってくると、郵便箱にずっしりと重い封筒が入っていた。ソフィーはいつものようにほら穴へ行った。

哲学者たちの研究テーマ

こんにちは、ソフィー！　きょうは白兎とかの回り道をしないで、すぐにレッスンを始めるのがいいと思います。

わたしはこれから、古代から現代まで、人間は哲学の問いをどのように考えてきたかということを、わかりやすく、すべてきちんと順を追って話していくことにします。

ほとんどの哲学者たちはわたしたちとは別の時代、そしてまるで別の文化に生きていました。だから、哲学者一人ひとりの研究テーマを問うことにはけっこう意味があります。つまり、哲学者たちがとくに何について考えていたかをはっきりさせよう、ということです。植物や動物はどのように発生したのか、と考えた哲学者もいるでしょう。また、神は存在するか、あるいは人間には不死の魂があるか、ということを解明しようとした哲学者もいるでしょう。

ある哲学者の研究テーマは何かということがつきとめられれば、彼の思考をたどるのが楽になります。一人の哲学者があらゆる哲学の問いを追いかけるわけではないのですから。

今、彼の思考、と言いました。ある哲学者、と言っておいてね。それは、哲学の歴史もまた男たちによってつくられているからです。はっきり言って、女たちは人類の歴史をつうじて性としても、また考える存在としても抑えつけられてきたからです。これはよくない。そのためにたくさんの貴重な経験が失われてしまった。わたしたちの世紀になって初めて、女たちは本当に哲学の歴史に登場してきました。

わたしは宿題は出しません。少なくともこんぐらがった数学の宿題みたいなのはね。でも、ちょっとした練習問題は時どき出します。

ソフィーがそういう条件でオーケーなら、さあ、始めましょう。

自然哲学者たち

最初のギリシアの哲学者たちは、よく自然哲学者と呼ばれます。それは、彼らがなによりも自然とその営みに関心を寄せたからです。

すべてはどのように生まれたか、という問いはもう立てました。こんにち多くの人びとはだいたいにおいて、すべてはいつかある時、無から生まれた、と信じています。この考え方は、ギリシア人たちにはそれほど一般的ではなかった。なぜかギリシア人たちは、「何か」がつねに存在していた、ということを暗黙の了解にしていました。

すべてがどのように無から生まれたのかということは、だから問題とはならなかった。そのかわりギリシア人たちは、どうして水が生きた魚になるのだろう、命をもたない土が高い木やいろんな色の花になるのだろう、といぶかりました。でも、どうして赤ん坊が母親のお腹に宿るのか、という問いは無視でした！

自然界ではつねに変化が起こっていることを、哲学者たちはその目でしっかりと見ました。では、そういう変化はなぜ起こるのだろう？　なぜ何かある物質がまったく別の何か、たとえば生き物に変わるのだろう？

最初の哲学者たちはこぞって、あらゆる変化の根底にはなにかある「元素」、つまりおおもとの素材がひそんでいる、と信じていました。彼らがなぜこのような発想にたどりついたのかは、よくわかりません。おおもとの素材があって自然界のすべての変化の陰で立ち回っているはずだ、という考え方がだんだんと成熟してきた、ということがわかっているだけです。なにはともあれ、すべてがそこから生まれ、また帰っていく「何か」があるはずだ、とされていたのでした。

わたしたちにいちばん興味があるのは、この最初の哲学者たちがどんな解決にいたったかではありません。彼らがどんな問いを立てたのか、そしてどんな方向に答えを見つけようとしたのか、ということです。わたしたちにとっては、彼らが何を考えたかということよりも、どのように考えたかということのほうが重要なのです。

哲学者たちは自然のなかに飛び出して、目に見える変化について問うたのです。哲学者たちは永遠の自然法則を見つけようとした。自然界の出来事を、語り伝えられた神話に頼らずに理解しようとした。自然そのものを観察することによって、自然の営みを解き明かそうとしたのです。それは稲妻や雷を、冬や春を、神々の世界の出来事に関連づけて納得しようとするのとは似ても似つかない態度でした。

こうして哲学者たちは宗教から自由になりました。自然哲学者たちは科学的な思考法への第一歩を踏み出した、と言えるでしょう。自然哲学者たちはのちのすべての自然科学をスタートさせたのです。

自然哲学者たちが言ったり書いたりしたことはあらかた失われ、後世にはのこされていません。わずかに知られていることは、そのほとんどが、最初の哲学者たちよりも二百年あとに生きたアリストテレスの書物を頼りにしています。しかしアリストテレスがまとめたのは、彼以前の哲学者たちがたどりついた成果だけだった。ということは、哲学者たちがどのような道筋でそういう結論にたっしたのかは、ついに知ることができないわけです。そうは言っても、最初のギリシアの哲学者たちの研究テーマが、自然の変化のなかの元素の解明にかかわっていたことはたしかです。

ミレトスの三人の哲学者

最初の哲学者として知られているのは、小アジアにあったギリシアの植民地、ミレトスのタレス（紀元前およそ六二四—五四六年）です。タレスはたくさん旅をした。なかでも、タレスがエジプトに行ってピラミッドの高さを計った、というエピソードは有名です。タレスは、自分の影の長さが身長とちょうど同じになった時をねらってピラミッドの影を計り、その高さを割り出した。タレスはまた、紀元前五八五年に日食を予測しています。

タレスは、水がすべての起源(アルケー)だと考えました。その考えがくわしくはどのようなものだったのかはわかりません。おそらくタレスは、すべての生命は水から発生する、そして解体すればふたたび水になる、と考えたのでしょう。

エジプトにいたあいだにタレスは、ナイル河の氾濫(はんらん)のあとでデルタ地帯がふたたび姿を現した時、大地がどんなに豊かな実りをもたらしたかを見たのではないでしょうか。たぶん雨のあと、蛙や虫が這い出してくるありさまも。

あるいはタレスが、水はいかにして氷や水蒸気になり、ふたたび水になるのか、と問うたとも考えられます。

タレスは最後に、すべては「神々にみちみちている」と言ったそうです。このことばが何を意味しているのかは、あまりよくわかっていません。たぶんタレスは、黒ぐろとした大地が花や穀物から蜜蜂やゴキブリにいたるまで、すべての命の起源ではないか、と考えたのでしょう。そして、大地は小さな、目に見えない「命の芽」に満ちている、と考えた。とにかく、タレスがホメロスの神々を思い出さなかったことはたしかです。

知られている二人めの哲学者はアナクシマンドロス（紀元前およそ六一〇—五四七年）、やはりミレトスの人です。アナクシマンドロスは、わたしたちの世界は、何かから生まれて何かへと消えていく、たくさんの世界のうちの一つにすぎない、と考えた。この何かを彼は「無限定（アペイロン）」と名づけた。無限定ということばでアナクシマンドロスが何を考えていたのか、これは説明がむずかしい。けれども彼が、タレスの水のような、ある特定の物質を考えてはいなかったということははっきりしている。たぶんアナクシマンドロスは、すべてをつくっている素材は、つくられたものとはまったく異なっているはずだ、と考えたのだろうと思います。すると、すべてのつくられたものはたとえば水なら水、土なら土と限定されているのだから、それ以前にありそれ以後にもあるもの、つまり元素はまさに無限定でなければならないわけです。アナクシマンドロスにとって元素はごくふつうの水などではない、これははっきりしています。

ミレトスの三人めの哲学者はアナクシメネス（紀元前およそ五七〇—五二五年）です。アナクシメネスは、「空気」ないし「息（プネウマ）」があらゆるものの元素だと考えた。

もちろんアナクシメネスはタレスの水の説を知っていた。けれども水はどこからくるのだろう？アナクシメネスは、水は凝縮された空気だと考えました。雨が降る時、大気中の水分がこごって水滴になることなら、わたしたちも知っています。ところがアナクシメネスは、水がもっと凝縮されると土になると考えた。アナクシメネスはおそらく、解けた氷から砂が流れ出るのを見たにちがいありません。同時にアナクシメネスは、火は薄められた空気だと考えた。アナクシメネスの考え方によると、土と水と火は空気から生じたことになります。

土と水から、畑に生える作物までの道のりは、そうたいして長くはありません。おそらくアナクシメネスは、土と空気と火と水は命が生まれるためにある、と考えたのでしょう。それでも出発点は空気です。だからアナクシメネスは、自然界のあらゆる変化の根底には一つの元素があるはずだと考えたことでは、タレスと同じです。

無からはなにも生まれない

ミレトスの三人の哲学者たちはみんな、たった一つの元素からすべてのほかのものがつくられたと信じていました。でも、ある元素はどうしてふいに変化して、まったく別のものになったりするのだろう？　これは変化の問題と呼んでいいでしょう。

紀元前およそ五〇〇年、南イタリアにあったギリシアの植民地エレアに、何人かの哲学者たちがいました。この「エレア学派」がこの変化の問題にとりくんだ。そのうちのもっとも有名な人がパルメニデス（紀元前およそ五四〇―四八〇年）です。

パルメニデスは、今あるすべてはつねに存在していた、と考えた。ギリシア人たちにはおなじみの発想です。パルメニデスも、無からはなにも生まれない、と考えた。そして、存在するものはなにも無にはならない、と。

けれどもパルメニデスは、ほかの人びとよりももう一歩踏みこんだ。パルメニデスは、真の変化などおよそありえない、と考えたのです。変化とは、今あるものがなくなって、今までなかったものが生じることだからです。

もちろんパルメニデスは、自然はたえず変化していることをちゃんと知っていた。パルメニデスは事物が変化するさまを感覚でとらえた。けれどもそのことと理性が語りかけることを調和させられなかった。理性は、変化などない、と言っているのだから。もしも感覚と理性とどちらを信じるか、と迫られたら、パルメニデスは理性をとったでしょう。

わたしたちは「この目で見なければ信じない」という言い方をします。けれどもパルメニデスはそうは思わなかった。彼は、感覚はわたしたちに世界のまやかしの像を伝える、と考えた。その像は、理性が人間に語りかけるものとは相いれない。パルメニデスは、感覚のあらゆる惑(まど)わしから仮面を引きはがすことが哲学者の使命だ、と考えていた。

人間の理性によせるこの強い信念を「合理主義」と言います。合理主義者とは、人間の理性は世界についてのわたしたちの知識の源であるとして、これに大きな信頼をよせる人のことです。

万物は流転する

パルメニデスと同時代に、小アジアのエフェソスにはヘラクレイトス（紀元前およそ五四〇―四八〇年）がいました。ヘラクレイトスは、たえまない変化こそが自然のもともとの性格だ、と考えた。ヘラクレイトスはパルメニデスよりもずっと、感覚が語りかけるものを信頼していたと言っていい。

「すべては流れ去る(パンタ・レイ)」とヘラクレイトスは考えた。すべては動きのなかにある、そしてなに一つ永遠につづくものはない、とね。だからわたしたちは「二度と同じ流れにはひたれない」。なぜなら、わたしが二度めに川の流れにひたった時には、わたしも流れもすでに変わっているのだから。

ヘラクレイトスはまた、世界は対立だらけだ、とも言っている。病気にならなければ、健康とは何か、わかるはずがない。お腹がすかなければ、お腹をいっぱいにする喜びを味わうこともない。冬がこなければ、春の訪れを目にすることもない。

　善も悪も全体のなかに欠かすことのできない居場所をもっている、とヘラクレイトスは考えました。対立するものたちがたえずたわむれていなければ、世界はストップしてしまう、と。

「神は昼であり夜である。冬であり春である。戦(いくさ)であり平和である。空腹であり満腹である」とヘラクレイトスは言います。ヘラクレイトスはここで神ということばを使っているけれど、もちろん神話が語り伝える神々のことではない。ヘラクレイトスにとって神とは、あるいは神のようなものとは世界全体に広がる何かです。そう、ヘラクレイトスの神は、たえず変化する、対立矛盾にみちみちた自然なのです。

　神ということばのかわりに、ヘラクレイトスはよく「ロゴス」というギリシア語を使った。理性という意味です。わたしたち人間はかならずしもいつも同じように考えたり、同じ理性にしたがっているわけではないけれど、世界のすべての現象をコントロールしている「世界の理性」のようなものがあるにちがいない、とヘラクレイトスは考えた。この世界の理性、あるいは「世界の法則」はあらゆるものに共通していて、すべての人間はこれにしたがわなければならない。なのにたいていの人は自己流の理性で生きている、とヘラクレイトスは考えました。ヘラクレイトスは自分の仲間である人間をそれほど高く評価していなかった。たいていの人間のものの見方は、ヘラクレイトスに言わせれば「子どもの遊び」でした。

　ヘラクレイトスは自然のすべての変化と対立のなかに一つの何か、あるいは一つの全体を見ていた。すべての根底に何かがある。この何かを、ヘラクレイトスは神とかロゴスとか名づけたのでした。

四大元素

パルメニデスとヘラクレイトスは、見ようによってはとことん対照的です。パルメニデスの「理性」からすると、なにも変化できないということははっきりしている。しかしヘラクレイトスの「感覚」の経験の立場からすれば、これまたはっきりと、自然のなかではたえず変化が起こっている。二人のうちのどちらが正しいのだろう？　わたしたちは理性が語りかけるものを信頼するべきなのか、それとも感覚か？

パルメニデスもヘラクレイトスも、二つのことを言っています。

パルメニデスは言います。

a　なにも変化することはできない。したがって

b　感覚はあてにならない。

これにたいして、ヘラクレイトスは言います。

a　すべては変化する（「万物は流転する」）。そして

b　感覚はあてになる。

哲学者のあいだのこれほど大きな不一致もないでしょう！　それにしても二人のどちらが正しかったのだろう？　哲学者たちががんじがらめになっていたこの蜘蛛（くも）の巣から抜け出る道をついに見つけたのは、エンペドクレス（紀元前およそ四九四―四三四年）です。エンペドクレスは、パルメニデスもヘラクレイトスも、一つの主張は正しいがもう一つの主張はまちがっていた、と考えた。

エンペドクレスは、このはなはだしい不一致の原因は、二人の哲学者たちが、元素はたった一つだ、ということからほとんど当たり前のように出発したことにある、と考えた。もしも元素がたった一つなら、理性が語ることとわたしたちが感覚によってみてとることのあいだに横たわる溝に、橋を架けることはできません。

もちろん水は魚や蝶にはなれない。水は変われない。何かになることなんてできない。きれいな水はいつまでたってもきれいな水です。だからパルメニデスが、なにも変化しない、と言ったのは正しかった。同時にエンペドクレスは、感覚が語りかけることは信頼するべきだ、ということではヘラクレイトスと同じ意見でした。わたしたちは見るものを信じなければならない。そしてわたしたちが目にするのは、たえまない自然の変化です。

エンペドクレスがたっした見解は、たった一つの元素という考えは捨てるべきだ、というものでした。水も空気も、それだけでは薔薇(ばら)の茂みにもなれなければ蝶にもなれない。だから自然はたった一つの元素からは成り立ちえないのです。

エンペドクレスは、自然にはあわせて四つの元素、あるいは彼が名づけたことばによれば「根(こん)」がある、と確信していました。そして四つの根とは土、空気、火、水だと考えた。

自然のあらゆる変化は、この四つの物質が混ざりあったり、また分離したりすることから生じます。すべてのものは土と空気と火と水からできていて、ただ混ざりあう割合がまちまちなのです。一輪の花が、あるいは一匹の動物が死んだとします。すると四つの物質はふたたびばらばらになる。この変化は目でつぶさに観察できる。けれども、土や空気や火や水はちっとも変わらずそのままだし、どんなに混ざりあってもそのものとしてはまったく変化なしです。だから、すべては変化する、というのも誤りです。根本ではなに一つ変わらないのだから。起こっているのは、四つのさまざまな元素が混ざったり、ふたたび混ざりあうためにまた分かれたりする、ただそれだけのことなのです。

これは絵にたとえることができるでしょう。画家がたとえば赤とか、たった一色しか絵の具をもってないとします。すると緑の木は描けない。けれども、黄色も赤も青も黒ももっていたとする。そうすれば何百というさまざまな色づかいで描くことができる。なぜなら、画家は絵の具をさまざまな割合で混ぜあわせるからです。

台所からも同じような例を引いてきましょう。もしも小麦粉しかなかったら、これだけでケーキを焼くには魔法でも使わなければならないでしょう。けれども卵も小麦粉もミルクも砂糖もあれば、この四種類の材料でいろいろなケーキを焼くことができます。

エンペドクレスは行き当たりばったりに土、空気、火、水を自然の根としたのではありません。彼以前の哲学者たちが、元素とは何か、水だ、空気だ、いや火だと、証明しようとしていた。タレスとアナクシメネスは、水と空気が自然の重要な要素だ、と主張した。ギリシア人たちは、火も重要だと考えていた。たとえば太陽は自然のあらゆる生命にとって重要だと考えられていたし、人間や動物には体温があることももちろん知られていた。

たぶん、エンペドクレスは一本の木切れが燃えるのを見たのではないでしょうか。ものが燃えるとは、まさに解体が起こっているということです。木切れのなかで何かがパチパチはぜ、ジージーいっている。それらの音の主(ぬし)は水です。何かが煙になる。それは空気です。もちろん炎も見えます。そして炎が消えると何かが残る。それは灰、つまり土です。

エンペドクレスによれば、自然の変化は四つの根が混ざったり分かれたりすることによって生じる、ということになるけれど、ここで一つ、まだ問題が残ります。新しい命が生まれるために物質が結合するには、どんな原因があるのか？　それから、たとえば一輪の花のような混合物がふたたび解体するには、どんな力がはたらいているのか？

エンペドクレスは、自然には二つの異なる力がはたらいている、と考えた。そしてこの二つの力を

「愛」と「憎しみ」と名づけた。ものを結びあわせるのが愛で、ばらばらにするのが憎しみです。

このように、エンペドクレスは物質と力を区別した。これは押さえておいて損はありません。今でも科学は元素と自然力を分けている。近代科学は、あらゆる自然の過程はさまざまな元素といくつかの自然力の共演として説明がつく、としています。

エンペドクレスはまた、わたしたちが何かを感じる時にはいったい何が起こっているのか、という問題にもとりくみました。どのようななりゆきで、わたしはたとえば花を見ることができるのだろう？ そんなことをソフィーは考えたことがある？ もしもまだだったら、さあ、今考えてみて。

エンペドクレスは、わたしたちの目は自然のあらゆるものと同じように、土と空気と火と水でできている、と考えた。だから、わたしたちの目のなかの土が、見られるもののうちの土からなる部分をとらえ、空気は空気からなる部分を、火は火からなる部分を、水は水からなる部分をとらえるのです。目がこれらの物質の一つでも欠いていると、わたしたちは自然全体を見ることはできないというわけです。

あらゆるものにはあらゆるものが少しはふくまれている

たとえば水のような一つの特定の元素が、わたしたちが自然のなかに見るあらゆるものに形を変えることができる、という考え方に満足しなかったもう一人の哲学者がアナクサゴラス（紀元前五〇〇—四二八年）です。アナクサゴラスは、土や空気や火や水が血や骨や皮膚や髪の毛になる、という考え方すら受けいれなかった。

アナクサゴラスは、自然はたくさんのちっぽけな部分が組みあわさってできていて、その小さな部分は目には見えない、と考えた。すべてはどんどん小さな部分に分けられるけれど、もっとも小さな部分にもすべての要素がなにがしかひそんでいる、というのです。そして、皮膚や髪の毛以外のものからは生じないのだから、わたしたちが飲むミルクや、わたしたちが食べる食べ物にも、はじめから皮膚や髪の毛が入っているのでなければならない、とアナクサゴラスは考えたのです。

アナクサゴラスの考えがなるほどと思えるような例を、現代から二つ、引いてみましょう。こんにちのレーザー技術によって、わたしたちは「ホログラム」をつくることができる。ホログラムって、ちょっと不思議なんだけど、たとえば自動車のホログラムがあったとして、これがばらばらにされてバンパーの部分しかなくなったとしても、そこに光をあてると、やっぱり自動車の全体像が浮かびあがります。それは、どんな小さな断片にも全体像が組みこまれているからです。

基本的にはわたしたちの身体もそのように組み立てられています。もしもわたしが指から皮膚細胞を一つ、ひっかいて取ったとします。その細胞核にはわたしの皮膚にまつわる情報がおさまっているだけではない。この細胞にはまた、わたしの目、わたしの髪の毛の色、指やそのほかの部分の数や外見についての情報も書きこまれている。体細胞の一つひとつには、わたしの身体のほかのすべての細胞の構造についてのおびただしい情報が入っている。すべての細胞一つひとつには、したがって、あらゆるものがなにがしかふくまれている、というわけです。全体はごく小さな部分に宿るのです。

アナクサゴラスはこの、あらゆるものをふくんでいるきわめて小さな部分を「種子」あるいは「芽」と呼びました。

エンペドクレスは、愛が部分を全体へとつなぎあわせる、と言ったのでしたね。アナクサゴラスも、いわば秩序をつかさどり、人間や動物や花や木をつくる、ある種の力を想定した。この力をアナクサゴラスは「理性(ヌース)」と名づけた。

アナクサゴラスについては、ほかにもいろいろ面白いことがあります。というのは、彼はアテナイの哲学者第一号で、その生涯について少しは知られているからです。アナクサゴラスは小アジアの出身で、四十歳くらいの時にアテナイにやってきた。ところが神を敬わないという罪で訴えられ、この都市から追い出された。罪状はいろいろあるけれど、とりわけアナクサゴラスが、太陽は神ではない、まっ赤に燃える火の玉で、ペロポネソス半島よりも大きい、と主張したからです。

アナクサゴラスは天文学にたいへん興味をもっていた。そして、すべての天体は地球と同じ物質でできている、と考えた。隕石を調べて、そう確信したのです。だからアナクサゴラスは、ほかの惑星にも人間がいるかもしれない、と考えた。それから、月そのものが輝いているのではない、月は地球から光を受けとっているのだ、といった説明もしています。さらには、どうして日食が起こるかということまで解明したのです。

追伸　いっしょけんめい読んでくれてありがとう、ソフィー。すっかり飲みこむまでには、この章をもう二度か三度、読み返さなくてはならないかもしれませんね。でもなにごとも理解するにはちょっとした努力という元手（もとで）が必要です。なんの努力もしないのになんでもできてしまう友だちなんて、心からたたえる気持にはならないでしょう？

自然界の元素と変化の問いへのいちばんすてきな答えは、あしたまでおあずけです。あしたはデモクリトスについてです。それ以上は、今はヒミツです！

ソフィーはほら穴のなかに座ったまま、のぞき穴から外をながめた。そして、今読んだことをすべて、頭のなかで整理しようと思った。

ただの水は氷や水蒸気以外のものには変わらないなんて、当たり前じゃないの。水（ウォーター）は西瓜（ウォーターメロン）にはならない。だって西瓜は、水だけじゃなくてもっとほかのものからもできているのだから。でもこれが当たり前なのは、わたしがそう教わったからよ。もしもこういうことを勉強したことがなかったら、たとえば氷は水だけからできているなんてことが当たり前だろうか？　習わなければどうしたって、水が凍って氷になるところや氷が解けるところを、自分で観察しなければならないだろう。

ソフィーはもう一度、どこかで学んだ知識をあてはめないで自分で考えてみようとした。

パルメニデスはどんな変化も認めなかった。ソフィーは、考えれば考えるほど、見方によってはパルメニデスは正しかった、と思えてきた。パルメニデスの理性は、何かが突然まるでちがう何かになるなんてことを受けいれなかった。なんて大胆な人だろう。だってそうするには、だれの目にも見えている自然のすべての変化を否定しなければならないのだから。パルメニデスはさんざん笑われたにちがいない。

エンペドクレスもすごくいい線いってる。世界はたった一つの元素ではなくて、たくさんの元素からできているはずだ、と説明したのだから。そう考えて初めて、何かがぜんぜん変わらなくても、自然はどんなふうにでも変われることになるのだから。

この昔のギリシアの哲学者は、理性だけをはたらかせてそういうことをつきとめた。もちろん自然は観察したけれど、でも今の科学者のように化学分析なんて手は使えなかった。

すべては土と空気と火と水でできているって、わたしはとっくりと納得できただろうか？　よくわからない。でもとにかく、エンペドクレスの考え方は正しかったのだ。

わたしたちの目に映るすべての変化を矛盾なく受けいれるたった一つの道は、たった一つではなくてたくさんの元素があると考えることなのだ。

ソフィーは、哲学がものすごくスリリングになってきた。なぜなら、自分の頭であらゆる考え方を追ってみることができるから。しかもなにも暗記しなくていいのだ。学校の勉強とは大違い。哲学を勉強することはできない。でもたぶん、哲学的に考えることは学べるのだ、とソフィーは考えた。

デモクリトス——世界一、超天才的なおもちゃ

ソフィーは、未知の哲学者からきたタイプ書きの手紙がごっそり入ったクッキーの缶を閉じた。そしてほら穴から這い出ると、しばらくたたずんで庭をながめていた。突然、きのうの出来事がよみがえった。けさの朝食の時、母がまたラブレターのことでソフィーを冷やかしたのだ。もうあんなことはこりごり。ソフィーは郵便箱に走っていった。二日もたてつづけにラブレターをもらったことにでもなったら、それこそ目もあてられない。

すると、ああ、やっぱり！　小さな白い封筒が入っていた。ソフィーは、この文通のやり方がなんとなくわかってきた。毎日午後、郵便箱には大きな茶封筒が入っている。そしてソフィーがそれを読んでいるあいだに、哲学者は小さな白い封筒をもって、こっそりと郵便箱に近づくのだ。

ということは、彼のしっぽをつかむのは簡単だ。それとも彼女かな？　ソフィーの部屋の窓からは郵便箱がよく見えた。謎の哲学者の正体はきっとつきとめられる。だって、白い封筒がひとりでに郵便箱に入っているわけはないもの。

あしたは金曜日、週末がひかえている。ソフィーは、あしたはしっかり見張りをすることに決めた。ソフィーは自分の部屋に行って、封筒をあけた。きょうは紙切れに問いがたった一つ。けれどもきのうの「ラブレター」の三つの問いよりも、もっとへんてこな問いだった。

なぜレゴは世界一、超天才的なおもちゃなのか？

ソフィーは、レゴが世界一、超天才的なおもちゃかどうかなんて、今の今まで考えたこともなかった。最後にレゴで遊んだのは、もう何年前になるだろう？　それにだいいち、レゴがどうして哲学と関係あるのか、さっぱりわからない。

けれどもソフィーはいい生徒だった。戸棚のいちばん上の段をひっかきまわし、やっとのことでプラスチックの袋に入ったいろいろな大きさや形のレゴを見つけた。

ソフィーは本当にひさしぶりに、小さなプラスチックのブロックで何かをつくってみた。そのうちに、思いはいつしかレゴをめぐっていた。

レゴで何かをつくるのは簡単ね、とソフィーは思った。いろんな大きさや形をしているけれど、どのレゴもほかのレゴとくっつくようになっている。それに、ちっとやそっとではこわれない。こわれたレゴなんて、見たことないんじゃないかな。レゴはどれもみんな、何年も前にもらった時そのままに新品同様だ。そしてなによりも、レゴだとどんな形でもつくれるし、またばらばらにしてぜんぜんちがうものをつくることだってできる。

なるほど、これは文句のつけようがない。レゴは世界一、超天才的なおもちゃと呼ばれるだけのことはある、とソフィーは思った。

けれどもそれが哲学とどう関係するのかは、まだちんぷんかんぷんだった。

いつのまにか、大きな人形の家ができていた。認めたくはないけれど、こんなに面白いことはずっとしてなかった。人はどうして遊ばなくなるのかしら？

母は、帰ってきてソフィーの人形の家を見ると、ぷっと吹き出した。

「あらまあ、そんなもので遊んじゃって、小さい子みたい」

「ちがうわ！　むずかしい哲学の問題をやってるのよ」

母はふうっと深いため息をついた。巨大な兎とシルクハットのことが頭をかすめた。

つぎの日、ソフィーが学校から帰ってくると、またしても新しいテキストがどっさり入った大きな茶封筒が届いていた。ソフィーは封筒をもって部屋に行った。今すぐ読んでしまおう。でも、きょうは読むだけではなくて、読みながら郵便箱も見張っているつもりだった。

原子論

やあ、ソフィー。きょうは最後の偉大な自然哲学者の話をしましょう。彼はデモクリトス（紀元前およそ四六〇―三七〇年）といって、エーゲ諸島の北のほう、アブデラという港町に生まれました。もしもうレゴについての答えを見つけているなら、この哲学者の研究テーマを理解するのはそんなにやっかいではありません。

デモクリトスは、自然界に見られる変化は何かが本当に変化したのではない、と考えたところまでは、今まで見てきた哲学者たちと同じでした。デモクリトスは、すべては目に見えないほど小さなブロックが組みあわさってできていて、そのブロックの一つひとつは永遠に変わらないにちがいない、と考えた。そしてこのいちばん小さなブロックを「原子（アトム）」と名づけた。

「アトム」とは、「分割できない」という意味です。デモクリトスの考え方のポイントは、組みあわさってすべてを形づくっている何かは、もっと小さな部分には分けられない、ということでした。そう、もしも原子がどんどんどんすり減らされて、どこまでも小さな部分に分けられるならば、自然はどんどん薄められるスープのように、だんだん溶けていってしまう。

さらに、自然界のブロックは永遠に存在しているのでなくてはならない。なぜなら無からはなにも生まれないのだから。この点、デモクリトスはパルメニデスやエレア学派と同じ意見です。そしてデモクリトスは、すべての原子は固くて頑丈だと考えた。けれども、すべての原子が同じ形をしているのではない。だって、すべての原子が同じ形なら、原子がけしの花やオリーブの木から山羊の毛や人間の髪の毛まで、ありとあらゆるものになるということがつごうよく説明できない。

自然界には無限に多様な原子がある、とデモクリトスは考えました。原子の多くは丸くてすべすべしているけれど、でこぼこの形のもある。そんなふうにまちまちな形をしているからこそ、原子は組みあわさって、それこそさまざまな形をつくるのです。とはいえ、どれだけいろんな原子があるのか、ということはこの際どうでもよろしい。原子はすべて永遠で、変化せず、分けられない、ということが肝心なのです。

木とか動物とかの生き物が死んで分解すると、原子はちりぢりになって、また新たに別の生き物の体に使われることが可能です。なぜなら、原子はそのへんを動きまわっているけれど、原子にはさまざまな凸(でこ)や凹(ぼこ)があるので、またひっかかりあってわたしたちの周りにあるものへと組みあがるからです。

さあこれで、わたしがレゴで言いたかったことがわかったかな? レゴには、デモクリトスが原子について述べたほとんどすべての性格がそなわっているので、うまいことといろんなものがつくれるのです。まず第一に、レゴは分けられない。大きさも形もまちまちです。また、頑丈で穴なんかあきません。しかもレゴには凸や凹がある。その凸や凹でくっつきあって、ありとあらゆる形をつくれる。そうやってつくったものは、あとでばらばらにできる。そしてまた新しいものを、さっきと同じレゴを使ってつくれるのです。

レゴの人気は、こんなふうに何度でもつくりかえができるところにあります。この一個のレゴは、きょうは自動車に使われたかと思うと、あしたはお城の一部です。しかもレゴは頑丈で、永遠と言ってもいいくらいです。お父さんやお母さんが小さい頃に使ったレゴで子どもが遊ぶということだって、あってもおかしくはない。

粘土でも形はつくれます。けれども、粘土だとくりかえしがきかない。粘土でつくって乾かしたものは小さな部分に砕けはします。でも、砕けた粘土の小さな破片は、もう一度新しい形へとくっつけあわせることはできません。

こんにち、デモクリトスの原子論は正しいと考えられています。自然はじつにさまざまな原子が、ほかの原子と手をつなぎあったり、また離れたりすることによって形づくられています。今わたしの鼻の先っぽの細胞にある水素原子は、かつては象の鼻にありました。わたしの心臓の筋肉の炭素原子は、大昔、ディノザウルスのしっぽにありました。

現代の科学は、原子はもっと小さな素粒子に分割される、と言っています。そのような素粒子は陽子、中性子、電子と呼ばれている。そしてたぶん、これらはもっともっと小さな部分に分けることができるそうです。けれども物理学者たちは、分割のどん詰まりはどこかにある、ということでは一致している。自然を組み立てているもっとも小さな部分はあるにちがいない、とね。

デモクリトスは、わたしたちの時代のエレクトロニクス装置など使うわけにはいかなかった。デモクリトスのたった一つの道具は自分の理性でした。けれどもデモクリトスの理性はほかの筋道をたどることを許さなかった。わたしたちは初めに、なにも変わることはできない、無からはなにも生まれない、なにもなくならない、ということを確認しましたね。だとすれば自然は、組みあわさったり、またばらばらになったりするちっぽけな構成ブロックから成り立っている、と考えるほかないのです。

デモクリトスは、自然のなりゆきにはたらきかける力や精神的なものを思い描きませんでした。あるのはただ原子と空っぽの空間だけだと考えた。彼は物質（マテリアル）しか信じていなかった。それで、デモクリトスは「唯物論者（マテリアリスト）」と呼ばれています。

原子の動きの背後には、したがってどんな意図もありません。けれどもそれは、すべては偶然に起こるということではありません。すべては自然の不変の法則にしたがっているのです。デモクリトスは、すべての出来事には自然な原因があると信じていた。原因は出来事の世界、つまり自然そのもののなかにある、とね。ある時デモクリトスは、ペルシアの王になるよりも自然の法則を発見したい、と言ったそうです。

原子論はわたしたちの感覚も説明してくれる、とデモクリトスは考えました。わたしたちが何かを感じるのは、空っぽの空間でアトムが運動するからです。わたしが月を見るとは、月の原子がわたしの目と出会うということなのです。

それにしても意識ってなんだろう？　これは原子、つまり物質でできてはいないのでは？　ところがデモクリトスは、魂は魂専用の丸っこくてすべすべした「魂の原子」がいくつも集まってできている、と考えた。人間が死ぬと、魂の原子はぐるぐると輪を描きながら四方八方に飛び散る。そして、ちょうど形づくられようとしている新しい魂に流れこむ。

つまり、人間は不死の魂なんかもってない、ということです。これも、こんにち多くの人びとが受けいれている考え方です。現代の人びとはデモクリトスのように、魂は脳に関係していて、脳のはたらきが停止してしまったらわたしたちはもうどんな意識も保ってはいられない、と信じています。

原子論によってデモクリトスは、ギリシアの自然哲学にいちおうのピリオドを打ちました。デモクリトスは、自然界のすべては「流れ去る」ということではヘラクレイトスに賛成でした。なぜなら、形はやってきて、また去っていくからです。けれども流れ去るすべてのものの背後には永遠で不変の何かがあって、それは流れ去らない。それをデモクリトスは原子と言ったのです。

読みながら、ソフィーはしょっちゅう窓の外に目を走らせた。そして、謎の手紙の主が郵便箱のところに現れたらしっかり見届けよう、と思っていた。今も読み終えたことをいっしんに考えながら、まだ道に目をこらしていた。

デモクリトスの考えの筋道はすごくすっきりしている。なんていいところに目をつけたのだろう、信じられないくらいよ。デモクリトスは元素と変化の問題を解いてしまった。これはすごくこんぐらがった問いだったから、哲学者たちは何世代も何世代も、ずっと考えてきたのだ。なのに最後にデモクリトスがただ頭だけをはたらかせて、問題をそっくり解決してしまった。

ソフィーは思わずにっこりしてしまいそうだった。自然はけっして変わらないちっぽけな部分が組みあわさってできているというのは、きっとそのとおりにちがいない。それからヘラクレイトスも、自然のすべての形あるものは「流れ去る」ということではもちろん正しかった。だって人間も動物もみんな死ぬんだし、山もゆっくりと形を変える。でも大切なのは、山だって小さな、分けられない部分でできているということ。その部分はぜったいにこわれないということ。

デモクリトスは新しい問いも投げかけていた。たとえば、すべては機械のように動いていくと考えて、この世界の後ろに精神の力なんてまるで認めなかった――エンペドクレスやアナクサゴラスのようにはね。それからデモクリトスは、人間に不死の魂があるなんてことも信じなかった。

こういうことまでデモクリトスは正しいと言えるのかしら?

ソフィーはよくわからなかった。けれども、ソフィーの哲学講座は今始まったばかりだ。

運命——占い師は、本来意味のないものから何かを読みとろうとする

デモクリトスについて読みながら、ソフィーは庭の門にじっと目をこらしていたのだった。でも念のために、郵便箱まで行ってみることにした。

玄関をあけると、外の階段の上に小さな封筒があった。宛名は、そう、「ソフィー・アムンセン様」だった。

はぐらかされた！　よりによってきょう、ソフィーが郵便箱をしっかりと見張っていた日にかぎって、謎の哲学者は別の方向からソフィーの家に近づいた。そして手紙をぽんと階段に置いて、森に消えた。くやしい！

わたしが、きょうは郵便箱を見張っていようと決めたことが、どうしてわかったのだろう？　彼(それとも彼女)は、窓辺のわたしを見ていた？　とにかく、ママが帰ってくる前に封筒を見つけてよかった。

ソフィーは部屋にとって返して、手紙をあけた。白い封筒は縁がちょっと湿っぽかった。そのうえ、くっきりとしたギザギザがいくつかついている。これはどういうこと？　ここ何日か、雨は降らなかった。

紙切れにはこう書いてあった。

あなたは運命を信じる？
病気は神々の罰？
どんな力が歴史の流れをコントロールしている？

運命を信じるかですって？　ううん、どっちかというと信じない。でも、運命を信じている人も多いことは知っている。たとえばクラスには、雑誌の星占いを読む子がたくさんいる。あの子たちが占星術を信じるのなら、運命も信じていることになる。なぜなら占星術師は、空の星の位置が地上の人間の生活について何かを告げると信じているのだから。

黒猫が行く手を横切ったら幸先が悪いと信じるとしたら――そうね、この人も運命を信じているわけかな？　それから、どうして十三日の金曜日は縁起が悪いのだろう？　どうして、たとえば魔除けのおまじないに、木でできたものにさわるのだろう？　十三号室のないホテルがたくさんあるという話を聞いたことがある。たぶん迷信っぽい人がたくさんいるからなのだ。

迷信っておかしなことばじゃない？　神さまを信じるのはただの信じるということ。でも占星術や十三日の金曜日を信じると、即、迷信になってしまう！

ほかの人が信じていることを迷信と決めつける権利なんてあるのだろうか？

だけどデモクリトスは運命を信じなかった。これだけはたしかだ。デモクリトスは唯物論者だった。原子と空っぽの空間しか信じていなかった。

ソフィーはほかの問いについても考えてみた。

「病気は神々の罰？」今どきそんなことを信じている人なんて、もう一人もいないんじゃない？　でも、健康になりますようにって神さまに祈る人はいくらでもいる。だったらその人たちは、だれが病気になってだれが健康になるかという問題には、神がかかわっていると信じていることになる。

最後の問題はいちばんやっかいだった。ソフィーは、どんな力が歴史の流れをコントロールしているかなんて、これまで考えたこともなかった。でも、それは人間なんじゃない？　もしも神か、それとも運命だとしたら、もともと人間は自由な意志なんてもってないということになる。

自由な意志について考えているうちに、ソフィーは意外なことを思いついた。謎の哲学者が一方的にしかけてくるこのゲームを、わたしはなぜ受けて立たなければならないの？　わたしのほうから手紙を書いてはいけないなんてことがある？　彼だか彼女だかは、きっと今夜のうちかそれともあしたの午前中に、つぎの手紙を郵便箱に入れに来るはずだ。だったら、わたしも哲学の先生に手紙を書こう。

ソフィーはすぐに手紙にとりかかった。書きはじめて気がついたのだが、まだ会ったことのない人への手紙はとても書きにくい。だいたい、相手が男の人なのか、女の人なのかもわからない。お年の人なのか、若い人なのかも。しかも向こうはソフィーのことを知っているのだ。

ほどなくソフィーは手紙を書きあげた。

《拝啓　哲学者様

ご親切な哲学通信講座、たいへんありがたく思っています。けれども、あなたがどなたなのかわからないので、とほうにくれてもいます。ですから、どうかお名前を明かして、姿をお見せくださるよう、お願いします。そのお返しに、こちらでコーヒーをさしあげたく、心よりお待ちもうしております。でも、母が家にいない時のほうがよろしいかと思います。母は月曜日から金曜日まで、七時半から五時までは仕事にでかけます。それらの日はわたしも学校に行きますが、木曜日以外はいつも二時十五分には家に帰ってきます。申し添えますと、わたしはコーヒーをいれるのがじょうずです。では。

感謝をこめて
くれぐれもよろしく
あなたの忠実な生徒　ソフィー・アムンセン　十四歳》
そして便箋(びんせん)のいちばん下のほうに、「お返事をお待ちしています」と書いた。
ソフィーは、なんてかたくるしい手紙だろう、と思った。でも、顔も知らない人に軽がるしいことばで語りかけるのは、まずいような気がした。
ソフィーは手紙をローズピンクの封筒に入れて、封をした。表書きは「哲学者様へ！」とした。
問題は、ママに見つからないようにどうやってこの手紙を郵便箱に入れるかだ。入れるのはママが帰ってからにしなければ。それから、あしたはうんと早く、新聞がくるよりも前に郵便箱をあらためないと。夕方か夜につぎの手紙がこなかったら、ローズピンクの封筒をまた取りもどしておかなければならないから。
どうしてなにもかも、こんなにめんどうくさいの？

その日は金曜日だったのに、夜、ソフィーは早目に部屋にひっこんだ。母は、ピザがあるし、テレビで探偵物をやるから、もっとリビングにいればいいのに、と誘った。けれどソフィーは、疲れているからベッドで本でも読む、と言った。母がスクリーンに見入っているあいだに、ソフィーは手紙をもってこっそりと郵便箱に行った。
ママが心配そうにしている。巨大な兎とシルクハットの話をしてからというもの、わたしへのことばづかいがすっかり変わってしまった。ママには心配をかけたくないけれど、郵便箱を見張るには、今はどうしても部屋にいなければならないの。

十一時頃、母が行ってみると、ソフィーは窓辺に座ってじっと道を見おろしていた。

「郵便箱を見てるの?」母がたずねた。

「そうよ、なんで?」

「あなた、恋をしているのね、ソフィー。でもね、もしもまた彼がお手紙をくれるとしても、こんな真夜中にはもってこないわ」

あーあ! こんなくだらない恋のお話、まったくいやになる。そうは言っても、ママにはどうしてもそう信じていてもらわなければ。

母はつづけた。

「兎とシルクハットのことは、彼が言ったの?」

ソフィーはこくんとうなずいた。

「あなたの彼って……ドラッグをやってるんじゃないでしょうね?」

ここまでくると、ソフィーは情けなくなってしまった。ママがそんなことを心配しているの、もう見ていられない。でも、ドラッグがどうのこうのなんていう突拍子もない思いつき、ばかばかしいったらありゃしない。おとなって、ほんとに時どきどうかしちゃうんだから。

ソフィーは向きなおって、言った。

「ママ、今ここではっきりと約束するわ。わたしはぜったいにそんなもの、やってみようとは思わない……。それに、『彼』もドラッグなんかやってないわ。彼は哲学にすごくくわしいの」

「あなたよりも年上?」

ソフィーは首を横にふった。

「同い年?」

ソフィーはうなずいた。

「きっと、とってもすてきな子なんでしょうね。でも、もう寝る時間よ」

けれどもソフィーはずっとそこに座ったきり、通りに目をこらしていた。一時頃、ソフィーはたまらなく眠くなった。どんなに目をあけていようと思っても、まぶたがひとりでに下りてきてしまう。もうベッドに入ろう、と思いかけた時だった。ソフィーは、森からやってくる影を見た。

外はほとんどまっ暗だったが、人間の形を見分けるくらいの明るさはあった。男の人だ。けっこう年とってる、とソフィーは思った。とにかく同い年ではない！　頭にはベレー帽かなにかをかぶっている。

男の人は、一度、家を見あげたようだった。けれどソフィーは明かりを消しておいた。男の人は郵便箱に近づくと、大きな封筒を入れた。封筒から手を離したとたん、ソフィーの手紙を見つけた。そして郵便箱に手を入れて、手紙を取り出した。つぎの瞬間、男の人はもう森に向かっていた。森の径(こみち)を歩いて行って——そして消えた。

ソフィーの心臓はドッキンドッキンと打っていた。できることなら、パジャマのままあとを追いかけて行きたかった。でも、だめだめ、そんなことする勇気はない。真夜中に見ず知らずの男の人のあとを追いかけるなんて。でも、あの封筒はどうしても取りに行かなければ。それだけははっきりしていた。

少したってから、ソフィーはそっと下に降りてきた。用心しいしい玄関をあけて、郵便箱に行った。そしてほどなく、大きな封筒をかかえて部屋に戻ってきた。ソフィーはベッドに腰かけて息をこらした。何分か過ぎても、家のなかではなに一つ動く気配がない。ソフィーは封筒をあけて読みはじめた。

運命

またまたこんにちは、親愛なるソフィー！

念のために言っておきますが、わたしのことをいろいろ探ろうとしてはだめですよ。わたしたちはいずれ会うでしょう。でも、その時と場所はわたしが決めます。

これは前に言っておいたはずです。ソフィーはわたしの言うことをきいてくれますね？

哲学の話に戻りましょう。ここまでで、自然の変化をどうやったら説明できるか、いろんな人が挑戦してきたようすを見てきました。それ以前には、そういう変化は神話で説明されていたのでした。

けれどもまだほかの分野でも、古い迷信はなんとしてもお払い箱にする必要があった。それは病気と健康にまつわる、また政治にまつわる迷信です。この二つの分野では、ギリシア人は運命をかたく信じていた。

運命論とは、これから起こることはあらかじめ定められている、と信じることです。このような考え方は世界じゅうにある。また、いつの時代にもあった。今でもね。ここ北欧では、たとえば古いアイスランドの神話をまとめたエッダに運命への強い信仰がみてとれます。

ギリシア人もそのほかの民族も、人間はさまざまな神託によってみずからの運命をかいま見ることができる、と考えた。人間や国の運命はさまざまな特別な方法で予告されるので、そういう兆(きざし)から読みとることができる、と。

今でもカード占いや、手相見や、占星術を信じる人はたくさんいます。

コーヒー占いはおなじみです。コーヒーを飲み干すと、カップにコーヒーの滓(かす)が残っていることがある。滓はたぶん、なにかの形や模様になっている。まあ、ちょっと想像力をはたらかせればそういうふうにも見える。もしも残り滓が車のように見えたら、そのコーヒーを飲んだ人はもうすぐかなり長い時間、車に乗ることになる、とかね。

占い師は、本来意味のないものから何かを読みとろうとする。これはあらゆる占い術にあてはまる。占いのもとになるものはひどくあいまいです。だからこそたいていのばあい、占い師に向かって、それはちがうんじゃないか、とはなかなか言えないのです。

わたしたちは星空を見あげて、ちかちかまたたく小さな光がそれこそ無秩序に広がっている、と思います。けれども昔はたくさんの人が、星は地上のわたしたちの生活について何かを語っているはずだ、と考えた。今でも、重要な決定をする前におおっぴらに占星術師にアドバイスをあおぐ政治家がいくらでもいます。

デルフォイの神託

ギリシア人は、デルフォイ神殿の有名な神託は人間に運命を説き明かしてくれる、と信じていました。ここではアポロンが神託の神です。アポロンは、大地の割れ目の上に建つ神殿の、聖なる三脚の椅子に座っているピュティアという巫女(みこ)をとおして語りました。この割れ目からは、頭をぼーっとさせる蒸気が立ちのぼっているために、ピュティアは意識もうろうとしている。アポロンのスポークスマンになるためには、そうでなくてはならなかった。

デルフォイをおとずれた人は、まずはたずねたいことを男の神官たちに告げる。神官たちは、その問いをたずさえてピュティアのもとに行く。ピュティアは答えをあたえるけれど、その答えはなんともわかりづらいか、どのようにもとれるものなので、神官たちはおうかがいをたてた人にこの答えを解説しなければならない。

このようにして、ギリシア人はアポロンの託宣(たくせん)をありがたく受けいれて、生活に反映させました。

ギリシア人は、アポロンは過去も未来も、すべてを知っていると信じていたのです。たくさんの王たちが、デルフォイの神託をあおがずには出陣しなかったし、いろいろな重要な決定も下さなかった。だからアポロンの神官たちは、人びとや国家についての特別重要な情報をにぎった、外交官か諮問委員(アドバイザー)のようなものになっていきました。

デルフォイの神殿には有名な銘がかかげられていました。「汝(なんじ)自身を知れ」。これは、人間は分(ぶん)を知るべきで、神になろうなどとはけっして思ってはならない、人間ならばだれ一人、死の運命からは逃げられないのだ、ということでしょう。

ギリシア人たちのあいだでは、運命にとらわれた人間についてさまざまな物語が語られました。時がたつにつれて、こうした悲劇的な人間にまつわる劇、悲劇もたくさんつくられた。もっとも有名なのが、自分の運命から逃れようとして、まさにそのために悲惨な末路をたどるオイディプス王の物語です。

歴史と医術

昔のギリシア人の考えでは、運命づけられているのは一人ひとりの人間の人生だけではありませんでした。ギリシア人たちは、世界のすべてのなりゆきもまた、運命にあやつられていると考えた。たとえば、戦争の結果は神々が手出しをすればどうにでもなる、と信じていたのです。こんにちでも、歴史的なできごとは神やそのほかの神話的な力が左右している、と信じる人はたくさんいます。

けれども、ギリシアの哲学者たちが自然のなりゆきに自然な説明をつけようとしていた時に、それと並行して、歴史についても学問をつくりあげようとする人びとが少しずつ出てきました。世界の動きにも自然な原因を見つけよう、というのです。ある国が戦争に負けても、もう神の復讐(ふくしゅう)という枠組みではとらえないわけです。ギリシアの歴史家のうち、いちばん有名なのがヘロドトス（紀元前四八四—四二四年）とツキジデス（紀元前四六〇—四〇〇年）です。

古代のギリシア人は、病気も神々がひきおこすと考えていた。感染する病気は神々の罰と考えられた。そのいっぽうで神々は、きちんと捧げ物をすれば人間をすこやかにしてくれるとされていました。

こうした考え方は、なにもギリシアにかぎりません。近代になって医学ができあがるまでは、あらゆる病気は超自然的な原因で起こる、という考え方が大手をふるっていた。わたしたちが今も使っている「インフルエンザ」とは、もともとは星の悪い「影響（インフルエンス）」のもとに入っている、という意味でした。

こんにちでもさまざまな病気を、たとえばエイズなども（！）神の劫罰（ごうばつ）と考える人がいます。病気は超自然的な方法で治すことができる、と考える人もあとを絶ちません。

ギリシアの哲学者たちがまったく新しい方向に突き進んでいった時、健康と病気に自然な説明をあたえようとするギリシアの医学もまた芽生えました。ギリシア医学は、紀元前四六〇年頃にコス島に生まれたヒポクラテスによって始められたと言われています。

ヒポクラテス流の伝統医術によれば、病気を予防するもっともよい方法は節度と健康な生活態度でした。節度を守り、健康な生活を心がければ、当然、人はすこやかです。病気になったら、それは体か魂、どちらかのバランスがくずれた結果、自然が脱線したためとされました。人間が健康になる道は節度と調和にある。そして「健全な魂は健全な肉体に宿る」のです。

こんにち、医療倫理ということがさかんに言われています。医師はきちんとした倫理的なガイドラインにそって仕事をするべきだ、ということです。医師は、たとえば健康な人には麻薬をふくむ薬を処方してはならない。また、秘密を守る義務がある。医師は、患者が病気について打ち明けたことを言いふらしてはならないのです。このような考え方も、もとをたどっていけばヒポクラテスに行き着きます。ヒポクラテスは弟子たちに誓いを立てさせた。これは今の医師たちにも「ヒポクラテスの誓い」として知られています。

> わたしは癒す者アポロン、アスクレピオス、ヒュギエイア、パナケイア、および証人としてお呼びしたすべての男神と女神に、すべての能力と診断の力をあげて以下の義務をまっとうすることを誓います。わたしは、この術をさずけてくださった方を親とも敬い、生活をともにし、その方が困難にいたればお世話し、その方の弟子たちをわが弟ともみなして、彼らが学ぶことを望むならば無償で、師弟契約書をとることなく、癒しの術を伝授することを誓います。わたしは医師の心得、講義そのほかすべてのお教えを、わたしおよび師の息子たち、さらには医師の掟にしたがって誓いをたてた門下生にのみ伝えます。わたしは患者の利益のために、すべての能力と診断の力をあげて処方し、危害と不正を行なう目的で治療することはいたしません。わたしはいかなる人にも、たとえその人自身の頼みであっても、死にいたらしめる毒薬あるいは助言をあたえることをいたしません。また、婦人に命の萌芽をなきものにする薬をあたえることもいたしません。わたしは治療の時もそうでない時も、人びととの生活について見聞きしたことを口外せず、秘密にいたします。

土曜日の朝、ソフィーははっとして目を覚ました。あれはただの夢？　それともほんとに哲学者を見た？

ベッドの下をさぐってみると――やっぱり。ゆうべ届いた手紙がある。ギリシアの運命論について、最後まで読んだこともまだ憶えていた。だったら、ただの夢ではなかったのだ。

たしかに哲学者を見た！　いいえ、それだけじゃない。彼がわたしの手紙を受けとったことを、この目ではっきりと見た。

ソフィーは起きてベッドの下をのぞいた。そして、タイプで打った何枚もの紙を拾った。でも、あれは何？ ずっと奥、壁の近くに赤いものがある。スカーフかなにかかな？

ソフィーはベッドの下にもぐりこみ、赤い絹のスカーフを引っぱり出した。見たこともないスカーフだった。

ソフィーはスカーフをよく調べてみた。そして、あっと叫びそうになった。縁のところに、黒い文字でなにか書いてある。それは「ヒルデ」と読めた。

ヒルデ！ でも、ヒルデっていったいだれなの？ ヒルデとわたしがこんなふうにニアミスするなんてことが、どうして起こるわけ？

ソクラテス――もっともかしこい人は、自分が知らないということを知っている人だ

ソフィーはサマードレスを着て、すぐにキッチンに降りていった。母は流しに向かっていた。赤いスカーフのことは黙っていようと思った。

「新聞、もう取った?」ソフィーはついきいてしまった。

母がこちらを向いた。

「お願い、取ってきてくれる?」

ソフィーは砂利道を走っていって、緑色の郵便箱に身をかがめた。

新聞だけ。でもソフィーは、すぐに返事がくるなどと期待してはいなかった。新聞の第一面にはレバノンに駐留しているノルウェイの国連軍のことが書いてあった。ソフィーはそこにちょっと目を落とした。

国連軍――それって、ヒルデの父親のはがきにおしてあったスタンプじゃない? けれども、あの絵はがきにはノルウェイの切手が貼ってあった。たぶん、ノルウェイの国連軍には専用の郵便局があるのだろう。

ソフィーがキッチンに戻ってくると、母が皮肉っぽく言った。

「急に新聞に関心をおもちですのねえ」

助かった。母は朝食のあいだもそのあとも、もうそれ以上、郵便箱のことにはふれなかった。母が

買物に行くと、ソフィーは運命論の手紙をもってほら穴に行った。

ソフィーは心臓が飛び出しそうになった。哲学講座の手紙を入れた缶のそばに、小さな白い封筒が！　ここにこれを置いたのがだれなのか、そんなことはわかりきっている。

この封筒も縁がしっとりとしていた。それから、きのう受けとった白い封筒と同じように、ギザギザが二本、くっきりと入っていた。

哲学者はここに来た？　彼はわたしの秘密の隠れ家を知っている？　それにしても、どうして封筒はいつも湿っているのだろう？

何を考えても、ソフィーの頭はくらくらするばかりだった。ソフィーは封をあけて手紙を読んだ。

《親愛なるソフィー

お手紙、わくわくしながら読みました。それから、ちょっと困ったな、とも思いました。なぜなら、せっかくコーヒーに招いてくれても、ソフィーをがっかりさせなければならないからです。残念ですけどね。きっといつかある日、会いましょう。でも、まだ当分のあいだはぼくが船長カーブに姿を見せることはつつしまねばなりません。

それからもう一つ、言っておかなければ。もうぼくは自分で手紙を届けることができなくなりました。長いあいだには、それは危険を招くことになるだろうから。これからはぼくの小さなお使いが手紙を届けます。その埋めあわせに、手紙は庭の隠れ家に直接届けさせます。

これからも必要な時には、ぼくとコンタクトを取ることができます。そういう時は、ローズピンクの封筒に甘いクッキーか角砂糖を一つ、そえてください。お使いはそういう手紙を見つけたら、ぼくのところにもってきてくれます。

追伸　若い女性のお招きをお断りするのは、ちっとも楽しいことではありません。けれどもいつかはきっと、お招きにあずかれるでしょう。

もう一つ追伸　もしも赤い絹のスカーフを見つけたら、大切にしまっておいてください。学校とかそういう場所では、ものの取り違えはちょくちょくありますよね。この講座もいわば哲学の学校なのです。

さようなら

アルベルト・クノックス》

ソフィーは生まれて十四年、まだ若いけれど手紙なら少しはもらったことがある。たいていはクリスマスや誕生日だ。でもこれは、これまでにもらった手紙のなかでもいちばんおかしな手紙だった。

この手紙には切手が貼ってない。郵便箱にも入っていなかった。手紙は古い生け垣のなかの、だれも知らないはずのソフィーの秘密の隠れ家にじかに届けられていた。しかも、からっとした春のお天気がつづいているのに、手紙はしっとりしている。これも奇妙なことだった。

でもなにが奇妙と言って、もちろんあの絹のスカーフだ。この哲学の先生には、もう一人生徒がいるのだ。まあ、いいでしょう。そのもう一人の生徒が赤い絹のスカーフをなくしたのね。まあ、いいでしょう。でも、そのなくなったスカーフがわたしのベッドの下にあるというのは、いったいどういうこと？　こんなことってあり？

それから、アルベルト・クノックス……。なんだかへんな名前！

でも、これではっきりした。哲学の先生とヒルデ・ムーレル＝クナーグには、なにかつながりがあるってことね。それにしても、ヒルデの父親までが宛名を取りちがえて——これぱっかりは、さっぱりわけがわからない。

ソフィーはずっとそこに座ったまま、ヒルデとソフィー自身にはどういうつながりがあるんだろう、とあれこれ考えていた。でも結局、あきらめてため息を一つついただけだった。哲学の先生は、わたしたちはいずれ会うでしょう、と書いていた。その時にはヒルデとも会えるのだろうか？

ソフィーは紙切れをひっくり返してみた。すると、裏側にも何行か書いてあった。


自然な羞恥心はあるか？

もっともかしこい人は、自分が知らないということを知っている人だ。

正しい認識は自分のなかからやってくる。

何が正しいか知っている人は、正しいことをする。


ソフィーにはもう、白い封筒に入っているいくつかの短い文は、もうすぐ受けとるつぎの大きな封筒の予習問題のようなものだ、ということがわかっていた。それで今、ソフィーはこんなことを思いついた。もしもお使いが茶封筒をこのほら穴にもってくるのなら、彼を待っていればいい。彼ではなくて、彼女かな？　どっちみち、やってきた人にしがみついて、哲学者について教えてくれるまで放さなければいい！　手紙には、お使いは小さい、とも書いてあった。子どもだということ？

「自然な羞恥心はあるか？」

羞恥心って、なんか古めかしいことば。抵抗感という意味よね？　たとえば裸のところを見られるとか。でも、裸に抵抗があるというのはもともと自然なこと？　自然なことならすべての人間にあてはまるはずなのに、世界のたくさんの国では、裸でいるのはごく自然なことだ……。

だから、してもいいことと悪いことを決めるのは社会なのだ。たとえばお祖母さんが若かった頃、ブラをしないで日光浴をするなんてぜったい不可能だった。なのに今では、たいていの人はそれが自然だと思っている。たくさんの国ではまだきびしく禁止されているとしても。ソフィーは頭をかいた。ねえ、これって哲学？

さてつぎは、「もっともかしこい人は、自分が知らないということを知っている人だ」ですって。どんな人たちのあいだでもっともかしこいというの？　ある人が、この世界についてなに一つ知らなくて、その知らないということをわかっているとしたら、その人は、少ししか知らないのに自分はけっこう知っているとうぬぼれている人よりもかしこいということ？　哲学の先生がそういうことを言おうとしているのだとしたら、ついていくのはそんなにむずかしくない。でもそんなこと、思いもよらなかった。けれども考えれば考えるほど、知らないということを知るというのも一つの知恵のありかただということがよくわかる。とにかく、なにもわかってないくせに思いこみでかたくなな意見をひけらかす人ほどばかげた人を、ソフィーは思いつくことができなかった。

さあこんどは、自分のなかからやってくる認識について。でも認識って、みんないつかある時、外から人間の頭に入ってくるのでは？　そのいっぽうでソフィーは、母や学校の先生が、ソフィーがまだ知らないことを教えてくれた時のことを思い出していた。もしもわたしがほんとに何かを学んだとしたら、そこにはいつも、どういうふうにだかはわからないけれど、わたし自身の力もはたらいている。突然何かがわかったということもある。それが直感と呼ばれることなのだ。

とにかく最初の三つの課題はクリアした。でも、そのつぎが問題。あんまりおかしすぎて、吹き出してしまいそう。「何が正しいか知っている人は、正しいことをする」ですって。

銀行強盗が銀行を襲うのは、もっとましなことを知らないからということ？　そんなことあるわけがない、とソフィーは思った。そうではなくて、子どももおとなもよくないとわかっていながらばかなことをして、あとで後悔するんだわ。

ソフィーがそうやって座っていると、突然、生け垣の森に面したほうで枯れ枝がポキッと折れる音がした。あれはお使い？　ソフィーは、また心臓がドキドキしてきた。けれども、近づいてくるものが動物のようにハアハア息をしているのが聞こえると、ソフィーはもっとふるえあがった。

つぎの瞬間、大きな犬が森の側からほら穴に押し入った。たぶんラブラドル犬だろう。犬は口にくわえた大きな茶封筒を、ソフィーの足元にぽんと置いた。突然のことに、ソフィーは息をのむばかりだった。数秒たってからやっとのことで大きな封筒に手を伸ばした。そのあいだに、茶色い犬はもときた森に消えていた。すべてがすんでしまってから、ようやくショックが襲ってきた。ソフィーは膝をかかえてぼうぜんとしていた。

そんなふうにいつまで座っていたのかわからない。しばらくたってから、ソフィーは顔をあげた。やっぱりあれがお使いだったんだ！　ソフィーはふうっと息をついた。だから白い封筒は縁が湿っていたのね。ギザギザがつくのも当然だ。こんなこと、なんでもっと早く思いつかなかったのだろう！　哲学者に手紙をわたそうと思ったら、封筒に甘いクッキーか砂糖をそえなければならないわけも、これではっきりした。

ソフィーは、なんて自分の頭はとろいんだろう、とはがゆく思うことはあったけれど、この時ばかりは、お使いというのがよく訓練された犬だなんて、考えつけというのが無理だと思った。ソフィーは、なにがなんでもお使いからアルベルト・クノックス氏の居場所を聞き出すというアイディアをあっさりとあきらめた。

ソフィーは大きな封筒をあけて、読みはじめた。

アテナイの哲学

親愛なるソフィー

これを読んでいるソフィーは、たぶんもうヘルメスとはご対面したね。だから念のために言うだけだけど、彼は犬です。でも怖がることはない。ヘルメスはたいへんかわいいやつです。しかも、並の人間よりよっぽどかしこい。少なくともありのまま以上にかしこくふるまってやれ、なんて思わない。

彼の名前がいわれのないものではない、ということには気がついたかな？　ヘルメスはギリシアの神々のお使いです。また、航海の神でもある。こちらはまあ、さしあたりどうでもよろしい。重要なのは「閉ざされた（ヘルメーティッシュ）」ということばがヘルメスからきている、ということだ。隠されている、または近づきがたい、という意味です。これはぴったりじゃないですか。ぼくはそう思いますよ。ヘルメスはぼくたちをある程度、おたがいから隠しているのだから。

これでお使いの紹介は終わりです。ヘルメスは名前を呼ばれればわかるし、まあ、しつけはいいほうです。

さあ、哲学に戻ろうか。第一部はもうすみました。自然哲学のことです。自然哲学によって、人間の思考は神話的な世界観からきっぱりと縁を切ったのでした。きょうは三人の古代ギリシア最大の哲学者たちを見ていきます。三人とはソクラテス、プラトン、アリストテレス。いずれも、それぞれの流儀でヨーロッパ文明に大きな影響をあたえた哲学者たちです。

自然哲学者たちはソクラテスよりも前の時代に生きたので、ソクラテス以前の哲学者たちと呼ばれる。デモクリトスはソクラテスよりも数年後に亡くなったけれど、それでも彼の思想はソクラテス以前の自然哲学にそっくりふくまれる。ただ時間のあとさきというだけでなく、哲学はソクラテスのところではっきりと分かれる。場所についても、今や目を転じなければならない。なにしろ、ソクラテスはアテナイ生まれの哲学者第一号だからだ。憶えていると思うけど、アナクサゴラスがしばらく、この町に住んでいた。けれどもアナクサゴラスは、太陽は火の玉だと言ったために、アテナイを追われたのだった。(ソクラテスはもっとひどいことになった!)

ソクラテスの時代から、アテナイはギリシア文化の中心になっていった。もっと大事なのは、自然哲学者からソクラテスへと目を移すと、哲学者の研究テーマもがらりと変わっている、ということだ。

けれどもソクラテスに入る前に、ソフィストたちのことをちょっと見ておこう。ソクラテスの時代にアテナイの町で活躍していた人たちだ。

さあ、幕があくよ、ソフィー! この思想のドラマは何幕もあるドラマです。

人間が中心

紀元前およそ四五〇年頃、アテナイはギリシア世界の文化の中心になった。同時に哲学も新しい方向に向かう。

自然哲学者たちは、まずなによりも自然を探求した。だから彼らは科学史のほうでとても重要だ。ところが今やアテナイでは、むしろ人間と、社会のなかでの人間のありようが関心の的になった。

アテナイでは民主主義がだんだんと発展した。民主主義の舞台は市民集会と裁判だ。だから人びとは、こうした民主的な手続きに参加できるような、じゅうぶんな訓練を受けることが必要になる。こんにちぼくたちも、民主主義ができたてほやほやのところでは人びとの教育が必要なことを、世界のあちこちで目にしている。そんなわけで、アテナイ市民にとっては、人を説得する技術、弁論術(レトリック)を身につけることがことのほか重要だったのだ。

やがてほうぼうのギリシアの植民地から、放浪の教師や哲学者たちがアテナイにどっと押し寄せてきた。彼らはソフィストを名乗った。ソフィストというのは、学のある人、その道につうじた人という意味だ。アテナイでソフィストたちは、この都市国家の市民たちを教えることで生計をたてた。

ソフィストたちは、語り伝えられた神話に批判的だという重要な点では、自然哲学者たちと共通していた。そうは言っても同時にソフィストたちは、さしあたって必要のない、哲学の上だけの空論と見なしたものは無視した。ソフィストたちは、さまざまな哲学の問いにはたぶん答えがあるのだろうけれど、人間はけっして自然や宇宙にまつわる謎にたしかな答えを見つけることはできない、と考えた。そういう立場は、哲学では「懐疑主義(かいぎしゅぎ)」と呼ばれている。

自然のあらゆる謎になに一つ答えられないとしても、ぼくたちは自分が人間だということは知っているし、人間はともに生きていくことを学ばなければならない、ということも知っている。ソフィストたちは人間と、社会のなかでの人間のありように関心を集中させた。

「人間はあらゆるものの尺度だ」と、ソフィストのプロタゴラス(紀元前およそ四八七―四二〇年)は言った。プロタゴラスは、正しいことと正しくないこと、善いことと悪いことは、いつも人間の必要におうじて決められるべきだ、と考えたわけだ。ギリシアの神々を信じるか、と聞かれて、プロタゴラスはこう答えた。「神々についてはなにもはっきりしたことは言えない……。なぜなら、この問題はやっかいで人生は短いということが、知をはばんでいるからだ」神はいるのかいないのか、自分はたしかなことが言えない、と言う人を、「不可知論者(ふかちろんしゃ)」という。

ソフィストたちは広く旅をして、いろいろな政治のやり方を見て回った。都市国家の習慣や法律はそれこそさまざまだ。そうしたことを踏まえて、ソフィストたちはアテナイで、何が自然に由来し、何が社会によって形づくられているのか、議論を始めた。つまりソフィストたちは、都市国家アテナイで社会批判の基礎を築いたのだ。

ソフィストたちはたとえば、自然な羞恥心のような表現はあやしいものだ、と主張した。なぜなら、もしも羞恥心が自然なものならば、人間に生まれつきそなわっているはずだ。でも、これは生まれつきそなわっているのかな？　ソフィー。それとも社会がつくったものなのかな？　たくさん旅をした人なら、答えは簡単だ。裸を見せるのがきまり悪いのは、自然のことでも生来のことでもない、とね。羞恥心があるかないかは、なんといっても社会の習慣にかかわっている。

旅のソフィストたちは、正しいことと正しくないことの絶対的な基準などない、と主張して、アテナイの都市社会でさかんな議論の火蓋（ひぶた）を切った。このなりゆき、わかるよね？　ところがソクラテスはこれにたいして、いくつかの基準は本当に絶対で、いつでもどこでもあてはまる、と説いたんだ。

ソクラテスとはだれか？

ソクラテス（紀元前四七〇―三九九年）は、おそらく哲学の歴史をつうじてもっとも謎めいた人物だろう。ソクラテスはたったの一行も書かなかった。なのに、ヨーロッパの思想に最大級の影響をおよぼした一人とされている。ソクラテスのことは、たぶん彼がドラマティックな死に方をしたためだろうね、哲学にそれほど興味のない人でも知っている。

ぼくたちは、ソクラテスがアテナイで生まれたこと、生涯をもっぱらこの町の市場（いちば）や街角で過ごしたこと、そういう場所でだれかれなしにつかまえては話をしたことを知っている。畑や野に生えている木々はなにも教えてくれない、とソクラテスは言った。考えごとにふけると、何時間もぼけーっとひとところに立っていたりもした。

生きているうちから、ソクラテスは謎めいた人物だと思われていた。そして死後まもなく、哲学のさまざまな流派の元祖にまつりあげられた。ソクラテスはあまりにも謎めいていてあいまいだったからこそ、いろんな流派が彼をかつぎあげたんだね。

ソクラテスがとんでもなくみっともない男だったことはたしかだ。チビで、デブで、目つきが陰険で、鼻は空を向いていた。けれども心は「金無垢のすばらしさ」だったという。それだけじゃない。過去現在をつうじて彼ほどの人はどこにもいない、そんな人だったんだ。

なのにソクラテスは、哲学者として行動したために死を宣告された。

ソクラテスの生涯はおもにプラトンが伝えてくれている。プラトンはソクラテスの弟子で、彼自身、哲学史上最大級の人物だ。

プラトンは「対話篇」と呼ばれるものをたくさん書いた。そこにソクラテスが登場する。

プラトンがソクラテスに語らせているからといって、実際にソクラテスがそう言ったかどうか、たしかなことは言えない。ソクラテスの考えをプラトンの考えから選り分けるのは並たいていのことではない。これは、このほかにも数多くの、自分では書き残さなかった歴史上の人物にあてはまる問題だ。そのいちばん有名な例は、もちろんイエスだ。歴史上のイエスが本当に言ったのか、それともマタイやルカがイエスに言わせたのか、はっきりしたことは言えない。これと同じで、歴史上のソクラテスが本当に言ったのかどうかは、どうしても謎として残る。

ソクラテスは本当はどんな人だったかということは、しかしそれほど重要ではない。二千四百年にわたってヨーロッパの思想家たちにインスピレーションをあたえてきたのは、プラトンによるソクラテス像なのだ。

対話術

ソクラテスの活動の核心は、彼が人を教えみちびこうとしなかった、というところにある。かわりにソクラテスは、自分が相手から学びたいのだ、というそぶりをして見せた。ソクラテスは学校の先生のような授業もしなかった。そうではなくて、会話をリードしたんだ。

そうは言っても、相手にただ耳を傾けていただけだったら、ソクラテスはこんなに有名な哲学者にはならなかっただろうね。もちろん、死刑の判決も受けなかっただろう。けれども、ソクラテスは対話の初めに問いを投げかけるだけだった。そして自分は知らんぷりを決めこんだ。そして話すにつれて、相手が自分の考えがおかしいことをとっくりと納得するようにもっていった。やがて相手は袋小路に追いつめられ、最後には、何が正しいか正しくないか、納得しないわけにはいかなくなるのだ。

ソクラテスの母親はお産婆(さんば)さんだった。そしてソクラテスは自分のやり方を産婆術にたとえていた。たしかに、子どもを産むのは産婆ではない。産婆はただその場に立ち会って、お産を手伝うだけだ。ソクラテスは、自分の仕事は人間が正しい理解を「生み出す」手伝いをすることだ、と思っていた。なぜなら、本当の知は自分のなかからくるものだからだ。他人が接ぎ木することはできない。自分のなかから生まれた知だけが本当の理解だ。

いいかい？ 子どもを産む能力は自然にそなわったものだ。同じように、すべての人間は、自分の頭をはたらかせさえすれば哲学上の真実を理解できるんだよ。もしも人が理性(あたま)を使ったとすれば、その人は何かを自分自身のなかから取り出したのだ。

なにも知らない人を演じることによって、ソクラテスは人びとが自分の頭をはたらかせるように仕向けた。ソクラテスは無知をよそおった、あるいは実際よりも愚かしそうなふりをした。これが「ソクラテス的アイロニー」だ。「空っとぼけ」というのに近いかな。この方法で、ソクラテスはアテナイ市民の考えのおかしな点をじゃんじゃん暴いた。市場のまんなかで、みんなの見ている前で。ソクラテスに出会うと恥をかき、みんなに笑われることになりかねなかった。

だからしまいにソクラテスが、とりわけ社会のおもだった人びとにとって目ざわりな、いらだたしい存在になっていったのも不思議ではない。アテナイはぐずなろばのようだ、とソクラテスは言った。そして、自分はろばをしゃきっとさせるために脇腹を刺す虻(あぶ)のようなものだ、とね。(でも、虻を見たら人はどうすると思う? ソフィー、わかるかな?)

鬼神の声

ソクラテスは、周りの人びとを悩ませるためだけに刺しまくったのではなかった。ソクラテスのなかには何かがひそんでいて、それが彼をどうしようもなくつきうごかしていた。ソクラテスはいつも、心のなかに鬼神(ダイモニオン)の声が聞こえる、と言っていた。その声にしたがって、ソクラテスはたとえば、人間に死を宣告することに反対した。そのほかにも、政敵を密告したり中傷することに抗議した。そしてついにはそのために命を落とすことになる。

紀元前三九九年、ソクラテスは「若者を堕落させ、神々を認めない」という罪で訴えられた。五百一人の陪審員たちは多数決をとり、ほんのわずかな差でソクラテスに有罪を言いわたした。

ソクラテスには恩赦(おんしゃ)を求めることができたはずなんだ。あるいは、アテナイを離れるつもりなら、命だけは助かったはずなんだ。でもそんなことをしたら、ソクラテスはソクラテスではなくなる。つまりソクラテスは、自分の良心と真理を命よりも大切だと考えたのだ。彼は、自分は国家にとってよかれと思ってふるまったのだ、と証言した。けれども判決は死刑だった。判決のしばらくのちにいちばん親しい友人たちの見守るなかで、ソクラテスは毒人参(どくにんじん)の盃(さかずき)を飲み干した。

なぜだろう？　ソフィー。なぜソクラテスは死ななければならなかったのだろう？　この問いは何度となくくりかえされてきた。けれども、最後のぎりぎりまで追いつめられて自分の考えを死ぬことによって守った人は、歴史のなかにソクラテス一人だけではない。イエスのことはもう言ったけど、イエスとソクラテスのあいだにはじっさいいくつもの共通点がある。少しだけあげてみようか。

　イエスもソクラテスも、同じ時代に生きた人びとから、すでに謎めいた人物だと思われていた。二人とも自分のメッセージを書き残さなかった。だからぼくたちはなにからなにまで、彼らの弟子たちが伝えるイメージに頼っている。しかも、この二人の師が会話の術にたけていたことはたしかだ。二人はさらに、はっきりとした自覚をもって話をした。その話は多くの人たちの魂をゆさぶり、またある人たちをいらだたせた。二人とも、自分よりも偉大な何かについて語っているのだ、と確信していた。社会の実権を握る人びとは、二人が不正や権力の濫用を歯に衣着せずに批判したために迫害した。そしてなによりも、二人はそうした行動に死という代償を払った。

　イエスとソクラテスの裁判もたいへんよく似ている。二人とも恩赦を願い出れば、おそらく命は助かっただろう。けれどもこの二人は、とことん行くところまで行かなければ、自分の使命を裏切ることになる、と信じていた。そして二人は昂然と頭をあげて死に臨み、死を超越したんだ。

　こんなふうにイエスとソクラテスの共通点をあげたからといって、二人がそっくりだと言いたいのではないよ。ぼくはただ、二人には個人の勇気と切り離せない使命があった、と言いたかったのだ。

アテナイのジョーカー

ソフィー、ソクラテスの話はまだ終わってないよ、そうだろう？　ソクラテスの方法については少し話した。でも、彼の哲学者としての研究テーマはどんなものだったのだろう？

ソクラテスはソフィストたちの同時代人だった。ソフィストたちと同じように、ソクラテスも人間と人間の生活を論じ、自然哲学者たちの問題にはかかわらなかった。ローマの哲学者キケロが、数百年あとにこんなことを言っている。ソクラテスは哲学を天から地上へともたらし、都市や家に住まわせ、人間に人生と習慣、善と悪について考えるようにしむけた、と。

けれども、ソクラテスは重要なところでソフィストたちとはちがっている。ソクラテスは、自分はソフィスト、つまり知識(ソフォス)のある人間やかしこい人間ではない、と考えていた。だからソフィストたちとは反対に、教えてもお金を取らなかった。そうではなくてソクラテスは、ことばの本当の意味で自分は哲学者(フィロソフォス)だ、と名乗ったんだ。フィロソフォスとは、「知恵(ソフォス)を愛する人」ということだ。知恵を手に入れようと努力する人のことだ。

疲れた？　ソフィー。ソフィストと哲学者の違いを理解すること、これはこれからのこの講座すべてにわたってたいへん重要なんだ。ソフィストたちは、どうでもいいような些細(ささい)なことを論じてお金をもらった。そのようなソフィストたちは歴史のいたるところに出没する。ぼくが考えているのは、すべての学校教師や知ったかぶり屋だ。こういう人びとは、自分のちっぽけな知識で満足しているか、自分がものすごくたくさん知っていることを鼻にかけているけれどなに一つきちんと理解していないかのどちらかだ。きみはまだ若いけれど、きっとこういう人に出会ったことがあるだろう。本物の哲学者は、ソフィー、まるでちがう。そう、その正反対なんだ。

哲学者は、自分があまりものを知らない、ということを知っている。だからこそ、哲学者は本当の認識を手に入れようと、いつも心がけている。ソクラテスはそういう、めったにいない人間だった。ソクラテスは、自分は人生や世界について知らない、とはっきり自覚していた。そして、ここが大切なところだよ、自分がどれほどものを知らないかということで、ソクラテスは悩んでいたのだ。

哲学者とは、自分にはわけのわからないことがたくさんあることを知っている人、そしてそのことに悩む人だ。だから哲学者は、ひとり合点の知識でもって鼻高だかの半可通よりもずっとかしこいのだ。「もっともかしこい人は、自分が知らないということを知っている人だ」とはもう言ったよね。ソクラテスはこういう言い方もしている。わたしは、自分が知らないというたった一つのことを知っている、とね。このことば、メモしておくこと。なぜなら、哲学者たちのあいだでもこんな告白はめったにないからだ。さらには、こんなことをおおっぴらに言うのは、命にかかわるたいへん危険なことでもあった。いつの世にも、疑問を投げかける人はもっとも危険な人物なのだ。答えるのは危険ではない。いくつかの問いのほうが、千の答えよりも多くの起爆剤をふくんでいる。

『裸の王様』の話は知っているよね？　本当は王様はまっ裸なのに、家来のだれ一人、そう言う勇気がなかった。ふいに子どもが叫ぶ。王様は裸だ、と。勇気のある子どもだね、ソフィー。これと同じようにソクラテスは、人はどれほどものを知らないかをはっきりさせた。裸だということをつきつけた。子どもと哲学者が似た者同士だということは、もう前に言ったっけ。

　つまりこういうことだ。ぼくたちは、ふさわしい答えがおいそれとは見つからないような、重要な問いをつきつけられる。ここから先、道は二つある。一つは、自分と世界を全部ごまかして、知る値打ちのあることはすべて知っているみたいなふりをする道。もう一つは、大切な問いには目をつぶって、前に進むことをすっかりあきらめるという道。とまあ、人間は二種類に分かれるんだね。少なくとも人間は、思いこみが強くてかたくなか、どうでもいいや、と思っているかのどちらかだ。（どちらの種類の人間も、兎の毛の奥深くでうごめいていることに変わりはない！）これはトランプのカードが分けられるようなものだ。黒のカードはこっちの山に、赤のカードはそっちの山にと積みあげていく。ところがジョーカーが出てくる。これはハートでもクラブでもないし、ダイヤでもスペードでもない。ソクラテスはアテナイのジョーカーだったんだ。彼は思いこみが強くてかたくなでもなかったし、どうでもいいと思ってもいなかった。ソクラテスは、自分は知らないということを知っていただけだ。そしてそのことを思いつめていた。それで、ソクラテスは哲学者になったのだ。あきらめない人、知恵を手に入れようとあくことなく努める人に。

ある時一人のアテナイ市民がデルフォイの神託に、アテナイではだれがいちばんかしこいか、おうかがいをたてた。神託はソクラテスと出た。これを聞いたソクラテスは、控えめに言えば、驚いたそうだ。(ぼくは大笑いしたんだと思うけどね、ソフィー!)ソクラテスはすぐに町に出かけて、かしこいという評判の人びとを訪ねた。けれども、この人たちがソクラテスの問いに満足に答えられないとわかると、ソクラテスは、神託は正しいと認めた。

ソクラテスは、ぼくたちの認識のたしかな基礎をかためることが重要だ、と考えた。この基礎は人間の理性にある、とね。人間の理性に強い信頼をよせたのだから、ソクラテスは正真正銘の合理主義者だった。

正しい認識は正しい行ないにつながる

すでにふれたように、ソクラテスは鬼神の声が心のうちに聞こえると信じていたけれど、このいわば良心の声は、何が正しいかを告げるのだった。何がよいことか知っている人はよいことをする、とソクラテスは考えた。正しい認識は正しい行ないにつながる、そして、正しいことをする人だけが正しい人間だ、と考えたんだ。もしもぼくたちがまちがったことをしたら、それは、ぼくたちはそれがあまりいいことではない、ということを知らなかったからなのだ。だから、ぼくたちがもっとよく知ることは、とても大切なことだった。そのためソクラテスは、何が正しくて何が正しくないかを定める、はっきりとした、いつでもどこでも通用する善悪の定義を見つけようとした。つまりソフィストたちとは正反対に、ソクラテスは、正と不正を区別する力は理性にあって社会にはない、と信じていたんだね。

あらかじめ白い封筒で届けた四つの文のうち、たぶん最後の文はそう簡単にはのみこめなかったんじゃないかな？　ソフィー。もういちど説明してみるよ。ソクラテスは、信念にもとることをすれば人は幸福にはなれない、と考えていた。どうすれば幸せになれるか知っている人は、幸せになるようにするよね？　だから、何が正しいか知っている人は、正しいことをするんだ。なぜなら、だれも不幸せにはなりたくないから。そうだろう？

どう思う、ソフィー？　心の奥深くでは正しくないと思っていることをくりかえしているとして、きみは幸せに生きられるだろうか？　しょっちゅう嘘をついたり、盗みをしたり、人の悪口を言ったりする人はいっぱいいる。まあ、いいだろう。彼らは、それは正しくないことだと、ちゃんと知っている。あるいはきみが望むなら、不当（アンフェア）なこと、と言いかえてもいいけれど。でも、それで彼らは幸せだろうか？　ソクラテスはそうは思わなかったのだ。


ソクラテスについての手紙を読み終わると、ソフィーはいそいで缶にしまって、庭に這い出してきた。どこに行ってたの、ときかれないために、母が買物から帰ってくる前に家に戻っていようと思ったのだ。それに、お皿を洗っておく約束もしていた。

母が大きなポリ袋を二つかかえてどたどたと入ってきた時、ソフィーはやっと水を出しはじめたところだった。それを見とがめて、母は言った。

「ソフィー、あなたこのごろなんだかおかしいわ」

思わず、こんなことばがソフィーの口をついて出た。

「ソクラテスもそうだったんだわ！」

「ソクラテス？」

母は目を丸くした。

「彼がそれで命を失わなければならなかったのは、ほんとに残念だったけど」ソフィーは考え考え、ことばをつづけた。

「どうしちゃったのよ、ソフィー！　ママはどう答えていいかわからないわ！」

「ソクラテスもそうだった。彼が知ってた、たった一つのことは、彼が知らないってことだったの。それでもソクラテスはアテナイでいちばんかしこい人だったのよ」

母親はただもうことばを失った。なんと言ったらいいかわからない。ようやく、こう言った。

「それ、学校で習ったの？」

ソフィーは思いきり首を横にふった。

「学校じゃ、なにも教えてくれないわ……。学校の先生と本物の哲学者との大きな違いはね、学校の先生は自分がちょっとばかり物知りだと思ってて、いつも生徒にぎゅうぎゅう教えこもうとするの。哲学者は生徒といっしょになってものごとをとことんきわめようとするのよ」

「また白兎の話？　あなたのボーイフレンドがどんな子か、そろそろママにも教えてよ。さもないと、彼ってどこかおかしいんだって思っちゃうわよ」

ここまで聞くと、ソフィーは流しのほうを向いてしまった。そして、お皿を洗う柄つきブラシを肩ごしに母に向けて、言った。

「彼はどこもおかしくなんかないわ。でも、彼は人をいらつかせる虻みたいなの。でもそれはね、人をだらけた考えからもぎ離すためなのよ」

「もうやめなさい。あなたの彼はちょっととっぴで生意気なのね、きっと」

ソフィーはまたお皿を洗い出した。

「彼はかしこくないし、生意気でもないわ。でも正しい知識を手に入れようとしている。これは本物のジョーカーとそのほかのカード全部との違いなの」

「ジョーカー？」

ソフィーはうなずいた。

「ねえママ、考えたことある？　トランプにはハートやダイヤはいっぱいあるわ。クラブやスペードも。でも、ジョーカーはたった一枚なの」

「いったいなに言ってるのよ？」

母は買ってきたものをみんな片づけた。そして、新聞をもってリビングに行ってしまった。ママはドアをふだんよりも乱暴にしめたみたい、とソフィーは思った。

お皿を洗い終わると、ソフィーは自分の部屋に行った。赤い絹のスカーフはレゴといっしょに戸棚のいちばん上にしまってある。ソフィーはそれを取り出して、じっと見つめた。

ヒルデ……。

アテナイ――そして廃墟からいくつもの建物がそびえ立ち

この日、夕方のまだ早い時間に、母は友だちの家に遊びに行った。母が家を出るか出ないうちに、ソフィーはまたしても庭に出て、生け垣のほら穴へいそいだ。クッキーの缶のかたわらには分厚い包みがあった。ソフィーはすぐさま包紙を破いた。出てきたのはなんと、ビデオカセットだった！

ソフィーはあわてて家にとって返した。ビデオですって！　こんなの初めて。それにしても、なんのビデオだろう？

ソフィーはビデオをセットした。まもなくスクリーンに大きな町が映し出された。アテナイの町だ、とソフィーは思った。なぜなら、アクロポリスがアップで映っていたからだ。この古代の遺跡はこれまで何度も見たことがある。神殿の遺跡には、ラフな格好で首からカメラをぶらさげた観光客がうようよしている。あれ、あの男の人はなにか書いた紙をもっている？　あ、また映った。あの紙、「ヒルデ」って書いてあるんじゃない？

ほどなく、中年の男の人がカメラの前に現れた。背は低めで、おしゃれな黒い髭をたくわえ、青いベレー帽をかぶっている。男の人はすぐにカメラに向かってしゃべりはじめた。

「アテナイへようこそ、ソフィー。きっときみはもう、ぼくがアルベルト・クノックスだとピンときたね。もしもまだだったら、もう一度言おうか。世界という白兎は黒いシルクハットから引っぱり出されます、とね。ぼくは今、アクロポリスに来ています。これは『町の砦（とりで）』、もっと正確に言えば

『丘の上の町』という意味だ。この丘には石器時代から人が住んでいた。もちろん、ここが特別な場所だからだ。こういう高い丘の上は、敵を防ぐのにつごうがいい。アテナイの町が丘のふもとの平地にどんどん広がっていくと、アクロポリスは砦と神殿を兼ねるようになった。紀元前五世紀の前半にペルシアとのはげしい戦争があって、紀元前四八〇年にはペルシアの大王クセルクセスがアテナイに攻めこみ、アクロポリスの由緒ある木造の建物をすべて破壊した。けれどその翌年、ペルシア人たちは追い払われ、アテナイの黄金時代が始まったのです、ソフィー。

アクロポリスはかつてよりも堂々と、美しく再建され、この時からは神殿としてだけ使われることになった。ちょうどこの頃、ソクラテスが通りや市場を歩きまわって、アテナイ市民と話をしていたんだ。そうしながらソクラテスは、アクロポリスが再建されていくようすを、つまりぼくたちが今こうして見ているみごとな建物のすべてが建てられていくようすをながめていたんだろうね。ソクラテスが見ていたのは建築現場だったんだよ！

ぼくの後ろに大きな神殿が見えるかな？　パルテノン、つまり『乙女の家』だ。ここにはアテナイの守護神、女神アテネがまつられていた。この巨大な大理石の建物には、まっすぐのところが一つもない。四つの辺すべてがわずかにカーブしている。そのために建物が生き生きとして見える。この神殿はとてつもなく大きいのに、見た目にはちっとも重ったるい感じがしない。これは目の錯覚のためなんだ。柱を神殿のずうっと上のほうまでのばしていくと、一点で交わって一五〇〇メートルの高さのピラミッドになるように、柱もわずかに内側にかしいでいるんだよ。この巨大な建物には高さ一二メートルのアテネの像がたった一つ置いてあった。もう一つ、言っておかなければならないけれど、この白い大理石、かつてはいろいろなきれいな色に塗られていたんだが、六〇キロも離れた山からここまで運んでこられたんだ……」

ソフィーは胸がドキドキしてきた。このビデオから語りかけているのが、ほんとにわたしの哲学の先生? わたしはたった一度、暗がりでシルエットを見たことがあるだけ。でもあれはぜったいに、アテナイのアクロポリスに立っているこの男の人だったにちがいない。

男の人は、こんどは神殿の長いほうの縁にそって歩きはじめた。それをカメラが追う。男の人は岩山の崖っぷちまでやってくると、あたりの景色を指し示す。カメラはアクロポリスの丘のふもとの古代劇場をとらえた。

「あそこに見えるのがディオニュソス劇場」ベレー帽の男の人は話をつづけた。「たぶん、ヨーロッパでもっとも古い劇場だろうね。ここで偉大な悲劇作家のアイスキュロスやソフォクレスやエウリピデスの作品が上演された。まだソクラテスが生きていた時代だ。呪われたオイディプス王の悲劇のことは話したね。喜劇も上演された。いちばん有名な喜劇作家はアリストファネス、彼の作品のなかには、アテナイの奇人ソクラテスを辛辣(しんらつ)に描いた喜劇もある。役者たちが立つ舞台の後ろに岩の壁が見えるね。これは『スケネー』といって、ぼくたちが使う『シーン』ということばは、ずっとさかのぼるとこのスケネーからきているんだよ。ついでに、『劇場(シアター)』の語源は、古代ギリシア語の『見る』という意味の『テアー』だ。でもそろそろ哲学の話に戻ろうか、ソフィー。パルテノンをぐるっとまわって、門をくぐって降りていくことにするね……」

背の低い男の人が大きな神殿をひとまわりすると、その右手に小さな神殿がいくつか見えた。それから男の人は、そびえ立つ何本もの高い柱のあいだをとおって階段を降りた。そしてアクロポリスのふもとまでやってくると、小高いところに登ってアテナイの町を指さした。

「ぼくが立っているこの小高い丘はアレオパゴス、アテナイの殺人犯の処刑が行なわれたところだ。何百年もあとには使徒パウロがここに立って、アテナイの人びとにイエスとキリスト教について話をした。これについては、もっとあとであらためてふれることにしよう。丘の下のほう、左側に、古代アテナイの町の広場、アゴラが見えるね。鍛冶(かじ)の神、ヘファイストスの大きな神殿のほかには、大理石のかたまりがごろごろしているだけだけど。もうちょっと降りていこうか……」

　つぎの瞬間、男の人は古代の遺跡のあいだにふたたび姿を現した。空高く、ソフィーが見ているスクリーンのずっと上のほうにアクロポリスの丘のアテネの神殿が堂々とそびえている。哲学の先生はそのへんに転がっている大理石に腰かけた。そして、カメラを見ながら語りはじめた。

「ぼくは今、アテナイのアゴラ跡に座っている。なんとも嘆かわしい光景だなあ！　今のことを言ってるんだよ。かつてはここに堂々とした神殿や裁判所やコンサートホールや、それから大きな体育館まであったんだ。そういう建物が、みんなこの大きな四角い広場を囲んでいた……このかぎられた空間にヨーロッパ文明のすべての基礎が置かれたんだね。『政治（ポリティック）』、『民主主義（デモクラシー）』、『経済（エコノミー）』、『歴史（ヒストリー）』、『生物学（バイオロジー）』、『物理学（フィジックス）』、『数学（マセマティックス）』、『論理学（ロジック）』、『神学（セオロジー）』、そして『哲学（フィロソフィー）』、『倫理学（エシックス）』、『心理学（サイコロジー）』、『理論（セオリー）』、『方法（メソッド）』、『観念（アイディア）』、『体系（システム）』——まだまだいくらでもあるけれど、すべてもとをたどっていくと、それほど大きくもない人びとの集団にいきつく。その人びとが日常生活をくりひろげていたのがこの広場なんだ。ソクラテスはここで、出会った人びとと話をした。たとえばオリーブオイルの壺を運んでいく奴隷（どれい）の腕をつかまえて、この気の毒な男に哲学問答をふっかけたりした。なぜならソクラテスは、奴隷も市民と同じように理性をもっていると考えていたからだ。それとか、市民のだれかと熱っぽく言いあったり、若い弟子のプラトンとしんみりと話しこんだりしたんだね。それを思うとおかしな気分になる。ぼくたちは、やれ『ソクラテス』哲学だ、やれ『プラトン』哲学だと言うけれど、そういう時の『プラトン』や『ソクラテス』と、かつていた生身のプラトンやソクラテスはまるで別物なんだろうね」

　ほんと、そんなことをいっしょくたにするのはおかしいわ、とソフィーは思った。けれども、謎めいた犬が庭の秘密の隠れ家にもってきたビデオテープから、哲学者が突然ソフィーに話しかけているということだって、少なくともそれと同じくらいにおかしなことだった。

哲学者は座っていた大理石から立ちあがった。それから、こんどは少し小声になって言った。

「本当はここで終わりにするつもりだったんだ、ソフィー。ぼくはきみにアクロポリスと古代のアゴラの遺跡を見せてあげようと思った。でも、このあたりのたたずまいが昔はどんなに壮麗だったかが、本当にわかってもらえたかどうか、まだおぼつかない……。それで思ったんだが……もう少しやってみようかな、と。これはもちろんとんでもないルール違反なんだが……でも、なぜか大丈夫という確信が、きみとぼくのあいだには……まあ、いいでしょう、ちょっとした光景を見てもらおうか……」

哲学者はそれ以上は言わなかった。そこにじっと立ったまま、カメラを見つめていた。そのすぐあと、スクリーンにはまったく別の光景が現れた。廃墟からいくつもの建物がそびえ立ち、まるで魔法のように、古代の遺跡がなにもかももとどおりになったのだ。地平線にはあいかわらずアクロポリスが見えていた。けれども、アクロポリスもふもとの広場の建物もまっさらに新しい。あざやかな色を塗られて、燦然と輝いている。大きな四角い広場には、はなやかな色の服を着た人びとがそぞろ歩いている。剣を帯びている人びともいれば、壺を頭にのせている人もいる。パピルスの巻物を小脇にかかえている人も。

ソフィーはようやく哲学の先生を見つけた。先生はやっぱり青いベレー帽をかぶっていたけれど、画面のほかの人びとと同じような、黄色っぽい服を着ていた。先生はソフィーのほうにやってきて、カメラを見ながら言った。

「ま、こういうことです。ここは古代のアテナイだ、ソフィー。きみのその目でここを見てほしかったんだ、わかるかな？　今は紀元前四〇二年、ソクラテスが死ぬたったの三年前だ。きみがこの超豪華シーンがどんなにすごいものなのか、わかってくれるとうれしいんだけど。なにしろ、ここでビデオカメラをまわすのはとってもむずかしいことなので……」

ソフィーは頭がくらくらしてきた。いったいどうして、この謎の人物は突然今から二千四百年前のアテナイにいるの？　いったいどうして、ほかの時代をビデオで見ることができるの？　もちろん、古代にはビデオなんてあるわけがない。ひょっとして、これは映画？　でも、たくさんの大理石の建物はまるで本物のように見える。古代のアテナイの広場と、それからアクロポリスまで、映画のためにつくりなおそうとしたら……。無理よ、そんなセットはちょっと高くつきすぎる。いずれにしても、ただソフィーにアテナイについて教えるためならば、それはとんでもないぜいたくだ。

ベレー帽の男の人が遠くに目をやった。

「柱が並んでいる向こうに、男の人が二人いるね？」

ソフィーは、ちょっとよれよれの服のおじいさんを見つけた。長い髭は伸びほうだい、ぺったんこの鼻、するどい青い目、ほっぺたはリンゴのようにまっ赤だ。そのとなりにはすてきな若者がいる。

「ソクラテスと若い弟子のプラトンだ。わかるかな？　ソフィー。きみはこれからあの二人とじきじきに知りあいになるんだよ」

哲学の先生は、高い屋根の下にいる二人のほうに歩いていった。すぐそばまで行くと、ベレー帽をちょっともちあげてなにやら言っているけれど、何を言っているのか、ソフィーにはさっぱりわからない。たぶん古代ギリシア語だろう。しばらくすると、先生はカメラに向きなおって言った。

「今お二人に、ノルウェイの女の子がお近づきになりたがっている、と伝えたところだ。プラトンさんがいくつか質問なさるそうで、きみはそれについて考えるんだよ。でも、見張りに見つかったらたいへんだ、早いとこやってしまおう」

ソフィーはこめかみまでドキドキしてきたような気がした。なぜなら若者が歩み出て、カメラをのぞきこんだのだ。

「アテナイにようこそ、ソフィー」やさしい声だった。ノルウェイ語だったけれど、とてもへたくそだった。「ぼくはプラトンといいます。きみに四つの課題を出そうと思います。まずは第一問、さあ考えてね。ケーキ屋はなぜ五十個もの同じクッキーを焼けるのか？　第二問にいきます、なぜ馬はみんなそっくりなのか？　第三問、いいですか、きみは人間には不死の魂があると信じますか？　そして第四問、これで終わりです、女と男は同じように理性的か？　じゃあ、がんばってね！」

つぎの瞬間、映像は消えた。ソフィーは早送りしたり、巻きもどしたりしてみたけれど、ビデオはそこで終わっていた。

ソフィーはいっしょけんめい考えを集中させようとした。けれども、あることを考えはじめると、最後までいかないうちに、もう別のことに気がいってしまう。

哲学の先生が不思議な人だということは、とっくにわかっている。それにしても、だれもが知っている自然の法則をひっくり返すような授業のやり方なんて、これは行き過ぎよ。

スクリーンに映ったのは、本当にソクラテスとプラトンだったのだろうか？　もちろんちがう。そんなこと、ありっこない。でも、あれはコンピュータ・グラフィックでもなかった。

ソフィーはカセットを取り出して、自分の部屋に駆けこんだ。そして戸棚のいちばん上、レゴのとなりにビデオカセットをつっこんだ。それからぐったりしてベッドに倒れこみ、眠ってしまった。

何時間かして、母が部屋に入ってきた。母はソフィーを揺り起こした。

「あらまあ、どうしたの、ソフィー？」

「んんん……」

「もう、服のまんまで！」

あけようとしても目があかない。

「わたし、アテナイに行ってきたの」

そう言ったきり、ソフィーは寝返りをうってそのまま眠りつづけた。

プラトン――魂の本当の住まいへのあこがれ

つぎの朝、ソフィーははっとして飛び起きた。まだ五時ちょっと前。でも目はぱっちりとあいてしまった。ソフィーはベッドの上にしゃんと座った。

あれ、どうして服を着ているの？　その時、なにもかもがよみがえった。ソフィーはストゥールにのって、戸棚のいちばん上をのぞいた。やっぱりビデオカセットがある。だったらあれは夢なんかではなかったのだ。とにかく全部が夢ではなかった。

でも、本当にプラトンとソクラテスを見たの？　ああ、もう考えたくない。きっとママの言うとおりなのよ、わたし、この頃おかしいんだわ。

でもなにしろもう眠れない。あの犬がつぎの手紙をもってきていないか、ほら穴を見に行ったほうがいいかな？

ソフィーはそっと階段を降り、スニーカーをはいて外に出た。

庭は見わたすかぎり、とびきりさわやかで静かだった。小鳥たちがあんまりいせいよくさえずっているので、ソフィーは思わずにっこりしてしまった。朝露が、まるで小さなクリスタルのしずくのように草の茎を転がり落ちる。あらためてソフィーは、世界はなんて不思議なのだろう、考えられないほどだわ、と思った。

古い生け垣のなかもしっとりとしていた。哲学者の手紙はきていなかったけれど、ソフィーは大きな根っこをさっとぬぐって腰をおろした。

ソフィーは、ビデオに出てきたプラトンがいくつか問いを立てていたことを思い出した。まずは第一問、ケーキ屋はなぜ五十個もの同じクッキーを焼けるのか？　これはよく考えなくては。だってまるで同じクッキーを五十個も焼くなんて、とほうもないことだもの。ママはたまにレーズンクッキーを焼くけれど、天板（てんぱん）一枚分のうち同じ形のものは一つもない。ママはプロのケーキ屋じゃないんだから、いくらしくじってもおかしくない。でもママが店で買ってくるクッキーも、全部が全部、同じではない。クッキーは一つひとつ、ケーキ屋の手で形づくられるのだから。

ふいに、ソフィーはにんまりしてしまった。父と町に買物に出かけているあいだに、母がクリスマスのクッキーを焼いた時のことを思い出したのだ。帰ると、キッチンのテーブルには、人形の形をしたペファークーヘンがところせましと並んでいた。完全にではなかったけれど、なぜかみんな同じ形をしていた。どうしてか？　ママが全部のペファークーヘンを同じ「型」で抜いたからに決まってるじゃないの。

ソフィーはうれしくなってしまった。ペファークーヘンのことを思い出したおかげで、第一問が解けてしまったのだ。ケーキ屋が五十個のクッキーをそっくりの形に焼くのは、全部のクッキーを同じ型で抜くからです。終わり！

そのつぎに、ビデオのプラトンは秘密のカメラに向かって、こう質問したのだった。なぜ馬はみんな似ているのか。でもそれはちがう。わたしは反対だと思う。人間にそっくりさんがめったにいないのと同じで、二頭のそっくりな馬もいないわ。

ソフィーがこの問いを投げてしまおうとしたとたん、ふと、ペファークーヘンについて考えたことが心に浮かんだ。ペファークーヘンにはまったく同じものはない。厚めのもあるし、ちょっと欠けているのもある。それでもなぜだか、どれもこれも「同じ」ペファークーヘンなのだ。

たぶんプラトンは、どうして馬はいつも馬で、たとえば馬と豚のあいのこみたいなのはいないのか、ときいたのだ。だって、馬はたいてい熊みたいに茶色いけれど、羊みたいに白いのもいる。それでも、馬はみんなどこか似ている。それから、六本足や八本足の馬も見たことがない。でも、すべての馬が同じなのは一つの型で押してつくったからだなんて、プラトンが考えてたはずないわよね？

そのつぎにプラトンがきいていた問いは、本当に大きくてむずかしかった。人間には不死の魂があるか？　ソフィーは、わたしにはお手上げ、と思った。ソフィーが知っているのは、死んだ体は焼かれるか埋められるかで、そうなったらもう、その先に未来はないということだけだ。もしも人間に不死の魂があるのなら、人間はまるきりちがう二つの部分からできていることになる。年がたてば古びてしまう体と、体に起こる出来事とはあまり関係なく活動している魂と。いつかお祖母さんが言っていた、なんだか年をとるのは体だけみたいって。ということは、お祖母さんの心はいつだって若い女の子のままだったのだ。

「若い女の子」と考えたところから、ソフィーは最後の問いに移った。女と男は同じように理性的か？　うーん、わからない。だいいち、プラトンが言う「理性的」というのがどういうことなのかがわからない。

その時ふいにソフィーは、哲学の先生がソクラテスについて言っていたことを思い出した。ソクラテスは、人間はだれでも理性(あたま)をはたらかせさえすれば哲学の真理を理解できる、と言ったのだった。それから、奴隷だって貴族と同じように、自分の理性をはたらかせれば哲学の問いを解ける、とも。だったらソクラテスはきっと、女も男も同じように理性的だとも言ったはずよ。

こんなふうにソフィーがあれこれ考えていると、突然、生け垣がガサゴソいうのが聞こえた。それから鼻をフンフンいわせる音と、蒸気機関みたいなハアハアいう音も。と思うまに、あの茶色い犬がほら穴に入ってきた。大きな茶封筒をくわえている。

「ヘルメス！　ありがとう」

犬が封筒を膝に置くと、ソフィーは手を伸ばして犬の喉を撫でてやった。

「ヘルメスはおりこうさんねえ」

犬はぺったりと座って、よろこんでソフィーに撫でてもらっていた。けれどもしばらくすると立ちあがって、生け垣をくぐると、もと来た森へ帰っていった。

ソフィーは封筒を手に、犬を見送った。そして腹這いになって生け垣の狭い隙間をくぐると、庭の外に出た。

ヘルメスは森に向かって走っていた。ソフィーは数メートルあとを追った。犬は二度後ろをふりむいてウーッとうなったが、ソフィーはひるまなかった。きょうこそ哲学者のところに押しかけてしまおう。このままアテナイまで走っていかなければならないとしたって、かまうもんですか。

犬は少しスピードをあげた。そしてほどなく一本の径に出た。

ソフィーも小走りになった。けれどもしばらくすると犬はまたふりむいて、番犬のようにワンワンほえた。ソフィーも負けてはいなかった。そのすきに少しでも犬との距離を縮めた。

ヘルメスはどんどん駆けていく。とうとうソフィーは、これではとても追いつけっこない、と見きわめをつけた。そして、長いこと立ちすくんだまま、犬が遠ざかる音に耳をすましていた。ついに、あたりはしんと静かになった。

ソフィーは、木立のまばらになったところに切株を見つけて腰をおろした。手には大きな茶封筒がある。ソフィーは封筒をあけると、びっしりと書きこまれた何枚もの紙を取り出して、読みはじめた。

プラトンのアカデメイア

やあ、きみに会えてうれしかったよ、ソフィー。もちろん、アテナイでのことを言ってるんですがね。自己紹介もできたし。それに、プラトンさんも紹介できたから、さっそく始めてもいいよね。

ソクラテスが毒をあおぐことになった時、プラトン（紀元前四二七—三四七年）は二十九歳だった。ソクラテスにはそれまで長いこと師事していて、裁判のなりゆきもつぶさに見守っていた。アテナイが町でもっとも高貴な人物に死刑を宣告したことが、プラトンはどうしても納得できなかった。このショックが、プラトンの哲学者としての方向を決めることになる。

プラトンにとってソクラテスの死は、現実の社会のあり方と本当の、あるいは理想のあり方とのあいだにはどのような矛盾がもちあがるのか、ということを思い知らされる事件だった。

プラトンが初めて書いた哲学の文章は、ソクラテスの弁明についてだった。そのなかでプラトンは、ソクラテスが大法廷でどんなことを論じたかを伝えている。

きみも憶えているように、ソクラテスは自分では一冊も本を書かなかった。ソクラテス以前のたくさんの哲学者たちは、書くことは書いたのに、その大部分はのちのちまで保存されなかった。けれどもプラトンの考えたことはそっくり著作として残されたと考えられている。（ソクラテスの弁明のほかに、プラトンは書簡集と、三十五篇以上の哲学をめぐる対話篇を書いた。）プラトンの著作が保存されたのは、彼がアテナイに哲学の学校を開いたことと切り離せない。プラトンの学校は、とある森にあったんだが、その森にはギリシアの伝説の英雄、アカデモスにちなんだ名前がついていた。だからプラトンの哲学の学校も、「アカデメイア」と呼ばれた。（それからというもの、世界じゅうで何千というアカデミーがつくられた。今でも「アカデミック」と言えば学問的な、という意味だ。）

プラトンのアカデメイアでは、哲学、数学、体育が教えられた。「教えられた」というのは正しい言い方ではないな。プラトンのアカデメイアでも、活発な会話が重んじられた。だから、プラトンが自分の哲学を対話の形で書いたのも、気まぐれからではないいんだね。

永遠の真理、永遠の美、永遠の善

この哲学講座の初めに言ったよね、ある哲学者の研究テーマをたずねるのは、けっこう実りあることだ、と。だから、さあ、問いを立ててみよう。プラトンは何を探究しようとしたんだろう？

ひとことで言えばプラトンの関心は、いっぽうの永遠で不変なものと、もういっぽうの「流れ去る」ものとの関係にあった。（ということは、ソクラテス以前の哲学者たちとまったく同じだ！）ソフィストたちとソクラテスは、どちらも自然哲学の問いから目を転じて、むしろ人間と社会に関心を移した、ということをもう言った。それはそうなのだけれど、ソフィストたちやソクラテスもまた、それぞれの立場から、いっぽうの永遠で不変なものと、もういっぽうの「流れ去る」ものとの関係を明らかにしようとした。彼らは、人間のモラルと社会の理想や美徳は不変か、そうでないか、という問いを追究したんだ。ソフィストたちは、おおざっぱに言えば、何が正しくて何が正しくないかは都市国家ごとにちがう、時代や社会が変わればよしあしも変わる、と考えた。正と不正の問題は、だから「流れ去る」ものだった。ソクラテスはそういう考えには同調できなかった。ソクラテスは、人間の営みには永遠の掟（おきて）、つまり規範といったものがある、と考えた。わたしたちが理性をはたらかせさえすれば、そのような不変の基準をすべて理解できる、なぜなら人間の理性はまさに永遠の何か、不変の何かなのだから、とソクラテスは考えたんだ。

いいかい？　ソフィー。で、こんどはプラトンの番だ。自然界の何が永遠で不変か、またモラルや社会の何が永遠で不変か、プラトンはそのどちらにも関心をよせた。そう、プラトンにとって、この二つは一つの同じことだったんだ。プラトンは永遠で変わることのない「本当の世界」をとらえようとした。はっきり言ってしまえば、それをとらえることこそが哲学者たちの役割なんだ。今年の美女ナンバーワンはだれかとか、土曜日にどこのトマトがいちばん安いかとか、哲学者たちにきいても無駄だよね。（だから哲学者はあんまり人気がないんだなぁ！）哲学者たちは、そういう空しいことや生活べったりのことはちっとも気にとめない。哲学者たちが人びとにはっきりと示そうとするのは、何が永遠に真理か、何が永遠に美しいか、何が永遠に善かということだ。

ここまでで、わたしたちはプラトンの哲学の研究テーマをおおざっぱにつかんだ。さあ、これから順番にいくよ。今からたどる考えの道筋はちょっと変わっているけれど、のちのあらゆるヨーロッパの哲学にくっきりと跡をとどめている。

イデアの世界

すでにエンペドクレスとデモクリトスは、自然界のあらゆる出来事は「流れ去る」けれども、四つの根やアトムのような、けっして変わらない何かがある、と言っていたね。プラトンもこの問題にとりくんだ。ところがその考え方はまるきりちがっていた。

プラトンは、ぼくたちが自然のなかでさわったり感じたりできるものはすべて「流れ去る」と考えた。だから、けっして分解しない元素もない。感覚世界に属するものはなにもかも、時間に浸食される物質からできている。けれども同時に、すべてのものは時間を超えた型にしたがってつくられている。この型は永遠で不変だ。

わかったかな？　まあ、まだわからなくてもいいけど……。

ねえソフィー、なぜすべての馬は似ているんだと思う？　きっときみは、馬たちはぜんぜん似ていない、と思ったんじゃないかな？　でも、何かがあるでしょう、すべての馬に共通した何かが。これは馬だ、とぼくたちが判断するのにちっとも困らないようにしている何かが。一頭一頭の馬は「流れ去る」、これは当然だよね。馬は年もとれば、体がいうことをきかなくもなる。時とともに病気にもなるし、死にもする。でも、もともとの馬というものの型は永遠で不変だ。

　プラトンが永遠不変と考えたものは、したがって、物質である元素ではない。永遠で不変なものは精神的な、というか、抽象的なひな型（フォーム）、それをもとにあらゆる現象が型どられるひな型なんだ。

　つまりね、ソクラテス以前の哲学者たちは自然界の変化について、本当に何かが変化すると考えなくてもすむような、じつにつごうのいい説明をしてみせたんだ。彼らは、めぐりめぐる自然界には永遠に形を変えない、とても小さな部分があって、それは分解しない、と考えたわけだ。おみごとだよね、ソフィー！　わたしはおみごと、と言った。でも、ソクラテス以前の哲学者たちが納得のいく説明をしなかったことがある。彼らは、いったんはある馬を形づくっていたちっぽけな部分が、四百年か五百年たってから、いったいどのようにしてひょっこり別のちゃんとした馬になるのか、ということは説明しなかったんだ！　馬ではなくてゾウやワニでもいいけれど。つまりプラトンはこう言いたいんだ。デモクリトスのアトムは「ゾニ」にも「ワウ」にもなりっこない、とね。そしてまさにここから、プラトンの哲学の思考は出発する。

　もしきみが、ぼくの考えはもうわかったと言うのなら、この段落はすっ飛ばしていい。念のためにもう一度まとめるだけだから。きみはレゴを一箱もっている。そのレゴできみは馬をつくる。それから、つくった馬をまたばらばらにして、レゴを箱にしまう。新しく馬をつくろうと思ったら、その箱をただ揺すってもだめだ。レゴがひとりでに新しく馬をつくるなんてことがある？　ないよね。きみがもう一度、馬を組み立てなければならないよね、ソフィー。そしてきみが馬をつくれたとしたら、それは馬とはどんなものかというイメージがきみのなかにあったからだ。レゴの馬は、だから、一頭一頭の馬によっては変わらない、一つのひな型にしたがって形づくられたことになる。

　五十個の同じクッキーの問題はクリアしたかな？　ここでちょっと想像してみよう。きみは宇宙から地球に落っこちてきたばかりで、まだケーキ屋を見たことがない。それで、おいしそうなクッキーなんかを並べたケーキ屋の前につい立ち止まる。すると小さな丸テーブルに五十個のまったく同じペファークーヘン人形がずらっと並んでいる。きみは頭をかいて、どうして全部そっくりなんだろう、と考えるんじゃないかな？　まあ腕が一本ないのや、頭がちょっと欠けているのもあるだろう。ほかのよりデブの人形もあるかもしれない。それでもきみはよくよく考えたすえに、すべてのペファークーヘン人形には共通点がある、と結論するだろう。どれ一つとっても完全ではないけれど、クーヘン人形たちには一つの共通の起源があるにちがいない、とうすうす感じるだろう。そしてきみは、すべてのペファークーヘン人形は一つの同じ型（フォーム）からつくられた、ということに思い当たるわけだ。

　まだ先があるんだ、ソフィー、この先がね。さてそうなると、きみはその型を見たいと思う。なぜなら型は、どこか不備のあるコピーなんかよりも、なんと言うかもっと完全で、そしてまた、なぜだかもっと美しいにちがいないからだ。

　もしもきみがこの課題をたった一人で解いたとしたら、哲学の問題をプラトンとまったく同じやり方で解いたことになる。たいていの哲学者たちと同じように、プラトンもいわば「宇宙から落っこちて」きた。（プラトンが落っこちたのは、兎の細い毛の先っぽだった。）プラトンは、どうして自然界の現象はこんなに似ているのだろう、とびっくりして、わたしたちの身の回りにあるあらゆるものの上か後ろには、かぎられた数の「型」があるはずだ、という結論にたっした。この「型」をプラトンは「イデア」と名づけた。「目で見られた型」という意味だ。あらゆる馬や豚や人間の背後には、馬のイデアや豚のイデアや人間のイデアがあるのだ。（同じことで、さっき言ったケーキ屋はペファークーヘン人形のほかに、ペファークーヘンの豚やペファークーヘンの馬もつくれる。なぜなら、いっぱしのケーキ屋なら一つだけでなくいくつも型をもっているからだ。でも、それぞれの種類のペファークーヘンには型は一つあればいいよね。）

さて、結論だ。プラトンは感覚世界の後ろに本当の世界がある、と考えた。これをプラトンは「イデア界」と名づけた。ここに永遠で不変のひな型、わたしたちが自然のなかで出会うさまざまな現象の原型がある。この、あっと驚く考え方が、プラトンの「イデア説」だ。

たしかな知

ここまではついてこれたね、ソフィー。でもきみは、プラトンは本気でそんなことを考えていたんだろうか、とききたい気分かもしれない。まるで別の現実があって、そこにそういう型が存在すると、プラトンは本当に考えたんだろうかってね。

もちろんプラトンは、生涯をつうじて、文字どおりそう信じていたわけではなかった。でも、いくつかの対話篇のなかではそのとおりに考えているらしいよ。これから、なぜプラトンがそう考えるようになったか、その道筋をたどってみることにしよう。

哲学者は、よく言われるように、永遠で不変な何かをとらえようとするよね。たとえば、今ここにあるしゃぼん玉について哲学的な文章を書くのは、あまり意味のあることではないだろうな。その理由は、しゃぼん玉はふっと消えてしまうからきちんと研究できない、というのがまず一つ。二つめの理由は、だれも見ていない、ほんの数秒だけあるものについて書かれた哲学的な文章を人に買ってもらうのは、たぶんむずかしいからだ。

プラトンは、ぼくたちが身の回りの自然に見ているものはすべて、そう、ぼくたちが手でつかんだりさわったりできるものはすべて、しゃぼん玉のようなものだと考えた。なぜなら、感覚世界にあるものはすべて、つかのまのものでしかないからだ。きみはもちろん、人間も動物も遅かれ早かれおとろえてついには死ぬ、ということを知っている。けれども大理石のかたまりだってくずれ、ゆっくりと朽ちていく。（アクロポリスは廃墟だったね、ソフィー！　もしも、それについてどう思うかときかれたら、ぼくは、悲しい、残念なことだと答える。でも、事実はあのとおりだ。）プラトンのポイントは、ぼくたちはぜったいに、変化するものについてのたしかな知を手に入れることはない、ということだった。感覚世界のもの、つまりつかんだりさわったりできるものについては、ぼくたちはあいまいな「意見（ドクサ）」しかもてない。ぼくたちが「たしかな知（エピステーメー）」をもてるのは、理性でとらえることができるものについてだけなのだ。

　ちょっと待って、ソフィー、きちんと説明するからね。一つひとつのペファークーヘン人形は、生地をこねて、発酵させて、焼くわけだが、もしもどんなふうに仕上がるべきかがちゃんとわかってないと、うまくいかないよね。けれども二十とか三十とかの、まあ、だいたいよくできたペファークーヘン人形を見たあとでは、クーヘンの型がどんなものなのか、かなりたしかに知ることができる。もしも型そのものは見たことがなくても、だいたい察しがつく。型をじかに目で見たほうがいいかどうかは、いちがいに言えない。なぜなら、ぼくたちの感覚はいつもあてになるとはかぎらないからだ。見る能力には人によって差がある。それにひきかえ、理性が語ることには信頼がおける。理性はすべての人間にあってひとしいからだ。

　たとえば学校で先生が、きみのクラス三十人にたずねるとするよ。虹の色でいちばんきれいなのは何色ですか？　きっとさまざまな答えが出てくるだろう。けれども先生が、八かける三は、とたずねたら、クラスじゅうが同じ答えをするだろう。こっちは理性が判断しているからだ。理性は、思うとか感じるとかいうこととは正反対のものだ。理性は永遠で普遍だ、と言ってもいい。理性は、永遠や普遍にかかわることしか語らないのだ。

プラトンは数学にたいへん興味をもっていた。数学があつかうものは不変だからだ。だからぼくたちは、数学にかかわることではたしかな知を手に入れることができるのだ。ここでちょっとたとえ話をしよう。きみが森で松ぼっくりを見つけた、と想像してみて。たぶんきみは、この松ぼっくりは丸く見えると言う。ところがヨールンは、こっちから見るとちょっと平べったくてつぶれている、と言い張る。(そして、きみにつっかかってくるよ!)こんなふうにきみたちは、目で見るものについてはたしかな知をもてない。それにたいして、円の一まわりは三六〇度だ、ということなら完全にたしかに知ることができる。そのばあいきみたちは、理想の円について話しているんだ。それは自然界にはないけれど、きみたちの心の目にははっきりと見えている。(つまりきみたちは、隠されたクーヘンの型について話しているので、けっして、キッチンのテーブルに並べられたあれやこれやのペファークーヘン人形について話しているんじゃないわけだ。)

短くまとめてみようか。知覚するものについて、あるいは感じるものについて、ぼくたちはあいまいな意見しかもてない。けれども、理性で認識するものについては、たしかな知にたっすることができる。三角形の内角の和は永遠に一八〇度だ。そしてすべての馬は四本足で歩くというイデアもまた、たとえ感覚界の馬が一頭残らず脚を一本折っていたとしても、ずっとそのままだ。

不死の魂

ここまでで、プラトンは現実を二つの部分に分けて考えた、ということを見てきたね。

第一の部分は「感覚界」。これについてはぼくたちはあいまいな、不完全な知にしかいたれない。これには、ぼくたちのあいまいで不完全な五つの感覚が使われているわけだ。感覚界に属するものには「すべては流れ去る」ということがあてはまり、長らくもちこたえるものは一つもない。感覚界に属するものは、どんなものもたしかに「ある」、とは言えない。すべて、現れては消えていくおびただしいものばかりだ。

もう一つの部分は「イデア界」。これについては、理性をはたらかせれば、ぼくたちはたしかな知にいたれる。イデア界は、したがって感覚ではとらえられない。また、感覚界のものとは対照的に、イデア、つまり型は永遠で不変だ。

プラトンによれば、人間にも二つの部分がある。ぼくたちには体があるけれど、これは「流れ去る」。体は感覚界と切っても切れない関係に縛られていて、しゃぼん玉のような、感覚界のあらゆるものと同じ宿命を負っている。ぼくたちの感覚はすべてこの体と結びついていて、そのため頼りにならない。けれどもぼくたちには不死の魂もある。理性はここに住んでいる。まさに魂は物質ではないからこそ、イデア界をのぞくことができるのだ。

もう、言うことはすべて言ったようなものだけど、まだあるんだよ、ソフィー。いいかい、まだあるんだよ！

プラトンは考えをもっと先まで進めた。魂はぼくたちの体に降りてくる前にすでにあった、と考えたんだ。魂はかつてイデア界に住んでいた。（クーヘンの型と同じで、戸棚の上の段に入っていた。）けれども魂は、人間の体に宿って目を覚ましたとたんに、完全なイデアを忘れてしまった。それから何かが起こる。そう、驚くようななりゆきが始まるんだ。人間が自然のなかにさまざまな形を見ると、魂のなかにおぼろげな思い出が浮かびあがってくる。人間が馬を見る。それは不完全な馬だけど、（そう、ペファークーヘンの馬だ！）魂がかつてイデア界で見たことがある完全な馬のおぼろげな記憶を呼び覚ますにはじゅうぶんだ。すると、魂の本当の住まいへのあこがれもまた、目を覚ます。プラトンはこのあこがれを「エロス」と呼んだ。愛という意味で、魂はもともとの源への愛のあこがれを感じる、というわけだ。それからというもの、魂は体やすべての感覚にまつわるものを不完全な、どうでもいいものと見なすようになる。魂は愛の翼にのってイデア界に飛んで帰りたいと思う。体という牢獄から自由になりたい、と思うのだ。

念のために言っておくけど、ここでプラトンが語っているのは理想のなりゆきだ。なぜなら、魂がイデア界への帰り道につけるよう、すべての人間が自分の魂を自由にしてやるわけではないからだ。たいていの人びとは、感覚界のなかの、イデアの鏡に映った姿にしがみついている。人びとは馬を見て——やっぱりその馬しか見ていない。人びとは、すべての馬はへたなコピーなのだということをわかろうとしない。(人びとはずかずかとキッチンに入ってきて、これはどうやってつくったの、などとたずねもしないで、ペファークーヘンにさっと手を出す。)プラトンは、哲学者たちの歩む道を語ったのだね。彼の哲学は、一人の哲学者の行動の記録として読むといいかもしれない。

きみは影を見たら、ソフィー、何かがこの影を投げていると考えるよね。きみが何かの動物の影を見る。これはたぶん馬だ、ときみは思う。でも確信があるわけではない。それできみはふりむいて、ほんものの馬を見る。ほんものの馬は、ぼんやりとした馬の影なんかよりももちろんずっとすてきで、輪郭もはっきりしている。そんなふうにプラトンは、自然界のすべての現象は永遠の型、つまりイデアのただの影だ、と考えた。けれども、ほとんどの人びとは影のなかの人生に満足しきっている。彼らは、何かが影を投げているだなんて考えない。影こそが、存在するすべてなのだから、影を影として体験することはない。人びとはこうして、自分の魂は不死なのだということを忘れる。

洞窟の暗闇から抜け出る道

プラトンは、この考えをうまいこと説明するたとえ話をしている。「洞窟の比喩(ひゆ)」と呼ばれているんだが、それをぼくなりに語ってみよう。

さあ、想像してみて。人間は地下の洞窟に住んでいるんだ。人間たちは入り口に背を向けて、首と両足をしっかりと縛られている。だから、洞窟の奥の壁しか見えない。人間たちの後ろには高い塀があって、この塀の向こう側を、さまざまな人形を塀の上にかかげた人間のような者たちがとおりすぎる。そのさらに後ろには火が燃えていて、人形は洞窟の壁にゆらぐ影を投げる。洞窟の人間たちが見ることのできるたった一つのものは、この影絵芝居だ。人間たちは生まれてからこのかた、ずっとそこにうずくまっているので、この世には影しかない、と思いこんでいる。

さあ、想像をつづけて。この洞窟の住民の一人が、囚われの身から自由になるんだ。彼はいつも、洞窟の壁のこの影はいったいどこからくるのだろう、と不思議に思っていた。そして今、ついに自由をかちとった。さあ、彼が塀の上にかかげられている人形のほうにふりむいたとしたら、どうなると思う？　もちろん、とっさにはまぶしさに目がくらむよね。くっきりとした人形も、彼の目をくらませるだろう。これまでは、その影しか見たことがなかったんだもの。もしも塀をよじ登って、火のかたわらをとおりすぎ、洞窟から地上へ這いあがれたら、きっともっと目がくらんでしまうだろう。けれども、彼は目をこすってあたりを見まわして、なんてすべては美しいのだろう、と思うんじゃないかな。なにしろ、初めて色やくっきりとした輪郭を見たからだ。彼はほんものの動物や花を見る。洞窟ではそのまがいものを見ていたのだった。けれども、そのつぎに彼は疑問をいだくんだ。この動物や花はどこからきたのだろう、とね。彼は空の太陽をあおいで、洞窟では火が影絵を見せていたように、太陽が花や動物に命をあたえているのだ、と思い当たる。

さて、この幸運な洞窟の住民は自然のなかに飛び出して、今初めて手に入れた自由をぞんぶんに楽しむ。けれども、まだ地下の洞窟にうずくまっているみんなのことを思い出して、洞窟にとって返す。地下に戻ってくると、洞窟の住民たちに、洞窟の壁の影絵は「本当の現実」のゆらゆらゆらめくまがいものにすぎないんだ、と説明する。けれどもだれ一人信じない。みんなは洞窟の壁を指さして言うんだ。そこに見えているものが存在するすべてなのだ、とね。そのあげくに、外から帰ってきた男を、ありもしないことを言う危険分子としてみんなで殺してしまう。

プラトンが洞窟の比喩で描いてみせたのは、哲学者があいまいなイメージから自然界の現象の後ろにあるほんもののイデアへといたる道だ。プラトンは、ソクラテスのことも思いあわせていたにちがいない。ソクラテスは、洞窟の住民たちがなれ親しんでいるイメージを混乱させ、本当にものを見ることにいたる道を示そうとして、彼らに殺されたのだった。そう考えれば洞窟の比喩は、勇気や、哲学者の教育者としての責任を言い表していることにもなるだろうね。

プラトンは、洞窟の暗闇と外の自然界の関係が、自然界の形とイデア界の型の関係にちょうど重なる、ということに目をつけたのだった。プラトンは、自然そのものがまっ暗でみじめだ、と考えたわけではないけれど、イデアの明るさにくらべればやっぱりまっ暗でみじめだ、と考えた。かわいい女の子の写真はまっ暗でもみじめでもない。その反対だ。でも、やっぱりただの写真なんだ。

哲学者が国を治める

プラトンの洞窟の比喩は『国家』という対話篇に書いてある。この本のなかでプラトンは理想の国を描いている。つまりプラトンは、お手本となるような国を思い描いたのだ。ユートピアのような国と言いかえてもいい。ごくかいつまんで言うと、プラトンは、国家は哲学者たちによって舵取り(かじと)をされなければならない、と考えた。彼は人間の体の成り立ちにたとえて、そういう国を説明している。

プラトンによれば、人間の体は頭と胸と下半身の三つの部分から成り立っている。部分にはそれぞれ機能が割りふられている。頭には理性、胸には意志、下半身には快楽あるいは欲望というわけだ。

さらにこれらの機能には、それぞれ理想の状態、つまり徳がある。理性は知恵を目指さなければならないし、意志は勇気を示さなければならないし、欲望はコントロールされて節度を示さなければならない。もしも人間の三つの部分が一つにまとまってはたらくなら、ぼくたちは調和のとれた、まともな人間でいられる。学校では子どもたちはまず、欲望をコントロールすることを学び、つぎに勇気をやしない、最後に理性に磨きをかけて知恵を身につけなければならない。

プラトンは、ちょうど人間のように組み立てられた国を思い描いた。体に頭と胸と下半身があるように、この国にも治める人、守る人（兵士）、商う人（これには本来の商人のほかに職人と農民も含まれる）がいる。プラトンがギリシア医学をお手本にしていることは明らかだ。健康で調和のとれた人間にバランスと節度がそなわっているように、メンバーの一人ひとりが全体のなかの自分の持ち場を知ることが、公正な国であることの証だ。

プラトンの哲学のすべてに言えることだけど、彼の国家哲学にも合理主義が色濃く現れている。いい国家を築く要は、その国が理性によってみちびかれることだ。体が頭によってコントロールされるように、哲学者たちが社会をコントロールしなければならない。

ここで、人間と国家の三つの部分の対応を示す、簡単な表をつくってみよう。

体	魂	徳	国家
頭	理性	知恵	治める人
胸	意志	勇気	守る人
下半身	欲望	節度	商う人

プラトンの理想国家は、人それぞれが全体の利益のために特別の役割をになっていた、昔のインドのカースト制度を思わせるかもしれないね。プラトンの時代、いや、もっと以前から、インドのカースト制度はまさにこの三分法を知っていた。支配するカースト（聖職者のカースト）、戦士のカースト、労働や商業にたずさわるカーストだ。

こんにちのぼくたちの目には、プラトンの国は全体主義国家と映るかもしれない。現に、そのためにプラトンをきびしく批判する哲学者たちがいる。けれども忘れてはならないのは、プラトンがまったく別の時代に生きていた、ということだ。さらにはプラトンが、女も男と同じように国を支配できると考えたことは、心にとめておいていい。支配者は理性に立って国の舵取りをするべきなのだけれど、プラトンは、女性が男性と同じ教育を受け、子どもの世話や家事から解放されれば、男性とまったく同じ理性をもてるだろう、と考えた。そしてプラトンは、国の支配者たちと兵士たちに、家族と財産を捨てるよう求めた。いずれにしても育児は、個人にまかせるには重要すぎる。育児は国の責任でなされなければならない。（プラトンは、公共の幼稚園と全日制の学校について語った最初の哲学者だった。）

何度か政治に手ひどい幻滅（げんめつ）を味わったのち、プラトンは『法律』という対話篇を書いた。このなかでプラトンは法治国家を、もっともいいというわけではないけれど二番めには理想に近いものとして、個人の財産とプライベートな生活をふたたび取り入れた。そのために女性の自由は制限されてしまった。けれどもプラトンはこうも言っているよ。女性が教育を受けず、教養をはぐくまない国は、右腕だけをトレーニングする人のようなものだ、とね。

つまりプラトンは、当時としては前向きの女性のイメージをもっていた、と言っていい。対話篇『饗宴（シュンポジオン）』に登場して、ソクラテスが哲学的な理解を深める手助けをするのは、ディオティマという女性だ。

プラトンはこんな人だったんだ、ソフィー。二千年以上にわたって、人びとはプラトンのたぐいまれなイデア説を議論し、また批判もしてきた。その筆頭にいるのは、ほかでもない、プラトンのアカデメイアの生徒だった人だ。その人の名前はアリストテレス、アテナイの三番めの偉大な哲学者だ。でも、まあ、きょうのところはここまでにしておこうね！

ソフィーが切株に腰かけて読んでいたあいだに、うっそうと木におおわれた丘の上の東の空に朝日が昇った。太陽が地平線からのぞいたのは、ちょうどあのソクラテスみたいな人が洞窟から這い出て、外のまぶしい光に目をぱちぱちとしばたいたところを読んでいた時だった。

ソフィーは、まるで自分自身が地下の洞窟から出てきたような気分だった。とにかく、プラトンのことを読んだあとでは自然がまるでちがったふうに見える。今まではきっと、はっきりとしたイデアではなくて、影を見ていたのね。

プラトンが永遠のイデアについて言ったことが、全部が全部、正しいかどうかはわからない。でも、生きているすべてのものはイデア界にある永遠の型の不完全なコピーでしかないというのは、すてきな考え方だ。そう、すべての花も木も、人間も動物も、みんな不完全なのだ。

周りに見えているものはなにもかも、あまりにもきれいすぎる。あまりにも生き生きとしている。目をこすりたくなるほど。でも、わたしが見ているなに一つ、永遠にもちこたえはしない。それでも、百年たってもここには同じような花が咲いて、同じような生き物がいる。一匹一匹の生き物は、それから一輪一輪の花は、消えて、忘れ去られてしまうけど、すべてがどんなふうだったかは何かが憶えていてくれる。

ふいに、松の木の枝でりすがピョンと飛びあがった。りすはぐるぐると二回、幹の周りをまわって枝のあいだに消えた。あなたには前に会ったことがある。もちろん、さっきのりすそのものと会ったということじゃない。同じ型に会ったことがあるの。プラトンはたぶん正しかったのだ。昔、わたしの魂はわたしの体に降りてくるずっと前に、イデア界で永遠のりすを見たことがあるのだ。すでにいつか、わたしは生きていたことがある？　今引きずっていなければならないこの体をもつ前から、わたしの魂は存在していた？　わたしのなかには時がむしばむことのない小さな黄金のかたまり、そう、魂があるって本当？　わたしの体が年をとって死んでしまっても生きつづける魂があるというのは？

少佐の小屋——鏡の少女が両目をつぶった

まだ七時十五分だった。いそいで帰らなくても大丈夫。ママはあと二時間は眠っている。日曜日のママはいつも朝寝坊だ。

森に行って、アルベルト・クノックスさんを捜そうかな？　でも、どうしてクノックスさんの犬はあんなに怒ってうなったのだろう？

ソフィーは切株から立ちあがって、ヘルメスが走り去った森の径を歩いていった。手には、プラトンについての長い手紙の入った茶封筒をもっていた。径は二度、二手に分かれた。ソフィーはそのたびに広いほうの径を選んだ。

木の上で、空を飛びながら、藪や茂みで、いたるところで小鳥がさえずっている。小鳥たちは朝の身づくろいに忙しい。鳥たちには、ウイークデイもウイークエンドも関係ない。それにしても、さえずったり身づくろいしたり、いったいだれがああいうことを鳥たちに教えたのだろう？　鳥たちはそれぞれに体のなかに小さなコンピュータをもっていて、何をどうすればいいか、プログラムが命令しているのかしら？

径は小さな岩山を登っていった。登りつめると、こんどは高い松の木の間を急勾配で下っていた。ここまで来ると森はうっそうと生い茂り、木々のあいだをすかして見ても、数メートル先までしか見通せない。

ふいに、松の木の間になにか青いものが見えた。あれはきっと池だ。径はここで別の方向にふれていたが、ソフィーは木の間に分け入ってどんどん進んだ。なぜか足が自然とこちらに向かう。

池はサッカーのグランドよりも小さかった。向こう岸の、白樺の木立にかこまれた小さな空き地に、赤いペンキ塗りの小屋が見えた。煙突からはうっすらと煙が立ちのぼっている。

ソフィーは水際まで行ってみた。あたり一面、地面はひどくぬかるんでいたが、ほどなくボートが見つかった。なかば岸に乗りあげている。ボートのなかには、オールも二本、そろっていた。

ソフィーはあたりを見まわした。ぬかるみに足をとられずに池をまわって小屋まで行くのは、どうしてもむりのようだった。ソフィーはボートを水面に押し出した。それからボートによじ登ってオールを受け金にさしこむと、池を漕ぎ渡った。向こう岸まではあっというまだった。ソフィーは陸地に上がって、なんとかボートを乾いた地面にひっぱりあげた。こちら側の岸は傾斜がずっと急だった。

ソフィーは一度だけふりかえってから、小屋に向かって歩いていった。

そうしながらも、自分自身にびっくりしていた。わたし、なんでこんな思いきったことをしてるのかしら！　わからない。まるで、何かがソフィーをそそのかしているみたいだった。

ソフィーはドアをノックした。しばらく待ったが、だれも出てこない。ソフィーはおそるおそるドアの取っ手に手をかけた。ドアはすっと開いた。

「ごめんください。どなたか、いらっしゃいませんか？」

ソフィーは広いリビングルームに入った。背後のドアはあけっぱなしにしておいた。

だれもいない。けれども、古いストーブのなかで薪がミシミシと音をたてていた。ついさっきまでだれかがいたのだ。

大きな書き物机には、古いタイプライターと、何冊かの本と、ボールペンが二本、そして紙がどっさりのっている。池に面した窓辺には、テーブルと二脚の椅子。そのほかにはたいして家具はなかった。壁は一面だけ本棚になっていて、ぎっしりと本がつまっていた。白い整理ダンスの上には、どっしりとした真鍮（しんちゅう）の縁の、大きな鏡がかかっていた。かなり古いアンティークのようだった。

壁には二枚の絵がかかっていた。一枚は油彩で、フィヨルドをのぞむ白い家の絵だった。家は、赤い艇庫（ボートハウス）のある小さな入り江からちょっと離れて建っていた。白い家と艇庫のあいだはかなり傾斜した庭で、一本のリンゴの木といくつかのまばらな茂みと岩があった。白樺が、まるでクリスマスのリースのように庭をとりまいている。絵のタイトルは『ビャルクリ——白樺（ビャルク）に守られて』。

そのとなりには男の人の古い肖像画がかかっていた。男の人は膝に本を置いて、窓辺の椅子に腰かけている。数百年は前の絵だ。絵のタイトルは『バークリ』。描いたのはスミバートという人だった。

バークリとビャルクリ。なんか、おかしくない？

ソフィーはさらに小屋を見てまわった。リビングのドアの向こうは小さなキッチンだった。食器は洗いあげられたばかりで、皿やコップがふきんの上に積み重ねられている。床にはブリキの深皿があり、食べ残しが入っている。ということは、ここには犬か猫かなにかの動物もいるのだ。

ソフィーはリビングに戻った。もう一つのドアは小さな寝室につうじていた。ベッドの手前には、くしゃっと丸めた毛布が二枚、置いてある。毛布には茶色い毛がくっついていた。証拠を見つけたわ。ソフィーは、アルベルト・クノックスとヘルメスはこの小屋に住んでいるにちがいない、と確信した。

もう一度リビングに戻ったソフィーは、整理ダンスの上の鏡の前で足を止めた。鏡は曇っていて、まっ平ではなかった。そのために、ソフィーの姿もはっきりとは映らない。ソフィーは、バスルームで時どきやるように、自分に向かってしかめっ面をしてみた。鏡のソフィーはそっくり同じことをした。でももちろん、なにか別のことを期待していたわけではない。

突然、奇妙なことが起こった。ソフィーは、ほんの一瞬、鏡の少女が両目をつぶったのをはっきりと見たのだ。びっくりして、ソフィーは後ろに飛びすさった。もしもわたしが両目をつぶったのだったら、鏡のわたしが両目をつぶるのを、わたしは見ることができるだろうか？　すると、またもう一度。鏡の女の子がソフィーに向かって両目をつぶったようだった。まるで、こう言おうとしているみたいに。わたしはあなたを見ているわよ、ソフィー。わたしはもう一つの世界にいるの。

ソフィーの心臓は早鐘（はやがね）のように打った。その時、遠くで犬がほえるのが聞こえた。あれはきっとヘルメス！　逃げなくちゃ。

ふと見ると、整理ダンスの上、真鍮の鏡の真下に、緑色の財布があった。ソフィーは手に取って、そっとあけてみた。財布には百クローネ札が一枚と、五十クローネ札が一枚と……生徒の身分証明書が入っていた。ブロンドの女の子の写真が貼ってある。写真の下には「ヒルデ・ムーレル＝クナーグ」、そして「リレサン中学校」。

ソフィーは、顔からすーっと血の気が失せるのがわかった。その時、もう一度犬の鳴き声が聞こえた。こうなったらもう、いそいでここを出るしかない。

テーブルのかたわらをとおりすぎた時、たくさんの本や紙のあいだに白い封筒が目にとまった。表には「ソフィー様」と書いてある。

ソフィーはよく考えもしないで封筒をひったくると、プラトンについての長い手紙の入った大きな茶封筒につっこんだ。それから小屋を走り出て、ドアをしめた。

外に出ると、犬の声がいちだんとはっきり聞こえてきた。ボートがない。一瞬ののち、ソフィーは、小さな池のまんなかあたりにボートが浮かんでいるのを見つけた。オールが一本、ボートのそばに浮いている。

ボートをちゃんと岸に上げなかったから、こんなことになったのだ。また犬がほえた。こんどは、そのほかにも聞こえるものがあった。池の向こう岸の木立のあいだで何かが動いた。

あれこれ考えてはいられない。ソフィーは大きな封筒をかかえて、小屋の裏手の茂みに駆けこんだ。そこから先は沼地をつっきらなければならない。何度もふくらはぎの半分まで水につかった。それでも、なにしろどんどん行くしかない。うちに帰らなければ、うちに。

しばらくすると径に出た。これはもと来た道？　ソフィーは立ち止まって、服の水をしぼった。その時ようやく涙がわいてきた。

なんてばかなことをしたのだろう？　最悪なのはあのボート。ボートと一本のオールが、何度も何度も心によみがえった。なにもかもひどい、ひどすぎる……。

今頃、哲学の先生はもう池のほとりまで戻ってきたにちがいない。家に帰るにはボートがいる。ソフィーは、悪いことをしてしまった、と思った。でも、わざとしたんじゃない。

あっ、封筒！　こっちのほうがよっぽど悪い。どうしてもってきちゃったんだろう？　わたしの名前が書いてあったからよ、もちろん。だから、これは少しはわたしのものなのだ。でも、なんだか泥棒になったみたい。そのうえ、小屋に来たのはわたしだって、わかってしまう。

ソフィーは封筒から紙切れを取り出した。そこにはこう書いてあった。

鶏と「鶏」というイデアと、どっちが先か？
人間は生まれながらにイデアをもっているか？
植物と動物と人間の違いは？
なぜ雨は降るのか？
いい人生を生きるために必要なものは何？

今は問いについて考えてなどいられない。でも、これらの問いがつぎの哲学者にまつわるものだ、ということはピンときた。つぎの哲学者はアリストテレスっていうんじゃなかった？

　走って走って、森を抜けて、生け垣が見えてきた時、ソフィーはまるで難破した船から岸に泳ぎついたような気がした。生け垣を反対側から見るのはおかしなものだった。ほら穴にもぐりこんで初めて、時計を見た。十時半。ソフィーは大きな封筒をクッキーの缶のいちばん上に入れ、新しい問いの紙切れはタイツのウエストのところにつっこんだ。

　ソフィーが帰った時、母は電話中だった。母は電話を切った。

「いったいどこにもぐりこんでたの？　ソフィー」

「あ、ちょっと、散歩……森に行ってたの」

「ふうん、それにしても、なあに、そのかっこうは？」

　ソフィーはなにも言わずに、服からぽたぽたしたたり落ちている水を見た。

「ヨールンに電話しちゃったじゃないのよ……」と母。

「ヨールンに？」

　母は乾いた服をもってきてくれた。ソフィーはあせって、なんとか哲学の先生の手紙を見つからないようにした。二人はキッチンに移った。母が温かいココアをつくってくれた。

「彼といっしょだったの？」母がたずねた。

「彼って？」

　ソフィーの頭をよぎったのは、哲学の先生のことだけだった。

「彼よ……。兎の彼」

　ソフィーは首を横にふった。

「いっしょに何してたの？　なんであんなにびしょ濡れになったの？」

　ソフィーはもっともらしい顔でテーブルを見つめていた。けれども心の秘密のすみっこには笑いの虫が巣くっていた。かわいそうなママ、そんなこと心配しちゃって！

ソフィーはもう一度、首を横にふった。すると、質問が土砂降り雨みたいに襲ってきた。

「さあ、こんどというこんどは、本当のことを話してちょうだい！ ゆうべはどっかに行ってたわね？ どうして服のまんま眠ったの？ わたしが寝てから、こっそり出ていったんでしょう？ あなたはまだ十四よ、ソフィー。さあ言いなさい、いったいだれといっしょだったの？」

ソフィーは泣き出した。そして打ち明けた。またあのとりかえしのつかない思いがよみがえって、不安になったのだ。人は不安だと、本当のことを言うものだ。

ソフィーは、朝早く起きて、森に散歩に行ったことを白状した。小屋のことも、ボートのことも、不思議な鏡のことも打ち明けた。けれども、秘密の文通のことはひとことも言わなかった。緑色の財布のこともふれないでおいた。なぜだか自分でもはっきりとはわからなかったけれど、ヒルデのことは自分一人の胸にしまっておかなくてはならない気がしたのだ。

母はソフィーの腕をつかんだ。信じてもらえた、とソフィーは感じた。

「ボーイフレンドなんて、いないもん」ソフィーは、すすりあげながら言った。「白兎のことでそんな心配しないでいいって、わたし言ったじゃない」

「それじゃ、あなた、本当に少佐の小屋(マヨールストウア)まで行ったのね……」母は、なにやら思いをめぐらしながら、言った。

「少佐の小屋？」ソフィーは目をぱちくりした。

「あなたが森で見つけた小さな小屋ね、あれは『少佐の小屋』って呼ばれてるの。ずうっとずうっと前に独り(ひと)者の少佐が住んでいたのよ。ちょっと変わった人だったの、ソフィー。でも、もうこんなことはおしまいにしましょう。あの小屋はそれからずっと空き家なのよ」

「ねえ、信じる？ 今はあそこに哲学者が住んでるの」

「だめだめ、おとぎ話はもうおしまいよ」

ソフィーは自分の部屋で、きょうの出来事について考えていた。ソフィーの頭のなかは、まるでにぎやかなサーカスのようだった。大きな図体（ずうたい）の象や、お茶目なピエロや、きびきびとしたブランコ乗りや、おめかしした猿たちがこんぐらがって出てくる。けれども一つの情景がくりかえし思い浮かぶ。深い森のなかの池、そこに浮かぶボートとオール――だれかが小屋に帰ろうとして、でも使えなかった、あのボート……。

ソフィーには、哲学の先生は怒りはしないし、小屋を訪ねたことがわかっても許してくれる、という確信があった。けれども、約束を破ってしまったこともたしかだった。それに、知らない人がすすんで哲学を教えてくれていることに、ソフィーは感謝の気持でいっぱいだった。どうしたらつぐなえるだろう？

ソフィーはローズピンクのレターペーパーを取り出して、こんな手紙を書いた。

《親愛なる哲学者様！

わたしは日曜日の朝早く、小屋に行きました。哲学の問題についてじっくりとお話しするために、どうしてもお会いしたかったのです。今、わたしはプラトンのファンです。でも、イデアとかひな型とかが別の世界に存在するというプラトンの考えが、そのまま正しいのかどうか、よくわかりません。そういうものは、もちろんわたしたちの魂のなかにはありますが、今のところのわたしの考えでは、それはまた別のことです。それから残念ながら、わたしたちの魂が不死だということも、まだすっきりとは納得できません。少なくともわたしには、前世の記憶がありません。もしもクノックスさんが、亡くなった祖母の魂がイデア界で幸せにしている、ということを納得させてくださったら、たいへんありがたいのですが。
この手紙に角砂糖をそえて、ローズピンクの封筒に入れてお出ししますけれど、本当は哲学のことを書こうとしたのではありません。言いつけを守らなかったことを、ただおわびしたかったのです。ボートを岸に上げておいたつもりだったのですけれど、わたしの力が足りませんでした。そこに大きな波がきて、ボートを押し流してしまったらしいのです。
クノックスさんが足を濡らさないでお帰りになったことを、心から願っています。もしもそうでなかったら、わたしはびしょびしょになったということ、たぶんひどい風邪をひくだろうということで、どうかごかんべん願います。でも、なんと言っても、これはわたしが悪いのです。
小屋でわたしはなにもさわりませんでしたが、封筒にわたしの名前を見て、どうしても好奇心をおさえられませんでした。盗もうなんて思ったのではありません。ただ、わたしの名前が書いてあったので、ちょっとのあいだ、頭のなかがごっちゃになって、それで、この手紙はわたしのものだ、と考えてしまったのです。心から本当にごめんなさい。そして、もうこれからはクノックスさんをがっかりさせないと、お約束します。

追伸　これからすぐに、全部の問いをいっしょけんめい考えることにします。

もう一つ追伸　白い整理ダンスの上にかかっていた真鍮の鏡はふつうの鏡ですか？　それとも魔法の鏡ですか？　ただ、鏡に映ったわたしが両目をつぶるなんて、生まれてから一度も見たことがなかったので、おたずねします。

あなたの、興味しんしんのよい生徒　ソフィーより　さようなら》

ソフィーは手紙を封筒に入れる前に、二回、読みなおした。少なくともこないだの手紙よりはかたくるしくなかった。こっそり角砂糖を取りにキッチンに行く前に、あらためて課題の紙を手に取った。

最初はなんだっけ――「鶏と『鶏』というイデアと、どっちが先か?」この問いは、鶏と卵とどっちが先か、というあのおなじみの問いと同じくらいむずかしい。卵がなければ鶏はいない。でも鶏がいなければ、やっぱり卵はない。あれ、でもこの鶏と鶏の「イデア」とどっちが先かっていう問いは、そんなにむずかしいのかな? プラトンが言ったことははっきりしている。プラトンはこう言った。感覚世界に鶏が存在するずっと前から、「鶏」のイデアはイデア界にあったのだって。プラトンによるなら、魂は体に降りてくる前に、イデアの「鶏」を見たことがあるってことになる。けれども、わたしはここのところで、プラトンはまちがっていたかもしれないって考えたのではなかった? 生きた鶏や鶏の絵を見たことがない人は、鶏の「イデア」をもつこともできない、とね。そう考えて、ソフィーはつぎの問いに進んだ。

「人間は生まれながらにイデアをもっているか?」これは大いにあやしい、とソフィーは考えた。生まれたばかりの赤ちゃんがとりわけどっさりイデアをもっているなんて、想像できない。もちろん、子どもはことばを知らないということが、子どもの頭のなかにイデアがないということだとは言いきれない。でも、わたしたちはこの世界のものについて何かを知る前に、まずはそれを見なければならないんじゃない?

「植物と動物と人間の違いは?」とっさにソフィーは、この違いはわりとはっきりとしている、と考えた。たとえば、植物が特別こみいった心の生活をしているなんて、考えられない。恋に悩むつりがね草の花なんて、聞いたことある? 植物はぐんぐん伸びる。養分を吸いあげて、小さな種をつくって殖える。植物のあり方なんて、これでほとんど言ってしまったようなものだ。けれどもソフィーは、今植物について言ったことは、なにからなにまで動物と人間にもあてはまる、と思った。でも、動物にはそのほかの特徴もある。たとえば動物は自分で動ける。(薔薇の花が六〇メートル走にエントリーしたことある?)でも、動物と人間の違いを言うのはちょっとむずかしい。人間は考えることができる。でも、動物だってできるんじゃないの? うちの猫のシェレカンを見ていると、そう思いたくなる。シェレカンのふるまいはいつだってみごとに決まっている。

でも、哲学について考えることはできるのかな? 猫は、植物と動物と人間の違いを考えることができるのかな? ううん、ぜんぜんよ! たしかに猫は、よろこんだり悲しんだりはできる。でも、神はいるかとか、自分は不死の魂をもっているかとか、考えることができるだろうか? それは、とてもじゃないけどあやしいものだわ。けれどももちろん、赤ちゃんが生まれつきイデアをもっているかについてだって、これと同じことが言える。イデアについて話をするのは、猫にとっても、生まれたばかりの赤ちゃんにとってもむずかしい。

「なぜ雨は降るのか?」ソフィーは肩をすくめた。雨が降るのは、海の水が蒸発して、雲が濃くなって雨になるからに決まっている。とっくに小学校で習わなかった? もちろん、雨は動物や植物が育つために降るという言い方もできる。でも、これってあってる? だとしたら、雨は意志をもっているわけ?

最後の問いは意志と関係がありそうだ。「いい人生を生きるために必要なものは何?」哲学の先生は、この講座の初めのほうでこんなことを書いていた。すべての人間には食べ物と暖かさと愛と気配りが必要なんだって。それから、こんなことも言っていた。すべての人間はこのほかにも哲学の問いの答えを必要としているって。自分に向いた仕事をもつというのも、けっこう大切だ。もしもたとえば車が嫌いな人は、タクシーの運転手になったらちっとも幸せではない。それから、宿題の嫌いな人が先生になるというのは、かしこい仕事の選び方ではない。ソフィーは生き物が好きだった。だから、自分が獣医になったところはすぐに想像がつく。いい人生を送るのに、宝くじで百万クローネ当てることが必要だとはそれほど思わない。だって、ことわざにあるじゃない？　「なまけ癖は悪の始まり」って。

ソフィーは、母が食事に呼ぶまで、ずっと部屋にこもっていた。母の料理はステーキとベイクド・ポテトだった。おいしい！　母はキャンドルまで出してきて、灯をともした。デザートはクリームのかかったほろむ苺(クラウドベリー)だった。

二人はいろんなおしゃべりをした。母は、十五のお誕生日には何がしたい、とたずねた。その日はあと数週間に迫っていた。

ソフィーは肩をすくめた。

「だれかをお招きしたい？　パーティをしたいんじゃないかなって、思ったんだけど」

「そうね……」

「マルテとアンネ＝マリーを呼びましょうよ……。それからヘーゲ……もちろんヨールンも。ヨルゲンもたぶん……。でも、そういうことはあなたが決めなくちゃ。わたしの十五のお誕生日、今でも憶えてるわ。それに、ついこないだのような気がする。あの時は、もうおとなになったような気分だったわ、ソフィー。おかしいかしら？　あの頃から自分がすごく変わったなんて、とても思えないのよ」

「そりゃそうよ。変わるものなんて、なにもないんだもの。ママはただ成長しただけ。年をとっただけなんだわ」

「ふうん……ずいぶんおとなみたいなこと言うのね。ただね、なにもかもがあっというまだったって思うのよ」

母が昼寝をしているあいだに、ソフィーはほら穴へ行った。ローズピンクの封筒には角砂糖を入れ、表に「アルベルト様」と書いておいた。

つぎの手紙はきていなかった。けれど数分後、犬が近づいてくる物音が聞こえた。

「ヘルメス！」ソフィーが声をかけると、つぎの瞬間、大きな茶封筒をくわえたヘルメスがほら穴に分け入った。

「おりこうさんねえ！」

ソフィーは犬の首に腕をまわした。ヘルメスは大きく口を開いて、ハアハアと息を切らせている。ソフィーは角砂糖入りのローズピンクの封筒をヘルメスの口にくわえさせた。ヘルメスはほら穴から這い出て、ふたたび森に消えた。

ソフィーはちょっとドキドキしながら封をあけた。ひょっとして小屋やボートのことが書いてあるのでは？

クリップでとめたいつもの紙が何枚か入っていた。けれども一枚だけ、別の紙も入っていた。そこにはこう書かれてあった。

《親愛なる少女探偵様！　それとも、親愛なる家宅侵入少女様、と言ったほうが事実に近いかな？

事件はすでに警察に通報済みです……。冗談ですよ。ぼくはべつに怒ってなんかいません。哲学の謎の答えが知りたくてああいうことをしたのなら、きみはじつに好奇心旺盛(おうせい)で、じつに前途有望だ。困るのはただ一つ、かくなる上は、ぼくは引っ越さなくてはならないということです。まあ、こうなったのはもちろんぼくの責任だ。ぼくは、きみが物事をとことんつきつめたいと思っている人だということを、思い知ったということだろうね。

心をこめて　アルベルト》

ソフィーはほっとして、ふうとため息をついた。先生は怒ってない。でも、どうして引っ越さなくてはならないのだろう？

ソフィーは大きな封筒をかかえて部屋にいそいだ。母が目を覚ました時には、うちにいたほうがいい。ほどなく、ソフィーはベッドに寝転がっていた。さて、アリストテレスについて読もうかな。

哲学者兼科学者

親愛なるソフィー！　プラトンのイデア説には、きっと面食らっただろうね。でも、面食らったのはきみが初めてじゃない。きみはなにもかもすんなりと受けいれたのだろうか？　それとも反対意見でコチコチになっているのだろうか？　もしも反対意見でこり固まっているとしても、強い味方がいるからご安心。似たような異議はアリストテレス（紀元前三八四―三二二年）がとっくの昔にとなえている。アリストテレスは、二十年間プラトンのアカデメイアで学んだ人だ。

アリストテレスはアテナイ生まれではない。マケドニアの生まれで、プラトンが六十一歳の時、アカデメイアにやってきた。父親は高名な医者で、自然科学者でもあった。アリストテレスの哲学の研究テーマは、こうした生い立ちからだけでもおおよそ察しがつく。つまり、アリストテレスはなによりも生き生きとした自然に関心を向けたのだ。アリストテレスはギリシア最後の偉大な哲学者であるだけではなくて、ヨーロッパの最初の偉大な生物学者でもあったんだ。

ちょっと乱暴かもしれないけれど、まとめてみると、プラトンは永遠の原型、つまり「イデア」にあまりにも思い入れしすぎたために、自然界の変化をいちいち観察しはしなかった。それにたいしてアリストテレスはまさに変化に、今でいう自然過程に関心をよせたんだ。

もっと乱暴にまとめれば、プラトンは感覚世界にそっぽを向いて、ぼくたちが身の回りに見るものを、ただ流れ去るものととらえた。(プラトンは、洞窟から脱出したい、永遠のイデア界をのぞきたいと思ったのだった!) アリストテレスはまるで逆をいった。大いなる自然に分け入って、魚や蛙を研究した。アネモネやけしの花を研究した。

プラトンは理性だけをもちいた、アリストテレスは感覚ももちいた、と言ってもいい。

二人の文章の書き方を見ると、はっきりとした違いに気づく。プラトンは詩人や神話の語り手を思わせるけれど、アリストテレスの文章は簡潔で百科事典のようにくわしい。アリストテレスが書いたことの多くは、綿密な自然研究の積み重ねを踏まえている。

古代には、アリストテレスが書いたとされる百七十以上もの著作の題名が知られていた。そのうちの四十七篇がこんにちまで残っている。これらは本として書かれたものではない。ほとんどが講義録だ。アリストテレスの時代にも、哲学はおもに話しことばのなかに生きていた。

アリストテレスは、さまざまな分野で今でも使われている学術用語をつくったことで、ヨーロッパ文明に大きな意味をもっている。アリストテレスはさまざまな学問の基礎をつくり、学問をきちんとした組織にととのえた偉大な学者だった。

アリストテレスはあらゆる学問について書いたので、ここでは重要な分野だけを取りあげて、それでいいことにしようと思う。

プラトンについていろいろ話したから、まずはアリストテレスがプラトンのイデア説にどう反対したかということから聞いてもらおうか。それから、アリストテレスが彼の自然哲学をどのように打ち立てたかを見ていく。それまでの自然哲学者たちが言ったことをまとめたのは、アリストテレスだったよね。そのあとに、彼がぼくたちの概念を整理して、論理学という学問をつくりあげたことを見ていこう。おしまいに少しだけ、人間と社会についてのアリストテレスの考え方も話すつもりだ。

きみがこんな条件でいいなら、さあ、腕まくりして、はりきってとりかかるぞ。

人間は生まれながらにイデアをもってなどいない

プラトンも、彼より前の哲学者たちと同じように、あらゆる変化のなかに永遠で不変のものを見つけようとした。そして、感覚界を超えた完全なイデア界を見いだしたわけだ。さらにプラトンはイデアを、自然界のすべての現象よりも真実なものとした。まず馬のイデアがあって、それから、洞窟の壁を早足で駆けていく影絵のような、感覚界のすべての馬があるのだった。鶏のイデアも同じで、それは鶏よりも卵よりも先に存在するのだった。

アリストテレスは、プラトンは本末転倒（ほんまつてんとう）だ、と考えた。一頭一頭の馬は「流れ去る」し、永遠に生きる馬はいないということでは、先生のプラトンと同じ意見だった。馬の形そのものは永遠で不変だ、ということでも意見は一致していた。けれどもアリストテレスは、馬のイデアというのはただの概念で、ぼくたち人間がかなりの数の馬を見たあとでつくりあげたものだ、と言った。すべての経験に先立つ馬のイデアや型（フォーム）なんかあるわけがない、とね。アリストテレスに言わせれば、プラトン先生の言う馬の型は、馬のさまざまな特性からできあがっている。アリストテレスは、こんにちの生物学でいう、種としての馬のようなものを考えたんだね。

もっとはっきり言おうか。プラトンのいわゆる馬の型ということばでアリストテレスは、すべての馬に共通しているものを考えたのだ。こうなるともうペファークーヘンの型のイメージは通用しない。なぜならペファークーヘンの型は一つひとつのペファークーヘンからはまるきり独立して、それだけで存在するものだからだ。アリストテレスは、そのような型を入れておくいわば特別の戸棚が自然のなかにあるとは考えなかった。アリストテレスが解釈した型とは、なにかあるものに特有の性質なのだから、そのもの自体のなかにあるのだった。

だからプラトンが、鶏のイデアが鶏よりも先にある、としたことにもアリストテレスはちがう意見をもっていた。アリストテレスが鶏の型と呼んだのは、たとえば卵を産むというような、一羽一羽の鶏がもっている、鶏に固有の性質のことだった。だから、鶏そのものと鶏の型は、ちょうど魂と体のように切り離せない。

これでもう、アリストテレスがプラトンのイデア説をどんなふうに批判したかは、あらかた言ってしまった。でも、今ぼくたちは思想の大どんでん返しについて話しているんだ。そのこと、しっかり憶えておいてよ。プラトンは、理性で考えたことが最高の現実だと考えた。ところがアリストテレスは、最高の現実は知覚でとらえたこと、あるいは感じとったことにあると考えた。プラトンは、ぼくたちの身の回りの自然界に見えることはイデア界にある何か、ということはまた人間の魂のなかにある何かのただの反映でしかないと考えた。アリストテレスの考えはまるきり反対だった。つまり、人間の魂のなかにあるものが、自然界の事物の反映なのだ。アリストテレスによればプラトンは、人間の想像と現実の世界を取りちがえるということでは、一種の神話の世界観にはまりこんでしまっていることになる。

アリストテレスは、あらかじめ感覚にとって存在しなかったものは意識のなかには存在しない、と言った。プラトンならこう言うところだろうな。あらかじめイデア界に存在しなかったものは自然界に存在しない、とね。そんなふうに、プラトンはものの数を二倍に増やしてしまった、とアリストテレスは考えた。だって個々の馬を説明するのに、イデアの馬を持ち出すんだから。でも、これは説明になっているかな、ソフィー？　ぼくなら、ではイデアの馬はどこからきたのか、と考えてしまうよ。三番めの馬が存在するのだろうか？　イデアの馬がそのただのコピーであるような、三番めの馬が？

アリストテレスは、ぼくたちの思考やイデアの中味はすべて、ぼくたちが見たり聞いたりしたことをつうじてぼくたちの意識にもたらされた、と考えた。けれどもぼくたちは生まれつき、理性をもってもいる。ぼくたちには生まれつき、すべての感覚の印象をさまざまなグループや階級に分類する能力があるんだ。だから「鉱物」「植物」「動物」「人間」といった概念が成り立つ。「馬」や「鶏」や「カナリア」という概念が成り立つんだ。

アリストテレスは、人間には生まれつき理性がある、ということを否定しなかった。否定しないどころか、まるでその反対だ。アリストテレスによれば、理性こそはもっとも重要な人間のしるしだ。けれども理性は、ぼくたちがなにも感じないかぎり、まったくの空っぽだ。だから、人間は生まれながらにイデアなどもってない、ということになるんだよ。

形相はものの特性

プラトンのイデア説にたいする態度をはっきりさせてから、アリストテレスは、現実は形相（フォーム）と質料が一体となってできたさまざまな個々のものから成り立っている、ということを打ち出した。「質料」

はものをつくっている素材、「形相」は、そのものをそのものにしている固有の性質のことだ。

きみの前で一羽の鶏がはばたいているとするよ、ソフィー。鶏の形相とはまさにこの、はばたくことだ。それからコケコッコと鳴くこと、卵を産むことだ。鶏の形相は鶏という種の固有の性質、言いかえれば鶏はどんなことをするか、ということだ。鶏が死んだら、そしてコケコッコと鳴かなくなったら、その鶏の形相も存在することをやめてしまう。あとに残るのは鶏の質料、つまり素材だけだ。(なんともはや、悲しいことだね、ソフィー!) これはもう、鶏ではない。

さっき言ったように、アリストテレスは自然界の変化に関心をよせたのだった。質料にはかならず特定の形相をとる可能性がある。質料は内に秘めた可能性を現実のものにしたがっている、と言っていい。自然界のあらゆる変化は、アリストテレスによれば、質料が可能性から現実性に変化することだ、ということになる。

ちょっと待って、ソフィー、今ちゃんと説明するからね。面白いたとえ話をしよう。昔、彫刻家が大きな花崗岩にとりくんでいた。彫刻家はくる日もくる日もこのただの石くれをたたいたり削ったりしていたんだが、ある日、小さな男の子がやってきた。「なにしてるの?」男の子がたずねた。「待っているのさ」と彫刻家は答えた。何日かして、また男の子がやってきた。彫刻家は花崗岩から一頭のみごとな馬を彫り出していた。男の子は、はっと息をのんで馬に見とれた。それから彫刻家にたずねた。「この馬がこの石に入ってたって、どうしてわかったの?」

本当に、どうやって彫刻家はそんなことを知ったんだろうね? 彫刻家は花崗岩のかたまりのなかにたしかに馬を見ていたんだよ。なぜなら、この花崗岩には馬になる可能性が宿っていたからなんだ。こんなふうにアリストテレスは、自然界のすべてのものは特定の形相を実現する可能性を内に秘めている、と考えたのだ。

さて、鶏と卵の話に戻ろうか。卵には鶏になる可能性がひそんでいる。おっと、すべての卵は鶏になる、ということではないよ。多くの卵は結局のところ、内にひそんでいた形相を実現することなく、朝食のテーブルにのってしまう。ゆで卵やオムレツやスクランブル・エッグになってね。でも、鶏の卵からはガチョウはかえらない、ということもはっきりしている。この可能性は鶏の卵にはそなわっていない。というわけで、あるものの形相とは、それが何になるかという可能性と、何にしかならないかという限定の両方を表しているのだ。

アリストテレスが「形相」「質料」と言った時、生きている有機体のことだけを考えていたのではないんだ。コケコッコと鳴くことや、羽をばたばたはばたかせることや、卵を産むことが鶏の形相なら、地面に落ちることは石の形相だ。鶏が鳴かずにはいられないように、石も落ちずにはいられない。もちろんきみは石をもちあげたり、空高くほうり投げたりできる。でも、地面に落ちるのが石の性質なのだから、月までほうり投げることはできない。(この実験をするなら、ちょっと用心してよ。石はそんな仕打ちの仕返しをしてやれとばかりに、地面めがけてまっしぐらに落ちてくるから。落下地点にはだれもいませんように!)

目的因

命あるものもないものも、すべてはそのものの可能性の現れだ、というテーマから目を転じる前に、もう一つつけ加えておくね。アリストテレスは自然界の因果関係について、あっと驚くような考えをもっていたんだ。

ぼくたちがごくふつうに原因と言う時、それはなぜ起こったのかということを考えている。窓が割れたのはペーターが石を投げたからだし、靴職人が皮革をぬいあわせたから一足の靴ができあがったのだ。けれどもアリストテレスは、自然界にはもっといろいろな種類の原因がある、と考えた。ここでたいへん重要になってくるのは、アリストテレスが「目的因」と呼んだもので何を考えていたか、ということだ。

ガラスが割れた原因なら、なぜペーターは石を投げたのか、と問えばいい。どんなつもりでとか、どんな目的でとか、たずねるわけだ。目的は、靴ができあがるについても、もちろん重要だ。ところがアリストテレスは、意志をもった生き物などまるでかかわらない自然過程も、そうした目的因から解釈した。たとえは一つでいいだろう。

雨はなぜ降るのかな、ソフィー？　きみはたぶん、学校で習ったよね。雨が降るのは、水蒸気が雲になって冷やされて、こごって水滴になって、重力によって地上に落ちてくるからだ、と。アリストテレスは、そのとおり、とうなずいてくれるだろう。でも、きみがあげた原因は三つだけだったね、とつけ加えるよ。まず気温が下がった時、水蒸気（雲）がちょうどそこにあったから、というのが「質料因」、つまり素材があるという原因だ。つぎに蒸気が冷やされたから、というのが「作用因」、作用がおよんだという原因だ。そして最後に「形相因」、地上にザアザアと降りそそぐことが水の形相あるいは本性なのだから、雨は降る。つまり形相という原因だ。もしもきみが口ごもって、これ以上の原因をあげなかったら、アリストテレスは追い打ちをかけるよ。雨が降るのは、植物や動物が成長するのに雨水が必要だからだ、と。アリストテレスはこれを「目的因」と考えた。わかったかな？　アリストテレスによって雨粒は突然、生き物並みに使命かもくろみのようなものを割り当てられてしまったんだ。

これをそっくりひっくり返して、こんなふうに言ってみることもできる。水があるから植物が成長するのだ、と。この違い、わかるかな、ソフィー？　でもアリストテレスは、自然はすべて目的にかなっている、と考えたんだ。雨が降るのは、植物が成長し、オレンジやぶどうが実るためだし、それを人間が食べるためなのだ、と。

こんにちの自然科学は、もうそんなふうには考えない。ぼくたちは、栄養と水は人間や動物が生きるための条件だ、という言い方をする。こうした条件なしには、ぼくたちは生きていけない、と。でもぼくたちを養うことは、オレンジや水の目的ではないよね。

だから、原因についての説ではアリストテレスはまちがっていた、と考えたくなるけれど、早とちりはしたくないな。今でも、この世界は人間と動物が生きるために神がつくった、と信じている人はいくらでもいるのだから。だとすれば、川が流れるのは人間と動物が生きるために水が必要だからだ、という考え方ももちろん成り立つわけだ。でもそうなると、神の目的とかもくろみの話をしていることになってしまう。ぼくたちのためを思っているのは、雨粒や川の水ではなくなるわけだ。

論理学

アリストテレスが、人間はどのようにしてこの世界のものごとを認識するか、と考えたときにも、形相と質料の区別は大きくものを言った。

何かを認識する時、ぼくたちはものごとをさまざまなグループやカテゴリーに仕分けする。ぼくが馬を一頭見て、それからもう一頭、また一頭見たとするよ。馬たちはなにからなにまでそっくりではない。でも、すべての馬に共通した何かがある。この、すべての馬に共通した何かが、馬の形相なのだ。いっぽう、それぞれの馬の違いや特徴は、馬の質料のほうに属している。

このようにぼくたち人間は世界を見わたして、ものごとをさまざまな抽斗(ひきだし)に整頓する。牛は牛舎に、馬は厩(うまや)に、豚は豚小屋に、鶏は鳥屋(とや)に入れる。これと同じことは、ソフィー・アムンセンが自分の部屋を片づける時にも起こる。きみは本を本棚に並べ、教科書は通学バッグに入れ、新聞は戸棚の棚に置く。服はきちんとたたんで、下着はこの抽斗、セーターはこっち、靴下はこっちと片づける。

これと同じことを、ぼくたちは頭のなかでもしているんだよ。ぼくたちは、石でできているものとウールでできているものとゴムでできているものを区別する。命あるものとないものを区別し、植物と動物と人間を区別する。

ここまではいいね、ソフィー。アリストテレスはつまり、女の子が部屋を片づけるように、自然をとことん整理整頓しようとしたのだ。自然界のありとあらゆるものごとは、さまざまなグループと、そこからもっと細かく分かれる小グループに分けられる、ということをはっきりさせようとしたんだ。（ヘルメスは生き物で、くわしく言うと動物で、もっとくわしく言うと脊椎動物で、もっともっとくわしく言うと犬で、もっともっともっとくわしく言うとラブラドル犬で、もっともっともっともっとくわしく言うとラブラドル犬のオスだ。）

きみの部屋に行ってごらん。そして床から何かを拾ってみて。なんでもいい、きみが手にとったものは分類項目に組みこまれているということに気がつくだろう。なにか分類できないものに出くわしたとしたら、きみはきっとショックを受けるだろう。たとえば、いったい植物なのか、動物なのか、鉱物なのか、はっきりしない小さなものを見つけたとしたら、そう、きみはきっとさわる勇気もないだろうと思うな。

今、植物、動物、鉱物と言ったね。言いながら、こんな「はい・いいえゲーム」を連想していた。オニになった人が部屋の外に出ると、みんなは何を当てさせようか、と相談するんだ。ちょうど隣の庭にいた猫のモンスがいい、ということになる。オニが戻ってきて、さあ、当てっこゲームが始まるよ。みんなは「はい」か「いいえ」しか言ってはならない。かわいそうなオニがいっぱしのアリストテレス主義者なら——そしたらもう、かわいそうな、なんて言えないけれど——ゲームはこんなふうに展開するだろう。

それは形のあるもの？（はい！）鉱物？（いいえ！）それは生きている？（はい！）植物？（いいえ！）

動物なの？（はい！）鳥？（いいえ！）じゃあ、哺乳類？（はい！）それは丸ごと一匹の動物？（はい！）猫かな？（はい！）モンスでしょう？（大当たり！　大笑い）

このゲームを考え出したのはアリストテレスだ。これにたいしてプラトンは、「影絵あて遊び」の考案者と呼ばれるのにふさわしい。デモクリトスがレゴの発明家だということは、もう言った。

アリストテレスは、人間の頭のなかをきちんと整理しようとした、おそろしくきちょうめんな分類男だった。彼は初めて「論理」を学問に高めもした。アリストテレスは、どんな推論や証明が論理的に正しいかについての、いくつもの厳密な規則を立てた。例をあげよう。まずぼくが「すべての生き物はいつかは死ぬ」と言ったとするよ（第一前提）。つぎに、「ヘルメスは生き物だ」と言ったとする（第二前提）。するとぼくは、ここからすっきりとした結論をみちびき出すことができる。「ヘルメスはいつかは死ぬ」とね。

この例からは、アリストテレスの論理学で大事なのは概念と概念を関係づけることだ、ということがわかるね。ここでは「生き物」という概念と「いつかは死ぬ」という概念を関係づけることだ。もし仮にきみが、ここに出された結論は一〇〇パーセント正しいのだからアリストテレスは正しい、と思ったとしても、べつに彼が新しいことを言ったのではない、ということは認めないわけにはいかないよね。ぼくたちは、ヘルメスが「いつかは死ぬ」ということはとっくに知っていた。（ヘルメスは生き物だからいつかは死ぬ。山の石とはちがうのだ。）そんなことは当たり前だよね、ソフィー。それはそうだけど、ぼくたちはグループ同士やものごと同士の関係を、いつもはこれほどはっきりとさせていない、ということもまた事実だ。だから、時どきはぼくたちの概念をこんなふうに大掃除することも必要かもしれないよ。

一つだけ例をあげることにする。鯨の赤ん坊が、羊や豚と同じように、母親のおっぱいを飲むというのは本当だろうか？　なんだかありそうもないように聞こえるけれど、ここが考えどころなんだ。

なんといっても鯨は卵を産まない。（鯨の卵なんて、見たことある？）だから、豚や羊とまったく同じように、鯨は赤ん坊を産む。ところで、赤ん坊を産む動物のことを、ぼくたちは哺乳動物と呼ぶけれど、哺乳動物は母親の乳を飲む。というわけで、結論が出た。ぼくたちは答えをあらかじめ知っていたけれど、まずはよく考えなければならなかった。うっかりすると、鯨は母親のおっぱいを飲む、という事実をつい忘れてしまう。それはたぶんぼくたちが、鯨の赤ん坊がおっぱいを吸っているところを見るチャンスなんて、あんまりないからだろう。

自然界の梯子

アリストテレスはこの世のあらゆるものを整理整頓しようとして、まずは、自然界のすべての現象は大きく二つのグループに分けられる、と言った。初めに「命をもたないもの」、石や水のしずくや土くれなどがある。こうしたものは変化する可能性を自分のなかにはもっていない。アリストテレスによれば、こうした命のないものは、外からのはたらきかけがあって初めて変化できる。もうひとつが「生き物」だ。生き物は変化の可能性を自分のなかにもっている。

自然は命のないものから生き物へと、ゆっくりと進歩した、とアリストテレスは言っている。命のないものから、まずは「植物」の世界が発生した。最後にアリストテレスは、生き物を二つのグループ、つまり動物と人間に分けた。

きみはこの分け方、はっきりしていてわかりやすい、と言ってくれるね。生き物とそうでないもののあいだには、決定的な違いがある。決定的な違いは植物と動物、たとえば薔薇と馬のあいだにもある。さらにぼくは、馬と人間のあいだにも決定的な違いがある、と言いたい。でも、この違いは厳密にはどこにあるのだろう？　きみは答えられるかな？

残念ながらぼくは、きみが答えを書きあげて、角砂糖といっしょにローズピンクの封筒に入れるまで待っていられない。それで、今すぐ答えを言ってしまおう。アリストテレスは、自然の現象をさまざまなグループに分けるのに、ものの特質を踏まえたのだったね。つまり、それは何ができるか、あるいはするか、ということだ。

植物も動物も人間も、すべての生き物は、栄養をとる能力、成長する能力、繁殖する能力をもっている。動物と人間はこのほかに、周りの環境を感じとり、自然のなかを動きまわる能力ももっている。すべての人間にはさらに考える能力、つまり感覚でとらえたことをさまざまなグループや階級（クラス）に整理する能力がそなわっている。

このように、自然界にはものごとをすぱっと分けへだてる境界はない。あるのは単純な植物から複雑な植物へ、単純な動物から複雑な動物への、なだらかな移りゆきだ。この梯子（はしご）のてっぺんには、アリストテレスによれば、自然のすべての能力を発揮して生きる人間がいる。人間は植物のように成長し、栄養をとる。動物のように感覚をもち、動く能力をもっている。けれどもまだそのほかに、まるで特別の、人間にしか自由にできない特質、すなわち理性で考える能力をもっている。

人間は神のような理性のひらめきをもっているんだよ、ソフィー。今、「神のような」と言ったけど、アリストテレスはあちこちで、自然界のすべての運動をスタートさせた神がいるにちがいない、と言っている。だとすれば、自然界の梯子のてっぺんには、人間ではなくて神がいることになる。

アリストテレスは、恒星と惑星の運行が地上のなりゆきを左右している、と考えた。けれども天体もまた何かが動かしているにちがいない。この何かを、アリストテレスは第一起動者とか神と名づけた。第一起動者は、そのものとしては動かない。けれども天体の運行の第一原因であり、したがって自然界のすべての運動の原因なのだ。

倫理学

話を人間に戻そうね、ソフィー。人間の形相には、アリストテレスによれば、植物の能力と動物の能力と、さらには理性という能力がそなわっているのだった。さてそこで、とアリストテレスはたずねる。人間はいかに生きるべきか？　いい人生を送るには、人間には何が必要か？

ぼくに言わせれば、答えは簡単だ。すべての能力と可能性を花開かせ、ぞんぶんに利用して初めて、人間は幸せになれる、だね。

アリストテレスは、幸せには三つの形があると考えた。幸せの第一の形は、快楽と満足に生きること。幸せの第二の形は、自由で責任のある市民として生きること。そして幸せの第三の形は、科学者や哲学者として生きることだ。

アリストテレスは、この三つがすべて組みあわさった時、人間は幸せに生きられる、と力をこめて言っている。三つのうちどの一つにかたよることもよくない、と言っている。今アリストテレスが生きていたら、体にだけ気を使う人は、頭しか使わない人と同じように一面的で、したがって不完全だ、と言うだろうね。この両極端の生き方は、どちらもまちがっているのだ。

徳についても、アリストテレスは「中庸の徳」を説いている。ぼくたちは臆病であっても蛮勇であってもいけない、勇敢でなければならない。（勇気のなさすぎが臆病で、ありすぎが蛮勇だ。）また、けちでも浪費家でもだめで、気前がいいのでなければならない。（気前がよくなさすぎるのがけちで、よすぎるのが浪費家だ。）

同じことは食事にも言える。小食は危険だし、過食も危険だ。プラトンとアリストテレスの倫理学は、ギリシア医学を思い出させるね。バランスと中庸だけが、ぼくたちを幸せな、「調和のとれた」人間にしてくれる、というわけだ。

度を過ごしてはいけないという考え方は、アリストテレスの社会観からもうかがえる。アリストテレスは人間を政治的な生き物ととらえた。ぼくたちをとりまく社会なしには、ぼくたちは本当の意味で人間ではない、と考えたんだ。社会のうち、家族や村は、栄養や暖かさ、結婚や子育てのような、どちらかというと基礎的な生活を支えてくれる。けれども人間の社会のもっとも高度な形は、アリストテレスによれば、国家だ。

では、国家はどのように組織されるべきか、という問いがもちあがる。（プラトンが言った、哲学者たちが治める国のことは憶えているね？）アリストテレスは好ましい国家の形をいくつかあげている。その一つが君主国家だ。ここにはたった一人の最高支配者がいる。でもこの国家の形が好ましいものであるためには、一人の支配者が自分の利益で国家を左右するような、専制政治になってはならない。さらに、貴族制も好ましい国家だ。貴族制国家では、数が多いか少ないかはあるけれど、支配者集団が国を治める。この国家の形は、こんにちのぼくたちが軍事政権と呼ぶような、かぎられた数人が牛耳る形にならないように気をつけなければならない。三つめの好ましい国家の形は民主制だ。けれどもこの国家の形にも悪い面がある。民主制は衆愚政治になりやすいのだ。（たとえ暴君ヒトラーがドイツの国家指導者にならなくても、たくさんの小型のナチ主義者たちがおぞましい衆愚政治を打ち立てていただろう。）

女性

最後になったけれど、アリストテレスの女性観にもふれておくべきだね。残念ながら、プラトンの女性観のようには元気の出るものではないけれど。アリストテレスは基本的に、女性は劣っている、と考えていた。女性は「不完全な男性」だ、と。生殖では、女性は受動的で、受胎させられる。反対に男は能動的で、受胎させる、だから子どもは男性の性質だけを受けつぐ、とアリストテレスは考えた。子どものすべての性質はすでに男性の精液にそなわっている、と思っていたんだ。アリストテレスにとっては、男性は「種まく人」で、女性はその種をただ受けいれて穀物を生産する大地のようなものだった。あるいは、コチコチのアリストテレス主義者風に言えば、男性は形相をあたえ、女性は質料を提供するのだ。

アリストテレスのような、ほかのことではあれほどかしこい人が、女性と男性の関係についてはこんな間違いをおかすなんて、もちろんびっくりだし、またたいへん残念だね。ここからは二つのことを読みとっておけばいい。まず、アリストテレスは女性や子どもの生活について、実際の経験をそれほど多くはもたなかったのだろう、ということ。そして二つめは、男たちが哲学や学問を独り占めしたら、どんなにとんでもないことになってしまうか、ということだ。

それにしても、アリストテレスのトンチンカンな女性観には困ったものだ。なぜなら、そう、プラトンではなくて彼の考えのほうが中世をつうじてまかりとおってしまったのだから。教会もこの女性観をひきついだ。聖書のどこにもそんな裏付けはないのに。イエスは女性の敵なんかではなかった!

もうやめておくね。またこんどにしよう。

ソフィーはアリストテレスの章を二度、読み返すと、手紙を茶封筒にしまって、部屋のなかを見まわした。とっさに気がついたのは、なんてちらかっているんだろう、ということだった。床には本やバインダーが出しっぱなしになっている。戸棚からはソックスやブラウスやタイツやジーンズがはみ出ている。勉強机の椅子の上には、汚れた服がごっちゃになってのっている。

これはどうしたって片づけなくちゃ。まずは、戸棚の棚をすっかり空っぽにした。服は床にぶちまけた。ゼロから始めること、これが大切なのよね。ソフィーは、全部の服をきちんとたたんで棚にしまうという、大仕事にとりかかった。戸棚には棚が七段あった。ソフィーはそのうちの一段を、パンツとシャツにあてた。そうやって、順々にすべての棚を埋めていく。どれをどの棚に入れたらいいか、ソフィーはちっとも迷わなかった。洗濯しなければならないものは、いちばん下の棚から出てきたポリ袋につっこんだ。

たった一つ、どこに入れたらいいか迷ってしまうものがあった。それは、まだはける白いハイソックス。問題は片っぽうしかない、ということだけではない。それはソフィーのものではなかった。ソフィーは白いハイソックスをまじまじと見つめた。名前は書いてなかったけれど、だれのものなのか、ソフィーには確信のようなものがあった。ソフィーはハイソックスをレゴの袋とビデオカセットと赤い絹のスカーフといっしょに、いちばん上の棚に置いた。

さあ、つぎは床(ゆか)の番。ソフィーは、哲学の先生がアリストテレスの章で書いていたやり方をそっくりまねて、本やバインダーや雑誌や広告のビラを選り分けた。床の上を片づけ終わるとベッドをきちんとして、それから勉強机の上にとりかかった。

最後に、ソフィーはアリストテレスについての手紙をきちんと重ねた紙の束のいちばん上に置いた。そして空っぽのバインダーとパンチャーを取り出して、手紙に穴をあけると、バインダーにとじた。バインダーは戸棚のいちばん上の棚の、白いハイソックスの隣に置いた。夕方にはほら穴からクッキーの缶も取ってこよう、とソフィーは思った。

さあこれで、なにもかもきちんとした。ソフィーは部屋のことだけを考えていたのではなかった。アリストテレスのことを読んで、概念やイメージをきちんと整理するのはとても大切なことだ、と理解したのだ。戸棚のいちばん上の棚は、哲学講座専用にした。そこは部屋のなかでたった一カ所、ソフィーにはまだよく分からないものをしまっておくところになった。

　母はこの二時間ほど、ことりとも音をたてない。ソフィーは下に降りていった。ママを起こす前に、動物たちに餌をやらなくては。

　キッチンで、ソフィーは水槽をのぞきこんだ。魚たちは一匹が黒で、二匹めはオレンジ色、三匹めは白と赤のだんだら模様だった。それでソフィーは、まっ黒ペーター、金の巻き毛ちゃん、赤ずきん、と呼んでいる。金魚の餌をガラスの水槽にまきながら、ソフィーは言った。

「あなたたちは自然界の生き物の仲間なの。あなたたちは栄養をとるし、大きくなるし、繁殖だってできる。もっと厳密には、あなたたちは動物界のメンバーよ。だって、動けるし、お部屋を見ることもできるからね。もっと厳密に言うと、あなたたちは魚なの。えらで呼吸するし、命の水のなかを泳ぎまわってるでしょ」

　ソフィーは金魚の餌の缶の蓋をしめた。金魚を自然界の梯子に整理整頓したし、「命の水」なんて言いまわしを思いついたので、大満足だった。つぎはセキセイインコの番だった。ソフィーは小鳥の餌を餌皿に入れながら、言った。

「トム、ジェリー！　あなたたちはちっちゃなかわいいセキセイインコの卵から生まれたから、ちっちゃなかわいいセキセイインコになったのよ。その卵の『形相』はセキセイインコになることだったから、ギャアギャアうるさいオウムになんかならなかったのよ、よかったね」

　ソフィーはバスルームに行った。そこにはのんびり屋の亀が大きな箱に入っていた。ソフィーの母は、シャワーを使う何度かに一度は、この亀、いつか殺しちゃうから、と叫んだ。けれども、今のところはただの脅(おど)しですんでいた。ソフィーは大きな密封容器からサラダ菜を出して、箱に入れた。

「ゴーヴィンダ、あなたはすばしこい動物の仲間ではないわね。それでも、動物なことはたしかよ。あなたは、わたしたちが生きている大きな世界のほんの小さな片隅しか知らない。だけど、制約を受けているのはあなただけじゃないんだから、まあいいやって思いなさいね」

シェレカンはたぶん、外で鼠でも追いかけているのだろう。なんと言っても、それが猫の自然、本性なのだから。ソフィーはリビングを横切って、母の寝室に行った。サイドテーブルにラッパ水仙が飾ってある。黄色い花たちは、ソフィーがとおりかかると、うやうやしく頭をたれたように見えた。ソフィーはちょっと立ち止まって、そのつやつやとした頭を二本の指で撫でた。

「あなたたちも自然界の生き物の仲間ね。あなたたちは、あなたたちが入っているガラスの花瓶よりも、少しはすぐれているようね。でもあなたたちにはそれを感じることはできない」

それからソフィーは、そっと母の寝室に入っていった。母はぐっすりと眠っていたが、ソフィーは母の額に手を当てて、言った。

「ママはいちばん幸せなものの仲間。なぜなら、野の百合のようなただの単純な生き物ではないのだもの。それに、シェレカンやゴーヴィンダのようなただの動物でもない。ママは人間、だからめったにない能力をもっている」

「そこで何を言ってるの、ソフィー?」

母はいつもよりもすばやく目を覚ました。

「ママはのんびり屋の亀みたいって、言っただけ。それから、言っときますけど、わたし、お部屋を片づけたわよ。哲学的な完璧さでやっつけたの」

母はベッドから半分起きあがった。

「今起きるわ。コーヒー、いれてくれる?」

ソフィーはコーヒーをいれ、ほどなく二人はキッチンに座っていた。ソフィーが言った。

「ママは、どうしてわたしたちは生きているかって、考えたことある?」

「やれやれ、めげないのねえ、あなたたって人は」

「そうよ。わたし、その答えがわかったの。この惑星に人間が生きているのは、ここにあるすべてのものに名前をつけるためなの」

「なにそれ？　そんなこと、考えたこともないわ」

「だったらママは問題ですねえ。だって人間は考える存在なのよ。ママが考えないのなら、ママは人間じゃないってことになる」

「ソフィー！」

「植物と動物しか生きていないって、考えてみて。そしたらだれも、猫と犬とか、百合とグズベリーとかを区別できないわ。植物だって動物だって生きている。でも、わたしたちだけが自然をグループや階級に分類できるの」

「わが子ながら、あなたはとびきり特別な子ね」母がようやく口を開いた。

「だとしたらすてきだわ。どっちみち人間はみんな特別よ。ママには娘が一人しかいない。だからわたしはとびきり特別」

「わたしが言おうとしたのは、あなたにはびっくりさせられるってこと、その……最近言い出したことでね」

「そりゃ、ママはびっくりするかもね」

その日の午後遅く、ソフィーはもう一度ほら穴に行った。そして、母に見つからないように、大きなクッキーの缶をこっそり部屋に運びこんだ。

まずはすべての手紙を正しい順序に整理して、穴をあけ、アリストテレスの章の前にきちんとファイルした。最後に、それぞれの紙の右上の隅にページをふった。もう五十ページ以上になっていた。ソフィーは自分だけの哲学の本をつくっているのだ。自分が書くのではないけれど、それはソフィーのためだけに書かれていく本だった。

月曜日の宿題は、まだぜんぜんする気がしなかった。宗教の時間にはたぶん課題作文を書かされる。でも、先生はいつも言っていた、自分から参加すること、自分で考えることが大切なのだって。ソフィーは、この二つのことの土台がゆっくりと自分のものになっていくような気がした。

ヘレニズム——炎から飛び散る火花

哲学の先生は手紙をじかに生け垣まで届けてくれるようになっていたが、月曜日の朝、ソフィーはこれまでの習慣で郵便箱をのぞいてみた。

なにも入っていない。けれども、べつに変わったことを期待していたわけではなかった。ソフィーはクローバー通りを歩いていった。

ふいにソフィーは、足元に写真が落ちているのを見つけた。青い旗をたてた白いジープの写真だった。旗には「UN」と書いてある。これは国連の旗?

写真をひっくり返してみると、それは絵はがきだった。宛先は「ソフィー・アムンセン様方　ヒルデ・ムーレル＝クナーグ様……」。はがきにはノルウェイの切手が貼ってあって、消印は一九九〇年六月十五日、国連軍、となっている。

六月十五日! それはソフィーの誕生日だった!

はがきには、こう書いてあった。

《愛するヒルデ!

まだきみの十五歳の誕生日だと思って書いている。それとも、もう過ぎてしまったかな? まあ、わたしのプレゼントは長いこと役立つものだから、そんなことはどうでもいいが。ある意味で、このプレゼントはきみの一生ものの宝になるだろう。ともあれ、あらためてもう一度、おめでとう。わたしがはがきをソフィーに送るわけは、もうわかっていると思う。ソフィーはきっと、きみに渡してくれるだろう。

追伸　ママから聞いたが、財布をなくしたそうだね。穴埋めに、百五十クローネ協力してあげよう。新しい身分証明書は、学校が夏休みに入る前に再発行してもらいなさい。

パパより》

ソフィーは、その場に釘づけになったように立ちすくんだ。こないだのはがきの消印はいつになっていたっけ？　ソフィーの意識のどこか深いところで何かがささやいた。あの海辺の写真の絵はがきも六月の消印だった。六月はまだ丸まる一カ月先なのに。あの時はそこまで気がつかなかった……。ソフィーは腕時計を見て、いそいで引き返した。きょうは遅刻だ、それもしかたない。

ソフィーは表のドアから飛びこんで、部屋に駆けあがった。ヒルデ宛ての最初のはがきは、赤い絹のスカーフの下にあった。やっぱり。これも消印は六月十五日だ。ソフィーの誕生日で、夏休みの一日前だ。

ヨールンと待ちあわせているスーパーまで走りながら、ソフィーは必死になって考えた。

ヒルデってだれ？　わたしが彼女を見つけることを、なぜこの父親は当然のように思っている？　なんだって、はがきを娘に直接送らないでわたしに送りつけるの？　ナンセンスよ。自分の娘の住所を知らないなんて、ぜったいありえない。だとしたら、これはみんな冗談？　それとも、ぜんぜん知らない女の子に郵便配達をさせて、お誕生日に娘を驚かせようってわけ？　そのために一カ月のゆとりがあたえられている？　この父親は、そうやってお誕生日に新しい友だちを引き会わせようとしていて、わたしはそこに一役買わされている？　「一生もの」のプレゼントって、わたしのこと？

この変わった男の人が本当にレバノンにいるのだとしたら、いったいどうやってわたしの住所を調べたのだろう？　疑問はまだつきない。わたしとヒルデには共通点が二つある。もしもヒルデも六月十五日生まれなら、二人は同じ日に生まれたことになる。そして二人とも、父親は遠い外国にいる。

ソフィーは、魔法の世界に引きこまれるような気がした。運命を信じるのは、そんなにばかなことではないかもしれない。まあ、そんなに結論をいそぐこともないわ。すべてはきっと、あっけなく説明がつくかもしれないし。でも、アルベルト・クノックスさんはどこでヒルデの財布を見つけたのだろう？　ヒルデはリレサンのどこに住んでいるのだろう？　そこはここから一〇〇キロ以上も離れている。それになぜわたしが見つけたこのはがきは、地べたになんか落ちていたのだろう？　郵便配達がうちの郵便箱に来る前にカバンから落っことした？　それにしても、どうして郵便配達はよりによってこのはがきを落としたの？


「あなた、どうかしてるわよ！」ソフィーがスーパーの前まで来ると、ヨールンがどなった。

「ごめん」

ヨールンは、まるで学校の先生のように、こわい顔でソフィーをじろじろ点検した。

「ちゃんと説明してよね」

「国連軍がちょっとね。レバノンで敵の軍隊に足止めされてたの」

「やだ！　あなた、だれかさんが好きなだけなんでしょう」

二人は、これ以上速くは走れないほどの猛スピードで、学校へと走っていった。

ソフィーが予習してこなかった宗教の授業は、三時間めだった。黒板にはこう書いてあった。

一　人間が知ることのできることを書き出しなさい。つぎに、わたしたちが信じるしかないことを書き出しなさい。

二　人の生き方を決めるのは何か？

三　良心とは何か？　あなたは、人間はすべて同じ良心をもっていると思うか？

四　価値の優先順位とは何か？

ソフィーはしばらく考えてから、書きはじめた。アルベルト・クノックスさんから学んだことでなんとかなるかな？　なんとかなるかな、じゃない、なんとかしなければ。このところ何日も、宗教の教科書なんかのぞいてもいないのだから。書きはじめると、ことばがどっとばかりにあふれ出た。

ソフィーは書いた。わたしたちが知ることができるのは、月は大きなチーズではないということ、月の裏側にもクレーターがあるということ、ソクラテスもイエスも死刑を宣告されたように、すべての人間はいつかは死ぬということ、アクロポリスの巨大な神殿は紀元前五世紀にペロポネソス戦争のあとにつくられたということ、それから、ギリシアの神託でいちばんおもだったものはデルフォイの神託だったことです。信じるしかないことは、たとえばほかの惑星に生命は存在するのかしないのかとか、神はいるのかいないのかとか、死後の生はあるのかないのかとか、イエスは神の子かそれともただのかしこい人間かとかです。

最後にソフィーは、「いずれにしてもわたしたちは、世界はどうしてできたかを知ることはできません」と書いた。「世界は、大きなシルクハットから引き出された巨大な兎にたとえることができます。哲学者たちは、兎の細い毛をよじ登ろうとします。それは、偉大な手品師をその目でしっかりと見るためです。でも、見ることができるかどうかはわかりません。それでも、一人の哲学者の肩にもう一人の哲学者が乗って、またその上に哲学者が登って、人間の梯子をつくっていけば、哲学者たちはやわらかい兎の毛をどんどん登っていくのだから、いつかある日うまくいく可能性はかなりあると、わたしは思います。

追記

聖書には兎の細い毛の先っぽまで行ったらしい人たちのことが書いてあります。その毛はバベルの塔と呼ばれていますが、手品師は、自分がつくった白兎の毛を人間がよじ登るのが気にくわなかったので、塔をこわしてしまいました」

さて、つぎの問題は「人の生き方を決めるのは何か」。もちろん、教育と環境は重要な要素だ。プラトンの時代に生きていた人間の人生観は、今とはちがっていた。理由は簡単。彼らはちがう時代、ちがう環境に生きていたからだ。それから、それまでにどんな経験をしたかも大きい。でも、人が人生観を決めるのに重要なのは理性だ。そして、理性は環境に左右されるのではなくて、すべての人間に共通している。環境や社会は、プラトンの洞窟みたいなものかもしれない。人は理性があるから、洞窟の暗闇から這いあがろうという気にもなれるのだ。でも、本当に洞窟から出るには、個人としてうんと勇気がなければ。ソクラテスは、理性があったおかげで彼が生きていた時代にみんなが思いこんでいたことから自由になれた、いい例だ。

最後にソフィーはこう書いた。「こんにちでは、さまざまな国や文化の人間がますますひんぱんにふれあうようになっています。だから、同じアパートにキリスト教徒とイスラム教徒と仏教徒が住む、ということだってあります。そうすると、なぜあなたはほかの宗教ではなくてその宗教を信じるのですか、などと問いつめるのではなくて、ほかの人の信仰に寛容であることが、ますます大切になるわけです」

あれ——ソフィーは気がついた。わたしは、哲学の先生から教わったことから、もうはみ出してしまっている。ということは、わたしが生まれつきもっていた理性と、ほかの人とのふれあいや読んだものから学んだことを、つなぎあわせることができたってことね。

ソフィーは三番めの問いに進んだ。「良心とは何か？ あなたは、人間はすべて同じ良心をもっていると思うか？」これについて、クラスのみんなは、ああでもない、こうでもないと言いあっていた。ソフィーは書いた。

「わたしたちは、良心とは正しいことと正しくないことに反応する人間の能力だ、と理解しています。わたし個人の考えでは、すべての人間はこの能力をもっていると思います。つまり、良心は生まれつきそなわっているのです。ソクラテスもそう言っています。けれども良心とは何かとつきつめていくと、人によってずいぶんちがってくるでしょう。問題は、ソフィストたちは正しいかどうかです。彼らは、人がそれぞれ成長する環境が、その人が何を正しいと思い、何をまちがっていると思うかを決める、と考えました。これにたいしてソクラテスは、だれでも同じ良心をもっている、と考えました。たぶん、どちらもあっているのでしょう。裸で歩きまわることをやましく思わない人がいるとしても、だれかをぞんざいにあつかうことは、ほとんどの人がやましいと思うでしょう。それから、良心があることとそれをはたらかせることとは同じことではない、ということも言っておかなければなりません。一つひとつのケースを見ていくと、人びとが良心のかけらもないようなふるまいをしていても、わたし個人の考えでは、そういう人たちにも、たとえどんなにしっかりとしまいこまれていても良心のようなものはあったりします。これとまったく同じことは、多くの人びとがまるで理性がないように見えても、それはただ理性をはたらかせていないだけだ、というばあいにも言えます。

追記

理性と良心は筋肉のようなものだと思います。筋肉は、使わなければだんだんとだらけて弱くなります」

さあ、残りはあと一問。「価値の優先順位とは何か？」これについても、こないだみんなでさんざん議論した。たとえば自動車には、どこかに速く行ける、という価値がある。でも、自動車が森を枯らしたり自然を汚したりするのなら、人は「価値の選択」をしなければならない。ソフィーはよく考えたすえに、すこやかな森ときれいな自然のほうが、仕事先に少しばかり早くたどりつけることよりも大切だ、と考えた。そしてもっとたくさんの例を考えてみた。最後にソフィーはこう書いた。

「わたし個人の意見ですが、哲学は英文法よりも大切です。だから、選択授業で哲学をとってそのために英語を減らすことは、理にかなった価値の優先順位をつけたことになります」

その日の最後の休み時間、ソフィーは先生に呼ばれた。

「きみの宗教の課題作文を読んだけど」と先生は言った。「とてもよく書けてるよ」

「先生が気に入ってくださるとうれしいです」

「そのことを言おうと思ってね。きみはいろいろな見地から、よく練られた答えを引き出している。びっくりするぐらいよく練られているよ、ソフィー。しかも自分の頭で考えている。だけど、宿題はやってきたのかな?」

ソフィーはもじもじした。

「でも先生は、自分でよく考えることが大切って……」

「そりゃそうだ。でも宿題は宿題だよ」

その時、ソフィーは先生の目をまっこうから見つめた。この何日かに学んだことを思い出して、堂々としていよう、と思ったのだ。

「わたし、哲学の勉強を始めたんです。哲学は、自分で考えるための土台になるから」

「でも、きみに点をつけるのはちょっとやっかいだな。〈5〉か、さもなければ〈1〉だ」

「どうしてわたしが満点か零点(れいてん)なの? 先生、それどういうことですか?」

「じゃあ、満点だ。でも、こんどはちゃんと宿題もやってくるんだよ」

午後、ソフィーは学校から帰ると、通学バッグを階段にほうり投げてまっすぐほら穴に走っていった。

大きな根っこの上に茶封筒があった。縁はすっかり乾いている。ということは、ヘルメスはずいぶん前にここに来たのだ。

ソフィーは封筒を手に、家に入った。そしてベッドに腹這いになってアルベルトの手紙を読んだ。

ヘレニズム

やあ、ソフィー、こんにちは！　きみはもう、自然哲学者たちとソクラテスとプラトンとアリストテレスをクリアした。これできみは、ヨーロッパ哲学の基礎を知ったわけだ。だからこれからは、今まで白い封筒で届けていた頭の予備体操ははぶくことにしよう。課題やテストなら、学校でどっさりやっているだろうしね。

きょうは、紀元前四世紀のアリストテレスから紀元後四〇〇年頃の中世の初めまでの、長い時代について話そうと思う。今「紀元前」「紀元後」と言ったけど、これはキリスト紀元のことだね。じっさいキリスト教はこの時代の、きわめて重要で、思いきり風変わりな勢力の一つだったんだ。

アリストテレスは紀元前三二二年に亡くなったが、その頃までに、アテナイはギリシア世界のリーダーではなくなっていた。これはもちろん、アレクサンドロス大王（紀元前三五六―三二三年）の征服の結果、政治の状況が大きく変化したことと関係がある。

アレクサンドロス大王はマケドニアの王だった。アリストテレスもマケドニアの出身だったが、それればかりか、アレクサンドロスが若い頃には彼の家庭教師をしていたこともある。アレクサンドロスはペルシアに決定的な勝利をおさめた。それだけじゃないよ、ソフィー、大遠征を行なってエジプトと、インドにいたる全オリエントをギリシア文明と結びつけたのだ。

ここに、人間の歴史始まって以来の、まったく新しい時代がやってきた。ギリシア文化とギリシア語が主導権をにぎる、国際共同社会ができあがったのだ。およそ三百年つづいたこの時代は、ヘレニズム時代と呼ばれている。ヘレニズムというのはギリシア風の文化という意味で、マケドニア、シリア、エジプトの、三つのヘレニズム大国にいきわたっていた。

紀元前およそ五〇年頃、政治でも軍事でも、ローマが勢いを増してくる。この新興勢力がヘレニズムの国ぐにをつぎつぎと征服した。それ以来、こんどはローマの文化とラテン語が、西はスペインからアジアのずっと奥までを支配する。ローマ時代が始まったのだ。この時代は「古代末期」とも呼ばれる。でも、いいかい？　ソフィー。ローマ人がヘレニズム世界を制覇する前から、ローマそのものが文化の面ではギリシアに組みこまれていたんだ。だからギリシアの文化は、そしてギリシアの哲学は、ギリシアが政治の上ではとっくに衰えてもひきつづき大きな役割を演じることになるんだ。

信仰、哲学、科学

さまざまな国や文化の仕切りがとっぱらわれたことが、ヘレニズムの特徴だ。それまでは、ギリシア人やエジプト人やバビロニア人やシリア人やペルシア人は、それぞれの民族宗教の枠のなかで、それぞれの神々をあがめていた。それが今やさまざまな文化が、宗教も哲学も科学も、たった一つの巨大な魔女の釜でごった煮にされることになる。

アテナイのアゴラのような町の市場のかわりに、世界という競技場（アリーナ）が出現した、と言っていい。かつての市場にも、さまざまな品物や、さまざまな思想を売り立てる物売りの声がにぎやかに渦巻（うずま）いていた。でもこの競技場の新しいところは、世界じゅうから集められた品物や思想にあふれかえっていた、ということだ。だから喧噪（けんそう）にもさまざまなことばが飛び交っていた。

ギリシアの考え方が古代ギリシアの地域を超えて影響をおよぼしていたことは、もう言ったね。けれどもヘレニズムの時代になると、オリエントの神々も地中海のすべての地域に進出してくる。さまざまな古い文化から神々や宗旨を借りてきて、新しい宗教がいくつもできた。宗教の混交（こんこう）、つまり「習合（シンクレティズム）」が起こった、ということだ。

それまで人びとは、自分たちはそれぞれ独自の民族や都市国家にまとまっている、と感じていた。そうした境界線や仕切り線がどんどん消えていった結果、人びとの人生観に疑いやぐらつきが、それこそどっさり出てきた。古代末期は、宗教上の懐疑や文化の崩壊や悲観論（ペシミズム）におおわれていた。「世界は老いた」ということが言われた。

この頃できた新しい宗教はどれも、どうすれば人間は死から解放されるかをしきりと説いた。そうした教義は秘密にされることが多かった。秘密結社のメンバーになったり儀式に参加したりすれば、魂の不死と永遠の命に期待をつなぐことができた。この宇宙の現実の自然をきちんと観察することも、魂を救うためには宗教儀礼と同じほど大切だった。

新しい宗教についてはこれくらいにしておこう。でもヘレニズムの哲学も、そんなにオリジナルなものではなかった。新しいプラトンやアリストテレスは出なかったんだね。そのかわり、あの三人のアテナイの偉大な哲学者たちは、これからあらましをざっとたどるさまざまな哲学の流派の、重要なインスピレーション源になった。

ヘレニズムの科学も、さまざまな文化が積んできた経験のごたまぜだった。エジプトの町アレクサンドリアが、東西が出会う場所として、重要な役を割りふられた。プラトンとアリストテレスから受けついだ哲学の学園のあるアテナイが、相変わらず哲学の都だったけれど、アレクサンドリアは科学の首都だった。この町には巨大な図書館があって、数学や天文学や生物学や医学の中心になった。

ヘレニズムの文化状況は、じつに現代と似ている。二十世紀にも、国際的な共同社会はどんどん広がっている。ぼくたちの時代にも、信仰と人生観は大きな転換に見舞われている。西暦紀元の初めの頃のローマで、人びとがギリシアとエジプトとオリエントの神に出くわしたように、二十世紀の終わり、ヨーロッパのある程度の大きさの都市では、ぼくたちは世界のあらゆるところからやってきた宗教に出会う。

ぼくたちの時代にも、新旧の宗教や哲学や科学のごたまぜが、「世界観の市場」に売り出される新商品の開発の基礎になっているんだよ。

こうした「新しい知」のかなりのものは、じつは古い思想の遺産なのだ。その根っこをたどっていくとヘレニズムに行きつく。

さっき言ったように、ヘレニズムの哲学は、ソクラテスやプラトンやアリストテレスが提起した問題をさらに掘り下げた。彼らに共通していたのは、人はどのようにしてもっともいい人生を送り、また死ぬべきか、という問いに答えようとしたことだった。そんなわけで、倫理学が前面に出てくる。倫理学は、この新しい国際社会のきわめて重要な哲学のテーマになった。本当の幸せはどこにあるか、それはどうしたら手に入るかが問われたんだ。

これから、そうした四つの哲学の流派を見ていこう。

キュニコス学派

ソクラテスにこんな逸話がある。ある時ソクラテスは、市場の屋台の前にたたずんでいた。屋台にはたくさんの品物が並んでいる。ようやくソクラテスが口を開いて言うことに、「これはどうだ、アテナイ市民が生きるためには、じつにたくさんのものがいるんだなあ!」もちろんソクラテスが言いたかったのは、自分はこんなものは必要ない、ということだ。

紀元前四〇〇年頃にアテナイでアンティステネスが始めた「キュニコス学派の哲学」は、こうしたソクラテスの態度から出発した。アンティステネスはソクラテスの弟子だった。

キュニコス学派の人びとは、本当の幸せは、物質的なぜいたくや政治権力や健康などの外面的なものとは関係ない、と主張した。本当の幸せとは、そんな偶然の、はかないものを頼みにしないことだ、というのだ。だからこそ、だれもが本当の幸せを手に入れることができるのだ、とね。しかもこの幸せは、いったん手に入れてしまえば、二度と失われることはない。

いちばんよく知られたキュニコス学派の哲学者はディオゲネス、アンティステネスの弟子だ。ディオゲネスは樽(たる)のなかに住み、持ち物といえば体にまとった布と杖とずだ袋だけだったという。(これじゃあ、彼の幸せをうばうのはなまやさしいことではないよね!)アレクサンドロス大王がたずねてきた時、ディオゲネスは樽の外で日向ぼっこをしていた。アレクサンドロスは、賢者の前についと立って、「なにかお望みはありませんか、すぐにかなえてさしあげましょう」と言った。するとディオゲネスが答えて言うには、「そこをどいてください、わたしが日陰になっている」。このことばでディオゲネスは、自分が偉大な征服者よりも満ち足りた生を送っている、ということを示したんだね。たしかに彼は、望むものはすべてもっていた。

キュニコス学派の哲学者たちは、健康のために心をわずらわせることもいらない、と言った。死も病気も、その人自身を苦しめることはない。また、ほかの人の災いを気に病んでもならない、とも。こんにち、「シニカル」とか「シニシズム」とかの「キュニコス」から派生したことばは、たいていは、他者の痛みに冷たいという意味でしか使われない。

ストア派

キュニコス学派の哲学者たちは、紀元前三〇〇年頃にアテナイで起こったストア哲学に大きな影響をあたえた。その創始者はゼノンといって、キプロス島の出身だが、船の難破(なんぱ)で全財産をなくしたのち、アテナイにやってきて、そこの哲学者たちの一員になった。ゼノンは柱廊(ちゅうろう)に聴衆を集めた。「ストア」という名前は、柱廊を意味するギリシア語からきている。ストア主義は、のちにローマの文化に大きな意味をもつことになる。

ストア派の人びとは、ヘラクレイトスのように、すべての人間は世界じゅうに広がっている同じ理性、あるいは同じロゴスをもっている、と考えた。そして、一人ひとりの人間は世界のミニチュア、つまりマクロコスモス(大宇宙)をうつすミクロコスモス(小宇宙)だと考えた。

これはいつでもどこでもあてはまる普遍妥当(ふへんだとう)の法、いわゆる自然法の考え方につながる。自然法は、時代にとらわれない、人間と宇宙の理性を踏まえている。だから時代や場所によって変わることがない。この点で、ストア派はソフィストと対立したソクラテスと同じ立場だった。

自然法はどんな人間にもあてはまる。奴隷にもあてはまるんだ。いろいろな国でつくられる法律は、この自然法のヘタなまがい物だ、とストア派は見ていた。

ストア派は、人間と宇宙の違いをなくしてしまったように、魂と物質の対立も解消してしまった。あるのはただ一つの自然だけだ、と考えたんだ。このような見方を一元論という。(その反対が、現実を二つに分ける、たとえばプラトンなんかにはっきりしている二元論だ。)

ストア派の人びとは時代の申し子だった。彼らはかなりのコスモポリタン(国際人)だった。つまり世界全体(コスモス)が自分の国(ポリス)だという意識をもっていたんだ。だから「樽の哲学者たち」(キュニコス学派)なんかより、同時代の文化をどんどん受けいれた。人間の社会を論じ、政治に関心をよせ、なかにはたとえばローマ皇帝マルクス・アウレリウス（一二一―一八〇年）のように、活動的な政治家になった人びともいる。ストア派はまた、ローマにギリシアの文化と哲学を広めた。雄弁家で哲学者で政治家でもあったキケロ（紀元前一〇六―四三年）がその代表格だ。キケロは、個人を中心にすえる世界観、「人間中心主義（ヒューマニズム）」という概念をつくりあげた。のちに、ストア派のセネカ（紀元前四―紀元後六五年）は人間は人間にとって神聖だ、と書いた。これはのちの人文主義（ヒューマニズム）のスローガンになった。

ストア派はまた、たとえば病気や死などのすべての自然過程は自然の不変の法則にしたがっている、ともとなえた。だから人間は、自分の運命を受けいれる術（すべ）を学ばなければならない。ストア派は、なにごとも偶然には起こらない、と考えた。すべては必然なのだから、つらい運命が扉をたたいたら、じたばたしたり嘆いたりしてもなんにもならない。また、幸せな生活条件も落ち着いて受けいれるべきだ。こんなところは、あらゆる外面的なものをどうでもいいと考えたキュニコス学派と近いね。今でもわたしたちは、感情に引きずりまわされないのを「ストイックな落ち着き」と言ったりする。

エピクロス学派

見てきたようにソクラテスは、どうすれば人間はいい人生を送れるかを追究した。それをキュニコス学派とストア派は、人間は物質的なぜいたくから自由にならなければならない、と解釈した。ところがソクラテスにはもう一人、アリスティッポスという弟子がいた。アリスティッポスは、できるだけたくさんの感覚的な楽しみを手に入れることが人生の目的だ、と考えた。アリスティッポスは、最高の善は快楽で、最大の悪は苦痛だ、と言っている。そこからアリスティッポスは、あらゆる苦痛をとりのぞく生活技術を発展させようと考えた。（キュニコス学派とストア派が目指したのは、あらゆる苦痛をたえしのぶことだった。これは、全力をあげて苦痛を避けることとはちょっとばかりちがう。）

　紀元前三〇〇年頃に、エピクロス（紀元前三四一―二七〇年）がアテナイに哲学の学校を開いた。エピクロスはアリスティッポスの快楽主義の倫理をもっと進めて、それとデモクリトスの原子論を結びつけた。

　エピクロス学派の人びとは、とある庭園に住んでいたと言われている。それで、「庭園の哲学者たち」とも呼ばれる。庭の入り口の門には、こんな銘がかかげられていたそうだ。「よそ人よ、ようこそ。ここでは快楽が至高の善である」

　エピクロスは、快楽を生み出す行為は、ばあいによっては困った副産物ももたらすから、両方をよくくらべなければならない、と言っている。もしもきみがチョコレートを食べたいだけ食べたら、エピクロスの言う意味がわかるだろう。もしもわからないなら、貯金箱をもっていって、チョコレートを百クローネ買ってごらん。（きみはチョコレートが好きだ、という前提で言っているんだけど。）そして、そのチョコレートを全部いっぺんに食べるんだ。おいしいチョコレートをたらふく食べて三十分もすれば、きみはエピクロスが副産物と言ったことの意味がわかるんじゃないかな?

　エピクロスははかない快楽を、もっと大きな、長続きする、たしかな快楽と、長い目で見てくらべなければならないと思ったんだ。（たとえば、新しい自転車とか外国旅行のためにおこづかいをそっくり貯めることにして、一年間、チョコレートは一口も食べないことにする、とか。）動物とちがって人間には、自分の生活を計画する能力がある。快楽の損得計算ができるんだ。おいしいチョコレートにはもちろん価値があるけれど、自転車やイギリス旅行にも価値がある、というわけさ。

　エピクロスは、快楽とはたとえばチョコレートを食べて感覚を楽しませることではない、とも言っている。友情や芸術も快楽をもたらすだろう。自制や中庸や心の平安（アタラクシア）といった昔からのギリシアの理想も、人生を楽しむための条件だ。激しい欲望はコントロールされなければならない。心の平安も、苦痛をたえしのぶ助けになる。

　エピクロスの園をおとずれる人びとのなかには、宗教上の不安をかかえている人も多かった。宗教や迷信に対抗するには、デモクリトスの原子論がものを言った。いい人生を送るには、死の恐怖にうちかつことが重要になってくる。この問題に、エピクロスはデモクリトスの魂の原子の教えで答えたんだ。憶えていると思うけど、デモクリトスは、死後の生はない、なぜならぼくたちが死ぬと魂の原子は四方八方に飛び散ってしまうのだから、と考えていたよね。

「なぜ死を恐れるのか」とエピクロスは言っている。「わたしたちが存在するあいだ、死は存在しないし、死が存在するやいなやわたしたちはもう存在しないのだから」（まったくだ。死んでいることで苦しんでいる人なんて、見たことないよね。）

　エピクロスは、こうした不安解消の哲学を「四種の薬」と名づけてまとめている。

> 神々を恐れることはない。死を思いわずらうことはない。善はたやすくえられる。恐怖はたやすくたえられる。

　哲学者の課題を医者の課題になぞらえることは、ギリシアでは目新しいことではなかったよね。エピクロスは、人間は四種の大切な薬の入った「哲学の救急箱」をそなえておくべきだ、と言ったんだ。

　ストア派とは対照的に、エピクロス学派は政治や社会にはあまり関心を示さなかった。「隠れて生きよ（ラテ・ビオーサス）！」とエピクロスはすすめる。彼の庭園はこんにちの共同生活集団のようなものだったのかもしれない。ぼくたちの時代にも、この巨大な社会に孤島か緊急避難港のようなものをもとめる人はたくさんいる。

エピクロスが死んだのち、多くのエピクロス学派（エピキュリアン）の人びとは一面的な快楽追求に走った。モットーは「今を生きよ！」だ。だから今では「エピキュリアン」は、快楽至上主義者を指す、あんまりいい意味のことばじゃない。

新プラトン学派

キュニコス学派もストア派もエピクロス学派も、ソクラテスの教えを踏まえていることを見てきたね。彼らはさらにソクラテス以前の哲学者たち、デモクリトスやヘラクレイトスも踏まえていた。けれども古代末期の哲学の潮流のうち、注目度ナンバーワンはプラトンのイデア説に影響された一派だ。彼らは「新プラトン学派」と呼ばれている。

新プラトン学派でいちばん重要なのがプロティノス（およそ二〇四－二六九年）、アレクサンドリアで哲学を学び、のちにローマに移った人だ。プロティノスがアレクサンドリアの出身だということ、これは心にとめておかなくては。アレクサンドリアはすでに数世紀にわたって、ギリシアの哲学とオリエントの神秘主義の出会いの場だった。プロティノスは一種の救いの教えをローマにもたらしたんだが、これは当時力をもちつつあったキリスト教と張りあうことになる。そのいっぽうで、プロティノスたちの新プラトン学派はキリスト教神学に強い影響をあたえもした。

プラトンのイデア説は憶えているね、ソフィー。プラトンはイデア界と感覚界を分けたのだった。プラトンはまた、人間の魂と肉体もすぱっと切り離して考えたのだった。そのために人間は二重の存在ということになった。プラトンによれば、ぼくたちの体は、感覚界のすべてのものと同じように土と埃でできている。けれどもぼくたちは不死の魂ももっている。ギリシアではこの考え方は、すでにプラトンよりずっと前からかなり広まっていたんだが、似たような考え方はアジアにもあって、プロティノスはそっちのほうにも親しんでいた。

　プロティノスは、世界は二つの極のあいだに張り渡されている、と考えた。一つの極には、彼が「一者（いっしゃ）」と名づけた神々しい光がある。これは「神」とも呼ばれる。もう一つの極は絶対の闇が支配していて、ここには一者の光は届かない。でもプロティノスのポイントは、この闇は本当は存在するものではない、ということだ。闇っていうのは、ただ光がないってことだよね。そう、闇があるのではないんだ。存在するのは神や一者だけで、光源が闇のなかでだんだんと明るさを失うように、神から発する光線もある限界までしか届かない、というわけだ。

　プロティノスによると、一者の光は魂を照らす。物質は闇だ。だから本来は存在しないということになる。けれども、自然のなかのさまざまな形あるものも、一者をかすかに照り返してはいる。

　ねえソフィー、夜の闇のなかで、燃えさかっている大きなたき火を想像してごらん。炎からは火の粉があっちにもこっちにも飛ぶよね。たき火の周りはずうっと向こうまで、夜の闇が明るんでいる。でも何キロも離れたところからだと、炎は小さな光にしか見えない。もっと離れたら、夜の闇のなかにぼんやりとともるランプのような、ほんのちっぽけな光の点にしか見えない。さあ、もっと離れたら、光はもうぼくたちのところまで届かなくなるだろう。光線は夜の闇のどこかで消えてしまって、まっ暗闇のなかでぼくたちにはなにも見えない。すると影も形もないんだ。

　こんどは現実をそんなたき火だと想像してごらん。燃えているのは神だ。その外側の闇は、人間や動物を形づくっている冷たい物質だ。神のかたわらにはすべての被造物の原型、永遠のイデアがある。なによりもまずは人間の魂が炎から飛び散る火花なんだけど、自然界のどこにでも、この神の光のなにがしかが輝いている。あらゆる生き物に、そう、一輪の薔薇の花やつりがね草の花にも、神の光はある。命をあたえる神からもっとも遠くにあるのが、土と水と石だ。

　ぼくは今、目に見えるものすべてが神の神秘をなにがしか宿している、と言ったね。ぼくたちはひまわりの花やひなげしの花に、神の神秘がきらめいているのを見るのだ。ぼくたちはこのはかりしれない神秘を、ついと枝から飛びたつ蝶や、水槽を泳ぎまわる金魚の姿のなかに、おぼろげに感じとる。でも、ぼくたち自身の魂がもっとも神に近い。ぼくたちが大いなる生命の秘密と一つになれるのはここ、魂のなかしかない。そう、たぐいまれな瞬間には、ぼくたちはぼくたち自身を神の神秘として体験することだってできるのだ。

プロティノスのイメージは、プラトンの洞窟の比喩を思い出させるね。ぼくたちは洞窟の出口に近づくほどに、あらゆるものが湧き出る泉に近づくことになる。けれども、プラトンが現実をはっきりと二つに分けたのとはちがって、プロティノスの考え方の特徴は、全体を一つのものとして体験する、ということなんだ。すべては一つだ。なぜならすべては神なのだから。プラトンの洞窟の影も、一者の弱よわしい照り返しなのだ。

プロティノスは生涯のうちに何度か、魂が神と溶けあう体験をした。これを神秘的体験というけれど、そんな体験をしたのはプロティノスだけではない。その記録は人類のあらゆる時代、あらゆる文化にある。この体験を物語る表現はそれこそさまざまだけれど、それでも見すごせない共通点がいくつもある。これから、そんな共通点をいくつか見ていくことにしよう。

神秘主義

神秘的体験とは、神や世界霊魂と一体となる経験だ。神と神の創造物は深い淵によってへだてられているけれど、神秘家はこの淵をものともしない、とたくさんの宗教で言われている。男でも女でも、神秘家は神の一部になる体験をするのだ。

これは、ぼくたちがふつう「わたし」と呼ぶものがぼくたちの本来のわたしではなくなる、ということだ。ほんの短い瞬間、わたしがもっと大きなわたしを体験する、ということだ。多くの神秘家はそれを「神」と呼んだ。「世界霊魂」とか「森羅万象」とか「宇宙」とか名づける人びともいる。神秘家は、そういうものと溶けあうなかで自分を失う体験をする。雨粒が海に混ざれば、自分を失うように、神のなかに消えてしまい、われを失うんだ。あるインドの神秘家は、「わたしだった時、神はいなかった。今は神がいて、わたしはもういない」と言い表している。キリスト教の神秘家、アンゲルス・シレジウス（一六二四—一六七七年）は、「水滴は海にいたると海になる。魂は神に受けいれられると神になる」と言っている。

たぶんきみは、自分を失うなんて、うれしくもなんともない、と思っているね。その気持はわかるよ、ソフィー。でも、きみが失うものは、きみが手に入れるものとはくらべものにならないほどちっぽけなのだ。きみは、今この瞬間にもっている形のきみ自身は失うが、同時にきみは本当は何かとほうもなく大きなものだということを、まざまざと理解するんだ。きみは全宇宙になる。ソフィー・アムンセンとしてのきみ自身は失うことになるけれど、この「ふだんのわたし」はいずれいつかは失わなくてはならない、と考えれば気が楽になるんじゃないかな。この、きみ自身を解放できた時に初めて体験できる、きみの本当のわたしを、神秘家は永遠に燃える不思議な炎ととらえるのだ。

でも、そういう神秘的体験は、いつでも向こうからやってくるとはかぎらない。神と出会うために、神秘家は「浄めの道」に入る。質素な暮らしと瞑想をかさねるということだ。すると突然、神秘家は目的にたっして叫ぶんだ。「わたしは神だ！」あるいは「わたしはあなただ」とね。

世界宗教にはどれも神秘的な傾向がある。そして神秘家たちが神秘体験について書いたものは、文化はそれこそさまざまなのに、驚くほど似ている。神秘家が神秘体験をそれぞれの信仰や哲学から意味づけしようとすると、初めて文化的な背景が現れてくる。

ユダヤ教とキリスト教とイスラム教に見られる西洋の神秘主義では、神秘家は、一人の人格をもった神との出会いを体験した、と言う。この神は自然や人間の魂にありながら、しかもこの世界をはるかに超越している。いっぽうヒンドゥー教や仏教や中国の信仰に見られる東洋の神秘主義では、神秘家は、神や世界霊魂と完全に一体になる体験をした、という言い方をする。神秘家は「わたしは世界霊魂だ」と言ったり、「わたしは神だ」と言ったりするわけだ。神は世界のなかにいるだけではない。世界の外のどこにもいないのだ。

とくにインドにはプラトンよりもずっと以前から、強力な神秘主義の流れがあった。スワミ・ヴィヴェーカーナンダ（一八六三―一九〇二年）は、ヒンドゥー教の思想を西洋にもたらした大立者だけど、こんなことを言っているよ。「世界のある宗教が、自分の外にいる人格をもった神を信じない人を無神論者と呼ぶように、わたしたちは、自分自身を信じない者を無神論者と呼ぶ。自分の魂の栄光を信じないことを無神論と呼ぶ」

神秘体験は倫理学にとっても意味をもってくる。インドの大統領にもなった哲学者、ラーダークリシュナン（一八八八―一九七五年）はこう言った。「あなたの隣人をあなた自身のように愛しなさい。なぜなら、あなたはあなたの隣人であるから。あなたの隣人はあなたとは別人だと思いこんでいるなら、それは幻想だ」

信仰をもたない現代人でも神秘体験をすることがある。彼らは突然、「宇宙意識」とか「海の感覚」と表現する何かを体験する。時間からもぎ離され、世界を「永遠という視点から」体験するのだ。

ソフィーはベッドの上に座りなおした。自分の体がまだあることを、たしかめなくてはならなかった。プロティノスと新プラトン学派のことを読んでいるあいだ、自分が部屋を抜けて窓から外へ出て、町の空高く飛びまわっているような気がしていた。ソフィーは、町の中央広場のすべての人びとを見おろしながら、自分が生きているこの惑星をはるかかなたまで漂っていった。北海を越え、ヨーロッパを越えて、サハラ砂漠や遠いアフリカの草原まで。

巨大な地球はたった一つの命あるものになり、この命あるものはソフィー自身のように思えた。わたしは世界、とソフィーは思った。これまではかりしれなくて恐ろしげに感じていた大宇宙が、今まるごとソフィーの「わたし」だった。宇宙はあい変わらず巨大で威厳に満ちているのに、ソフィー自身も同じくらい大きいのだった。

この不思議な感覚はすぐに引いていったけれど、けっして忘れないだろう、とソフィーは確信した。ソフィーの何かが額(ひたい)からほとばしって、まるで一滴の絵の具が水差しの水全部を染めるように、あらゆるものと混ざりあったような気がした。

なにもかもが終わってしまった時には、頭痛がして、不思議な夢からさめたような感じがした。ソフィーはがっかりしてため息を一つついて、自分にはベッドから起きあがろうとしている体があることを思い知った。あまり長いこと腹這いになってアルベルト・クノックスの手紙を読んでいたので、背中が痛かった。けれどもソフィーは、絶対に忘れられない何かを経験したのだ。

ソフィーはようやく立ちあがった。そして手紙に穴をあけ、ほかの講座テキストといっしょにバインダーにとじた。それから、ソフィーは庭に出た。

小鳥がさえずって、まるで世界はいましがた創造されたかのようだった。古い兎小屋の向こうの白樺の葉は、明るい緑色が目にきつすぎるほどで、まるで創造主がまだ色を調合し終わっていないかのようだった。

すべてが神のような「わたし」だなんて、本当にそう考えていいのかしら？　わたしが「炎から飛び散る火花」の魂をもっているって、考えていい？　だって、だとしたらわたし自身が神のようなものということになるのだから。

絵はがき――自分にきびしく口止めをして

哲学の先生からなんの便りもないままに、数日が過ぎた。五月十七日の木曜日はノルウェイの祝日だった。休日にはさまれた十八日も学校はお休み。

水曜日、学校からの帰り道で、突然ヨールンが言った。

「テントをもってキャンプに行かない?」

とっさにソフィーは、そんなに長く家をあけるわけにはいかない、と考えた。

でも、思いきって言った。

「いいわよ」

二時間後、大きなリュックをしょったヨールンがソフィーの家にやってきた。ソフィーもリュックとテントを用意した。そのほかにも二人は寝袋、防寒着、スポンジのマット、懐中電灯、紅茶を入れた大きな魔法瓶、そしておいしい食料をどっさりもちよった。

五時、仕事から帰ってきたソフィーの母は、しなければならないこと、してはならないことをあれこれと指図(きしず)した。どこにテントを張るつもりなのかもたずねた。

二人は、ティウルトッペンにする、と言った。たぶんそこならあしたの朝、雷鳥の鳴き声が聞けるから。

ソフィーには、ここでキャンプをすることにひそかなもくろみもあった。思い違いでなければティウルトッペンから少佐の小屋はそんなに遠くない。もう一度あそこに行こう、と何かがささやく声がする。でもソフィーは、もうぜったいに一人では行かない、と心に決めていた。

二人はソフィーの家の庭の小さな木戸から森の道に入っていった。ヨールンとソフィーはいろんなおしゃべりをした。ソフィーは、哲学をちょっとお休みするのもいいな、と思った。

八時になる頃には、ティウルトッペンの近くの高台にテントを張り終わった。二人は寝場所をしつらえて、寝袋を広げた。食べるものも食べてしまうと、ソフィーはたずねた。

「ねえ、少佐の小屋って、聞いたことある?」

「少佐の小屋?」

「この森のどこかに小屋があるの……。小さな池のほとりにね。そこに昔、変わり者の少佐が住んでいたの。だから少佐の小屋っていうのよ」

「今でもだれか住んでるの?」

「行ってみない?」

「だけど、どこにあるのよ?」

ソフィーは木立のかなたを指さした。

ヨールンはそれほど乗り気ではなかったが、結局、二人は出発した。初夏の太陽はまだ地平線の上にかかっていた。

初めのうち、二人は背の高い松林をぬって行った。それから、藪や茂みと悪戦苦闘しながら進んだ。ようやく径に出た。これは、ソフィーが日曜の朝たどった、あの径?

やっぱりそうだった。しばらくするとソフィーは、径の右側の木立のあいだに光るものを指さした。

「ほらね」

ほどなく二人は小さな池のほとりに立っていた。ソフィーは小屋をながめた。窓に雨戸がたててある。赤い小屋は打ち捨てられたような感じだった。

ヨールンがふりむいた。

「歩いて池を渡るわけ？」

「ううん、ボートで行くのよ」

ソフィーは葦の茂みを指さした。このあいだのようにボートがあった。

「来たことがあるの？」

ソフィーは首を横にふった。ここに来たことをヨールンに話すとしたら、めんどくさいことになってしまう。アルベルト・クノックスさんや哲学の通信講座のことにはふれないで、どうやって説明できるっていうの？

二人は冗談を言ったり笑ったりしながら、池を漕ぎ渡った。向こう岸でボートを陸に上げる時、ソフィーはとくに念を入れた。二人はドアの前に立った。ヨールンがドアの取っ手に手をかけた。小屋にだれもいないのは明らかだった。

「しまってるじゃないのよ。あなた、なにか当てがあったの？」

「探せば鍵があるんじゃないかな」

二人は外壁(そとかべ)の煉瓦(れんが)の隙間を探しまわった。

「ねえ、テントに帰ろうよ」何分かすると、ヨールンが言った。

その時、ソフィーが叫んだ。

「あった、あった！」

ソフィーは、どうだとばかりに鍵をかかげて見せた。鍵穴にさしこむと、すっとドアがあいた。

二人は、まるで泥棒になったような気分で小屋に踏み入った。なかは暗くてひんやりしている。

「なんにも見えない」とヨールンが言った。

ソフィーは、あらかじめそのことも考えていた。ポケットからマッチを取り出して、火をつけた。マッチが消えるまでに二人が見たものは、もぬけの殻の部屋だった。ソフィーはもう一本、マッチをすった。暖炉の上の鋳物(いもの)の燭台(しょくだい)に、ちびたろうそくが見つかった。ソフィーが三本めのマッチでろうそくに火をつけると、とたんに狭い部屋はあたりのようすがわかるほど明るくなった。

「こんな小さなろうそくが闇を明るくするなんて、不思議だと思わない?」とソフィーはたずねた。

友だちは、こくんとうなずいてくれた。

「でも、光は闇のどこかに吸いこまれてしまう」ソフィーはつづけた。「本当は闇なんかないのよ。そこには光がないってだけの話」

「なにへんなこと言ってるのよ！　もう行こう……」

「あの鏡を見てから」

ソフィーは真鍮の鏡を指さした。鏡はこのあいだと同じように、タンスの上にかかっていた。

「わあ、すてき……」

「でもこれ、魔法の鏡なの」

「鏡よ、壁の姿見よ、国じゅうでだれがいちばん美しい?」

「ちがう、冗談じゃないんだったら、ヨールン。この鏡の向こうには別の世界が見えるの」

「あなた、ここには来たことないんでしょ?　なのに、どうしてそんなこと言ってわたしを怖がらせるわけ?」

ソフィーは答えにつまった。

「ごめん」

ところが、こんどはヨールンが床の隅に何かを見つけた。小さな箱だ。ヨールンはそれを拾いあげた。

「絵はがきだ」

ソフィーはハッと息をのんだ。

「さわっちゃだめ！　わかった？　さわっちゃいけないのよ！」

ヨールンは、ぱっと後ろに下がった。まるで火傷でもしたかのように、ヨールンは箱から手を離した。絵はがきが床に散らばった。何秒かあって、ぷっとヨールンが吹き出した。

「ただの絵はがきじゃないの」

ヨールンは床にうずくまって絵はがきを集めはじめた。ソフィーもしゃがんだ。

「レバノン……レバノン……レバノン……全部レバノンから出してる」ヨールンがいちいちたしかめる。

「そうなのよね」ソフィーの声はかすれていた。

「だったらやっぱり、あなた前にここに来たことあるんじゃない」

「そうなの」

来たことがあると認めてしまったほうがいいかも、とソフィーは考えた。この数日に起こったさまざまな謎の事件を友だちにちょっと打ち明けたって、べつに困らないだろう、と思ったのだ。

「ここに来てから言おうと思ってた」

ヨールンははがきを読みはじめた。

「これ全部、ヒルデ・ムーレル＝クナーグって人宛てだわ」

ソフィーはまだはがきに手もふれていなかった。

「宛先の住所はどうなってる？」

ヨールンが読みあげた。

「ノルウェイ、リレバン、アルベルト・クノックス様方、ヒルデ・ムーレル＝クナーグ様」

ソフィーはほっとして、ふうと息を吐き出した。はがきに「ソフィー・アムンセン様方」とあったらどうしよう、と思っていたのだ。ソフィーは初めてはがきに目をこらした。

「四月二十八日……五月四日……五月六日……五月九日……つい何日か前の消印ね」

「それだけじゃない。消印はみんなノルウェイ語よ。見て、国連軍だって！　切手もノルウェイのだわ」

「どれもそうみたい。国連軍ってのは中立でしょ。だからそこには自分とこの国の郵便局があるのよ」

「郵便はどうやってノルウェイに届くわけ？」

「軍用機で運ぶんじゃない？」

ソフィーはろうそくを床に置いた。そして二人ははがきを読みはじめた。ヨールンははがきを日付順に並べると、一枚めを読みあげた。

《愛するヒルデ！

うれしいことに、リレサンのわが家に帰れることになった。本当だ。六月二十三日の夕方早い時間にクリスティアンサンのキェヴィック空港に着く。ヒルデの十五歳の誕生日までに帰れれば言うことないんだが、軍務があるのでね。埋めあわせに、わたしの気持はすべて大きなプレゼントにして、きみの誕生日に届くようにするよ。

いつも娘のこれからのことを思っている男より、心をこめて

追伸　このはがきの写しを共通の友だちに送っておく。今はわたしは謎だらけだが、きみはきっと

わかってくれるだろう》

ソフィーはつぎのはがきを取りあげた。

《愛するヒルデ！
こちらは、ああまたやっと一日が終わったか、と思う毎日だ。あとになってこのレバノンでの数カ月を思い出したら、まず浮かぶのは待機ということだろう。でも、きみの十五の誕生日にできるだけすばらしいプレゼントをしようとがんばっている。今はこれ以上は言えない。自分にきびしく口止めをしているのだ。

ではね、パパより》

二人は緊張のあまり息をつめて座りこんでいた。どちらもなにも言わない。ただ、はがきの文面を追っていた。

《愛する娘に！
わたしの気持を白い鳩にくくりつけて送れたら、と思うよ。けれどもレバノンには、伝書鳩になってくれる白い鳩はいない。戦争のために荒廃したこの国に本当に必要なのは白い鳩だ。いつの日か、国連が世界に真の平和をもたらしてくれることを。

追伸　誕生日のプレゼントはだれかと分けあうことになるのかな？　まあ、わたしが家に帰ったらわかることだ。でも今きみは、わたしがなんのことを言っているのか、わからないよね。

わたしたち二人のことを考える暇がたっぷりある男より》

六枚読み進んだところで、もう一枚残っていた。

《愛するヒルデ!

きみの誕生日のための秘密の計画で、わたしははちきれそうだ。一日に何度もたいへんな努力をして、電話をかけてなにもかもぶちまけてしまいたくなるのをぐっとこらえている。この思いは毎日ますますふくらむばかりだ。何かがどんどん大きくなると、自分の胸一つにしまっておけなくなるってこと、わかるだろう?

パパより、よろしく

追伸　きみはソフィーという名の女の子と知りあいになる。会う前におたがいを少し知っておくために、きみ宛てのわたしのはがきの写しをすべてソフィーに送っている。そろそろソフィーはこのつながりに気づくだろうか? ヒルデ。今のところ、ソフィーもきみもそれほど事情がのみこめてないわけだが。ソフィーにはヨールンという友だちがいる。たぶん、手を貸してくれるんじゃないかな?》

最後のはがきを読み終わると、ヨールンとソフィーは顔を見あわせた。ヨールンはソフィーの手首をぎゅっとつかんだ。

「わたし怖い」ヨールンが言った。

「わたしも」

「最後のはがき、消印はいつになってる？」

ソフィーはもう一度はがきを見た。

「五月十六日。きょうよ」

「そんなの、ありっこないわ！」ヨールンは半分腹を立てていた。

二人は消印をまじまじと見つめた。まちがいない。「16／05／90」

「そんなこと、あるわけないでしょ」ヨールンは言い張った。「だれが書いたんだろう、さっぱりわからないわ。でも、わたしたちを知ってる人なことはたしかね。それにしてもどうして、わたしたちがきょうここへ来るって、わかったんだろう？」

ヨールンの怖がりようは手がつけられないほどだった。もちろんソフィーには、ヒルデとその父親はおなじみだったけれど。

「これはあの真鍮の鏡となんか関係あると思うの」

もう一度、ヨールンは震えあがった。

「あなたまさか、レバノンの消印のはがきがたった今、あの鏡から出てきたなんて、言うつもりじゃないでしょうね？」

「もっといい説明がつく？」

「ううん」

「でも、謎はそれだけじゃないわ」

ソフィーは立ちあがって、壁の二枚の絵を照らした。ヨールンは絵のほうに身を乗り出した。

「『バークリ』に『ビャルクリ』。どういうことだと思う？」

「ぜんぜんわかんない」

ろうそくが燃えつきそうだった。

「もう行こう！」ヨールンが言った。「ねえったら！」

その声に、ソフィーは白いタンスの上の真鍮の鏡を壁からはずした。ヨールンはやめさせようとしたが、ソフィーはきかなかった。

二人が外に出ると、五月としてはこれ以上暗い夜はないほど、あたりはまっ暗になっていた。藪や木のシルエットしか見えない。小さな池は、まるで空をそっくり映したようだった。二人は向こう岸へとゆっくりと漕ぎ渡った。

テントへの帰り道、二人ともあまり口をきかなかった。けれどもおたがいに、相手は今見たことで混乱しているんだ、と考えていた。時どき、鳥にびくっとさせられた。梟（ふくろう）の声が二度、聞こえた。

テントにたどりつくと、二人は寝袋にもぐりこんだ。ヨールンは、鏡をテントのなかに持ちこむのはぜったいいや、と言い張った。眠りにつく前に二人とも、鏡がテントの入口の近くにあるだけでも怖い、と白状した。ソフィーははがきももってきていた。ソフィーはそれをリュックのサイドポケットにしまった。

つぎの朝、二人は早く目が覚めた。初めにソフィーが寝袋から這い出した。そしてブーツをはいて、テントをあとにした。外の草の上に、大きな真鍮の鏡はあった。しっとりと露にまみれている。ソフィーはセーターで露をぬぐうと、鏡に映った自分の顔を見おろした。よかった。レバノン発の新しいはがきは出てきていなかった。

テントの向こうの高台には、切れ切れになった朝の霧がまるで綿のかたまりのようにたなびいている。小鳥たちが元気にさえずる。大きな鳥たちは、声もしなければ姿も見えなかった。

二人は分厚いセーターを着て、テントの前で朝食を食べた。話はすぐに少佐の小屋と謎のはがきのことになった。

食事が終わると、二人はテントをたたんで帰ることにした。ソフィーはずっと真鍮の鏡を小わきにかかえていた。何度もひと休みしなければならない。ヨールンは、鏡にさわるのはお断わり、と言ったのだ。

ようやく人家が見えてきた時、何度かパンパンという音が聞こえた。ソフィーは、ヒルデの父親は戦争で荒れ果てたレバノンで手紙を書いたのだ、と思わずにはいられなかった。こんな平和な国に住んでいるなんて、なんて幸せなんだろう、という思いがこみあげた。あのパンパンという音は、なんのことはない、ただの爆竹だった。

ソフィーはヨールンに、ココアを飲んでいかないか、と誘った。母は、鏡をどこからもってきたのか、どうしても教えなさい、と言った。少佐の小屋で見つけた、とソフィーが言うと、母は、あの小屋はずっと何年も空き家だった、とまた同じことを言った。

ヨールンが帰ってしまうと、ソフィーは赤い服に着替えた。お休みの日の残りは、だいたいいつもどおりに過ぎていった。夕方のニュースが、レバノンに駐留しているノルウェイの国連軍兵士たちが祭日を祝うようすを伝えた。ソフィーはテレビのスクリーンに目をこらした。ここに映っている男の人たちのだれかが、ヒルデの父親なのだ。

五月十七日、この日の最後にソフィーは大きな真鍮の鏡を自分の部屋にかけた。翌日の午前中、ほら穴に新しい茶封筒が届いていた。ソフィーは封を開いて、すぐに読みはじめた。

二つの文化圏——それがわかってこそ、きみは空っぽの空間の根無し草ではなくなるのだから

ぼくたちが顔をあわせる日もそう遠くないよ、ソフィー。ぼくは、きみがもう一度少佐の小屋に行くだろうと思っていた。だから、ヒルデの父親からのはがきを全部置いていったんだ。それが、はがきがヒルデに届くたしかな道だったからね。

でも、ヒルデはどうやってはがきを手に入れるのだろう、なんて頭を悩ませなくてもいい。六月十五日まで、時間はまだたっぷりある。

ぼくたちは、ヘレニズムの哲学者たちが古代ギリシアの哲学者たちの考えをなぞった、ということを見てきたね。そればかりか、彼らを教祖に祭りあげようとまでした、ということも。たとえばプロティノスは、プラトンのことをまるで人類の救い主みたいにあがめていた。

でも、もちろん、ここで取りあげている時代の中ほどに、もう一人の救い主が現れた。ナザレのイエスのことだ。この章では、キリスト教がギリシア－ローマ世界にだんだん浸透していったようすを見ていこう——それは、そう、ヒルデの世界がだんだんとぼくたちの世界に入りこんでいくようなぐあいかな。

イエスはユダヤ人で、ユダヤの民族はセム語族の文化圏に属している。ギリシアとローマはインド－ヨーロッパ語族の文明圏に入っている。だから、ヨーロッパ文明には二つのルーツがある、と言っていい。キリスト教がギリシア－ローマの文化にだんだんと混ざっていったようすをつぶさに見ていい

く前に、この二つのルーツをもうちょっとていねいに見ておこう。

インドーヨーロッパ

インドーヨーロッパ語が話されている国ぐにと文化をひっくるめて、「インドーヨーロッパ」という。フィンウゴール語（フィンランド語、エストニア語、ハンガリー語）とバスク語をのぞくすべてのヨーロッパの言語は、インドーヨーロッパ語だ。インドとイランのほとんどの言語もインドーヨーロッパ語族に属している。

四千年ほど前、原インドーヨーロッパ語を話す人びとが黒海とカスピ海のあたりに住んでいた。ほどなくこのインドーヨーロッパの民は大挙して移動していった。南東の方向に移動してイランやインドへ、南西方向にはギリシア、イタリア、そしてスペインへ、西の方角には中央ヨーロッパをとおってイギリスやフランスへ、北西にはスカンジナビアへ、北には東欧やロシアへ。インドーヨーロッパの文化はそれぞれの地域の文化と混ざりあったが、どこでもインドーヨーロッパの宗教やことばが優勢だった。

ヴェーダと呼ばれる古代インドの書物も、ギリシアの哲学も、さらには詩人スノリの神々の教義も、書かれている言語はみんな同じ仲間だ。同じなのは言語だけではないよ。似通った言語には似通った考え方もふくまれている。だから、「インドーヨーロッパ文化圏」と言うんだね。

インドーヨーロッパ文化の特徴は、なんと言っても、さまざまなおびただしい神々を信じることだ。つまり多神教なんだ。神々の名前と宗教にまつわるたくさんの重要な単語や表現が、インドーヨーロッパのあらゆる地域に共通している。いくつか例をあげよう。

古代インドの人びとは天の神ディアウスを信仰していた。ギリシア語ではこの神はゼウス、ラテン語ではユピテル（本来は「父なるイオウ（天）」という意味のイオウパーテル）、古代北欧ではテュールだ。ディアウス、ゼウス、イオウ、テュールという名前は、一つのことばの変化したものだ。

北欧のヴァイキングたちがアーゼンという神々を信仰していたことは、きみも知っているね。「神々」を意味するこのことばも、全インド－ヨーロッパ地域にある。古代インドのことば（サンスクリット）で、神々はアスラといったし、イランのことばではアフラだ。サンスクリット語にはもう一つ、神を表すデーヴァということばがあって、イラン語ではダエーワ、ラテン語ではデウス、古北欧語ではティヴルとなる。

北欧にはこのほかにも、ニョルドとかフレイとかフレイヤとかの豊饒の神々がいたね。この神たちはヴァーネンと呼ばれた。ヴァーネンというのは、ラテン語の豊饒の女神の名前、ウェーヌスが変化したものだ。サンスクリットには、これとよく似たヴァニということばがある。「喜び」とか「欲望」とかの意味だ。

神話も、インド－ヨーロッパのすべての地域ではっきりとした類縁関係を示している。スノリが物語る古代北欧の神々をめぐる神話には、それよりも二、三千年も前に語られたインドの神話を思い出させるものがいくつもある。もちろん、スノリの神話は北欧の自然に彩られているし、インドの神話はインドの自然に彩られている。でも、多くの神話の核心には、共通の起源をうかがわせるものがある。それがとりわけはっきりしているのが、不死の飲物と、渾沌（こんとん）の怪物との神々の戦いの神話だ。

思考そのものでも、インド－ヨーロッパのさまざまな文化は明らかに共通している。典型的なのは、どの文化も、世界を善の力と悪の力がはげしくせめぎあうドラマとしてとらえる、という点だ。そのためインド－ヨーロッパの人びとは、なにかと言えば世界がどうなるのかを予言によって知ろうとした。

ギリシアの哲学がまさにこのインド－ヨーロッパの地域で生み出されたのは、けっして偶然なんかではない。インドやギリシアや北欧の神話体系には、哲学的な、あるいは理論的な思考法のきっかけになるようなものがある。

インドーヨーロッパの人びとは、世界のなりゆきの見通しを手に入れようとした。そう、インドーヨーロッパのすべての地域で、「見通し」とか「知」とかの特定のことばが、文化から文化へ、追究されたとすら言っていい。サンスクリット語では、これはヴィデヤーといった。このことばは、ギリシア語のイデアと同じだ。ほら、プラトンの哲学で大切な意味をもっていた、あのイデアだよ。ラテン語にはウィデオーという動詞があるけれど、これはローマ人にとっては、ただの「見る」ということだった。（ビデオ装置やビデオカセットの、あの「ビデオ」だよ）英語にはワイズ（かしこい）とかウィズダム（かしこさ）、ドイツ語にはヴァイゼ（かしこい）とかヴィッセン（知）ということばがある。ノルウェイ語にはヴィーテンということばがある。ノルウェイ語の「ヴィーテン」は、インドの「ヴィデヤー」やギリシア語の「イデア」やラテン語の「ウィデオー」と根は同じなんだ。

インドーヨーロッパの人びとにとっては「見ること」がきわめて大きな意味をもっていた、と言いきってしまっていいと思う。インド人やギリシア人、イラン人やゲルマン人の文学は、壮大な宇宙規模の光景(ヴィジョン)に彩られている。（ほらまた、さっきのことばが出てきた。「ヴィジョン」はラテン語の「ウィデオー」からきている。）このほかにも、インドーヨーロッパの文化では、神々や神話上の出来事を絵や像に表すことが広く行なわれていた。

インドーヨーロッパの人びとは、回帰する歴史観をはぐくんだ。歴史は、ちょうど四季が夏と冬をくりかえすように、円を描く、あるいは循環する、という考え方だ。だとすると、歴史にははっきりとした始まりもなければ終わりもない、ということになる。インドーヨーロッパの歴史とは、生と死が永遠に交代するように、生まれては滅びるいくつもの世界をさまざまに語ることだった。

東方の二大宗教、ヒンドゥー教と仏教は、インドーヨーロッパに起源をもっている。それはギリシア哲学にも言えることなのだから、かたやヒンドゥー教と仏教、かたやギリシア哲学と並べてみると、なんとまあよく似ていることか、と思うことはたくさんある。こんにちでもヒンドゥー教と仏教には、哲学的な省察(しょうさつ)が色濃く現れているんだよ。

ヒンドゥー教と仏教は、神のようなものがすべてのもののうちに存在する、と言う。「汎神論」だ。そして、人間は宗教的な洞察によって神と一体になれる、と。(プロティノスのことは憶えているよね、ソフィー!)そのためにはふつう、とことん自分を深めたり瞑想したりすることが必要だ。したがって東洋では、受け身であること、世の中から身を退くことが宗教的な理想とされることがある。ギリシアにも、人間は魂を救うために禁欲や苦行、あるいは宗教的な隠遁(いんとん)のうちに生きるべきだ、と考える人がたくさんいた。中世の修道院生活のいくつかの要素は、ギリシアーローマのそうした考え方にさかのぼることができる。

このほか、インドーヨーロッパの多くの文化では「魂の輪廻(りんね)」が大きな意味をもっていた。ヒンドゥー教では信者はみんな、いつか魂の輪廻から解放されることを目指している。プラトンも魂の輪廻を信じていた。

セム

さあ、こんどはセムだよ、ソフィー。インドーヨーロッパとはまるでちがう言語をもった、まるでちがう文化圏の話だ。セム族はもともとアラビア半島に現れたんだが、セム族の文化圏も世界に大きく広がった。二千年以上ものあいだ、ユダヤ人は祖先伝来の地から遠く離れたところに暮らしていた。そのためセム族の歴史と、キリスト教をふくむセム族の宗教は、そのふるさとからとんでもなく遠くまでおよんでいった。セムの文化は、イスラム教が広がったことによって、さらに全世界に運ばれた。

西方の三つの宗教、ユダヤ教、キリスト教、イスラム教は、セムの背景をもっている。イスラム教の聖典コーランと、ユダヤ教やキリスト教の旧約聖書は、似通ったセム語で書かれている。そのため「神」を意味する旧約聖書のことばの一つは、イスラム教の「アラー」と語源が同じだ。(「アラー」はずばり「神」という意味だよね。)

キリスト教となると全体像はもっとこんぐらがっている。バックグラウンドはもちろんセムの文化だ。けれども、新約聖書はギリシア語で書かれたし、キリスト教神学や教義が形づくられた時にはギリシア語とラテン語で書かれたために、ヘレニズムの哲学が刻みこまれることになる。

インド-ヨーロッパの人びとがたくさんの神々を信じていた、ということはさっき見てきたね。セムの人びとは、驚いたことに、すでに早い時期からたった一人の神を信仰していた。これが「一神教」だ。ユダヤ教とキリスト教とイスラム教は、神はたった一人だ、という考えをもとにしている。

さらにセムに共通するのは「直線的な歴史観」だ。歴史はまっしぐらに進む、ということだ。いつかある時、神が世界をつくり、歴史はそこから始まった。けれどもいつかある日、歴史は終わり、しかもその時には生きている者も死んだ者も神によって裁かれる、最後の審判が行なわれる。

西方の三大宗教のポイントは、まさにこの歴史のとらえ方にある。それは、神が歴史に干渉する、ということだ。そう、歴史は神がその意志を世界のすみずみにまで徹底させるためにこそあるんだ。神は、かつてアブラハムを「約束の地」へとみちびいたように、人類を歴史を経て最後の審判へとみちびく。その時、地上のあらゆる悪は滅ぼされる。

神が歴史に干渉すると考えたセムの人びとは、何千年にもわたって歴史を書いた。自分たちのルーツの歴史が、セムの人びとの聖典の中心テーマなんだよ。

今でもエルサレムは、ユダヤ教徒とキリスト教徒とイスラム教徒の重要な信仰の中心地だ。これも、この三つの宗教が共通の歴史をもっている証拠だ。ここには重要なユダヤ教のシナゴーグと、キリスト教の教会と、イスラム教のモスクがある。だからほかでもないエルサレムが紛争のもとになっているなんて、とても悲しいことだね。そう、だれがこの永遠の都を支配するかということでみんなが一致しないために、何千、何万もの人びとがいがみあい、殺しあっている。いつの日か国連が、エルサレムが三つの宗教すべての出会いの地になる手助けをできたらいいのにね！（こういう現実的な問題については、ぼくたちの哲学講座ではさしあたりこのへんでやめておこう。あとはヒルデのお父さんにおまかせだ。国連の監視軍がレバノンに駐留していることは、きみも知っているよね？　こっそり教えてあげようか、彼は少佐だ。もしもきみがなんとなく関連を感じたら、それは当たっているんだよ。まあ、これ以上なりゆきを先取りすることは、ぼくたちには許されていないけど。）

さて、と。インドーヨーロッパの人びとにとっては、見ることが重要な意味をもっていた、ということは先にふれたとおりだ。ところが驚いたことに、セムの人びとにとっては、それと同じほど重要な役割を「聞くこと」が果たしている。ユダヤ教の信仰告白が「聞け、イスラエルの民よ」で始まるのは偶然ではない。旧約聖書を見ると、人びとが主のことばを「聞いた」り、ユダヤの預言者たちが預言を「かくしてエホヴァは語られた」という決まり文句で始めたりしている。キリスト教でも神のことばを「聞く」ことに重点が置かれている。ユダヤ教でもキリスト教でもイスラム教でも、礼拝でもっとも目立つのは、聖なる書を読みあげることだ。

インドーヨーロッパの人びとは神々を絵に描いたり像につくったりした、ということもさっき言ったね。セムの人びとで目をひくのは、彼らが偶像を禁止していたということだ。神やそのほかのあらゆる聖なるものの絵や像をつくってはいけないんだ。こんにちでも、イスラム教とユダヤ教はこの決まりを守っている。イスラム世界では一般に、写真や造形芸術はあまり人気がない。人間は何かを創造することで神と張りあってはならないんだ。

けれどもきみは、キリスト教の教会には神やイエスの絵や像がわんさとある、と考えているんじゃないかな？　そうなんだ、ソフィー。これはまさに、キリスト教がギリシア－ローマ世界の刻印をしるされていることの一つの例なんだよ。（スラブ世界のロシア正教の教会では、今でも彫刻が禁止されている。聖書の物語にしたがった彫刻や磔刑像はつくってはいけないことになっている。）

東方の二大宗教とは正反対に、西方の三大宗教は、神と被造物のあいだの断絶を強調する。そして、魂が輪廻から救われることではなくて、罪と罰から救われることを目指す。もっと言えば、信仰生活では自分を深めたり瞑想にふけったりすることよりも、祈りと説教と聖典の解釈に重きが置かれている。

イスラエル

ぼくはここできみの宗教の先生と張りあうつもりはないよ、ソフィー。でも、キリスト教のユダヤ的なバックグラウンドについては、ちょっとふれておこう。

すべては神がこの世界を創造したことから始まったのだったね。それがどんなふうだったかは、聖書のいちばん初めを読めばわかる。けれどもその後、人間は神に反抗した。それにたいする罰は、アダムとイヴがエデンの園から追放されただけではなかった。死がこの世に出現したんだ。

神にたいする人間の不従順というテーマは、聖書全体を一貫して流れている。創世記をひもとけば、大洪水とノアの箱舟の話がある。それから、神がアブラハムとその一族と交わした契約のことが出てくる。この契約は、アブラハムとその一族が神の掟を守ることを要求するものだった。のちにこの掟はモーセがシナイ山の頂で掟を刻んだ石板（十戒）をさずけられた時、あらためて確認された。紀元前およそ一二〇〇年頃の出来事だ。当時イスラエルの民は長らく奴隷としてエジプトに暮らしていたのだが、神の助けによってイスラエルへと帰るとちゅうだった。

　紀元前一〇〇〇年頃、ということはギリシア哲学が出現するずっと以前、イスラエルに三人の王が現れた。サウル、ダヴィデ、ソロモンだ。この頃にはイスラエルのすべての民は一つの王国に統一されて、とりわけダヴィデ王の治世には政治、軍事そして文化の面で最盛期をむかえた。

　王たちは位につくとき、臣民によって香油をそそがれた。それで、ユダヤの王たちは「メシア」と呼ばれた。「香油で聖別された者」という意味だ。宗教的には、王は神と人びとのあいだにいる、と見なされていた。だから王たちは「神の御子」だし、王国は「神の国」と呼ばれもした。

　ところがそれからほどなく、イスラエルは力を失う。王国は北のイスラエル王国と南のユダ王国に分かれた。紀元前七二二年には、北のイスラエル王国はアッシリアによって荒らされて、政治的にも宗教的にもすっかりおとろえる。南のユダ王国もそれよりましだったわけではない。紀元前五八六年、南の王国はバビロニアに征服された。エルサレムの神殿は破壊され、大部分の民はバビロニアにつれていかれた。このバビロン捕囚(ほしゅう)は紀元前五三九年にようやく終わる。人びとはエルサレムに帰って壮大な神殿を再建できることになった。ところが西暦の初めまでの何百年ものあいだ、ユダヤの民はまたしてもさまざまな異民族に支配されることになるんだ。

　ユダヤ人たちは問うた。神はイスラエルを助け、守ると約束したはずなのに、なぜダヴィデの王国は滅びたのか、そしてなぜこの民はつぎからつぎへと不幸に見舞われるのか、とね。それでもこの民は神の命令を守りとおすと誓った。そしてついには、神はこれらの民族的な不幸をつうじてイスラエルの不従順を罰しているのだ、という結論が広く受けいれられるようになった。

　紀元前およそ七五〇年頃から、預言者があいついで登場してくる。彼らは、人びとが主の掟を守らないから神がイスラエルを罰したのだ、と主張した。いつかある日、神はイスラエルに罰を下す、と預言者たちは語った。このような預言は「滅びの預言」と呼ばれている。

それからほどなく、神が一部の人びとを救い、ダヴィデの末裔の平和の主あるいは平和の王をつかわす、と唱える預言者たちが出てくる。この平和の主はかつてのダヴィデの王国を再興し、人びとに幸せな未来をあたえてくれる、とされていた。預言者イザヤは言っている。「今、闇に沈んでいる。「暗闇をさまようこの民は大いなる光を見る」と、預言者イザヤは言っている。「今、闇に沈んでいるこの国に、光は輝き昇る」と。

ここまでをちょっとまとめておこう。イスラエルの民はダヴィデ王のもとで幸せに暮らしていた。その後、悪い時代が訪れると、預言者たちはダヴィデの子孫から新しい王が出現すると主張した。この「メシア」あるいは「神の御子」はユダヤの民を「救う」ことになっていた。イスラエルをふたたび強大な国にして、「神の国」をうち建てることになっていたんだ。

イエス

オーケー、ソフィー。きみがついてきていると信じて、先へ行くよ。キーワードは「メシア」「神の御子」「救い」そして「神の国」だ。最初のうち、これらのことばはみんな政治的な意味で使われていた。イエスの時代にも、多くの人びとは新しいメシアを、ダヴィデ王と似たりよったりの政治と軍事と信仰の指導者と考えていた。救い主はだから、まずなによりも、ローマに支配されているユダヤ人の苦しみにピリオドを打って国を解放する者と見なされていた。

ところが、また別の声もあがった。すでにキリストの生まれる二百年も前に、また別の預言者たちが、約束されたメシアは全世界の救い主になる、と告げたんだ。救い主はイスラエルを異民族の軛から解放するだけではなくて、すべての人類を罪と罰から、なによりも死から解放するのだ、と。死からの救いによせられた希望は、すでにヘレニズム世界のすみずみにまでいきわたっていたよね。

さあ、イエスの出番だ。彼は預言されたメシアとして登場したただ一人の人ではなかった。イエスはほかのそうした人びとと同じように、「神の御子」「神の国」「メシア」「救い」といったことばを口にした。そうすることで、いにしえからの預言と自分を結びつけたんだ。イエスはエルサレムにろばで乗り入れ、民の救い主として大衆の歓呼をあびた。そうすることで自分を、このような「即位儀礼」で王位についた、いにしえの王たちになぞらえたんだ。イエスは香油をそそがせてもいる。「時は満ちた」とイエスは言った、「神の国は近づいた」と。

こうしたことを残らず押さえておくことは、たいへん重要だ。でも注意しなければならないのは、イエスはほかの人びととはちがって、軍事や政治の指導者ではなかった、ということだ。イエスの使命はもっと大きなものだった。イエスはすべての人びとにたいする神の救いと赦しを告げた。人びとのあいだをまわって、「神の御名において、あなたの罪は赦された」と言ったんだ。こんなことばは前代未聞だった。ほどなくイエスにたいする学者たちの反発が起こった。ついには学者たちはイエスを処刑する算段にかかる。

もっとわかりやすく言おうね。太鼓とトランペットで(つまり武力でということだ)神の国を再興してくれるメシアを、イエスの時代の人びとは待ち望んでいた。「神の国」という表現は、赤い糸のように、イエスの預言をもつらぬいていた。もっとも、それはとんでもなく拡大された意味を帯びていた。イエスは、神の国とは隣人への愛だと説いた。弱い者へのおもいやりだと、過ちを犯したすべての人を赦すことだと説いたんだ。

古くからの、どこかキナ臭い表現がドラマティックに意味をずらされていることに気づいたね。人びとは、神の国を告げる将軍を待ち望んでいたのだった。そこへイエスが長い服とサンダルというまるで勇ましくない姿で現れて、神の国あるいは「新しい同盟」の意味を説いた。「あなた自身を愛するように、あなたの隣人を愛しなさい」と。それだけではないよ、ソフィー。イエスは、わたしたちは敵も愛さなければならない、と言ったんだ。敵がわたしたちの頬をなぐったら、同じお返しをするのではなく、もう片方の頬を差し出せ、と。そしてわたしたちは赦さなければならない。七回どころか、七の七十倍も赦さなければならない。

イエスは、売春婦や腐敗した収税吏や、政治的には敵であるローマ側の人間と話をするのはちっとも恥ずかしいことではない、ということを身をもって示した。いや、もっと大胆だった。全財産を遊びうかれて使い果たしてしまった浮浪者も、お金を着服した悪徳収税吏も、神に立ち帰り、赦しを乞いさえすれば、神の前で義の人と呼ばれる、と言った。神の慈悲はそれほどに大きいのだ、とね。いや、イエスはもっともっと大胆だった。いいかい、ぜひとも心にとどめておいてほしいんだ。イエスは、神の前で悔いあらためた罪人は、自分はだれよりも神の掟をきびしく守っていると鼻高だかの、非の打ちどころのないパリサイ人よりも義なのだ、だから神の赦しにあずかれる、と言ったんだ。

イエスは、人はどんなに努力しても神の慈悲に値する人間にはなれない、と言った。ぼくたちは自力で自分を救うことはできないんだ。（多くのギリシア人もそう信じていた！）イエスが山上の垂訓のなかできびしい道徳を説いたのは、神の意志を伝えるためだけではなかった。人間はだれ一人、神の前に立てば義ではない、つまり正義の人だなんて言えないということも伝えたかったんだ。そして神の慈悲は果てしないけれど、ぼくたちが神に立ち帰るには、赦しを乞う祈りによるしかないのだ。

これ以上イエスの人となりや教えに立ち入ることは、きみの宗教の先生におまかせしよう。イエスがどんなに稀な人間だったか、先生がよくわかるように教えてくれることに期待するよ。イエスは天才的なやり方で、彼の時代のことばを駆使して、古い言いまわしにとんでもなく新しい、拡大した内容をあたえた。イエスが十字架にかかって命を終えたのも不思議ではない。そのラディカルな救いの教えは、あちこちで利権や権力の地位にある人びとをおびやかしたので、邪魔者として消されなければならなかったんだ。

ソクラテスのところでは、人間の理性にうったえるのがどれほど危険なことかを見たよね。イエスのばあいでは、際限のない隣人愛や赦しを要求するのがどれほど危険なことかを見たわけだ。こんにちでも、平和と愛と貧しい人びとのための食べ物、そして政敵への寛容にたいする率直な要求をつきつけられると、どんな大国でももちこたえられないということを、ぼくたちは目の当たりにしている。

アテナイでとびきり正しい人が命で償いをしなければならなかった時、プラトンがどんなに怒ったか、きみは憶えているね。キリスト教では、イエスはかつて生きたなかでただ一人、正しい人間だと言う。イエスは人類のために死んだ、という。イエスは「身代りになって苦しんだ」とされている。イエスは、ぼくたちを神にとりなして神の罰から救うために、すべての人間の罪を背負った「受難の僕」だった、と。

パウロ

イエスが十字架にかけられ、葬られて何日かたった頃、イエスは死からよみがえった、といううわさが立った。よみがえることによってイエスは、自分がただの人間ではないということを証明した、本当に神の御子なんだということを証明したんだってね。

キリスト教の教会は、イエスがよみがえったとうわさされる復活の朝を土台に立ち上がったと言っていい。すでにパウロが「キリストがよみがえらなかったのなら、わたしたちの説教はむなしい。あなたたちの信仰もむなしい」と言っている。

イエスが復活して初めて、すべての人間は肉体のよみがえりに望みをつなげることになった。ほかでもない、ぼくたちの救いのために、イエスは十字架にかけられたんだとすればね。さてそこで、ねえソフィー、よく心にとどめておいてほしいんだけど、このユダヤの地では魂の不死とか、どういう形であれ魂の輪廻は問題にされなかったんだ。これはギリシアの、ということはインドーヨーロッパの考え方だ。いっぽうキリスト教は、人間はたとえば魂のような、それ自体が不死であるようなものはなにももっていない、という。教会は肉体のよみがえりと永遠の命を信じている。だけど、ぼくたちが死と劫罰から救われるのは、まさに神の奇跡なんだ。それはぼくたちの手柄ではないし、自然な、あるいはもって生まれたと言ったらいいかな、特性のおかげでもない。

初期のキリスト教徒たちは、イエス・キリストを信じれば救われるという福音（喜ばしい知らせ）を広めはじめた。キリストの救いの業によって、神の国は間近に迫った、と。いまや全世界はキリストのものだった。（「キリスト」はユダヤの「メシア」にあたるギリシア語で、したがって「香油で聖別された者」という意味だ。）

イエスの死からわずか数年ののち、パリサイ人パウロはキリスト教に改宗した。パウロはギリシアーローマ世界のすみずみにまで、何度となく伝道の旅をした。キリスト教が世界宗教になったのはこのパウロのおかげだ。それは使徒たちの物語、「使徒行伝」にくわしく書いてある。パウロの教えの数々は、初期のキリスト教徒のグループに宛てたたくさんの手紙によっても広められた。

パウロはアテナイにもやってきた。パウロはこの哲学の都の広場を歩いたわけだ。そして憤慨した。聖書には「この町が偶像崇拝にこりかたまっているのを目にしたからだ」とある。パウロはアテナイでユダヤ教のシナゴーグを訪れて、エピクロス学派やストア派の哲学者たちと話をした。哲学者たちは、パウロをアレオパゴスにもつれていって、こう言った。「あなたが説いておられる新しい教えを、わたしたちにも教えてもらえないだろうか？　あなたは聞きなれないことを語っておられるようだが、それがどんなものなのか、わたしたちも知りたいのだ」

どう、想像できる？　ソフィー。アテナイの市の広場に一人のユダヤ人が現れて、十字架にかけられて死からよみがえった救い主について語ったんだ。パウロがアテナイにやってきた、ということからもう、ギリシアの哲学とキリスト教の救いの教義がぶつかりあうぞ、と予測がつくね。ともあれパウロはアテナイの人びとを青空演説会場に引き出すことができた。パウロはアレオパゴスに、ということはアクロポリスの荘麗な神殿の建ちならぶなかに立って、こんな演説をした。「アテナイのみなさん」と、パウロは話しはじめた。「あなたがたはとことん偶像崇拝に毒されている、とわたしは思います。わたしはこの町を歩きまわって、あなたがたの礼拝を見、知られざる神に、と書かれた祭壇を見つけました。ならば今ここに、あなたがたが知らずに礼拝している神を知らせてさしあげよう。

この世界とそこにあるすべてのものをおつくりになった神は、したがって天と地の主である神は、人の手がつくった神殿には住んでおられない。

神はまた、みずからあまねくあらゆる人に命と息吹をあたえられた方であるからには、どこか不足のある者のように、人の手の世話を受けられることもありません。

また神は、一人からつくったすべての種族を地上のあらゆるところに住まわせ、彼らがどれほどの時間、どのような広がりで生きるべきか、あらかじめ目標を定められました。

主を感じ、見いだしたいと思うなら、主を捜さねばなりません。しかも主は、わたしたち一人ひとりから遠いところにはおられません。

なぜならわたしたちは主のうちに生き、活動しているのです。わたしたちは主のうちにいるのです。あなたがたの詩人のなかにも、こう言っている人びとがいます。わたしたちは主の種族だ、と。

わたしたちが主の種族ならば、神は人の想念からつくられた黄金や銀や石の像のようなものだなどと考えるべきではありません。

神はそのような無知の時代に目をつぶっておられましたが、今、世界じゅうのすべての人間に悔い改めることを命じておられます。

神は、あらかじめ決めおかれた一人の方によって、正義にてらして地上の営みを裁く日を定められ、その人を死から目覚めさせて、すべての人に保証をあたえられるのです」

これが、アテナイでのパウロの話だ、ソフィー。ぼくたちはよく、キリスト教はだんだんとギリシア‐ローマ世界にしみとおっていった、と言うよね。それは風変わりで、エピクロス学派やストア派の哲学とはまるでかけ離れていた、と。でもパウロは、ギリシアの文化はキリスト教のたしかな足がかりになる、と考えたんだ。パウロは、すべての人は神を捜し求めている、と指摘した。これはギリシア人には目新しいことではない。パウロが告げたことで目新しかったのは、神はたしかに人間の前に現れ、本当に人間と出会った、ということだ。神とはだから、人間が理性で到達できるような、ただの哲学上の神ではない。また、丘の上のアクロポリスや、ふもとの町の広場にいくらでもあるような、黄金や銀や石の像とは似ても似つかない。神は「人の手がつくった神殿には住んでおられない」。神とは、歴史のなかに現れ、人間のために十字架で死んだ、人格をもった神なのだ。

パウロがアレオパゴスで話を終えると、キリストが死からよみがえったと聞いて、何人かはあざわらった、と「使徒行伝」は伝えている。でも、「もっとあなたの話が聞きたい」と言う聴衆もいた。ついにはパウロにしたがってキリスト教徒になった人びともいた。そのなかにダマリスという女の人もいた。これは見落とせないよ。当時はたくさんの女性がキリスト教に改宗したんだ。

こんなふうに、パウロは伝道をつづけた。紀元後わずか数十年にはもう、アテナイ、ローマ、アレクサンドリア、エフェソス、コリントといった、ギリシアとローマのすべてのおもだった町にキリスト教徒のグループができていた。三、四十年のあいだに、ギリシア‐ローマ世界はすみずみまでキリスト教化したのだ。

使徒信条

しかしパウロはただの布教者ではなかった。キリスト教の信者グループのなかで大きな影響力をふるいもした。それは、精神的な指導者がほしい、という強い要請があったからだ。イエスが死んで数年のあいだ、非ユダヤ人はまずはユダヤ教徒にならずにキリスト教徒になれるか、ということが大きな問題だった。たとえば、ギリシア人はユダヤ教の飲食の戒律を守るべきなのか、とかね。パウロは、それはかならずしも必要ではない、と考えた。この時、キリスト教はたんなるユダヤの一宗派であることを超えた。すべての人間に向けられた、普遍的な救いの福音へと変わった。神とイスラエルの民の古い契約は、イエスが神とすべての人間のあいだに結んだ新しい契約に取ってかわられたんだ。

でもこの時代、新たにおこった宗教はキリスト教だけではなかった。ヘレニズムが宗教のごった煮だったということは、見てきたとおりだけれど、だからこそ教会はキリスト教の教義をはっきりと描いてみせる必要があった。ほかの宗教との違いをはっきりとさせ、キリスト教会内部の混乱を避けなければならなかった。そこから、最初の使徒信条ができあがった。使徒信条とは、もっとも大切なキリスト教の教義（ドグマ）をまとめたものだ。

教義のうちでももっとも重要なのは、イエスは神であると同時に人だった、ということだ。つまりイエスは、彼がしたことによって神の御子であるだけではない。イエスが神そのものなんだ。けれども、イエスはまた現実の人間でもあって、人間の生を分かちもち、現実に十字架に上ったんだ。

これは矛盾しているように聞こえるね。でも教会は、「神が人になった」と宣言した。イエスは半神半人（つまり半分は神で半分は人間ということ）ではなかった。こういう半神半人への信仰は、ギリシアやヘレニズムの宗教ではけっこうおなじみだった。でも教会は、イエスは完全な神で完全な人だ、と説いたんだ。

追伸　ぼくが説明しようとしたのは、すべてはつながりあっている、ということだ、ソフィー。キリスト教がギリシア‐ローマ世界に登場したことには、二つの文化圏がドラマティックな出会いをした、という意味がある。それはまた、歴史における文化の大きな転換点でもあった。

つまり、ぼくたちはここで古代をあとにするんだ。初期のギリシア哲学からここまで、ほぼ千年が過ぎている。今ぼくたちは、キリスト教中世を前にしている。これも千年つづく。

ドイツの作家、ヨーハン・ヴォルフガング・ゲーテはこう書いているよ。

三千年を解くすべをもたない者は
闇のなか、未熟なままに
その日その日を生きる

でもぼくは、きみがそういう人の仲間であってほしくない。きみが根ざしている歴史のルーツを教えるためなら、ぼくはどんな労も惜しまない。それがわかってこそ、きみは一人前の人間になれるのだから。裸の猿以上のものになれるのだから。それがわかってこそ、きみは空っぽの空間の根無し草ではなくなるのだから。

「それがわかってこそ、きみは一人前の人間になれるのだから。裸の猿以上のものになれるのだから……」

ソフィーはなおもしばらく、生け垣の小さな穴から庭をながめていた。自分が根ざしている歴史を知ることは、イスラエルの民にとっては、それはそれは大切なことだったけれど、同じようにソフィー自身にとってもどんなに大切なことなのか、だんだんはっきりとわかってきた。

わたしはただ、たまたまこういう人間だ。でも、自分の歴史のルーツを知ったら、わたしはたまたま以上の何かになるのだ。わたしはほんのわずかなあいだ、この惑星に生きているだけだけど、人類の歴史がわたし自身の歴史だとしたら、わたしはある意味で何千歳ということになる。

ソフィーは手紙をまとめてほら穴から這い出た。そしていせいよく飛びはねながら、庭をつっきって部屋へといそいだ。

中世——とちゅうまでしか進まないことは、迷子になることとはちがう

翌週、アルベルト・クノックスからはなんの音沙汰もなかった。レバノンからのはがきももうこなかったが、ソフィーはヨールンといっしょに、少佐の小屋からもってきたあのはがきを何度も読み返していた。ヨールンは夢中になっていた。けれども、それからなにも起こらないとなると、宿題やバドミントンなんてやっていられない、と思っていた初めの意気込みもうすらいだ。

ソフィーはアルベルトの手紙を何度も読みなおして、ヒルデの手がかりを探した。おかげで、古代の哲学をじゅうぶんに自分のものにすることもできた。デモクリトスとソクラテス、プラトンとアリストテレスがどうちがうかも、なんなくわかるようになった。

五月二十五日金曜日、ソフィーはレンジの前に立って夕食をつくっていた。もうすぐ母が仕事から帰ってくる。金曜日はいつもソフィーが夕食当番だった。きょうのメニューは人参入り魚団子のスープ。とっても簡単。

風が出てきた。ソフィーは鍋をかきまぜながら、ふりむいて窓の外をながめた。白樺の木立がまるで麦の穂のようになびいている。

とつぜんコツンと、何かが窓ガラスに当たる音がした。ソフィーがもう一度ふりかえると、紙が一枚、窓ガラスにペタリと貼りついていた。

ソフィーが窓辺に行ってみると、それは絵はがきだった。ソフィーはガラス越しにはがきを読ん

だ。「ソフィー・アムンセン様方　ヒルデ・ムーレル＝クナーグ様……」

　とっさにひらめいたとおりだった。ソフィーは窓をあけて、はがきを取った。このはがきは遠いレバノンから風に乗って運ばれてきた？

　このはがきも日付は「六月十五日金曜日」になっていた。

　ソフィーは鍋をレンジからおろして、キッチンテーブルに向かった。はがきには、こうあった。

《愛するヒルデ
　きみがまだ誕生日のうちにこのはがきを読んでいるのかどうか、わからない。そうであってほしいが。とにかくそんなに何日も過ぎていないことを願っている。ソフィーにとって二、三週間過ぎてしまうことは、わたしたちにとってもそっくりそのままだということではない。わたしは六月二十三日に帰る。夏至の一日前だ。そうしたら、いっしょにあの岸辺のブランコに乗ろうね、ヒルデ。話すことはいっぱいある。ユダヤ教徒とキリスト教徒とイスラム教徒の何千年もの争いにげっそりしているパパよりよろしく。わたしは、この三つの宗教がアブラハムに発している、ということがどうしても頭から離れない。だとしたら、みんな同じ神に祈っていることになりはしないか？　この南の国では、カインとアベルはまだ殺しあいをやめていない。

　追伸　ソフィーによろしく伝えてくれるね？　ソフィーも気の毒に。何がどうなっているのか、まだわからないのだから。でも、きみはわかっているだろう？》

　ソフィーはがっくりとテーブルにかがみこんだ。そうでしょうよ、たしかにわたしには何がどうなっているのかわからないわよ。でも、ヒルデはわかっている？

ヒルデの父親がヒルデに、ソフィーによろしくと伝言しているのなら、ヒルデは、わたしが彼女のことを知っている以上にわたしのことを知っているのだ。ああ、どうなってるのか、さっぱりわからない。そんなことよりお料理しよう、お料理。

キッチンの窓に貼りついたはがきか。それこそ航空便(エア・メイル)だわ……。

ソフィーが鍋を火にかけたかかけないうちに、電話が鳴った。

パパからだったらいいのに！　パパが帰ってきたら、ここ数週間に起こったことをすっかり聞いてもらうのに。でも、どうせヨールンかママに決まってる……。ソフィーは電話器にいそいだ。

「はい、ソフィー・アムンセンです」

「ぼくです」受話器の向こうの声はそう言った。

三つのことはたしかだった。パパではない。でも男の声だ。そしてソフィーは、この声は前に聞いたことがある、と確信した。

「どなたですか？」

「アルベルトですよ」

「えーっ」

ソフィーはなんと答えたらいいのかわからなかった。それはたしかに、アテナイのビデオで聞いたあの声だった。

「元気？」

「ええ、まあ……」

「もう手紙は出さないよ」

「蛙なんて、さしあげてませんけど？」

「会おうよ、ソフィー。ぼちぼちいそがなくては。わかるかな？」

「どういうこと？」

「ぼくたちはヒルデの父親に包囲されかかってるんだ」

「包囲って？」

「あっちからもこっちからもだよ、ソフィー。だからこれからは、力をあわせてやっていかないと」

「どうやって？」

「まずはぼくがきみに中世のことを話すのをバックアップしてほしい。そして、ルネサンスと十七世紀もやっつけなければ。バークリが鍵をにぎっている」

「少佐の小屋にかかっていた絵のこと？」

「そのとおり。たぶん、彼の哲学が闘いをひきおこす」

「なんか、戦争のことみたいだけど？」

「ま、どっちかというと精神の闘いのことを言おうとしたんだけどね。ヒルデの父親がリレサンに帰る前に、ヒルデにぼくたちの味方についてくれるよう、はたらきかけてみなければ」

「なんのことだか、さっぱりわからないんだけど」

「哲学者たちがきみの目を開かせてくれるよ。あしたの朝四時にマリア教会で会おう。でも、一人で来るんだよ」

「そんな真夜中に？」

カチャ。

「もしもし！」

なんてこと！　電話は切れてしまった。ソフィーはいそいでレンジに戻った。スープはもうちょっとで吹きこぼれるところだった。ソフィーは魚団子と人参を鍋に入れて、レンジの温度を下げた。

マリア教会？　それって古い石造りの中世の教会よね。あそこではコンサートや特別のミサしかやらない。夏には観光客のために時どきあけられる。でも、真夜中にはしまっているんじゃないの？

母が帰ってきた時、絵はがきは戸棚のアルベルトとヒルデ関係の棚におさまっていた。食事が終わると、ソフィーはヨールンの家に行った。

「ないしょの約束をしてほしいの」ヨールンが玄関をあけたとたん、ソフィーは言った。

ヨールンの部屋のドアがしまるまで、ソフィーはそれ以上なにも言わなかった。

「ちょっとめんどうなことなんだけど」

「なによ、早く言いなさいよ」

「わたし今夜、あなたんちに泊まるって、ママに言わなくちゃならないわけがあるの」

「わあ、いいじゃない！」

「ううん、ママにそう言うだけなの。あるところに行かなくちゃならない用事があるの」

「やあだ！　それって、なんか男の子と関係ある？」

「ちがうわ、ヒルデよ」

ヨールンは、ヒュウと小さく口笛を吹いた。

ソフィーはしっかりとヨールンの目を見た。

「今夜また来るわ。でも、三時過ぎにはこっそり出かけなくちゃ。わたしが帰ってくるまで、なんとかごまかしといて」

「いったいどこへ行くの？　なにする気、ソフィー？」

「ごめん。なんにも言うわけにいかないの」

ヨールンの家に泊まることは、べつに問題ではなかった。むしろその反対だった。ソフィーは時どき、母親が一人になりたがっている、と感じていた。

「でも、昼ごはんには戻るわね？」出かけようとするソフィーに母が釘をさしたのは、そのことだけだった。

「もしも戻れなくても、わたしの居所はわかってるわけよね？」

なんでこんなことを言ってしまったのだろう？　それがいちばんまずいことなのに。

その夜は、いつものお泊まりの夜と同じように、まずはえんえん遅くまでつづく楽しいおしゃべりで始まった。ただいつもとちがうのは、二人が一時頃にようやくベッドに入った時、ソフィーが三時十五分に目覚し時計をあわせたことだった。

二時間後、ヨールンが目を覚ますか覚まさないうちに、ソフィーは時計を止めた。

「気をつけてね」とヨールン。

ソフィーは出かけた。マリア教会までは数キロある。たったの二時間しか寝てないのに、ソフィーの目はぱっちり覚めていた。東の低い山の端に東雲の光の帯が赤あかとのびていた。

古い石造りの教会の入口の前に立った時、もうじき四時になろうとしていた。ソフィーは重い扉に手をかけた。鍵がかかっていない！

古びた教会は人気がなく、物音一つしない。窓のステンドグラスをとおして青味がかった光がさしこみ、宙を舞う細かい埃がはっきりと見えた。埃は、天井を縦横に走る大きな梁につもっているらしかった。ソフィーはまんなかあたりのベンチに腰をおろした。そして祭壇と、色あせた古いキリストの十字架像に目をこらした。

数分が過ぎた。とつぜん、オルガンが鳴り出した。ふりむく勇気がない。はるか昔の賛美歌のようだった。きっと中世の曲だ。

ほどなく、あたりはふたたび静まり返った。そして、ソフィーの背後から足音が近づいてきた。ふりむくなら今？　それでもソフィーは十字架上のキリスト像を穴のあくほど見つめていた。

足音がソフィーのかたわらをとおりすぎた。ソフィーの目は、人の形をしたものが教会を横切っていくのをとらえた。茶色い修道服を着ている。思わず、中世から修道士が抜け出てきたと思ってしまうところだった。

ソフィーはぞっとはしたけれど、パニックにはおちいらなかった。祭壇の前まで来ると、修道士はらせん階段を昇って説教壇に立った。そして欄干にもたれかかって、下のソフィーを見つめながらラテン語で語りはじめた。

「グローリア・パートゥリ・エト・フィーリオ・エト・スピリト・サンクト。シクト・エラートゥ・イン・プリンキーピオ・エト・ヌンク・エト・センペル・イン・サエクラ・サエクロールム（願わくば父と子と聖霊とに栄光あれ。初めにありしごとく、今も、いつも、代々にいたるまで）」

「ノルウェイ語で言って！」ソフィーは叫んだ。

ソフィーの声が石造りの古い教会にひびきわたった。

修道士の正体がアルベルト・クノックスにちがいないとはいえ、ソフィーは教会のなかで不用意にものを言ってしまったことを後悔した。でも、ソフィーは怖かった。人は怖い時、タブーを破ることで恐怖をなだめるものだ。

「シッ！」

アルベルトは、まるで会衆に座るように命じるお坊さんのように、片手を上げた。

「今、何時かな？」彼はたずねた。

「四時五分前よ」ソフィーはもうおびえてはいなかった。

「では、時間ということだ。さあ、中世が始まるよ」

「中世は四時に始まるの？」ソフィーは、きょとんとしてたずねた。

「そう、だいたい四時にね。それから、五時、六時、七時。けれども、時間はまるで止まっているようだった。八時、九時、十時。まだまだ中世だ、わかるかな? きみが何を考えているかはわかっている。たぶんきみは、新しい一日の活動が始まる時刻だと考えているんだろう? でもきょうは日曜日なんだ。いいね、歴史のなかに一回きりの長い長い日曜日なんだ。十一時、十二時、十三時。このころが中世の最盛期だ。壮麗な大伽藍(カテドラル)がヨーロッパにいくつも建てられた。十四時になろうとしたとき、ようやくあちこちで鶏がときをつくった。そして、長い中世はついに終わりに近づいた」

「ということは、中世は十時間つづいたってことね」

アルベルトは茶色い修道服からのぞく頭をそっくり返らせて、今のところは十四歳の女の子がたった一人しかいない会衆に視線を投げかけた。

「一時間が百年だとすれば、ま、そういうことだ。イエスは午前零時に生まれたと考えてごらん。パウロが伝道の旅に出たのが零時半少し前。そして、それから十五分後にローマで死んだ。三時までキリスト教は、まあ、きびしさの程度はいろいろだけど、禁止されていた。そして三一三年、ローマ帝国はキリスト教を宗教としておおやけに認めた。コンスタンティヌス帝の時代だ。この敬虔(けいけん)な皇帝は、それから何年もたってようやく臨終の床で洗礼を受けた。三八一年には、キリスト教は全ローマ帝国の国教になった」

「でも、ローマ帝国は滅びたんじゃなかった?」

「そう、すでにガタがきていた。今ぼくたちは、歴史をつうじて最大級の文化の節目に立ち会っている。四世紀、ローマは北から迫りくる民族と、内部の崩壊の両方からおびやかされていた。三三〇年、コンスタンティヌス帝はローマ帝国の首都をコンスタンティノープルに移した。黒海の入口に帝みずから建設した町だ。それからというもの、この新しい都は第二のローマとなった。三九五年、ローマ帝国は分裂した。それ以来、ローマを都とする西ローマ帝国と、新しい都コンスタンティノープルを中心とする東ローマ帝国が並び立つ。四一〇年、ローマは蛮族にじゅうりんされ、四七六年に西ローマ帝国が滅びた。東ローマ帝国は、トルコがコンスタンティノープルを征服した一四五三年までつづいた」

「その時から、この町はイスタンブールって呼ばれてるんでしょ?」

「そのとおり。もう一つ、憶えておかなくてはならない年は五二九年。この年、プラトンのアカデメイアが閉ざされた。同じ年、ベネディクト会ができた。大きな修道会としては最初のものだ。だから五二九年は、キリスト教会がギリシア哲学に幕を引いた、いわば象徴的な年というわけだ。以来、修道院が学問の伝授や思索や瞑想を一手にひきうけることになる。時計の針は五時半……」

なるほどね、とソフィーは思った。午前零時は西暦ゼロ年、一時は西暦一〇〇年、六時は西暦六〇〇年、十四時は西暦一四〇〇年……。

アルベルトはつづけた。

「中世とはもともと、二つの時代のはざまにある時代、という意味だ。これはルネサンスに言われ出したことで、当時の人のイメージでは、中世はヨーロッパが古代とルネサンスのあいだ、まっ暗闇につつまれていた千年の夜だったんだ。今でもぼくたちは、権威をかさに着た、融通のきかないものを中世的と表現したりする。でもね、中世を千年の成長と見る人も多いんだよ。たとえば学校制度は中世にできあがった。最初の修道院学校ができたのはずいぶん早い。十二世紀には大聖堂付属学校もできる。そして一二〇〇年頃には最初の大学が開かれた。こんにちでも大学は、学科や学部を中世と同じように組み立てている」

「それにしても千年は長いわ」

「でも、キリスト教が民衆に根づくには時間がかかった。さらに中世のあいだには、町や砦、民衆音楽や民話をそなえたさまざまな国が育っていった。中世がなかったら、メルヒェンや民謡はどうなっていただろう? ヨーロッパはいったいどうなっていただろうね、ソフィー? ローマ帝国の片田舎？ でもノルウェイとかイングランドとかドイツとかいう国の名前は、まさにこの、中世と呼ばれる底なしの淵から響いてくるんだ。この淵には、ぼくたちには見えなくても、太った魚がうようよ泳いでいる。スノリも中世の人だ。聖オーラフもカール大帝も、ロメオとジュリエットや、ニーベルング族や、白雪姫や、ノルウェイの森のトロールたちも。それに、誇り高い諸侯、威風あたりをはらう王たち、勇ましい騎士たち、美しい乙女たち、無名のステンドグラス職人たち、天才的なオルガン職人たち。それから修道士たち、十字軍の戦士たち、そして医術に長けたかしこい女たち」

「僧侶たちも」

「そうだね。ノルウェイにキリスト教がやってきたのは、ようやく西暦一〇〇〇年も過ぎてからだった。だけど、ノルウェイが一挙にキリスト教の国になったというのはちょっとちがう。古い異教の信仰はキリスト教の覆いの下で脈々と生きつづけ、キリスト教以前のおびただしい要素がキリスト教のならわしと入り混ざった。たとえばノルウェイのクリスマスには、キリスト教と古代ノルウェイの習俗がなかよく共存している。長年つれそった夫婦は似てくると言うけれど、これもそんなぐあいだ。けれども、キリスト教はついにはただ一つの支配的な世界観になった、ということも強調しておかなければ。だから、中世文化はキリスト教単一文化だ、と言われるんだ」

「じゃあ、中世は暗闇でもなければ、悲惨でもなかったの？」

「いや、じっさい四〇〇年からの最初の百年間、文化はおとろえた。ローマ時代には、公共の下水道システムや公共浴場や公共図書館といった、堂々たる建築物をそなえた大都市の『高度文化』が栄えていた。こうした文化のすべてが、中世の最初の百年に台無しになってしまった。同じことが経済にも言える。中世は物納や物々交換に逆戻りした。いわゆる封建制度が経済を支配する。封建制度のもとでは、少数の大地主が土地を所有して、農奴はそこで働いてかつかつの暮らしをたてていた。初めの数百年のうちに、人口もガクンと減った。ローマは古代には百万都市だった。すでに七世紀には、この古代の世界都市の住民は四万人台にまで落ちこんだ。何十分の一になったということだね。わずかな住民が、この町の栄光の時代の壮大な建造物の残骸のあいだをうろついていたんだろうなあ。建物をつくる材料がほしければ、使える古代の廃墟がいくらでもあった。こんにちの考古学者は苦虫をかみつぶすだろうね。彼らとしては、中世の人びとに、古代の遺跡を手つかずにほっておいてほしかっただろうな」

「あとの祭りね」

「ローマが政治の面で偉大だった時代は、もう四世紀の終わり頃には峠を過ぎていた。でも、ほどなくローマの司教が全ローマカトリック教会の長になった。ローマ司教は『教皇』とか、ラテン語で『パーパ』、父と呼ばれて、ついには現世でのイエスの代理人と見なされるようになった。ほぼ中世をつうじて、ローマは教会の首都になったわけだ。あえてローマに反対の声をあげる人びとは少なかった。けれども王侯はだんだんと新しい国をつくって、強大な教会の力に対抗する気を起こすほど大きな力をたくわえていった。ノルウェイのスヴェレ王もその一人だ」

ソフィーは話しつづける修道士を見つめた。

「教会はプラトンのアカデメイアを消滅させたって言ったけど、そのあと、ギリシアの哲学は全部忘れられてしまったの？」

「いや、全部じゃない。ある人たちはアリストテレスの書き残したものをちょっと知っていたし、またある人たちはプラトンをちょっとかじってはいた。しかし時代をくだるにつれて、古代ローマ帝国は三つの性格のちがう文化圏へと解体してしまった。西ヨーロッパにはローマを中心とするラテン語のキリスト教文化圏が、東ヨーロッパにはコンスタンティノープルを中心とするギリシア語のキリスト教文化圏ができあがった。のちにコンスタンティノープルはビザンツというギリシア名で呼ばれるようになった。だから、『ローマ－カトリック中世』と区別して、『ビザンチン中世』と言うんだね。

けれども北アフリカと中東も、かつてはローマ帝国に属していたのだった。中世、この地域にはアラビア語のイスラム文化が栄えた。六三二年にマホメットが死んだあと、中東と北アフリカはイスラム教が支配する。ほどなくスペインもイスラム文化圏に入る。イスラム教にとっては、メッカ、メジナ、エルサレム、バグダッドなどが聖なる都市だった。文化史的に見ると、アラブ人が古代ヘレニズムの都市、アレクサンドリアもひきついだことは大きな意味をもっている。つまりアラブ人は、ギリシアの自然科学の大きな遺産をひきついだのだ。中世をつうじて、アラブ人は数学、化学、天文学、医学といった学問をリードした。こんにちでもぼくたちはアラビア数字を使っている。いくつかの分野では、アラブの文化はキリスト教文化をしのいでいたんだ」

「ギリシア哲学はどうなったのかって、きいたんだけど」

「いったん三つの流れに分かれて、しばらくしてからまた合流して一つの大きな川になる、そんな川を想像してごらん」

「はい、想像したわ」

「じゃあ、ギリシア‐ローマ文化が、一部は西のローマ‐カトリック文化に、一部は東ローマ文化に、一部は南のアラブ文化によって後世に伝えられた、と思い描くこともむずかしくはないよね。うんと単純に言ってしまうと、新プラトン派は西に、プラトンは東に、そしてアリストテレスは南のアラブ人の間に生きのびたと言える。大切なのは、この三つの流れが中世の終わりに北イタリアで合流して、大きな川になったということだ。スペインのアラブ人はアラブの影響をもたらし、ギリシアとビザンツはギリシアの影響をもたらした。そしてルネサンスが始まった。古代文化が『再生』した。だから見ようによっては、古代の文化は長い中世を生きのびた、と言えるんだ」

「なるほどね」

「でも、なりゆきをはしょるのはよくない。まずは中世の哲学の話をしよう。もう、説教壇から話すのはやめだ。今、降りていくからね」

ソフィーは目がとろんとしてきた。ほんの数時間しか眠っていないことを思い出した。へんてこなお坊さんがマリア教会の説教壇から降りてきた時は、なんだか夢をみているような気がした。

アルベルトは祭壇のベンチに歩いていった。そしてまず、古い十字架像を祭った祭壇を見上げた。それからソフィーに向きなおって、ゆっくりと近づき、ベンチに隣り合わせに腰をおろした。

アルベルトをこんなに間近に見るなんて、おかしな気分だった。僧帽(フード)の下から茶色い目がのぞいている。目の持ち主は、とんがったあご髭をたくわえた、中年のおじさんだ。

あなたはだれ？　ソフィーは心のなかでたずねた。どうしてわたしの生活に割って入ったりしたの？

「ぼくたちは、これからもっと親しくなるんだよ」まるでソフィーの心を見すかすように、言った。

色とりどりのステンドグラスからさしこむ光がゆっくりと、でも着実に明るくなっていくなか、そうやって並んで座って、アルベルト・クノックスは中世の哲学について語りはじめた。

「中世の哲学者たちにとって、キリスト教は真理だった。それはほとんど当たり前のことだった。問題は、キリスト教の教えはひたすら信じるべきなのか、それとも理性はキリスト教の真理に近づく助けになるのか、ということだった。ギリシア哲学と聖書の教えの関係はどうなっているのだろう？　聖書と理性は矛盾していないだろうか？　信仰と知識は一つにできるだろうか？　中世の哲学はほとんどすべて、このたった一つの問題をめぐっているんだ」

ソフィーはこらえきれなくなって、こくっと居眠りをした。信仰と知識の問題なら、宗教の授業でもうレポートに書いたことがある。

「この問題を、中世の二人の重要な哲学者にそって見ていこうか。まずは、三五四年に生まれて四三〇年に死んだアウグスティヌスから。この人の生涯をたどれば、古代末期から中世初期の移り行きがよくわかる。アウグスティヌスは北アフリカのタガステという小さな町に生まれて、十七歳の時に勉強のためにカルタゴに行った。のちにローマとミラノに行き、後半生はカルタゴから西へ四〇キロほどのヒッポというところの司教として過ごした。けれどもアウグスティヌスは、生涯をつうじてキリスト教徒だったのではない。キリスト教徒になる前には、さまざまな宗教や哲学を経験している」

「たとえばどんな?」

「一時期はマニ教の信者だった。マニ教は古代末期にはかなりさかんだった宗派で、宗教と哲学を半々に混ぜあわせたような癒しの教えを説いた。マニ教は、世界を善と悪、光と闇、霊と物質というふうに、二つに分ける。霊の力が人間を物質の世界から引きあげて、魂を救済するとされていた。けれどもアウグスティヌスは、こんなふうに善と悪をきっぱりと分けるのはなんかおかしい、と思っていた。彼は悪の問題、つまり、悪の起源は何か、という問題にずいぶんこだわっていた。また一時期はストア派の哲学の影響を受けていた。ストア派は、善と悪をはっきりと区別することを否定したのだったね。でも、アウグスティヌスがいちばん傾倒したのは、古代末期の第二の重要な哲学の流派、新プラトン学派だった。この哲学でアウグスティヌスは、すべての存在は神に由来する本性というものをもっている、という考え方に出会ったんだ」

「じゃあ、アウグスティヌスは新プラトン主義の司教になったの?」

「そう言ってもいい。アウグスティヌスはまず第一にキリスト教徒ではあったけど、彼のキリスト教はだいぶプラトンの思想に影響されている。だから、いいかいソフィー、キリスト教中世になってもヨーロッパでは、ギリシアの哲学とのドラマティックな訣別なんて起こらなかったんだ。ギリシア哲学の多くはアウグスティヌスのような教父によって新しい時代にひきつがれたんだよ」

「アウグスティヌスは五〇パーセントはキリスト教徒で、五〇パーセントは新プラトン派だったわけ？」

「彼自身は、もちろん一〇〇パーセントキリスト教徒だって思ってたさ。でも、キリスト教とプラトン哲学が深刻に対立するとは見ていなかった。アウグスティヌスは、プラトンの哲学とキリスト教の教えがあまりにも一致するので、プラトンは旧約聖書を少なくとも部分的には知っていたのではないかって疑ったぐらいだ。そんなことはもちろんあるわけないよね。ぼくたちとしてはむしろ、アウグスティヌスがプラトンをキリスト教徒にしてしまった、と考えたいところだ」

「どっちにしてもアウグスティヌスは、キリスト教を信じてからも哲学で学んだことをすっかり捨ててはしまわなかったのね？」

「でも彼は、理性が信仰の問題に入りこめるにしても、限界ってものがある、とは考えていた。キリスト教は神の神秘の教えだし、神秘的なものは信じることによってしか近づけない。でもキリスト教を信じれば、神は魂を『照らして』くれる、そうすれば神について一種の超自然の知識をわがものにできる、というわけさ。アウグスティヌスは、哲学が際限なくすべてを解明できるわけではない、ということをよく知っていて、キリスト教徒になって初めて、魂の安らぎを得たんだ。『わたしたちの心は、主よ、あなたのうちに安らぐまでは安らぎを知りません』とアウグスティヌスは書いている」

「でも、どうしてプラトンのイデア説がキリスト教と一致するのか、よくわからないわ」ソフィーは反論した。「永遠のイデアはどうなっちゃうの？」

「アウグスティヌスはこう説明している。神は世界を無からつくった、これは聖書にしたがった考え方だ。ギリシア人はむしろ、世界はもとからあった、とする考え方に傾いていたものね。でも、神が世界をつくる前、神の考えのなかにはイデアがあった、とアウグスティヌスは考えたんだ。永遠のイデアを神のものにすることによって、プラトンが想定した永遠のイデアを救ったんだ」

「あったまいい！」

「このことからは、アウグスティヌスやそのほかのたくさんの教父たちが、ギリシアとユダヤの思想に折りあいをつけようとどれほど苦心したか、ということもわかるね。見方によれば、彼らは二つの文化圏の住民だったと言える。悪をどう見るかでも、アウグスティヌスは新プラトン学派を踏まえている。悪があるというのは、善なる神がそこにいない、ということだ、とアウグスティヌスは考えた。プロティノスと同じだね。悪は独立して存在するものではなくて、なんでもない何かだ。なぜなら、神の創造物は善に決まっているからだ。悪は人間の不従順から発生する、とアウグスティヌスは考えた。あるいは、彼のことばによれば、善の意志は神の業で、悪の意志は神の業からの離反なんだ」

「アウグスティヌスも、人間は不死の魂をもっているって信じていた？」

「そうとも言えるし、そうでないとも言える。アウグスティヌスは、神と世界のあいだには越えることのできない深淵がぽっかりと口をあけている、と言っている。これは聖書を踏まえたことばだし、すべては一つだ、というプロティノスの教えをきっぱりと否定したことばでもあるね。でもアウグスティヌスは、人間は霊的な存在だ、とも力説している。人間にはこの世に属し、虫や錆にむしばまれる物質でできた肉体と、神を知ることのできる魂があるんだ」

「わたしたちが死んだら、魂はどうなるの？」

「アウグスティヌスによれば、アダムとイヴが罪をおかしたために、人類はすべて永遠にいたる罰を受けた。けれども神は、一部の人びとが永遠の罰から救われるよう、定めた」

「だれも永遠の罰なんて受けなくていいって決めたってよかったのに」ソフィーは不満だった。

「でもね、アウグスティヌスは、人間が神を批判する権利を否定しているよ。彼はパウロがローマの人びとに宛てた手紙を引用している。『よろしい、神に口論をいどむあなたはいったい何者ですか？ 陶工につくられた物がつくった者に、なぜこんなふうにつくったのだ、などと言うでしょうか？ 陶工には、同じ土から貴い用途の器やそうではない用途の器をつくる権利があるのではないでしょうか？』」

「神は天から、人間をおもちゃにして遊んでいるの？　自分がつくったものが気に入らなかったら、ポイと深淵に捨ててしまうの？」

「アウグスティヌスが言っているのは、神の救いに値する人なんていない、ということだ。でも神は、ある人びとを選んで永遠の罰から救うことにした。だから神にとっては、だれが救われてだれが地獄に堕ちるかは、秘密でもなんでもない。それはあらかじめ決まっている。つまりだね、ぼくたちは神の手ににぎられた陶土なんだよ。ぼくたちはすっかり神の慈悲にゆだねられている」

「とすると、アウグスティヌスは大昔の運命論に逆戻りしてしまったわけね」

「きみの言うとおりかもしれない。でもアウグスティヌスは、だからといって人間には自分の人生に責任はない、とは言ってない。アウグスティヌスによれば、ぼくたちは救われる者のグループに入っているって確信できるような生き方をするべきなんだ。なぜならアウグスティヌスは、ぼくたちには自由意志があることを否定してはいないからだ。神だけが、ぼくたちがどんなふうに生きるかをあらかじめ知っているというのだ」

「それはちょっと不公平なんじゃない？　ソクラテスは、すべての人間には同じ理性があるのだから同じ可能性をもっている、と信じていたでしょ。でもアウグスティヌスは人間を二つのグループに分けた。救われるグループと、地獄に堕ちるグループに」

「そうだな、アウグスティヌスの神学はアテナイの人間中心主義からはちょっと遠いね。でも、人間を二つのグループに分けたのはアウグスティヌスじゃない。アウグスティヌスは救いと罰にまつわる聖書の教えをよりどころとしているんだ。そのことは、彼の『神の国』という大きな本にくわしく書いてある」

「どんな？」

『神の国』というのは聖書やイエスの預言から取った表現だ。アウグスティヌスは、歴史とは神の国と地上の国あるいは現世の国との闘いだ、と考えていた。この二つの国は、きっちりと線を引かれた政治上の国ではなくて、一人ひとりの人間のなかで、どっちが力をにぎるか闘っているのだ。でも、どっちかというと、神の国は教会にあって、地上の国は、政治上の国にあるということははっきりしている。たとえばアウグスティヌスの生きていた頃に崩壊が進んでいたローマ帝国のような、国家が権力を争っていくなかで、だんだんと明らかになっていく。この解釈は、中世をつうじて教会と国家が権力を争っていくなかで、だんだんと明らかになっていく。『教会の外に救いはない』というわけだ。アウグスティヌスの神の国はついには教会という組織と同じものと見なされた。十六世紀の宗教改革の時ようやく、人間は神の慈悲にあずかるためには教会に行かなければならない、とする考え方に反対の声があがった」

「そういう時代だったのね」

「アウグスティヌスは歴史を哲学と関連づけたヨーロッパの最初の哲学者だ、ということも憶えておいてほしいな。善と悪の闘いという発想はちっとも目新しくない。アウグスティヌスの新しさは、この闘いが歴史をつうじてつづくとしたことだ。この点では、アウグスティヌスにはプラトンの考え方はあんまり感じられない。アウグスティヌスは、旧約聖書の直線的な歴史観にしっかりと立脚している。アウグスティヌスは、神は全歴史を使って神の国をうちたてようとしている、と考えていた。人類が成長し、悪を絶滅させるためには歴史が必要なのだ。あるところでアウグスティヌスはこんなことを言っている。神の意志はアダムから歴史の終わりまでの人間の全歴史をコントロールしているけれど、子どもから老人までを一歩一歩あゆむ一人ひとりの人間の歴史もまたコントロールしている、とね」

「もう八時。わたし、帰らなくちゃ」

「でも、中世の二番めの大哲学者の話を聞いてからにしてほしいな。外に出ようか？」

アルベルトはベンチから立ちあがると、両方のてのひらをあわせてまんなかの通路を歩いていった。まるでお祈りをしているか、さもなければ精神にかかわる真実に思いをめぐらしてでもいるかのようだった。ソフィーはそのあとをついていった。そうするよりしかたない、と腹をくって。

外ではまだ霧が地面をうっすらとおおっていた。太陽はもう何時間も前に昇っていたが、朝霧をつき破るまでにはいたらなかった。マリア教会は旧市街のはずれにあった。アルベルトは教会の前のベンチに腰をおろした。ソフィーは、今だれかがとおりかかったらどうしよう、と思った。朝八時にこんなベンチに座っているなんて、それだけでもふつうではない。しかも中世から抜け出たようなお坊さんと並んでいるなんて、輪をかけてとんでもない。

「八時か」アルベルトは切り出した。「アウグスティヌスから四百年たったということだね。さあ、学校の一日が始まるよ。十時までは修道院が学校を独占していたけれど、十時から十一時までのあいだに聖堂付属学校がつくられ、もうすぐ十二時という頃、最初の大学があちこちで開かれた。壮大な大聖堂(カテドラル)がぞくぞくと建てられたのもこの頃だ。この教会も十二時少し前、つまり中世の盛期に建てられた。この町では大きな大聖堂を建てることはできなかったんだね」

「必要もなかったのだわ」ソフィーは口をはさんだ。「がらんどうの教会なんて、薄気味悪いだけだもの」

「でも、大きな大聖堂はたくさんの会衆を収容するためだけに建てられたんじゃないよ。大聖堂は神の栄光にささげられたもので、それ自体でもう一種の礼拝なんだ。でも、中世の全盛期にはまだもっとほかのことも起こっていた。ぼくたちのような哲学者にはとくに興味深いことがね」

「どんなこと?」

アルベルトはことばをついだ。

「ここでスペインのアラブ人の影響が大きくものを言う。アラブ人は中世をつうじて生き生きとしたアリストテレスの伝統を守ってきたけれど、一二〇〇年頃から北イタリアの諸侯がアラブの学者を招くようになった。その結果アリストテレスのたくさんの著作が知られることになって、ついにはギリシア語やアラビア語からラテン語に翻訳されるまでになった。おかげで、当時は『哲学者』といえばアリストテレスのことだというほどだった。このことが、自然科学の問題への関心を新たによみがえらせた。このほかにも、キリストの啓示とギリシアの哲学の関係についての問いも、あらためて呼び起こされた。自然科学の問題では、もうアリストテレスを避けてとおれなくなった。それにしても、どんな時には『哲学者』、つまりアリストテレスに耳を傾け、どんな時には聖書にそってものを考えたんだろうね？　まだぼくの話についてこれてる？」

ソフィーは小さくうなずいた。僧服のアルベルトは話をつづけた。

「中世まっさかりの時代のもっとも偉大な、もっとも重要な哲学者は、一二二五年に生まれて一二七四年に死んだトマス・アクィナスだ。ローマとナポリのあいだのアクィノという小さな町の出身なのでそう呼ばれるんだが、パリの大学で教えていたこともある。ぼくはさっきトマス・アクィナスのことを哲学者と言ったけど、それと同じくらい、トマス・アクィナスは神学者だった。その頃は哲学と神学ははっきりと分かれていなかった。つまりだね、トマス・アクィナスはアリストテレスを独自のやり方で『キリスト教徒にしてしまった』んだな。中世の初めにアウグスティヌスがプラトンをキリスト教徒にしたように」

「でも、ちょっとおかしくない？　この哲学者たちをキリスト教徒にしてしまうなんて。だって、この人たちはキリストよりも何百年も前に生きてたんでしょう？」

「それはもっともだ。つまり、この二人の偉大な哲学者たちを『キリスト教徒にしてしまう』っていうのは、二人がとことん読みこまれ、理解されたために、もうキリスト教の教義をおびやかすものと見なさなくてもいいと思われたってことだ。トマス・アクィナスは、『雄牛の角を素手でとらえた』と言われているよ」

「哲学が闘牛とどんな関係があるの？　ちっともわからない」

「すごくむずかしいことをやってのけたってことだよ。トマス・アクィナスはアリストテレスの哲学とキリスト教を合体させようとした一人だ。信仰と知識を統合させようとした、と言ってもいい。トマス・アクィナスはそれをなしとげた。それは、彼がアリストテレスの哲学に踏みこんで、そのことば質をとらえたからなんだ」

「角じゃなかった？　わたし、ほとんど寝てないの。だからちゃんと説明してくれないとよくわからない」

「トマス・アクィナスは、ぼくたちが哲学とか理性とか呼んでいるものと、キリストの啓示とか信仰と呼んでいるもののあいだにどうにもならない矛盾があるとは考えなかった。キリスト教が言うことと哲学が言うことは、しばしば重なりあう。ぼくたちは理性の助けによって、聖書に書いてあるのと同じ真理を究明できるんだ」

「どうしたらそんなことができるの？　理性は、神が七日でこの世界をつくったっていうことをわからせてくれるの？　イエスが神の子だって教えてくれるの？」

「いいや、そういう純粋な信仰上の真理には、信仰とキリストの啓示によってしか近づけない。でもトマス・アクィナスは、自然なやり方で到達できる神学上の真理というものもある、と考えた。キリストの啓示からも、またぼくたちに生まれつきの自然な理性からも到達できる真理があるってね。たとえば、ただ一人の神がいる、ということなんかがこれだ。トマス・アクィナスは、神にいたる道は二つある、と考えていたわけだ。一つの道は信仰と啓示をとおっている。もう一つの道は理性と感覚をとおっている。でも二つの道のうち、信仰と啓示の道のほうが確実だ。なぜなら、理性だけを頼りにしていると迷子になりやすいからだ。ともあれトマス・アクィナスは、キリスト教の教えとたとえばアリストテレスの哲学は矛盾しない、という立場をとっていた」

「じゃあ、聖書と同じくらいしっかりとアリストテレスを信じるってこと？」

「そうじゃない。アリストテレスはものごとのとちゅうまでしか進まなかったんだ。だって、彼はキリストの啓示を知らなかったんだから。でも、とちゅうまでしか進まないことは、迷子になることとはちがう。たとえば、アテネはヨーロッパにある、と言っても間違いではないよね。でもそれは厳密だとも言えない。もしもある本に、アテネはヨーロッパの都市だ、とだけ書いてあったら、きみは世界地図にも当たってみるべきだ。そこで初めてきみは、事実をそっくり理解するわけだ。アテネは南東ヨーロッパの小国、ギリシアの首都だ、とね。運がよければ、古代にはアテナイと呼ばれたことや、アクロポリスについての知識も手に入れるだろう。プラトンやアリストテレスとまで言わなくても」

「でも、さっきのアテネについての情報、ヨーロッパにあるっていうのも正しかったわ」

「そうさ！　トマスは、真理はたった一つだってことを言いたかったんだ。アリストテレスが理性にてらして正しいと判断するものは、キリスト教の教えとも矛盾しないんだ。真理のうちのあるものは理性と観察によって得られる。アリストテレスはそういう種類の真理を植物や動物について語ったんだ。真理のまたあるものは、神が聖書をつうじて示している。でもこの両方の真理はたくさんの重要な点で重なりあっている。聖書と理性がまったく同じ答えを出している問いもあるし……」

「神はいるかとか？」

「そのとおり。アリストテレスの哲学も、神はいるということを前提にしている。神、あるいはすべての自然過程を動かしている第一原因がね。でも、神についてくわしくは述べていない。ここからは聖書とイエスの啓示が頼りになるわけだよ」

「でも、神がいるってことはほんとにたしかなの？」

「もちろん議論の余地はあるね。でも今でもほとんどの人は、理性で神はいないということは証明できない、と認めている。トマスはもっと先まで行った。アリストテレスの哲学を踏まえて、神の存在を証明できる、と信じていた」

「悪くないわ！」

「ぼくたちが、すべてには第一原因があるはずだと認識できるのは、ぼくたちに理性があるからだ、とトマス・アクィナスは考えた。トマスによれば、神は聖書と理性をとおして人間たちの前にみずからを啓示する。だから信仰の神学と自然の神学があることになる。道徳の分野でも同じことだ。聖書は、ぼくたちは神の意志にそって生きるべきだ、という。でも神はまたぼくたちに良心もあたえて、自然の原則にしたがって善悪を区別できるようにした。だから、道徳生活にも二つの道があることになる。ぼくたちはたとえ聖書を読まなくても、ほかの人を苦しめてはいけない、ということを知っている。自分がそうしてもらいたいようにほかの人にもしてあげるべきだ、と知っている。だけどこのことについても、聖書の掟はきわめてはっきりとした基準を打ち出している」

「わかったような気がする。稲光が見えるか、雷が聞こえるかしたら、嵐になるってわかるようなものなのね」

「そうだね。たとえ目が見えなくても、雷は聞こえる。耳が聞こえなくても、稲妻は見える。もちろん、見えて、しかも聞こえるに越したことはない。でも、目に見えることと耳に聞こえることに矛盾はない。その反対だ。二つの感覚はおたがいを補いあっているんだ」

「なるほどね」

「もう一つ、たとえ話をしよう。きみがたとえばクヌート・ハムスンの『ヴィクトリア』とかの小説を読むとする」

「それ、読んだことある」

「するとだね、作家についてもなにかわかってこないかい？　だって、きみはその作家が書いたものを読んだんだから」

「とにかく、その本を書いた作家がいる、ということはわかるわ」

「作家について、もっとなにかわからない？」

「この作家は、恋愛にずいぶんとロマンティックなイメージをもっている」

「きみがこの小説、つまりハムスンが創造した作品を読んだら、ハムスンその人についても、何かはわかってくるよね。それでも、作家についてのごく個人的な情報は望むほうがむりだ。たとえば『ヴィクトリア』から、作家が何歳の時の作品かとか、書いていた時どこに住んでいたかとか、子どもは何人いたかとか、わかるかい？」

「わかるわけないわ」

「そういうことはクヌート・ハムスンの伝記を読まないとね。作家個人のことは伝記や自伝からしかわからない」

「そりゃそうよ」

「神の創造物と聖書の関係も、だいたいこれと同じだ。ぼくたちは自然のなかで、神はいる、というしるしに出会う。神は花や動物が好きなんだろう、好きでもないものをつくるわけはないのだから、とか想像したりもする。でも、神自身についての情報は聖書を見るしかない。聖書は神の自伝なのだから」

「なかなかうまいたとえね」

「……」

初めてアルベルトは考えこんでしまい、返事をしなかった。

「ヒルデのことも、そんなふうに考えられないかしら?」ソフィーはつい口を滑らせた。

「ヒルデという子がいるかどうか、はっきりしないじゃないか」

「でも、あちこちで彼女のしるしが見つかっている。はがきとか、絹のスカーフとか、緑のお財布とか、ハイソックスとか……」

アルベルトはうなずいた。

「これだけのしるしをばらまくということには、ヒルデの父親がかかわっているようだね。でも、これまでのところでは、だれかはがきを書いた人物がいる、ということしかわかってない。その人物は自分自身についても書くべきなんじゃないだろうか。でも、このことはまたあとで考えよう」

「十二時か。中世はまだ終わらないけど、わたし、帰らなくちゃ」

「じゃあ、少しつけ足して終わりにしよう。トマス・アクィナスは教会の神学とは衝突しないあらゆる分野で、アリストテレスの哲学を受けいれた。つまり、アリストテレスの論理学、認識論、そしてなによりも自然哲学をね。きみはたとえば、アリストテレスが植物から動物、そして人間というふうに登っていく生命の梯子(スカラ)について書いていたことは、まだ憶えている?」

ソフィーはうなずいた。

「アリストテレスは、この梯子は神にいたると考えた。神は最高の存在なのだから。この図式は簡単にキリスト教神学にあてはまる。トマスは、植物や動物から人間へ、人間から天使へ、天使から神へと高まっていく存在の段階がある、と考えた。人間は動物と同じように、感覚器官をそなえた肉体をもっているけれど、人間にはまた、よくよく考える理性もある。天使は肉体も感覚ももたないけれど、そのかわり直接、即座に理解する知性(インテリジエンス)をそなえている。天使たちは、人間のように論理をつみかさねる必要がない。推論する必要がない。人間が知りうることならなんでも知っているけれど、ぼくたちのように一歩一歩手探りで進む必要がない。なぜなら天使たちは肉体をもたないし、けっして死ぬこともないからだ。かといって、神のように永遠でもない。いつかある時、神によってつくられたのだから。だけど、いつかは分離される肉体がないのだから、けっして死なないんだ」

「すてきね」

「その天使たちの上に神が君臨するんだ、ソフィー。神はたった一つの、すべてをつらぬく直観(ヴィジョン)ですべてを見て、そして知ることができる」

「だったら、神は今、わたしたちのことも見ている?」

「そうだよ、きっとぼくたちのことも見ている。でも『今』じゃない。神にとって時間は、ぼくたちの時間のようには存在しない。ぼくたちの『今』は神の『今』ではない。ぼくたちにとって数週間が過ぎることは、神にとっても数週間が過ぎることを意味しない」

「なんだか気味が悪いわ!」ソフィーは思わずつぶやいた。そして、手を口元にあてた。アルベルトがソフィーを見つめた。

「またヒルデの父親からはがきがきたの。ソフィーにとっては数週間が過ぎたとしても、彼らにとってはそれと同じ時間が過ぎたってことにはならない、とかそういうことが書いてあった。アルベルトが神について言ったのと、まるで同じよ!」

茶色い僧帽(フード)につつまれた顔が引きつった。

「彼は恥を知るべきだ!」

ソフィーはアルベルトの言う意味がわからなかった。たぶん、この人はこういう言いまわしが癖なんだろう。アルベルトはつづけた。

「残念なことに、トマス・アクィナスはアリストテレスの女性観もゆずりうけたんだ。アリストテレスが女性を一種の不完全な男性と見なしていたことは、憶えているね。それだけじゃない、子どもは父親の性質だけを受けつぐとも信じていた。女性は受動的で受けいれるだけで、それにたいして男性は能動的で形をつくるのだからって。トマスは、これは聖書のことばと一致する、と考えた。たとえば、女性は男性のあばら骨からつくられた、というところなんかと」

「ばっかみたい！」

「トマスを弁護するわけじゃないけれど、女性の卵細胞が発見されたのは一八二七年だったんだ。だからアリストテレスやトマスが、生殖では男性を、命をあたえる者と考えたのも、そんなに驚くことではないかもしれない。たしかにトマスは自然的な存在としては女性を男性よりも一ランク下に置いた。でも、女性の魂には男性の魂と同じように価値があると考えていたんだ。天国では女性も男性も平等だ。理由は簡単。そこにはもう、肉体にかかわる性の違いなんてないからだ」

「そんなこと言われたってうれしくもなんともないわ。じゃあ中世には女の哲学者はいなかったの？」

「中世には、教会は男たちにがっちり占有されていた。だからって、女性の思想家がいなかったわけじゃない。ビンゲンのヒルデガルトなんかがその一人だ……」

ソフィーの目がぱっちりした。

「その人、ヒルデとなんか関係ある？」

「おっと、なんて質問するんだ！　ヒルデガルトは一〇九八年から一一七九年まで、ドイツのラインラントで修道尼として生きた人だ。女性でありながら、説教師、著述家、医者、博物学者、作曲家としてたくさんの仕事をした。中世の女性は男性とくらべてどっちかというと実践方面に強かった、そう、ずっと科学的だったんだが、そのお手本みたいな人だ」

「わたしがきいたのは、その人がヒルデとなにか関係があるかってことよ！」

「古代キリスト教やユダヤ教には、神は一〇〇パーセント男性ではない、という考え方がある。神には女性的な面、母性がある、とする考え方だ。だって女性も神の似姿なんだから。神の女性的な面をギリシア語では『ソフィア』っていうんだ。ソフィアあるいは『ソフィー』は『知恵』という意味だ」

ソフィーはすっかり混乱して、頭をふった。どうして、今までだれもそういうことを言ってくれなかったの？　わたしだって、どうしてたずねなかったの？

アルベルトは話をつづけた。

「ユダヤ教とギリシア正教では、ソフィアあるいは神の母性は、中世をつうじてたしかな役割を演じていた。西ヨーロッパでは忘れられてしまったけどね。そこへヒルデガルトが登場した。ヒルデガルトは、ソフィアが自分の幻視（ヴィジョン）のなかに現れた、と語った。ソフィアは貴い宝石をちりばめた長い衣を着て……」

ソフィーはベンチから飛びあがった。ソフィアがヒルデガルトの幻視に現れた……。

「わたしもきっと、ヒルデに現れるんだ」

ソフィーはふたたび腰をおろした。アルベルトが三度ソフィーの肩に手を置いたあげくのことだった。

「それはこれから見ていかなくては。だけど、もうすぐ一時だよ。きみは帰らなくては。それに、ぼくたちには新しい時代がひかえている。ルネサンスについての日程を決めなくては。ヘルメスをきみのうちの庭まで迎えにやるよ」

そう言うと、この風変わりな修道士は立ちあがり、教会のほうに歩いていった。ソフィーは座ったまま、ヒルデガルトとソフィアのことをあれこれ考えていた。そしてヒルデとソフィーのことを。突然、ショックがソフィーの体を突き抜けた。ソフィーははじかれたように立ちあがって、修道士姿の哲学者の背中に叫んだ。

「中世にはアルベルトっていう人もいたの？」

アルベルトは少しだけ歩みをゆるめると、頭だけくるりとふりかえって、言った。

「トマス・アクィナスには有名な哲学の先生がいた。アルベルトゥス・マグヌスっていう名前のね！」

そう言うと、マリア教会の入口に姿を消した。

この答えにソフィーは満足しなかった。ソフィーも教会に引き返した。けれどもだれもいない。アルベルトは地面に飲みこまれてしまった？

教会をあとにする時、マリア像が目にとまった。ソフィーは近づいて、まじまじとながめた。ふいにソフィーは、マリア像の目の下に小さな水滴を見つけた。これは涙？

ソフィーは教会を飛び出して、ヨールンの家に走っていった。

ルネサンス——おお、人間の姿をした神の族よ

一時半頃、ソフィーが息せききってやってきた時、ヨールンは黄色い家の前に立っていた。

「あなたったら、十時間以上もどっかへ行ってたのよ」

ソフィーは首を横にふった。

「千年以上もどっかへ行ってたの」

「いったいどこにいたの？」

「中世のお坊さんとデートしてたの。面白い人だったわ」

「まったくどうかしてる。三十分前にあなたのママから電話があった」

「なんて言っといてくれた？」

「コンビニに行ってるって」

「ママはなんて言ってた？」

「戻ったら電話ちょうだいって。問題はうちのパパとママよ。十時ちょっと前にココアとパンをもってきてくれたの。そしたら、ベッドが片っぽ空っぽじゃない」

「なんて言ってくれたの？」

「へんなこと言っちゃった。わたしたちけんかして、あなたは帰っちゃったって」

「じゃあ、早いとこ仲直りしなくちゃね。それから、何日かはあなたのパパとママがわたしのママと

話をしないようにしないと。できると思う？」

　ヨールンは肩をすくめた。その時、ヨールンの父親が手押し車を押しながら庭に出てきた。つなぎの作業服を着ている。まだ去年の落葉と格闘しているらしかった。

「おやおや、もう仲直りしたのか？　もう地下室の明かり取り窓の前には葉っぱ一枚落ちてないぞ」

「すっごーい！」と、ソフィーは答えた。「だったらおじさまも、こんど夫婦げんかしたら、ベッドと地下室で別べつにココアを飲めるじゃん」

　ヨールンの父はぎこちなく笑った。ヨールンはぎくっとした。

　市の収入役の父親と、バービー人形みたいにいつもきれいにしている母親をもつヨールン・インゲブリットセンの家では、親に向かってこんなあけすけなことばづかいはしないのだった。

「ごめんね、ヨールン。でもわたし、ここは適当に話を合わせて早いとこ切りあげなくちゃって思ったもんだから」

「話してくれないの？」

「うちまで送ってくれたら。この話は収入役さんやおばさまバービー人形ちゃん向けじゃないのよ」

「ひどいこと言うわね！　だんなを海に追い出してるアブナイ夫婦のほうがましだって言うの？」

「もちろんちがうわ。でも、ゆうべはほとんど寝てないのよ。それにね、わたしだんだん、ヒルデはわたしたちのことが全部お見通しなんじゃないかって思うようになったの」

　二人はゆっくりとクローバー通りのほうへと歩いていった。

「ヒルデが千里眼だって言うの？」

「そうかも。そうじゃないかも」

　ヨールンがいろいろな謎にそんなに夢中になっていないことは明らかだった。

「でも、だからってヒルデの父親がナンセンスな絵はがきを森の空き家に送りつけたことの説明にはならないわ」

「そこが弱いところなのよね」

「どこにいたのか、教えてくれないの?」

ソフィーは話した。謎の哲学講座のことも話した。けれどもその前にヨールンから、すべてはこれまでどおり二人だけの秘密にしておく、というおごそかな約束をとりつけた。

二人は黙りこくったまま、しばらく歩いていった。

「その話、わたしはあんまり面白くない」クローバー通り三番地に近づいた時、ヨールンが言った。

ソフィーの家の門の前に立ち止まったヨールンは、見るからにそのまま帰りたそうだった。

「もちろん、哲学を面白がれなんて、だれもあなたに強制しない。でもね、哲学は大切よ。哲学は、わたしたちはだれか、どこから来たのかってことを考えるの。そんなこと、学校で勉強する?」

「どっちみちそんな問題にはだれも答えられないじゃない」

「でも、こういう問いを立てるってことだって、わたしたちはまるっきり勉強してこなかったのよ」


ソフィーがキッチンに入っていくと、遅い昼食の用意ができていた。ヨールンのうちから電話を入れなかったことについては、なにも言われなかった。

食事が終わると、ソフィーは昼寝をしようと思った。ソフィーは、ヨールンのうちではほとんど眠らなかった、と白状した。でも、それはお泊まりではいつものことだった。

ベッドに入る前に、ソフィーは壁にかけた真鍮の鏡に向かった。最初のうち、見えるのはただ、くたびれて青白い自分の顔だった。けれどもほどなく、ソフィーの顔の後ろから、もう一つ別の顔のぼんやりとした輪郭が浮かびあがった。

ソフィーは二度、大きく息をついた。勝手な空想をしているばあいじゃないでしょ! ソフィーは鏡に目をこらした。くっきりとした像はソフィーの青白い顔で、自然のままに「てれんと」させておくしかない黒い髪に囲まれている。けれどもやっぱり、その顔の後ろというか、下というか、もう一つ別の顔が浮かび出ているのだ。

突然、鏡の中の見知らぬ女の子がいせいよく両目をつぶった。まるで、わたしは本当にこの鏡の向こう側にいるのよ、と合図を送るように。ほんの数秒のことだった。そして、女の子は消えた。

ソフィーはベッドに腰かけた。鏡のなかの女の子、あれはヒルデにちがいない、とソフィーはかたく信じた。少佐の小屋で数秒間、身分証明書のヒルデの写真を見たことがある。あれはさっき、鏡に映った女の子だったにちがいない。

ぶっ倒れるほど疲れているときにかぎって、いつもなにか不思議なことが起こるというのは、へんじゃない？　だからいつも、これは幻なんじゃないかって、疑ってしまう。

ソフィーは服を脱いで椅子にかけ、ベッドにもぐりこむと、ことんと寝入ってしまった。そしてソフィーは夢をみた。あやしいほどはっきりとした夢だった。

ソフィーは広い庭にいた。庭の向こうには赤い艇庫(ボートハウス)がある。そのそばの小さな桟橋に、ブロンドの女の子がしゃがんで海をながめていた。ソフィーはその子に近づいて、並んで腰をおろした。けれども女の子はソフィーに気がつかない。「わたし、ソフィーよ」ソフィーは自分から名乗った。けれども女の子はソフィーを見もしなければ、聞こえたようすもない。「あなたはきっと、見えないし、聞こえないのね」とソフィーは言った。そのとおり、女の子はソフィーの声が聞こえないらしかった。ふいに呼び声がした。「ヒルデ！」女の子は桟橋から飛びのくと、家へと走っていった。ということは、女の子は耳も目もきくのだ。家から中年の男の人が出てきて、女の子に近づいた。制服を着て、青いベレー帽をかぶっている。見知らぬ女の子は男の人の首に抱きつき、男の人は女の子をもちあげて、ぐるぐるっと回転した。その時、ソフィーは桟橋の、女の子が座っていたあたりに、小さな黄金(きん)の十字架のついたチェーンを見つけた。ソフィーはチェーンを手に取った。そこで目が覚めた。

ソフィーは時計を見た。二時間、眠っていた。ソフィーはベッドの上に座って、おかしな夢を思い返した。夢は、まるで本当にあったことのようにはっきりとしていた。夢に出てきたあの家と桟橋はきっと本当にどこかにあるにちがいない、とソフィーは確信した。少佐の小屋にかかっていた絵が、ちょうどあんなふうじゃなかった？　いずれにしても、夢のあの女の子はヒルデ・ムーレル＝クナーグに決まっているし、男の人はレバノンから帰ってきたヒルデの父親にちがいない。夢では、ちょっとアルベルト・クノックスさんに似ていたけれど……。

ベッドを整えようと起き上がった時、枕の下から十字架のついた黄金のチェーンが出てきた。十字架の裏には、「ＨＭＫ」の三つの文字が刻んである。

夢のなかで宝物を見つけたのは、これが初めてではない。けれども、宝物を夢のなかからもってこれたことなんてなかった。

「なにこれ！　からかうのもいいかげんにしてよ！」ソフィーは大声を出した。

ソフィーは頭にきて、戸棚をあけると、絹のスカーフと白いハイソックスとレバノンからの絵はがきの入っているところに、すてきなチェーンをぽいとほうりこんだ。


日曜日の朝、ソフィーはバターロール、オレンジジュース、卵、サラダの朝食に起こされた。日曜日、母親がソフィーより早く起きることなどめったにない。母親はたまにソフィーより早起きすると、どうだと言わんばかりに豪勢な朝食を用意するのだった。

食べながら、母が言った。

「よその犬が庭に入ってきてる。朝からずっと古い生け垣のあたりをうろついてるのよ。どこの犬か、あなた心当たりない？」

「ある、ある！」ソフィーはそう言うと同時に唇を嚙んだ。

「今までもしょっちゅう来てたの？」

ソフィーはもう立ちあがって、リビングの窓に駆け寄っていた。やっぱり。ヘルメスがほら穴に入る秘密の入口のところに寝そべっている。

なんて言えばいいの？ 答えが思いつかないでいると、もう母親が隣に立っていた。

「あの犬、前にもしょっちゅう来てたの？」

「うちの庭に骨を埋めたの。それで、宝物を掘り出そうとしてるんでしょ。犬は記憶がいいのよ」

「なるほどね、ソフィー。わたしよりあなたのほうが動物にかけては専門家だもんね」

ソフィーは必死で頭をふりしぼった。

「飼い主のところにつれてってあげよう」

「どこだかわかってるの？」

ソフィーは肩をすくめた。

「住所なら首輪に書いてあるでしょ」

二分後にはもう、ソフィーは駆け足で庭をつっきっていた。ヘルメスはソフィーを見つけると駆け寄って、いそがしくしっぽをふりながら飛びついてきた。

「いい子ね、ヘルメス」

ソフィーは、母親が窓から見ていることを意識していた。ヘルメスがまっすぐほら穴に駆けこんだりしませんように！ ところがヘルメスは家の前の砂利道を走り抜け、門の外へと駆けていく。

ソフィーが門をしめると、ヘルメスはなおもソフィーの二メートル先を走っていく。あの道この道をたどって、長い散歩が始まった。散歩をしていたのはソフィーとヘルメスだけではなかった。そこいらじゅうを家族連れが歩いていた。ソフィーはちょっぴりうらやましかった。

ヘルメスはほかの犬や歩道の縁石をしょっちゅう鼻でかいでいたが、ソフィーが「おいで！」と命令すると、すぐにそばに戻ってきた。

ほどなく、小さく区切られた家庭菜園がかたまっているあたりにやってきた。大きな競技場と遊園地もとおりすぎた。ソフィーとヘルメスはにぎやかな地区にやってきた。丸っこい石で舗装された広い道と路面電車のレールが町の中心に向かってのびている。

町の中心までやってくると、ヘルメスはソフィーを案内して、中央広場を越え、教会通りをたどっていく。一人と一匹は、世紀末に建てられた大きなアパートの建ちならぶ旧市街にやってきた。時計はもうかれこれ一時半だ。

町の反対側のはずれまで来てしまった。このあたりにはあまり来たことがない。そこは「ニュートルゲ」といって、「新しい場所」という意味だったけれど、なにもかもが古めかしい。この街区は本当は古くて、中世につくられたものだった。

ヘルメスは「十四番」と番地を表示したアパートのアプローチに立ち止まって、ソフィーがドアをあけるのを待っていた。ソフィーは身がひきしまるのを感じた。

エントランスホールには緑色の郵便受けがずらりと並んでいた。上の列の一つに、はがきが貼りつけてある。はがきには宛先人不明の郵便局のスタンプがおしてあった。宛先は「ヒルデ・ムーレル＝クナーグ、ニュートルゲ十四番地……」消印は六月十五日だ。まだ二週間以上も先の日付。なのに配達人はそのことに気づかなかったらしい。

ソフィーははがきを郵便受けからはがして、読んだ。

《愛するヒルデ

今、ソフィーが哲学の先生の家に入る。ソフィーはもうすぐ十五だが、きみの誕生日はきのうだったのかな、それともきょうかな、ヒルデ？　きょうだったら、少なくともまにあったわけだ。でも、わたしたちの時計はいつも同じようには進まない。ある世代が成長するにつれて、ある世代は年老いていく。まあ、物語はどんどん進んでいくわけだが。ヨーロッパの歴史は一人の人間の一生のようだ、なんて考えたことがあるかな？　古代はヨーロッパの子ども時代だ。それから長い中世。これはヨーロッパの学校時代だ。今はその長い学校時代が終わって、若いヨーロッパがいよいよ人生に飛び出していく時だ。ルネサンスはヨーロッパの十五歳の誕生日と言っていい。今は六月のまっさかりだ、ヒルデ。「ここは神々しい。おお、人生はなんと美しいのだ！」

追伸　黄金の十字架をなくしたのは残念だったね。もっと自分の持ち物には気をつけないと。

もうすぐ帰るパパからよろしく》

ヘルメスはもう階段を昇っていた。ソフィーははがきを手に、そのあとを追った。駆けあがらなければ追いつけない。ヘルメスは盛大にしっぽをふった。二階を過ぎ、三階、四階、五階を過ぎた。狭い階段がなおも上へとつづいている。この上は屋上？　ヘルメスはどんどん昇っていく。そして小さなドアの前に立ち止まり、前肢でドアをカリカリとひっかいた。

足音がドアの向こうから近づいてきた。ドアがあくと、ソフィーの前にアルベルト・クノックスが現れた。着替えてはいたが、きょうも変装だ。白いハイソックスに赤いだぶだぶのズボンをはき、大きな肩パッドの入った黄色い上着を着ている。まるでトランプのジョーカーみたい、とソフィーは思った。思い違いでなければ、それは代表的なルネサンスのいでたちだった。

「ピエロみたい！」ソフィーは言って、アルベルトを押しのけるように住まいに入っていった。エントランスホールで見つけたはがきのおかげで、まだカッカしていたのだ。

「まあ、落ち着いたらどうだい、ソフィー」アルベルトは言って、ドアをしめた。

「はがきを見つけたわ」まるでアルベルトの責任だと言わんばかりに、ソフィーははがきをつきつけた。

アルベルトは立ったままはがきを読んで、頭をふった。

「ますますあつかましくなってくるな。娘の誕生日のお祝いにぼくたちを利用しているんだな」

そしてはがきをビリビリ破いて、ゴミ籠に捨てた。

「ヒルデが黄金の十字架をなくしたって書いてあったわ」

「そうだね」

「まさにその十字架を、わたしきょう、ベッドで見つけたの。そんなものがどうやってわたしのところにきたんだと思う?」

アルベルトはあらためてソフィーの目を見つめた。

「これはたぶん決定的な証拠だよ。でも、なんてことはない、ちょっとした手品なのさ。そんなことより、黒いシルクハットからひっぱり出された世界という巨大な兎のことに集中したほうがましだ」

二人はリビングルームに入った。ソフィーは、こんな風変わりなリビングは見たことがなかった。

アルベルトの住まいは、天井が斜めになった広い屋根裏部屋だった。天窓があって、強い陽射しがじかに空からさしこんでいる。もう一つの窓からは町がながめわたせた。たくさんの古いアパートの屋根がずっと向こうまで広がっていた。

けれどもソフィーがあきれたのは、なんといってもこのリビングのしつらえ方だった。さまざまな時代の家具や小物であふれ返っていたのだ。ソファは三〇年代のものらしい。キャビネットデスクは世紀末のものだろう。椅子の一つは何百年も昔のものにちがいない。しかも家具だけではなかった!

棚や戸棚には置物や、古い時計や水差しや、乳鉢やレトルトや、メスや人体模型や、ペンナイフやブックエンドや、八分儀や六分儀や、コンパスや気圧計が、それこそごちゃごちゃにのっている。壁の一つにはびっしりと本が並んでいたが、本屋では売っていそうにないようなものばかりだった。その集め方も、数世紀にわたって本と名のつくものをピックアップしたようなぐあいだった。そのほかの壁にはデッサンや油彩画が飾ってある。何点かはここ数十年に描かれたものだったが、ほとんどはかなり古いものらしい。壁には古い地図も何枚かかかっていた。一枚は、北の地方のソグネフィヨルドからトロンデラーグとトロンドハイムフィヨルドにかけてのものだった。

ソフィーは数分間、ものも言わずに立ちすくんでいた。そしてあたりを見まわして、この部屋をすみずみまで点検した。

「すごくたくさんのガラクタ」ようやくソフィーが口を開いた。

「おいおい。この部屋に何世紀分の歴史がつまっているか、ちょっと考えてごらんよ。ぼくにとってはガラクタなんかじゃない」

「アンティークのお店かなんか、やってるの?」

アルベルトは、ほとんど悲しそうな顔をした。

「みんながみんな、歴史の流れにひたすら身をまかせる人ばかりとはかぎらないのさ、ソフィー。なかには踏みとどまって、岸辺に打ちあげられたものを拾う人もいるだろう」

「なかなか言うわね!」

「でもこれは真実だ、ソフィー。ぼくたちはぼくたちの時代だけを生きているのではない。歴史も背負って生きているのだ。きみがここで見ているものはすべて、かつてはピカピカの新品だったってことを忘れちゃいけない。この小さな木の人形は十六世紀のものだ。たぶん、どこかの女の子のお祖父さんかだれかがその子の五歳の誕生日のためにつくったんだろう……。女の子はそれからティーンエイジャーになって、おとなになって、結婚した。そして自分も女の子を産んで、この人形をあげた。

彼女は年をとって、ある日もう存在しなくなった。長生きしたんだろう、たぶん。でも、今はもういない。二度とふたたび帰ってこない。彼女はこの世をほんのつかのま訪れただけだ。でも彼女の人形は、そう、あそこの棚にあるんだ」

「アルベルトが説明すると、なんでも悲劇的でおごそかになるわ」

「人生は悲劇的でおごそかなものさ。ぼくたちはこのすばらしい世界に招かれ、出会い、自己紹介しあい、少しのあいだいっしょに歩く。そしてたがいを見失い、どうやってここに来たのか、そのわけもわからないうちに突然いなくなる」

「質問してもいい？」

「いいよ、もう逃げもかくれもしない」

「どうして少佐の小屋に住んでたの？」

「きみと手紙だけでコンタクトしていたあいだは、近くにいたかったからだよ。あの小屋が空き家だということは知っていた」

「だからって、あそこに入りこんじゃったわけ？」

「入りこんだわけだ」

「じゃあ、アルベルトがあそこに住んでるって、ヒルデの父親がどうやって知ったかも教えて」

「ぼくの思い違いでなければ、彼はほとんどなんでも知っている」

「でもわからない。どうやって郵便配達の人に、森の奥まで配達してくれるよう頼んだのかしら？」

アルベルトはいたずらっぽくほほえんだ。

「そんなことはヒルデの父親には朝飯前なのさ。ちょっとした手品、いたずらみたいなものさ。どうやらぼくたちほど、ばっちり見張られている人間もいないようだ」

ソフィーは、体がかっと熱くなるのがわかった。

「道で会ったら、爪立てて目玉をえぐり出してやるわ」

アルベルトはソファに腰をおろした。ソフィーもそれにならって深ぶかとした肘かけ椅子に座った。

「哲学が、ヒルデの父親に近づく手がかりになるかもしれない」アルベルトが言った。「きょうはルネサンスの話をしよう」

「ええ、いいわ」

「トマス・アクィナスが死んで何年もたたないうちに、キリスト教単一文化がひび割れしだした。哲学と科学は教会の神学から少しずつ離れていき、これにあわせて宗教も理性にたいして自由な態度をとるようになっていった。こうなると思想家たちは、知性(あたま)で神に近づくことはできない、なぜなら神は思考ではどうしたって理解できないのだから、と声高(こわだか)に主張するようになった。人間にとって大切なのは、キリストの奇跡を理解することではなく、神の意志にしたがうことだとされた」

「なるほどね」

「宗教と科学の関係がゆるやかになったおかげで、新しい科学の方法と新しい信仰のあり方が生まれた。こうして十五、六世紀の二つの重要な革命、つまりルネサンスと宗教改革の基礎がかたまった」

「革命って？　一つずつ説明して」

「オーケー。ルネサンスというとぼくたちは、十四世紀の終わりに始まった、あらゆる分野の文化の花盛りを連想するね。それは北イタリアに始まって、あっというまに北へと広がった」

「前に『ルネサンス』っていうのは『再生』ってことだって言わなかった？」

「言ったさ。それでね、そのふたたび生まれ変わるとされたのは古代の芸術文化だった。だからよくルネサンス人文主義(ヒューマニズム)って言われるんだ。あらゆる生活条件が神の光のもとに置かれていた長い中世のあと、今やふたたび人間が中心にすえられたんだ。モットーは『源(みなもと)に戻れ！』だった。なによりも重要な源は古代の人間中心主義（ヒューマニズム）だった。ほとんど猫もしゃくしもという感じで、人びとは古代の彫刻や手稿本の掘りおこしに熱中した。ギリシア語を習うことも流行した。これはギリシア文化をあらためて研究することにつながった。ギリシアの人間中心主義を学ぶことには、もちろん教育上の目的があった。人文系の学科を学ぶことは、人間をもっと高級なレベルに押しあげる古典の教養（ビルドゥング）を身につけることにつながる、とされたんだ。『馬は生まれる。だが人間は生まれない。つくられる（ビルデン）のだ』ということばのとおりだ」

「わたしたちは人間にならなければならない？」

「そう、当時の人はそう考えた。でも、ルネサンス人文主義をじっくり観察する前に、まずはルネサンスの背景になった政治と文化にふれておこう」

アルベルトは立ちあがって、部屋のなかを行ったり来たりしはじめた。そして立ち止まって、棚のとても古い道具を指さした。「これは？」

「昔のコンパスみたいだけど」

「そのとおり」

つぎにアルベルトは、ソファの上の壁にかかった古い鉄砲を指さした。

「じゃあ、これは？」

「すごく古い鉄砲」

「そうだね。こんどはこれだ」

アルベルトは棚から大きな本を取り出した。

「昔の本」

「正確には古版本（インクナーベル）という」

「インクナーベル？」

「もともとは『ゆりかご』という意味だ。印刷術がまだ赤ちゃんだった頃につくられた本をそう呼んでいる。ふつうは、一五〇〇年より前のもののことだ」

「その本、ほんとにそんなに古いの？」

「そんなに古いんだ。今見せたコンパスと鉄砲と印刷物、この三つの重要な発明が、ルネサンスと呼ばれている新しい時代を用意した」

「もっとよく説明して」

「コンパスのおかげで船の位置が測定できるようになった。つまり、コンパスは大航海時代の幕開けには欠かせないものだった。火薬も同じだ。新兵器のおかげで、ヨーロッパ人はアメリカやアジアの文化よりも優位に立つことができた。でも火薬はヨーロッパでも大きな意味をもつことになる。そして印刷術はルネサンス人文主義という新しい考え方を広める上で重要だった。知識の受け渡しは昔から教会が独占してきたんだが、教会がそういう地位を失ったことにも、印刷術が果たした役割はもちろん大きい。のちには新式の器具や新しい方式がつぎつぎと出現した。たとえば望遠鏡。これも重要な器具だ。天文学にまったく新しい可能性を切り開いたんだからね」

「そしてついにはロケットや月面着陸船がつくられた？」

「それはちょっと先取りのしすぎだよ。でも、科学の歩みはルネサンスに始まって、ついには人間を月につれていくことになる。この道はヒロシマとチェルノブイリにもつうじているけれど。でも変化はまずは文化と経済の分野に現れた。半自給自足経済から貨幣経済に変わったことは、時代の大きな決め手だった。中世の終わりには都市ができあがっていた。都市では手工業がさかえ、商取引がさかんに行なわれた。貨幣経済と銀行制度が確立していた。それをバックに市民階級が成立する。ここでいう市民とは、基本的な生活条件からある程度自由になれた人びとだ。生活に必要なものはお金で買うことができた。これは個人が勉強したり、想像力や創造性をはばたかせることを後押しした。そして個人はこれまでにない要求をもつようになった」

「二千年前にギリシアの都市国家ができた時に、ちょっと似てる」

「ああ、そうだね。ギリシア哲学が、農民の文化である神話の世界観を脱け出たことを話したっけね。あれと同じように、ルネサンス時代の市民も封建領主や教会権力の束縛から身をもぎ離しはじめた。同時に、スペインのアラブ人やビザンチン文化と密接に交流するなかから、ギリシアの文化が再発見された」

「古代から流れ出した三つの流れが合流して、一本の大きな川になったのね」

「さすが優等生だ。ルネサンスのバックグラウンドの説明はこれでじゅうぶんだ。つぎは新しい考え方について話をしよう」

「いいわ。でも、夕ごはんまでには帰らなくちゃ」

　アルベルトはふたたびソファに腰をおろした。

「なんと言っても、ルネサンスは新しい人間観にたどりついた。ルネサンスの人文主義者（ヒューマニスト）たちは、人間とその世界についてのまったく新しい信念をつくりあげていった。人間の罪深い本性ばかり強調する中世の人間観とはとことん対照的な信念をね。今や人間はなにか無限に大きな、価値あるものと見なされるようになった。ルネサンスの中心人物はマルシリオ・フィチーノという人だが、こんなことを言ってるんだよ。『みずからに目覚めるのだ、おお、人間の姿をした神の族（うから）よ！』もう一人、ジョヴァンニ・ピコ・デラ・ミランドーラは『人間の尊厳について』という賞賛演説を書いた。こんなことは中世には想像もできなかった。中世には、なによりも神が原点とされていた。ところがルネサンスの人文主義者たちは、人間そのものを原点にしたんだ」

「でも、ギリシアの哲学者たちもそうだったわ」

「だから古代の人間中心主義の再生と言っているんだよ。そうは言っても、ルネサンスの人文主義には古代よりも個人主義の色が濃い。ぼくたちはただ人間なのではない、たった一人しかいない個人なんだ。この考え方はほとんど際限のない天才崇拝へとつながっていく。ぼくたちは生活のあらゆる分野、つまり芸術にも科学にもかかわりをもつ人のことをルネサンス的人間と呼ぶけれど、そういう人が理想とされたんだ。この新しい人間観はまた、人体の解剖への関心となって現れた。古代と同じように、人の体はどのようになっているかを解明するために、死体が解剖されるようになった。これは医学だけでなく芸術にも大きな意味をもっていた。芸術では、人間を裸の姿で表現することがふたたび当たり前になった。恥ずかしがりの千年が終わったあとにね。人間は思いきってふたたび自分自身になった。もうなんにも恥ずかしがることはなくなったんだ」

「聞いてると、なんだかくらくらしてきたわ」

ソフィーは、自分と哲学者のあいだのサイドテーブルにもたれかかった。

「たしかにね。新しい人間観からはまったく新しい人生観が出てきた。人間は神のためにだけ存在するのではない。神は人間を人間のためにも創造した。だから人間は今ここで人生を楽しんでいいんだ。そしてもしも自由に自分を発展させることができさえすれば、人間には無限の可能性がある。人間の目的はあらゆる限界を超えることにある。これも古代の人間中心主義とはちょっとちがう。古代の人間中心主義は、人間は心の平安や中庸(ちゅうよう)や自制心をたもつべきだ、と力説したのだったものね」

「ルネサンスの人間中心主義者たちには自制心がなかったの?」

「少なくともそれほど節度があるとは言えなかった。彼らは、全世界が新しく目覚めた、と感じていた。そこから、新時代という意識が生まれてくる。古代と自分たちの時代にはさまれた数世紀をひとからげに中世と呼ぶようになる。そしてあらゆる分野がほかに例を見ない花盛りの時をむかえたんだ。芸術、建築、文学、音楽、哲学そして科学。一つ具体的な例をあげよう。都市のなかの都市とか世界のへそとかの誇らかな名前で呼ばれた古代ローマのことは、前に話したね。中世、この都市は荒れ果てていた。一四一七年、かつての百万都市には一万七千人しか住んでいなかった」

「リレサンよりもそんなに多くない」

「ルネサンス人文主義は、ローマ再建を文化と政治の目標にかかげた。手始めに、使徒ペテロの墓の上にサン・ピエトロ大聖堂が建てられた。この大聖堂には、中庸も自制心もあったものではない。ルネサンスの偉大な人びとが、おおぜいこの世界的な大建築プロジェクトに参加した。工事は一五〇六年に始まって、丸まる百二十年つづいて、さらに五十年かけて壮大なサン・ピエトロ広場がつくられてようやく完成した」

「ずいぶん大きな教会なのね」

「長さが二〇〇メートル、高さが一三〇メートルだ。ルネサンス人たちの気宇壮大さがよく表れている。ルネサンスが新しい自然観をはぐくんだことも、大きな意味をもっていた。人間があるがままの自分であることを居心地よく感じ、この世の生を天国の生の準備とばかりは見なさなくなったので、自然界にたいするまったく新しい見方がつくり出された。神は無限なのだから、いたるところにいるにちがいない、と考えた。神は被造物のなかにも現れている、と考えた。今や自然は肯定されたんだ。多くの人は、神は被造物のなかにも現れている、と考えた。これも一種の汎神論だ。中世の哲学者たちは、神と被造物のあいだには越えられない深淵が口を開いている、とことあるごとに強調した。それがこんどは、自然は神々しいものとして表現されるようになった。そう、自然は『神の展開』だ、とまで言われたんだ。こういう新しい考え方に教会がいつもいい顔をするとはかぎらなかった。ジョルダーノ・ブルーノの運命はこのことをドラマティックに表している。ジョルダーノ・ブルーノは、神は自然界にいる、と主張しただけではなかった。宇宙は無限だと考えてもいた。そのためにきびしい罰を受けた」

「どんな?」

「一六〇〇年にローマのカンポ・デイ・フィオーリ広場で火あぶりになった」

「ひどい。それにばかみたい。それでも人間中心主義の時代だったって言うの?」

「いや、そうじゃないよ。ブルーノは人間中心主義者だった。そうじゃなかったのは彼を裁いたほうだ。ルネサンス期には反人文主義(アンチヒューマニズム)とでも言えるようなものも全盛だったんだ。権威づくの教会や国家の権力のことだ。この時代、魔女裁判や火刑の薪の山、魔術と迷信、血なまぐさい宗教戦争があとを絶たなかった。もちろん残酷なアメリカ大陸征服もこの時代の人間がやったことだ。どの時代もいいことばかり、悪いことばかりじゃないんだ。いいことと悪いことは二本の糸のように人類のすべての歴史をつらぬいている。二本の糸はからみあっている。これは、これから話すルネサンスが発展させた科学の新しい方法についても言える」

「初めて工場ができたの?」

「そんなにすぐにはできないよ。まずルネサンスに科学の新しい方法が確立して、そのあとにトータルな技術の進歩が始まったんだ。科学のあり方が新しくとらえなおされた、ということだよ。新しい方法が技術の面で成果を現すのは、ずっとあとになってからだ」

「新しい方法って?」

「なによりも自然を自分の感覚を使って研究するということだ。すでに十四世紀の初めから、古い権威をやみくもに信じることへの警戒の声がどんどん大きくなっていた。権威とは、教会の教義やアリストテレスの自然哲学だ。問題はひたすら頭で考えれば解ける、という確信にも警戒の声はあがっていた。そうした理性の過信が中世をつうじて支配的だった。それが今や、自然の研究は観察や経験や実験を踏まえるべきだ、とされたんだ。この方法をぼくたちは『経験的方法』と呼んでいる」

「ということは?」

「ぼくたちはものごとについての知識を経験から手に入れる、埃だらけの巻物や頭をぎゅうぎゅうしぼることからではない、それだけのことなのさ。古代にも経験的な科学はあった。アリストテレスも自然のなかに出ていって、重要な観察をいくつもしている。けれども組織だった『実験』はまったく新しいものだった」

「現代のような実験装置はなかったんでしょう?」

「もちろん、コンピュータも電子顕微鏡もなかった。でも数学と計測器具はあった。ルネサンスには、科学的な観察は精確な数学という言語で表現することが大切だ、ということが強調された。計れるものは計るべきだ、計れないものは計れるようにすべきだ、と言ったガリレオ・ガリレイは、十七世紀のもっとも重要な科学者だ。ガリレイはまた、自然という書物は数学ということばで書かれている、とも言った」

「そしていろいろ実験したり計ったりしたことから新発明の道が開けたわけ?」

「第一段階は新しい科学の方法だった。そのおかげで技術革命の道が開けて、あらゆる発明が可能になった。人間は自然の条件から身をもぎ離しにかかった、と言っていい。人間はもう自然の一部ではない。自然は利用し消費できる何かだ。『知は力だ』とイギリスの哲学者、フランシス・ベーコンが言っている。知は現実に活用すべきだ、というわけだが、これは新しい考え方だ。今や人間は自然につかみかかり、支配するようになったんだ」

「でもそれは、いいことばかりじゃなかったんじゃない?」

「そうだね、ぼくたち人間がするすべてのことにまつわりついている、あの善と悪の二本の糸がここでもからまりあっている。ルネサンスに始まった技術の進歩は紡績機械と失業につながった。医薬品と新しい病気を生み出した。農業の生産性を高めたけれど、自然をいためつけてしまった。洗濯機や冷蔵庫のようなじっさいに役に立つ新しい道具をつくったけれど、環境汚染とゴミの山もつくった。そしてこんにちぼくたちは、環境がどれほど深刻におびやかされているかを目の当たりにしている。そして技術の多くを、ぼくたちにあたえられた自然な生活条件を踏みはずした危険なものと見ている。

こうした見方からすれば、ぼくたちはもはや人間のコントロールのおよばないプロセスをスタートさせたんだ。楽観的な人びとは、ぼくたちはまだ技術の子ども時代に生きている、と考えている。今のところ技術文明は子ども特有の病気に苦しんではいるけれど、最終的には人間は、生命にやさしく自然をコントロールすることを学ぶだろう、とね」

「アルベルトはどう思う?」

「どっちの立場もそれなりに正しいんだろうな。もうこれ以上自然に手を出さないほうがいい分野もあれば、安心して手を出してもいい分野もある。はっきりしているのは、中世に逆戻りはできないということだ。ルネサンス以来、人間はもう、ただの被造物の一つではない。自然に手を出して、自分の思うようにつくりかえている。人間は、被造物は被造物でも、驚くべき被造物だということだね」

「人間はもう月にも行った。そんなこと、中世の人は夢にも思わなかったでしょうね」

「いや、まったくそのとおりだよ。そのことからぼくたちは新しい宇宙観を手に入れた。中世には人間は空をあおいで、太陽や月、恒星や惑星を見あげるばかりだった。地球が宇宙の中心だということを疑う人なんて一人もいなかった。大地は不動で天体はその周りをめぐっている、ということに疑問をつきつける観察も一つもなかった。これを天動説というのだけれど、神がすべての天体を支配しているとするキリスト教の考え方も、そういう宇宙観を支えていたわけだ」

「ものごとがそんなに単純だったら、言うことないわね」

「ところが一五四三年に『天体の回転について』という本が出た。書いたのはポーランドの天文学者、コペルニクスで、この画期的な本が出たその日に亡くなった。コペルニクスは、太陽が地球の周りをまわっているのではない、地球が太陽の周りをまわっているのだ、と考えた。当時としては可能なかぎりの天体観測を踏まえて、そう結論づけたんだ。太陽が地球の周りをまわっているように見えるのは、地球が地軸を中心に回転しているからにすぎない、とコペルニクスは考えた。天体のあらゆる観察結果は、地球やそのほかの惑星が太陽の周りをまわっている、と考えればずっとすっきりと理解できる、と言ったんだ。これが『地動説』、すべては太陽の周りをまわっている、ということだ」

「この考え方は正しいんでしょう?」

「なにからなにまで、というわけじゃない。コペルニクスのいちばん重要なポイント、つまり地球が太陽をまわっているというのはもちろん正しい。でもコペルニクスは太陽が宇宙の中心だ、と考えた。こんにちのぼくたちは、太陽が無数の恒星の一つでしかない、ということを知っている。ぼくたちの周りにあるすべての恒星は、何十億とある星雲の一つを形づくっているにすぎない、ということを知っている。コペルニクスはまた、地球もそのほかの惑星も、円軌道を描いて太陽をまわっている、とも考えていた」

「そうじゃないの?」

「そうじゃないんだ。コペルニクスが円軌道の根拠にしたのは、古くからの考え方だけだった。つまり、天体は球形で円軌道を描く、なぜなら天に属するものだから、というわけだ。すでにプラトンの時代から、球と円は幾何学的にもっとも完全な形だと考えられていた。けれども十七世紀の初めにドイツの天文学者、ヨハンネス・ケプラーは、徹底的な観察から独自の結果をみちびき出した。それは、惑星は太陽を中心に楕円軌道を描いて動いている、というものだった。ケプラーは、惑星は太陽にもっとも近づくともっとも速く動き、太陽から遠ざかるほど遅く動く、ということを証明した。ケプラーによって初めて、地球はほかの惑星と変わらないということが明らかになったんだ。ケプラーは、この物理法則は全宇宙にあてはまる、とも力説した」

「どうしてケプラーはそんなに自信満々になれたの?」

「ケプラーは、古代から言われてきたことを頭から信じるのではなくて、惑星の動きを自分自身の感覚で観察したから、確信をもてたんだね。あの有名なイタリアの科学者ガリレオ・ガリレイも、ケプラーとだいたい同じ頃の人だ。ガリレイも望遠鏡で天体を観察した。そして月のクレーターを調べて、月にも地球のような山や谷があるにちがいない、と確信した。さらに、木星という惑星には月が四つある、ということも発見した。月をしたがえた惑星はなにも地球だけではないんだ。でも、なんといっても重要なのは、ガリレイが慣性の法則を発見したことだ」

「慣性の法則って？」

「すべての物体は、その状態を変えるような力が外から加わらないかぎり、いつまでも静止状態のまだし、まっすぐの線を描いて同じように動いていく、ということだ。ガリレイがここまできちんと表現したわけじゃなくて、あとからアイザック・ニュートンが定義しなおしたんだけど」

「この際、どっちでもいいわ」

「古代以来、地球自転説へのもっとも手ごわい反論は、もしも地球がそんなに速く動いているのなら、真上に投げあげた石は何メートルかずれたところに落ちてくるはずだ、という意見だ」

「どうしてそうはならないの？」

「電車に乗っていて、リンゴを落としたと想像してごらん。リンゴは遠くには落ちない。これは、電車といっしょにリンゴも走っているからだ。リンゴはきみのすぐそばに落ちてくる。ここにはたらいているのが慣性の法則だ。リンゴはきみが落とす前からもっていた速度をそのままもちこしているんだ」

「なんとなくわかったような……」

「ガリレイの時代には電車はなかった。でもボールを床の上に転がしたら……」

「転がっていっちゃう」

「ボールはきみからもらった速度を保っているからだ」

「でも、どんなに広い部屋でも、最後には止まってしまうわ」

「それはね、ほかの力が速度にブレーキをかけたからなんだ。まずは床がブレーキをかける。むき出しの木の床ならなおのことだ。それから重力がいつかはボールをストップさせる。あ、ちょっと待って。いいものを見せよう」

アルベルト・クノックスは立ちあがって、時代物のライティングビュローのほうに行った。そして抽斗から何かを出してサイドテーブルに置いた。それはただの板で、一方は厚さが数ミリ、もう一方はごく薄い。ほとんどテーブルいっぱいを占めた板のそばに、アルベルトは緑色のビー玉を一つ置いた。

「これは『斜面』だ。このビー玉、板がいちばん厚いところで手を離したらどうなると思う?」

ソフィーはため息をついた。「十クローネ賭けてもいいけど、テーブルに転げ落ちて、それから床に落っこちるわ」

「やってみよう」

アルベルトはビー玉から手を離した。ビー玉は、ソフィーが言ったとおりになった。板の上をコロコロ転がって、テーブルを転がって、コツッと小さな音をたてて床に落ち、ドアのしきいにぶつかって止まった。

「なかなかの見物(みもの)だわ」

「だろう? ガリレイもこれと同じ実験をした」

「彼ってそんなに鈍い人だったの?」

「まあ、まあ。ガリレイはなにもかも自分の感覚で見きわめようとしたんだ。面白いのはこれからだ。さて、どうしてビー玉は斜面を転がり落ちたのかな?」

「重さがあるからよ」

「よろしい。では、重さってなんだい?」

「なんてくだらない質問をするの？」

「きみが答えられないんなら、くだらない質問じゃないさ。どうしてビー玉は床に落ちたのかな？」

「重力があるからよ」

「そうだね、重力だ。重さは重力と関係があるというわけだ。この力がビー玉を動かした」

アルベルトは床からビー玉を拾いあげた。そして斜面にかがみこんだ。

「こんどはビー玉を斜面に水平に転がしてみるよ。どんなふうに動くか、よく見てて」

アルベルトはぐっとかがんで狙いをさだめた。そしてビー玉を斜面に水平に転がそうとした。ビー玉がすぐにカーブして斜面を転がり落ちていくさまに、ソフィーは目をこらした。

「どうなった？」

「斜めに転がった。だってこれは斜面だもの」

「じゃあ、フェルトペンでビー玉に色をつけてみよう……そうすればきみが『斜め』と言ったことがもっとはっきりするから」

アルベルトはフェルトペンでビー玉を黒く塗った。そしてもう一度、転がした。ソフィーが見ていると、ビー玉が斜面に描いた軌跡が黒い線になってはっきりと残った。

「このビー玉の動き方はなんて言ったらいいかな？」

「弓形……円の一部みたい」

「そのとおり！」

アルベルトはソフィーを見つめて眉をつりあげた。

「完全な円じゃないけどね。この形は放物線という」

「どうでもいいじゃない」

「でも、どうしてビー玉はこういうふうに動くんだろう？」

ソフィーはしばらく考えこんだ。

「それは、面が傾いているから、ビー玉が重力で床のほうにひっぱられたんだわ」

「そう、そうだよね？　これは驚いた。ぼくがこの屋根裏部屋にお招きした女の子は、たった一回実験をしただけでもう、ガリレイと同じ認識にたっしたわけだ」

アルベルトは手を打った。一瞬ソフィーは、相手がどうかしてしまったのでは、と心配になった。

「きみは今、二つの力が一つの物体にはたらいたらどうなるかを見たわけだ。ガリレイはこれが、たとえば大砲の弾にもあてはまる、ということを発見した。弾は空中に発射されて遠くまで飛んでいって、最後には地面に落ちる。ある軌跡を描くわけだけど、それはぼくたちのビー玉が斜面に描いたのと同じなんだ。これはガリレイの時代にはまったく新しい発見だった。アリストテレスは、空中に発射された物は初めゆるやかな弓形を描き、それから一直線に地面に落っこちる、と考えていた。でも、そうじゃない。アリストテレスはまちがっていたということは、実際にやってみて初めてわかったんだ」

「どうでもいいと思うけどな。それって、そんなに重大なことなの？」

「重大かだって？　宇宙規模の意味があるんだよ。人類の歴史のあらゆる科学的発見のうちでも、いちばん重大な発見なんだよ」

「それはなぜなのか、説明してくれなくちゃ」

「あとでイギリスの物理学者、アイザック・ニュートンの話をする。一六四二年から一七二七年に生きた人だ。太陽系と惑星の動きを最終的に解き明かしたのは、この人のお手柄だ。ニュートンは、惑星は太陽の周りをどのように動くのか、ということを記述しただけではなかった。なぜそんなふうに動くのか、ということまできちんと説明したんだ。ヒントはいろいろあったが、そのなかでもガリレイの慣性の法則がものを言った。ニュートンは慣性の法則を数式に表したんだそうだよ」

「惑星っていうビー玉は斜めの板にのっているの？」

「まあ、だいたいはね。でも、もうちょっと待って」

「わたしとしては待つしかないじゃない」

「すでにケプラーが、天体たちをたがいにひっぱりあわせている力があるはずだ、と言っていた。たとえば太陽からは惑星たちをそれぞれの軌道に固定する力が出ているはずだ、と。そういう力はそのほかにも、なぜ惑星は太陽の遠くよりも近くでは速く動くのか、ということも説明してくれる。ケプラーは、引き潮と満ち潮も月の力と関係がある、と考えた」

「彼は正しかったわ」

「そう、正しかった。でもガリレイは認めなかった。ケプラーを茶化（ちゃか）して、お月さまが水を支配しているとでもいうのかね、と言っている。そんなものはケプラーの固定観念だ、とね。ガリレイはそんな力がそんなにはるかかなたまで、つまり天体同士のあいだにまではたらいている、ということを認めなかったわけだ」

「ガリレイのほうがまちがってる」

「そう、これについてはガリレイはまちがっていた。地球の重力と物体の落下という問題にあんなに熱心にとりくんでいたのに、なんだかおかしな話だね。どんな力が物体の動きを決めているか、教えてくれた人だけにね」

「でも、ニュートンの話じゃなかった？」

「そうだ、ここでニュートンが出てくる。ニュートンは万有（ユニバーサル）引力の法則を発見した。すべての物体はほかのすべての物体と引きあう、引きあう力は物体が大きいほど大きく、物体間の距離が大きいほど小さい、というものだ」

「わかったような気がする。たとえばこういうことかしら。二頭の象のあいだにはたらく引力は、二匹の鼠のあいだにはたらく引力よりも大きい。同じ動物園の二頭の象のあいだにはたらく引力は、インドにいるインド象とアフリカにいるアフリカ象のあいだにはたらく引力よりも大きい」

「それでいい、きみの理解は完璧だ。さあ、ここからがいちばん重要なポイントだよ。ニュートンは、この引力は普遍的（ユニバーサル）だ、と言ったんだ。引力の法則はどこにでもあてはまる、宇宙空間の天体と天体のあいだにもあてはまる、ということだよ。ニュートンはこれをリンゴの木の下で思いついたということになっている。まあ、通説だけどね。ニュートンはリンゴが木から落ちるのを見て考えた、というんだ。月はこれと同じ力で地球に引きつけられているのではないか、だから永遠に地球の周りをまわりつづけているのではないかって」

「頭いい。でも、それほどよくはないわ」

「どうして、ソフィー?」

「もしも、リンゴを落とすのと同じ力で月が地球に引きつけられているんだったら、いつかは地球に落っこちてくるんじゃない？　熱い餌をもらった猫みたいに、いつまでも周りをぐるぐるまわっていないで」

「さあ、いよいよ惑星の運動についてのニュートンの法則に近づいたぞ。今きみが言った、地球の重力が月を引きつけているということは、半分正しい。なぜ月は地球に落ちてこないんだと思う？　ソフィー。じっさい、地球はものすごい力で月をひっぱっているんだものね。海面を一、二メートルも持ちあげるにはどんなすごい力がいると思う？」

「わからないわ」

「ガリレイの斜面を思い出してごらんよ。ビー玉を傾いた面に転がしたらどうなったっけ？」

「月には二つの力がはたらいてるの？」

「そのとおり。太陽系ができた時、月はものすごい力で地球から投げ飛ばされたんだそうだ。この力は永久にはたらきつづける。月は真空の空間を抵抗を受けずに動いているんだからね」

「でも、地球の重力でひっぱられてもいるんでしょう?」

「そう。二つの力は一定で、同時にはたらいている。だから月は地球の周りをまわりつづけるんだ」

「そんなに単純なことなの?」

「そんなに単純なことなんだ。まさにこの『単純さ』がニュートンにとってはなによりも重要だった。ニュートンは、慣性の法則のようなほんのいくつかの法則が全宇宙をすみずみまで支配している、とも言っている。惑星の運動もニュートンは、ガリレイが発見したたった二つの自然界の法則をあてはめて考えた。一つは慣性の法則。もう一つは、二つの力が一つの物体に同時にはたらくとその物体は楕円軌道を描いて動くという法則、ガリレイが球を使って斜面で示して見せた、あれだ」

「その二つの法則を使って、ニュートンは、なぜ惑星はみんな太陽の周りをまわるかっていうことを説明できちゃったのね」

「そのとおり。すべての惑星は楕円軌道を描いて太陽の周りをまわる、そこには二つの別べつの運動がはたらいている。一つは、太陽系ができた時に加わった一直線の運動。もう一つは、太陽の重力からくる運動だ」

「すごく頭いいわ」

「ほんとだね。ニュートンは、この同じ法則が全宇宙の天体の運動にあてはまる、と言った。そして、『天』にはこの地上とは別の法則が支配している、という中世の古めかしい考え方をお払い箱にしてしまった。地動説が確かめられ、最終的に証明されたんだ」

アルベルトは立ちあがって、傾斜のついた板をもとの抽斗にしまった。そしてかがんで床からビー玉を拾いあげると、自分とソフィーのあいだのテーブルに置いた。

一枚の板と一つのビー玉がどれほどたくさんのことを教えてくれたか、ソフィーは信じられない思いだった。黒いインクがまだ少しついている緑色のビー玉を見つめていると、どうしても地球が連想される。ソフィーはたずねた。

「人間は、大きな宇宙のたまたまある惑星に生きているってことを、しかたないと思わなければならないの？」

「そうだね、この新しい宇宙観はいろんな意味で当時の人びとに重くのしかかった。たぶんダーウィンが、人間は動物から進化した、と言った時の状況と似ているかな。どちらのばあいにも、人間は被造物のなかの特別な地位を少しばかり失った。どちらのばあいにも、教会ははげしく抵抗した」

「よくわかる。そうすると神はいったいどうなっちゃうの？ 地球が中心で、神と天体全部は一段高いところにあるっていうのよりも、なにもかもが、なんて言うか、白けちゃう」

「でもこれはそんなに深刻な脅威ではなかったんだよ。ニュートンが、同一の物理法則が全宇宙を支配している、と言った時、当時の人は、ニュートンは全能の神への信仰を捨てた、と思っただろうね。ところがニュートンの信仰はびくともしなかった。ニュートンは自然の法則を、神の偉大さと全能の証（あかし）だと考えていた。深刻なのは、人間が自分たちに抱くイメージのほうだったんじゃないかな」

「どういうこと？」

「ルネサンス以来人間は、広大な宇宙のたまたまある惑星に生きている、という考えに慣れなければならなかった。でも、それほどしっくりと慣れたかどうか、ぼくはあやしいものだと思うね。それどころかすでにルネサンス期に、人間は以前よりも中心へと押し出された、と考えた人びとがいた」

「よくわからない」

「それまでは地球が世界の中心だった。ところが天文学は、宇宙には絶対的な中心なんかない、ということを実証した。するとたくさんの中心があることになった。人間の数ほどにね」

「わかるわ」

「ルネサンスは新しい神観ももたらした。哲学と科学が神学から分かれた時、新しいキリスト教の信仰もだんだんと形をなしてきた。そこへルネサンスが新しい人間像をもたらした。それは信仰生活にも影響した。組織としての教会とのかかわりよりも、神と一人ひとりの個人的なかかわりのほうが重要になったんだ」

「一人で夕べの祈りをあげることとか?」

「それも一つだね。中世のカトリック教会では、教会でラテン語であげられるミサと儀式ばった祈りが、本来もっとも大切な、神への勤めだった。聖職者と修道士だけが聖書を読んだ。ラテン語の聖書しかなかったからね。ところがルネサンスのあいだに聖書が、ヘブライ語やギリシア語から、当時の民衆が使っていた各国のことばに訳された。これが宗教改革に大きな意味をもっていて……」

「マルティン・ルター……」

「そう、ルターは重要人物だ。でも宗教改革をしたのはルターだけじゃない。教会のなかにも宗教改革者はいた。もっともその人たちは、ローマ-カトリック教会の内部でなにかしようと思ったのだけどね。そんな人たちのなかにロッテルダムのエラスムスもいた」

「ルターは免罪符のお金を払わなかったから、カトリック教会から破門されたんでしょう?」

「それもそうだけど、もっと重大なことがある。ルターによれば、神の赦しを得るために、教会とかお坊さんとかの回り道をする必要はない。神の赦しが教会に支払われる免罪符料に左右されるなんて、もってのほかだ。免罪符売買は十六世紀のなかば頃にはカトリック教会でも禁止されたけどね」

「神さまだってよろこんだでしょうね」

「ルターは、教会が中世につくりあげた数かずの宗教的なしきたりや信仰箇条を否定した。そして新約聖書にあるような、本来のキリスト教に戻ろうとした。『聖書がすべてだ』とルターは言った。このモットーで、ルターはキリスト教の原点へ戻ろうとした。ちょうどルネサンスの人間中心主義者たちが文化と文明の古代という原点に戻ろうとしたようにね。ルターは聖書をドイツ語に翻訳したけれど、それはドイツ語の共通の書きことばをつくることにもつながった。人はそれぞれ聖書を読み、そうすることによって、いわば自分自身の牧師になれるはずなんだ」

「自分自身の牧師？　それはちょっとたいへんじゃない？」

「ルターは、聖職者は神と特別の関係なんか結んでいない、と考えたんだ。ルター派の人びとも実際的な理由から、礼拝をとりおこない、毎日の教会の仕事を果たす牧師を立てはした。でもルターは、人間は教会での礼拝によって神の赦しを得たり罪から解放されたりするのではない、と考えていた。解放は信仰によってのみ、無償であたえられる、と言った。聖書を研究して、そういう考えに行きついたんだ」

「ルターもいかにもルネサンスらしい人だったわけ？」

「そうとも言えるし、そうでないとも言える。ルネサンス人らしさは、ルターが個人と、その個人と神との関係に重きを置いていたことにある。ルターは三十五歳でギリシア語を学んで、聖書をドイツ語に訳すというたいへんな仕事にとりかかった。ラテン語にかわって民衆のことばを採用したことも、いかにもルネサンス人らしい。けれどもルターは、フィチーノやレオナルド・ダ・ヴィンチのような人文主義者ではなかった。エラスムスのような人文主義者たちはルターのことを、人間をあまりにも否定的に見ている、と言って批判している。つまりルターは、人間はアダムとイヴが犯した原罪によってとことんだめになっている、そして罪の報いは死だ、と強調したんだね。だけど、神の恵みによってかろうじて『義と認められる』と考えたわけだ」

「そう聞くとなんだか暗いわ、ほんとに」

　アルベルト・クノックスは立ちあがった。そして緑と黒のビー玉をテーブルから取りあげて、胸のポケットに入れた。

「もうすぐ四時じゃない！」ソフィーが叫んだ。

「つぎにくる人類の歴史の偉大な時代はバロックだ。でもこれはまたこんどにしようね、ヒルデ」

「今なんて言った？」

ソフィーは飛びあがった。

「アルベルト、あなた今、ヒルデって言ったわ」

「とんだ言い間違いをしたもんだ」

「でも人はまるで理由もないのに言い間違いはしないわ」

「たぶん、きみは正しいんだろうな。いよいよヒルデの父親がぼくたちの口を借りておしゃべりしはじめたらしいよ。ぼくたちが疲れきっていることを利用したんだと思う。そんな時は、抵抗力が弱くなっているからね」

「アルベルトはヒルデの父親じゃないってことね？　それは本当だって、誓ってくれる？」

アルベルトはうなずいた。

「でも、わたしはヒルデ？」

「ぼくは疲れたよ、ソフィー。わかるだろう？　ぼくたちはもう二時間もこうしているんだよ。しかもほとんどぼくがしゃべりまくっていた。食事に帰らなくちゃならないんじゃなかった？」

アルベルトは帰ってもらいたがっている、とソフィーは感じた。ドアに向かいながら、ソフィーは、なぜアルベルトは言いまちがえたんだろう、としきりに頭を悩ませていた。アルベルトがあとからついてきた。

まるで芝居の衣裳のような、風変わりな服がいっぱいかかった洋服掛けの下で、ヘルメスが眠っていた。アルベルトは犬のほうに目をやって、言った。

「また、あれを迎えにやらせるよ」

「きょうのお話、ありがとう」

ソフィーはぴょんと飛びあがって、アルベルトに抱きついた。

「アルベルトはわたしが知ってるなかで世界一すごい哲学の先生。そして、世界一大好きな先生」

ソフィーは住まいのドアをあけた。

ドアがしまる前に、アルベルトが言った。

「またじきに会おうね、ヒルデ」

そう言うと、ソフィーを残してドアをしめた。

アルベルトはまた言いまちがえた、ひどい人。ソフィーはよっぽどもう一度ドアをノックしようとしたが、何かがソフィーをおしとどめた。

道に出てから、お金をもっていないことに気がついた。ということは、家まで遠い道を歩いていかなければならない。もう、やんなっちゃう！　六時になってもソフィーが帰ってこなければ、ママはきっとかんかんになって怒るだろうし、心配もするだろう。

ところが、数メートルも行かないうちに歩道に十クローネ玉が落ちていた。バスに乗るのにきっかりの金額だ。

ソフィーはバス停で中央広場行きのバスを待った。そこで乗り継げば、家のすぐ前まで行ける。

中央広場まで来てから、ソフィーはつくづくと考えた。よりによってどうしても必要なちょうどその時に十クローネ拾うなんて、わたしはついてる。

ひょっとして、ヒルデの父親があれをあそこに置いておいた？　だってあの人は、何かをとんでもないところに置いておくことにかけては、超一流なのだから。

でも、どうやって？　レバノンのどこかにいるのではなかった？

それから、どうしてアルベルトは言い間違いなんかしたんだろう？　一度だけじゃない、同じ間違いを二度も。
ソフィーの背中を冷たいものが走りおりた。

翌日、アルベルトはなにも言ってこなかったが、ソフィーはヘルメスが来てないかと、何度も庭に出てみた。母親には、あの犬は帰り道を知っていた、飼い主はお年寄りの物理の先生で、コーヒーをごちそうしてくれて、太陽系と、十六世紀の新しい科学の話をしてくれた、と報告しておいた。ヨールンにはもっとくわしく説明した。アルベルトの家に行ったことも、エントランスホールの絵はがきと、帰り道で拾った十クローネのことも。もちろん、ヒルデの夢と黄金の十字架のことは、自分一人の胸にしまっておいた。

五月二十九日火曜日、ソフィーはキッチンでお皿をふいていた。母親はリビングでニュースを見ている。テーマ音楽につづいて、ニュースは、国連軍に参加していたノルウェイの少佐が手榴弾で死亡した、と報じた。

ソフィーはふきんを流しに投げ捨てて、リビングに飛んでいった。数秒間、国連軍兵士たちがスクリーンに映っていたが、すぐにつぎのニュースになった。

「ひどいわ！」ソフィーが叫んだ。

母がふりむいた。

「ほんとに戦争っていやね」

なぜか涙がわいてきた。

「あら、ソフィー。そんなに悲しむなんて」

「名前は言ってた？」

「ええ……よく憶えてないけど。グリムスタの人だったわ」

「リレサンとかじゃないのね？」

「ちがうわ」

「でも、グリムスタに住んでてもリレサンの学校に通うことだってあるわ」

ソフィーはもう泣いていなかった。母は立ってテレビを消した。

「なにわけのわからないことを言ってるの？　ソフィー」

「あ、べつになにも……」

「いいえ、なにかあるわ！　あなた、ボーイフレンドがいるんでしょ。うすうすわかってきたけど、あなたよりもずっと年上ね。さあ、言いなさい。レバノンに知ってる男の人がいるの？」

「ちがうわ、ぜんぜんそんなんじゃ……」

「レバノンにいる人の息子とつきあってるわけ？」

「ちがうったら！　聞いて。わたし、彼の娘のことなんか、ぜんぜん知らないのよ」

「彼っていったいだれのこと？」

「ママには関係ない」

「まあ、関係ないですって？」

「ききたいのはこっちよ。どうしてパパはいつも家にいないの？　ママと離婚する踏ん切りがつかないからじゃないの？　ママには、パパもわたしも知らない男の友だちがいるんじゃないの？　ききたいことはまだまだあるわ。おたがいさまじゃない」

「そうね、とにかくあなたとはじっくり話をする必要があるわね」

「そうかもね。でも、きょうはすごくつかれてるから、早く寝たいの。それに、生理が始まったし」

ソフィーは部屋を走り出た。また泣きそうになっていた。

顔を洗ってベッドにもぐりこんだとたんに、母が入ってきた。

ソフィーは寝たふりをしたけれど、まさか母が真に受けるとは思っていなかった。なのに母は、ソフィーが本当にもう眠っているかのようにふるまった。ベッドの縁に座って、ソフィーのうなじを撫でたのだ。

ソフィーは、隠しごとをしながら暮らすのはなんてむずかしいのだろう、とつくづく考えた。哲学講座が早く終わればいいのに、という思いがうっすらと兆した。たぶん、ソフィーの誕生日には終わるだろう。さもなければ、遅くともヒルデの父親がレバノンから帰ってくる夏至の前日には……。

「わたしのお誕生日にはパーティをやりたいな」

ソフィーが口を開いた。

「いいわね。だれに来てもらう？」

「おおぜい……かまわない？」

「もちろん。うちの庭は広いわ。その頃はきっとお天気もいいでしょうし」

「でもわたし、どっちかっていうと夏至の前夜祭がしたいな」

「いいわよ。じゃあ、そうしましょう」

「昔から大切な日だもの」そう言いながら、ソフィーは自分の誕生日のことはすっかり忘れていた。

「そうよね」

「わたし、この頃ずいぶんおとなになったなって思う」

「そうね。すてきなことじゃない？」

「わからない」

母親と話しているあいだずっと、ソフィーは枕に顔をうずめていた。母が言った。

「でもソフィー、教えて。どうしてそんなに……どうしてこの頃ピリピリしてるの？」

「ママが十五の時はピリピリしてなかった？」

「たしかにわたしもピリピリしてた。でも、わたしが何を心配してるか、わかってるでしょう？」

ソフィーは寝返りを打って母親のほうを向いた。

「あの犬はヘルメスっていうの」ソフィーは言った。

「ええ？」

「アルベルトっていう男の人の犬よ」

「ははあ」

「旧市街に住んでる」

「そんな遠くまで、犬について行ったの？」

「べつにどうってことないわ」

「あなた、あの犬今までにもよく来てたって言ったわね？」

「え、そんなこと言った？」

ソフィーは考えこんだ。できるだけ話しておこう。でも、全部はとても無理だ。

「ママはぜんぜんうちにいないじゃない」

「そうよ。仕事が忙しいの」

「アルベルトとヘルメスは何度もこのへんに来たことがあるわ」

「いったいどうして？　家にも入ってもらったの？」

「頼むから、質問は一つずつにしてくれない？　家には入ってもらってない。でも、よく森を散歩してるわ。これってすごく不思議？」

「ううん、ちっとも不思議じゃない」

「ほかの人たちと同じように、アルベルトとヘルメスも、ごくふつうに散歩でうちの前をとおるの。いつかわたしが学校から帰ってきた時、ヘルメスがそのへんをかぎまわっていた。それがきっかけで、アルベルトとお友だちになったの」

「白兎とかの話、あれはなんなの？」

「アルベルトが言ったのよ。彼は本物の哲学者よ。哲学者たちのことを話してくれるの」

「垣根越しに？」

「ううん、そのへんに腰かけて。でもお手紙もくれる。それもけっこう長いのをね。郵便でくることもあるし、散歩のついでにうちの郵便箱に入れてってくれることもある」

「それが、いつかのラブレター？」

「ラブレターではないけどね」

「お手紙は哲学のことばっかりなの？」

「そうよ、すごいでしょう！　もうアルベルトからは、学校で八年習ったよりもたくさんのことを教わったわ。たとえば、ママはジョルダーノ・ブルーノのことは聞いたことある？　一六〇〇年に火あぶりになった人よ。ニュートンの万有引力の法則は？」

「いいえ、ママはなにも知らない」

「ママはきっと、どうして地球が太陽の周りをまわっているのか、どうしてその逆じゃないのかも知らないでしょう？」

「彼はいくつぐらいなの？」

「知らない。五十はいってる」

「レバノンとはどういう関係があるの？」

これはむずかしい質問だ。ソフィーはいっぺんに十通りも答えをひねり出した。そこからたった一つ、なんとか使えそうな答えを選んだ。

「アルベルトのお兄さんは国連軍の少佐なの。リレサンの出身よ。以前、少佐の小屋に住んでいたことがあるのよ」

「でもアルベルトなんて、ちょっと変わった名前じゃない？」

「そうかもね」

「イタリア人みたい」

「そうね。重要なことはほとんどなにもかも、ギリシアかイタリアからくるの」

「でもノルウェイ語を話すんでしょう？」

「もちろんよ」

「わたしが何考えてるか、わかる？　その、あなたのアルベルトさんを一度お招きするべきだって考えたの。本物の哲学者に会うのは初めてだわ」

「いつかね」

「あなたの大パーティにお招きしたらいいじゃない。いろんな世代の人がいるっていうのは、きっと面白いわ。わたしも参加していいわね？　お給仕してあげられるし。いいアイディアだと思わない？」

「いいわ、彼さえよければ。彼と話してるほうが、クラスの男の子たちとおしゃべりするよりよっぽど楽しいし。でも……みんながアルベルトのことをママのボーイフレンドだって思うわ」

「あなたが、ちがうって言えばいいじゃない」

「そうね」

「そうよ。ねえ、ソフィー……あなたの勘、当たってるのよね、パパとわたしはそんなにうまくいってない……」

「わたし、もう寝る。すごくお腹が痛いの」

「アスピリン飲む?」

「うん」

母が薬とコップの水をもって戻ってきた時、ソフィーはもう眠っていた。

五月三十一日は木曜日だった。ソフィーは学校の勉強にうんざりしていた。哲学講座が始まってから、成績の上がった課目もあった。たいていの課目はいつだって「良」か「優」だったけれど、この一カ月のうちに、社会科のテストと宿題のレポートで「優」をガッポリ稼いだ。でも数学の見通しは暗い……。

その日の最後の授業の時、作文を返してもらった。ソフィーが選んだテーマは「人間と技術」だった。ソフィーは、ルネサンスと科学の大進歩について、新しい自然観について、「知は力だ」と言ったフランシス・ベーコンについて、科学の新しい方法について書いた。それから、技術の欠点と思うことを書いた。そして最後に、人間がすることはすべて、いいことにも悪いことにもなる、と書いた。善と悪は、からまりあう黒い糸と白い糸のようです。かたくからまりあって、解きほぐせないこともあるほどです、とも。

作文を書いたノートを渡すとき、先生はソフィーにいたずらっぽいまなざしをちらと走らせた。点数は最高の〈5プラス〉だった。先生は「何で読んだのかな?」とコメントに書いていた。

ソフィーはフェルトペンでノートに大きく、「わたしは哲学を勉強しています」と書いた。

ノートを閉じようとした時、まんなかあたりから何かが落ちた。レバノンからの絵はがきだった。

ソフィーは机にかがみこむようにして、読んだ。

《愛するヒルデ
きみがこれを読むのは、ここ南の国で起こった悲しい死亡事故のことを電話で話したあとだろう。いつも疑問に思うのだが、人間がほんのもう少しものごとをよく考えることができれば、戦争も暴力も避けられるのではないだろうか。戦争と暴力に対抗するためのいちばんいい方法は、ささやかな哲学講座かもしれない。『国連版　哲学小冊子』なんていうのがあって、若い世界市民はみんな母国語のこの本をもらうんだ。事務総長に進言してみようかな。
電話で、この頃はしっかりしてきた、と言っていたね。それはよかった。だってきみは、わたしが知っているいちばんのそそっかし屋だからだ。でも最近は十クローネ玉一枚しかなくしてないんだってね。いっしょに探してあげようか。わたしは家を離れているけれど、なつかしいふるさとの町に一人や二人の助っ人はいるから。(もしも見つけたら、誕生日のプレゼントといっしょに渡してあげよう。)
帰心矢のごとしのパパよりよろしく》

ちょうど読み終わった時、授業も終わった。ソフィーの頭のなかはまたしても、いろいろな考えの大嵐に見舞われていた。

いつものようにヨールンが校庭で待っていた。帰り道で、ソフィーは通学バッグからあの絵はがきを出して、友だちに見せた。

「消印はいつ?」ヨールンがたずねた。

「たぶん六月十五日じゃ……」

「ちがうわ、ちょっと待って……これは『30/05/90』ってなってる」

「きのうじゃない……ってことは、レバノンでノルウェイ人が死んだつぎの日よ」

「レバノンからノルウェイまで一日ではがきが届くなんて、信じられない」ヨールンは考えこんでしまった。

「とにかく住所は『フルリア中学　ソフィー・アムンセン様方　ヒルデ・ムーレル＝クナーグ様』よ」

「これ、郵便できたと思う？　それを先生がノートにはさんだだけなんだって？」

「わからない。どうやって届いたのかなんて、考えるのも怖い……」

二人はそれ以上、はがきの話はしなかった。

「夏至の前の日にガーデンパーティをやるんだ」とソフィーは打ち明けた。

「男の子たちも呼ぶ？」

ソフィーは肩をすくめた。

「あんなつまんない子たち、呼ぶことないでしょ」

「でもヨルゲンは呼ぶでしょ？」

「あなたがそう言うんなら。ガーデンパーティだもの、頭空っぽのりすが一匹いたっていいわよね。アルベルト・クノックスさんを招待するかも」

「あなた完全にどうかしてる」

「わかってる」

そんな話をして、二人はスーパーのところで別れた。

家につくとソフィーはまず、ヘルメスが来ていないかどうか、庭に目を走らせた。するとこの日は本当に、ヘルメスがリンゴの木のあたりをうろついていた。

「ヘルメス！」

犬は一瞬、立ち止まった。犬がこれからどうするか、ソフィーにははっきりと予測できた。犬はソフィーの呼び声を聞きわけた。そして声がしたほうをふり向いて、ソフィーを見つけると、ソフィーめがけてダッシュした。四本の肢を、まるでドラムの早打ちのようにめまぐるしく動かして。

それはあっという間だった。

駆けつけたヘルメスはしっぽをしきりにふりながら、ソフィーに飛びついた。

「よしよし、ヘルメス！　や、やめてよ……。なめちゃだめ！　わかった？　そう、お座り……。そうね、おりこうさん」

ソフィーは玄関をあけた。シェレカンも薮(やぶ)から姿を現した。見なれない犬に、シェレカンはちょっと警戒した。ソフィーは猫に餌をやり、小鳥たちの餌皿に餌を入れ、亀にサラダ菜をやって、母親に伝言を書いた。

伝言には、ヘルメスを家まで送ってくる、もしも七時までに帰れそうになかったら電話する、と書いた。

そして、一人と一匹は町をつっきっていった。ソフィーはこんどはお金をもって出た。ヘルメスといっしょにバスに乗ろうか、とも考えたけれど、飼い主のアルベルトがなんと言うかわからない、と思いとどまった。

ヘルメスについていきながら、ソフィーは、動物ってなんだろう、と考えていた。犬と人間の違いは？　アリストテレスが言ったことは憶えている。アリストテレスは、人間と動物は自然の生物で、重要な共通点をたくさんもっている、と言ったのだった。でも、人間と動物には根本的な違いもある、それが理性だって。

でも、そういう違いがあるって、どうしてアリストテレスは自信満々で言えたのかしら？

デモクリトスは、どちらも原子が集まってできているのだから、人間も動物もたいした違いはない、と見ていた。それに人間にも動物にも、不死の魂があるなんて信じてはいなかった。デモクリトスは、魂も小さな魂の原子でできていて、死んだら四方八方に飛び散るんだと信じていたっけ。ということはデモクリトスは、人間の魂は脳と切っても切れないって考えていたわけね。

でも、魂が原子でできているなんて、そんなことあるかしら？　魂はとらえようがない。身体のほかの部分のようにはいかない。魂は霊的な何かだもの。

ソフィーとヘルメスは中央広場を横切って、旧市街に近づいた。このあいだ十クローネを拾ったところに来ると、ソフィーは思わず足元に目を落とした。すると、以前ソフィーが十クローネにかがみこんだちょうどその場所に、こんどは絵はがきが、写真を上にして落ちていた。棕櫚（しゅろ）とオレンジの木のある庭の写真だった。

ソフィーはかがんではがきを拾った。とたんにヘルメスがうなり出した。ソフィーがはがきを手にしたのが、気に入らないようだった。

はがきには、こう書いてあった。

《愛するヒルデ

人生は一つながりの偶然の鎖だ。だから、きみがなくした十クローネがちょうどここに現れたことも、ありえなくはない。たぶん、クリスティアンサン行きのバスを待っていたどこかのおばあさんが、リレサンの中央広場で拾ったのだろう。おばあさんは孫の顔を見に、クリスティアンサンから電車に乗って、それから何時間もあとにここでその十クローネを落としたのだ。そしてその日のうちに、一人の女の子に拾われた。その子は、バスで家に帰るにはどうしても十クローネが必要だった。結局わからないことだが、ヒルデ、もしも実際にそうだとしたら、あらゆるものの背後には神の摂理（せつり）のようなものがはたらいている、と考えなければならなくなるね。

心はもうリレサンの桟橋に飛んでいるパパよりよろしく

追伸　十クローネ捜索に協力するとは、前の手紙に書いたよね》

宛先は「たまたまとおりかかった少女様方　ヒルデ・ムーレル＝クナーグ様」。はがきには六月十五日の消印がおしてあった。

ソフィーはヘルメスのあとから階段を駆けあがった。アルベルトがドアをあけたとたん、ソフィーは言った。

「どいて、おじさん、はがきがきてたわ！」

ソフィーは、今は八つ当たりしたっていい、と思ったのだ。

アルベルトはソフィーをなかに入れた。ヘルメスはこのあいだのように洋服掛けの下に寝そべった。

「少佐がまた新しい名刺をくれたのか？　ソフィー」

ソフィーはアルベルトを見あげた。そして、相手が新しい衣裳を着ていることに初めて気がついた。

まず目に飛びこんだのは、長い巻き毛のかつらだった。着ているのはたっぷりとしたレースのついただぶだぶの上着。首の周りにはきざな絹のマフラーを巻いて、さらに上着の上から赤いケープをはおっている。そして白いストッキングと、リボンのついたきゃしゃなエナメル靴で足元をかためている。こんな衣裳をルイ十四世の宮廷の絵で見たことがある、とソフィーは思った。

「ばっかみたい」ソフィーは言って、はがきを差し出した。

「フム……で、きょうこのはがきが落ちてたところで、本当に十クローネを拾ったのかい？」

「ちょうどそこだった」

「どこまでもつけあがるんだな。でもたぶんこれは、こっちの思う壺だ」

「どうして?」

「相手のしっぽがつかまえやすくなるからさ。でもこのやり口は本当にあつかましい。頭にくるなあ。安香水の匂いがぷんぷんする」

「安香水?」

「いくらエレガントな匂いをまねしても、しょせんはまがい物なのさ。だってほら、自分のケチなシナリオを、とぼけて神の摂理に見せかけようだなんて」

アルベルトは、はがきをつっついた。そしてこのあいだと同じように、ビリビリ引き裂いてしまった。ソフィーはアルベルトの剣幕(けんまく)に押されて、学校で宿題のノートのあいだに見つけたはがきのことは言いそびれた。

「リビングに行こうか、ソフィー。今、何時?」

「四時だわ」

「じゃあ、きょうは十七世紀の話だ」


二人は斜め天井と天窓の部屋に移った。ソフィーは、部屋の品じなが以前来た時と少し入れ替わっていることに気がついた。

テーブルには、ちょっとしたレンズのコレクションをおさめた小箱がのっている。その隣には一冊の本が開いてある。とても古い本だった。

「これは?」ソフィーがたずねた。

「ルネ・デカルトの有名な『方法序説』の初版本だ。発行は一六三七年、ぼくの愛蔵品ナンバーワンなんだよ」

「この小箱は？」

「レンズのコレクションだ。レンズじゃなくて光学ガラスと言ったほうがいいかな。十七世紀の中頃にオランダの哲学者、スピノザが磨いたものだ。ぼくにはものすごく高かったけど、これもぼくの宝物ナンバーワンだ」

「デカルトとスピノザがどういう人だったのかわかれば、わたしにもこの本と小箱の値打がわかると思うんだけど」

「ごもっとも。でも、まずは彼らが生きた時代をちょっとおさらいしておこう。座ろうか」

このあいだのように、本と小箱をのせたテーブルをはさんで、ソフィーは深ぶかとした肘かけ椅子に、アルベルトはソファに腰をおろした。アルベルトはかつらを脱いでキャビネットデスクに置いた。

「これから話すのは十七世紀、『バロック』と呼ばれる時代だ」

「バロックってよく聞くけど、どういう意味？」

「バロックというのは、もともと『いびつな真珠』という意味だ。バロック芸術はいびつなのが特徴だ。思いきり装飾したり、コントラストを強調したりね。すっきりと調和のとれたルネサンスの芸術とは大違いだ。十七世紀は、にっちもさっちもいかない矛盾に引き裂かれていた。いっぽうにはルネサンスから受けついだ人生を肯定する世界観があって、もういっぽうには信仰のために俗世間を否定して隠遁生活を送ろうという極端な傾向があった。芸術を見ても現実の生活を見ても、これ見よがしの誇張が目につくかと思えば、現世に背を向けた修道院運動が起こったのもこの時代だ」

「ごてごてしたお城とひっそりとした修道院が建てられた時代なのね」

「うまいこと言うね。バロックのあいことばはラテン語で『カルペ・ディエム』、『今を楽しめ』だ。もう一つ、よく引用されるラテン語の格言は『メメント・モリ』、『死を忘れるな』という意味だ。

享楽的な生を描いた画面の下の隅っこに骸骨が描きこまれた絵なんかがある。いろんな点で、バロックの特徴は『つかのまの華やかさ』だ。でもこうしたコインの裏側にかかわっていた人たちもたくさんいて、あらゆるものの『うつろいやすさ』が彼らの心を占めていた。つまり、ぼくたちをとりまく美しいものはすべていつか死に、朽ち果てる、ということだ」

「そのとおりだわ。なに一ついつまでもそのままではないって考えると、悲しくなる」

「じゃあ、きみは十七世紀の人間と同じ考えなんだ。政治でもバロックは大きな対立の時代だった。ヨーロッパは戦乱のために荒廃した。一六一八年から一六四八年までヨーロッパに荒れ狂った三十年戦争は最悪だった。おびただしい小さな戦闘をまとめてこう呼ぶんだけど、なかでもドイツが大きな傷手(いたで)をこうむった。フランスがだんだんとヨーロッパの一大勢力にのしあがってきたことも、三十年戦争の見逃せない結果だ」

「戦争のもとは?」

「まずは宗教、プロテスタントとカトリックの闘いだ。でも、政治権力もからんでいた」

「レバノンとちょっと似ている」

「そのほか十七世紀は、階級の違いがけたはずれに大きかった時代でもある。フランスの貴族とヴェルサイユ宮殿のことは聞いたことがあるね? でも、貧しい人びとのことも同じくらいちゃんと勉強したかな? 支配者たちは権力を固持してぜいたくを誇示していた。バロックの政治状況は、この時代の美術や建築とそっくりだ。バロックの建造物はすみずみまで装飾であふれ返っていた。そして政治は暗殺や陰謀や策略であふれ返っていた」

「この時代のスウェーデンの王様のだれかが、劇場で射殺されなかった?」

「グスタフ三世のことだね。うん、今ぼくが言ったことのいい例だ。グスタフ三世殺害はずっとあとの一七九二年のことだけど、とてもバロック的な事件だった。王は大がかりな仮面舞踏会で暗殺されたんだ」

「それも劇場で」

「仮面舞踏会はオペラ劇場で開かれた。スウェーデンのバロック時代はグスタフ三世の暗殺で終わった。この王のもとでは『啓蒙主義的絶対主義』がさかえていた。百年近く前のルイ十四世の治世のようにね。グスタフ三世はまた、たいへん派手好きで、フランス風の儀式や宮廷ことばを愛した。そしてきみの言うように、演劇を愛した」

「それが命取りになったけど」

「バロック時代には、演劇は芸術の一ジャンルなんてもんじゃなかった。第一級の象徴だったんだ」

「何を象徴したの？」

「人生だ、ソフィー。十七世紀には、『人生は劇場』とどれほどくりかえされたことだろう。そしてまさにバロック時代に、舞台装置や器械(からくり)が出そろって、現代の演劇につながる演劇ができあがった。演劇は舞台に幻想的なシーンをくりひろげておいて、それがただの幻想だということを同じ舞台の上であばいた。だから演劇は人生そのものの象徴だと言うんだ。劇場は、おごれる者ひさしからず、ということを表した。人間のみじめさを容赦なく表現した」

「ウィリアム・シェークスピアもバロックの人？」

「シェークスピアが偉大な作品を書いたのは一六〇〇年前後だ。だからシェークスピアは片方の足でルネサンスを、もう片方の足でバロックを踏まえて立っていたんだね。シェークスピアの作品にも、人生は劇場ということばがちりばめられている。例を聞きたい？」

「聞きたい」

「『お気に召すまま』という作品では、こう言っている。

世界は劇場
女も男もみんな役者
登場しては、退場し
一生、さまざまな役で七幕を演じきる

『マクベス』ではこうだ。

人生はうつろう影絵芝居
あわれな役者風情（ふぜい）がふんぞり返り、歯嚙（はが）みする
ほんのいっとき舞台をつとめ
ぱたっと音沙汰なくなる。どんちゃん騒ぎの
うつけのしゃべるおとぎ話
意味などありはしない」

「暗すぎる」

「でも、人生は短いということが、シェークスピアの心をとらえていたんだ。きみは、シェークスピアのいちばん有名なセリフを知っているね？」

「存在するかしないか、それが問題だ」

「そう、ハムレットが言ったんだったね。ある日、ぼくたちはこの世をさまよい、つぎの日には消えている」

「もういいったら。そんなこと、わかってる」

「演劇人たちは人生を劇場に見立てたけど、バロックの詩人たちは夢にたとえた。たとえばシェークスピアも言っている。『わたしたちは数かずの夢を生む素材、この短い生をとりまくのはたった一つの眠り……』」

「すてき」

「一六〇〇年に生まれたスペインの作家カルデロンは、『人生は夢』という芝居を書いた。そのなかで、こう言っている。『人生だと？ 狂乱だ！ 人生だと？ 空っぽのしゃぼん玉だ！ 作りごとだ！ 影だ！ 幸福がなんになる。人生はすべて夢、あまたの夢は一つの夢なのだから……』」

「そのとおりなんでしょうね。『山のイェッペ』っていうのを学校で読んだことがあるわ」

「ルートヴィヒ・ホルベアの作品だね。バロックから啓蒙主義への橋渡しをした、北欧の文豪だ」

「イェッペは道ばたの溝のなかで眠ってしまって……目が覚めたら男爵のベッドにいた。それで、貧しい田舎者になった夢をみてたんだと思った。そして、眠っているあいだにまた道ばたの溝につれていかれて、また目が覚めた。で、こんどは、男爵のベッドで寝ていた夢をみたんだと思った」

「ホルベアはこのモティーフをカルデロンから借りてきた。そしてカルデロンはアラブの『千一夜物語』からとったんだ。でも、人生を夢になぞらえるモティーフは、時代をもっともっとさかのぼれる。大昔のインドや中国にまでね。昔の中国の賢者、荘子が蝶になった夢をみて、目が覚めてから考えた。わたしは蝶になった夢をみた人間だろうか、それとも今人間になっている夢をみている蝶なんだろうかって」

「どっちにしても、何が正しいか、証明はできないわ」

「ノルウェイには本物のバロック詩人がいる。ペッテル・ダスだ。一六四七年から一七〇七年に生きた人で、今ここにある生を描いたけれど、そのいっぽうで神だけが永遠不変だ、とも言った」

「『ものみな枯れ果てようとも神は神、ものみな死に絶えようとも神は神』でしょ？」

「その同じ頌歌のなかに、ダスは北ノルウェイの暮らしぶりも書きこんでいる。シマドジョウや鮭や鱈について書いている。こういうところがいかにもバロックらしい。同じ一つのテクストに現世の下世話なことが書いてあるいっぽうで、彼岸の天上的なことも書いてある。ダスとは反対に、現実の感覚界と不変のイデア界をきっぱりと分けたプラトンを思い出すね」

「哲学はどうなったの?」

「哲学でも、対立する考え方がはげしく闘っていたのがこの時代の特徴だ。多くの哲学者たちは、存在はつきつめれば精神的な、霊的なものだと見なしていた。こういう立場を『観念論』という。その反対の立場が『唯物論』、すべての現象を具体的な、物質的なものに引きおろそうとする哲学だ。唯物論を支持する哲学者も、十七世紀にはたくさんいた。なかでも影響力が大きかったのは、イギリスの哲学者、トマス・ホッブスだろうな。ホッブスは、すべての現象は、ということは人間も動物も、物質でできた部品のよせあつめだ、と考えた。人間の意識、つまりは魂だって、脳のなかのちっぽけな部品が動くことによってできている、とね」

「それじゃあ、ホッブスは二千年も前のデモクリトスと同じことを考えたのね」

「観念論と唯物論は、哲学史の全体をつらぬいている。バロック時代は、この二つの見解がめったにないほどはっきりと打ち出されたってだけのことだ。唯物論は、新しい自然科学によって着々と補強されていった。ニュートンは、運動についての法則は宇宙全体にあてはまる、と言ったんだったね。重力の法則と物体の運動法則が、地上だろうが宇宙だろうが、自然のあらゆる変化の鍵をにぎっている、と。すべては同じ法則性、同じ機械論に支配されているのだから、原則的には、自然界のあらゆる変化は数学的な厳密さで予測することができる、とね。ニュートンはいわゆる機械論的な世界観の総仕上げをした人だ」

「ニュートンは世界を大きな機械だと考えたわけ?」

「そのとおりだよ。『メカニカル』の語源はギリシア語の『メーカネー』、機械という意味だ。でも、気をつけなくちゃならないけど、ホッブスもニュートンも、機械論的世界観と神への信仰が矛盾するとは考えてなかったんだ。十八、九世紀の唯物論者はみんなそうだよ。フランスの、医者で哲学者のラ・メトリーは十八世紀の中頃に『人間機械論』という本を書いた。そこには、足に歩くための筋肉があるように、脳には考えるための筋肉がある、と書いてある。それよりあとにフランスの数学者ラプラスは、極端な機械論をこう表現した。もしもある知性がある時点であたえられた物質をそのもっとも小さな部分まで知りつくしてしまえば、『わからないことはなに一つなくなり、未来も過去も手にとるようにわかるだろう』ってね。つぎにどんなカードが出るかは、もう決まっているんだ。こういう世界観を『決定論』という」

「そうすると、人間には自由な意志なんてないってことね」

「そうだね、すべては機械的なプロセスの産物ってことになる。ぼくたちの思考も夢もだよ。十九世紀のドイツの唯物論者たちは、思考のプロセスと脳の関係は、尿と腎臓の関係や胆汁と肝臓の関係みたいなものだ、と考えた」

「尿や胆汁は物質よ。でも思考はそうじゃない」

「今きみは重要なことを言ったよ。同じことをよく言い表しているたとえ話をしよう。ある時、ロシアの宇宙飛行士と脳外科の専門家が信仰について話をした。脳外科医はキリスト教徒で、宇宙飛行士は無宗教だ。『もう何度も宇宙に行ってきたけれど』と宇宙飛行士がひけらかした、『神も天使も見かけなかったぞ』。『もういくつも優秀な脳を手術したけれど』と脳外科医が言い返した、『思考のかけらなんてどこにも見かけなかった』」

「でも、思考がないってことではないわ」

「そうだよ。脳外科医は、思考はどんどん小さく切り刻めるようなものとはまったく別物だ、ということを言っただけだ。たとえば妄想を手術でとりのぞくのはむずかしい。妄想は手術の手には届かないところに巣くっている。ライプニッツという十七世紀の重要な哲学者は、物質でできているすべてのものと精神に発するすべてのものの違いは、物質的なものはどこまでも小さな部分に分けることができる、というところにある、と言った。でも、魂はばらばらに切り分けられないものね」

「当たり前よ、どんなメスを使えばいいのよ?」

アルベルトは首を横にふっただけだった。そして、二人のあいだのテーブルを指さして、言った。

「十七世紀のもっとも重要な二人の哲学者が、デカルトとスピノザなんだ。この二人も、魂と肉体の関係はどうなっているか、という問いにとりくんだ。この二人の哲学者を少しくわしく見ていこう」

「いいわ。でも、七時までに終わらなかったら、わたし、ママに電話しなくちゃ」

デカルト――工事現場から古い資材をすっかりどけようとした人

アルベルトは立ちあがって、赤いケープを脱いだ。それをそのへんの椅子の背にかけて、ソファにゆったりと座りなおした。

「ルネ・デカルトは一五九六年に生まれて、生涯、ヨーロッパをあちこち旅してまわった。すでに若い頃から、人間と宇宙の本当の姿を知りたいという願いに燃えていた。でも当時の哲学を学んだあとで痛切に感じたのは、自分があいかわらずなにも知らないということだった」

「ソクラテスと同じように?」

「そうだね。ソクラテスのようにデカルトは、ぼくたちにたしかな知識をあたえるのは理性しかない、と固く信じていた。昔の本に書いてあることを頼りにするわけにはいかないし、感覚が語ることを信じてもいけない、とね」

「プラトンもそう考えた。理性だけがたしかな知をもたらすんだって」

「そのとおり。ソクラテスとプラトンからは、アウグスティヌスをとおってまっすぐの線がデカルトまで伸びている。この人たちはみんな合理主義者だ。理性は知識のたった一つの源だ、と考えていた。デカルトはいろいろ研究したすえに、中世から伝えられている知識はかならずしも当てにはならない、と見きわめをつけた。アテナイの市場で、みんなが頭から信じている通念に出くわして、それをうのみにしなかったソクラテスに似ているね。それからソクラテスやプラトンはどうしたんだっけ？　ソフィー。言ってみてくれる？」

「自分で哲学しはじめた」

「そうだね。ソクラテスはアテナイの人びとと話をすることに一生を費やしたけど、デカルトはヨーロッパを旅することにした。デカルト自身が書いているんだが、彼は自分自身のなかか、さもなければ『世界という大きな本』に見つかる知だけを追い求めようと思った。そこでまずは軍隊に入った。おかげで中央ヨーロッパのいろんな土地を体験できた。のちにはパリに数年住んだ。それから一六二九年五月、オランダに行って、そこに二十年近くとどまって哲学の本を書いた。一六四九年、クリスティナ女王がスウェーデンに招いてくれた。ところがスウェーデンにいたあいだに肺炎を起こして、一六五〇年の冬に亡くなった」

「じゃあ、まだ五十四歳だったのね！」

「でもデカルトは死んでからも哲学に大きな影響をあたえることになる。デカルトは近代哲学の基礎を固めた、と言っても大げさではない。ルネサンス時代に人間と自然が再発見されて、人びとは興奮状態にあったけど、それがおさまると、同時代に考えられたことを一貫した『哲学体系』にまとめる必要が出てきた。その体系をつくった偉大な人物の第一号がデカルトなんだよ。そのあとにスピノザ、ライプニッツ、ロック、バークリ、ヒューム、カントがつづく」

「『哲学体系』ってなんのこと？」

「哲学のあらゆる重要な問いに首尾一貫した答えを見つけようとして、土台からつくられる哲学っていう意味だ。古代にはプラトンやアリストテレスのような偉大な哲学者たちが体系をつくった。中世には、アリストテレス哲学とキリスト教神学に橋をかけようとしたトマス・アクィナスがいた。そしてルネサンスになると、自然と科学、神と人間についての古い考えと新しい考えが入り乱れて、それこそ収拾のつかないことになった。十七世紀になってようやく、哲学者たちは新しい考えを新しい哲学体系につくりあげようとした。この試みに最初に手をつけたのがデカルトだったのさ。デカルトは、つづく世代がまず第一にとりくんでいかなければならない哲学の研究テーマにスタートの号令をかけたのだ。デカルトがまず取りあげたのは、ぼくたちは何を知ることができるのか、ということだ。『ぼくたちの認識のたしかさ』の問題だね。デカルトの心にかかっていたつぎに大きな問題は、『身体と心の関係』だ。この二つの問題が、つづく百五十年の哲学のテーマになったんだ」

「デカルトは進んでたってことね」

「いや、この時代、二つともごくありふれた問題だった。ぼくたちはたしかな認識を手に入れることができるのか、と問う人はたくさんいた。そういう問いを投げかけるのは、徹底した懐疑主義を主張するためだった。つまり答えは決まっていて、人間はなにも知らないということをあきらめて受けいれなければならない、というものだった。けれどデカルトはあきらめなかった。ここであきらめたら真の哲学者とはいえない。このことでもデカルトは、ソフィストの懐疑に満足しなかったソクラテスと似ていた。まさにデカルトが生きていた時代、自然過程を正確に記述する新しい自然科学の方法がつくられていた。だからデカルトは、哲学にも正確な方法はないだろうか、と考えたんだ」

「なるほど」

「問題はもう一つあったね。新しい自然科学は、物質の本性とは何かを追究していた。つまり、何が自然の物理的な過程を決定づけるのか、ということだ。唯物論で自然を理解する人がどんどん増えていた。でも、機械論で自然を解釈すればするほど、身体と心の関係の問題はぬきさしならないものになってくる。十七世紀までは、魂はふつう、生きているすべてのものを生かしている生命の息吹のようなものとされていた。ついでに言っておくと、『魂』や『精神』のもともとの意味も、『息』とか『呼吸』だった。それは、ほとんどすべてのインド－ヨーロッパ語に共通している。アリストテレスは魂を、一つの有機体のすみずみにまでいきわたった生命原理、したがって肉体から切り離すことなど考えられない何か、ととらえていた。だからアリストテレスは、植物の魂や動物の魂なんて言えたんだ。十七世紀になって初めて、哲学者たちは心と身体をすっぱりと切り離した。動物や人間の身体をふくめて、すべての物質的なものは機械的な過程で説明される、というわけだ。でも、人間の心はこの身体という機械のどこにも属さないということになるのだろうか？　だとすれば心とはなんだろう？　それよりなにより、精神的なものはどうやって機械的な過程を動かせるのだろう？　そういうことを解明しなくてはならなくなったんだ」

「その考え方、ちょっと変わってる」

「どうして？」

「だって、心と身体はつながっているはずよ。わたしが腕をあげることにするでしょ、そうしたら、ほら、腕はあがる。それとか、バスを追いかけることにするでしょ、そしたらつぎの瞬間、わたしの足は猛烈にダッシュしている。なにか悲しいことを考えれば、すぐに涙が浮かんでくる。だからね、身体と意識にはなにか秘密の関係があるのよ」

「デカルトはまさにその問題を考えたんだよ。プラトンと同じようにデカルトも、精神と物質のあいだにははっきりとした境界があると考えた。でも、だったら精神は、あるいは魂はどのようにして肉体に影響をおよぼすんだろう？　プラトンはこの問いには答えていない」

「うーん、わたしもわからない。デカルトはなんて言ったの？」

「デカルトのことばを聞いてみよう」

アルベルトは、二人のあいだのテーブルの本を示した。

「デカルトは『方法序説』というこの小さな本のなかで、哲学者はどのような哲学的方法で哲学の問題を解くべきか、と問いかけている。自然科学はすでに新しい方法を発展させていた……」

「さっき言ったわ」

「デカルトはまず、それが真実だということが『はっきりと精確に』認識できないうちは、なにも真実と見なしてはならない、と言っている。はっきりとした精確な認識にいたるには、まず、こみいった問題をできるだけたくさんの部分にばらすことだ。そうすれば、いちばん単純な観念から出発できる。一つひとつの観念が『秤（はかり）にかけられたり物差しをあてられたり』すると言ってもいい。ガリレイがすべてを計ろうとした、計れないものは計れるようにしようとした、あれとだいたい同じだね。哲学者は単純なものから始めれば複雑なものへと進んでいける、とデカルトは考えた。そんなふうにすれば、新しい認識をつくっていける。でもなに一つもらさないために、最後の最後まで何度も検算し、チェックしなければならない。そういうふうにして初めて、哲学の結論を出せるのだ、とね」

「計算問題みたい」

「そうだよ、デカルトは『数学の方法』を哲学に応用しようとしたんだ。言ってみればデカルトは、哲学上の真理を数学の定理のようにきちんと示そうとしたんだ。デカルトは私たちが計算する時に使う道具、つまり『理性』を用いようとしたんだね。なぜなら、理性だけがたしかな認識をもたらしてくれるからだ。感覚に頼ったものは、ぜんぜんたしかではない。デカルトとプラトンは似ているってさっき言ったけど、プラトンも、数学と数比は感覚よりもたしかな認識をもたらす、と言っていた」

「でも、さっきみたいにすれば、ほんとに哲学の問いに答えが出るの？」

「デカルトの論の進め方に戻ろうか。デカルトが目指したのは、本当の意味で存在するのは何か、ということについて、たしかな認識にいたることだった。デカルトは、ぼくたちはまずはすべてを疑わなくてはならない、ということをはっきりと打ち出した最初の人だ。デカルトは哲学体系を砂の上には建てたくなかった」

「基礎がいいかげんだったら、家全体がたおれてしまうものね」

「助け舟ありがとう、ソフィー。デカルトによれば、すべてを疑うことが適切だというわけではないけれど、原則としてすべてを疑わしいと思うことはできる。まず第一に、プラトンやアリストテレスの本に書いてあったことを頼りに哲学の探究を進めるのは、確実とはいえない。歴史についての知識は広がるかもしれないが、世界を知るということにはならない。デカルトは、自分自身の哲学を打ち立てるには、まず古い知的遺産は捨ててしまうことが大切だと考えた」

「デカルトは、新しい家を建てる前に、工事現場から古い資材をすっかりどけようとした人なのね？」

「そう、新しい思考という建物を長持ちさせるために、デカルトは新しい、しっかりした建築資材だけを使いたかったんだ。デカルトはとことん疑った。感覚が語ることはけっして信頼できない、と考えた。感覚はぼくたちをたぶらかすかもしれないからね」

「どういうこと？」

「夢をみている時、ぼくたちは本当になにかを体験してると思いこんでいるじゃないか。覚めている時の感覚と夢をみている時の感覚と、どこがちがう？　『よく考えてみると、覚醒状態と夢をたしかに区別する特徴などない』とデカルトは書いている。さらにつづけて、『二つはたいへんよく似ていて、まったく驚いてしまうほどだ。人生のすべてが夢ではないと、どうして確信できるだろうか？』」

「山のイェッペも、男爵のベッドにいた夢をみただけなんだと思いこんでた」

「そして男爵のベッドに横になっていた時は、自分が貧しい農民だということを夢だと思ったんだったね。まあ、とにかくデカルトは、すべてを疑ってみたんだ。デカルトより前のたくさんの哲学者たちは、ここで考察を終わりにした」

「だったらその人たちは、たいして先には進まなかったのね」

「でもデカルトはちがった。なにもかも疑わしいというこのゼロ点から、さらに先へ進んだ。デカルトはすべてを疑ったけど、たった一つ信じていいことがある、と思いついた。それは、彼がすべてを疑っているということだ。疑っているということは、疑わしいと考えているということだ。だから、疑わしいと考えているならば、そう考えている自分がたしかに存在するのだ。これをデカルトのことばで言えば、『コギト・エルゴ・スム』」

「それ、どうせラテン語ね？　どういう意味？」

「わたしは考える、だからわたしは存在する」

「べつにびっくりするような結論じゃないわ」

「そうだね。でもデカルトが、自分は考える『わたし』だと突然理解した時の、直観の確実さとリアリティに注意してほしい。プラトンは、ぼくたちが理性でとらえるものは感覚でとらえるものよりもリアルだ、と考えたんだったね。デカルトもまるで同じだ。デカルトは、わたしとは考える『わたし』だ、と認識しただけではなくて、この考える『わたし』は、わたしが感覚でとらえる物質世界よりもリアルだ、ということも認識したんだ。そしてデカルトはここからもっと先に進んだ、ソフィー。デカルトの哲学の探究はまだまだ終わらない」

「つづけて」

「デカルトは、考える『わたし』と同じくらい直観的に確実なものがほかにもないだろうか、と考えて、心のなかにあるいろいろな観念をこの基準で吟味してみた。すると『完全なもの』、つまり神という観念が見つかった。この観念は気づいた時にはすでにもうあった、だから彼が自分でつくりだしたものではない。だいいち、彼という不完全なものが完全なものという観念をつくりだせたはずがない。完全なものという観念は完全なものそのものから、つまり神から出ているにちがいない。だからデカルトは、神が存在するということは、考える『わたし』が存在するということとまったく同じくらいはっきりしている、と認識したんだ」

「デカルトはちょっといそぎすぎてると思う。初めはあんなに慎重だったのに！」

「そうだね、それがデカルトの最大の弱点だ、と言う人は多い。たしかにこれは、推論を重ねた証明とは言えないよね。デカルトはただ、ぼくたちはみんな完全なものという観念をもっている、そしてこの観念には、完全なものは存在しないわけにはいかない、ということがふくまれる、と言っただけだ。なぜなら、完全なものは存在しなければ完全ではないからだ。それに、もしもそういうものがなかったら、ぼくたちは完全なものという観念をもってなかっただろう。なぜなら完全という観念は、不完全なぼくたちがいくらつくろうと思ってもつくれないのだから、とね。デカルトによれば神という観念は、『芸術家が作品に刻みこむしるしのように』、ぼくたちが生まれた時から植えつけられている、生まれつきの観念なんだ」

「でも、たとえわたしがゾニ、ほらあれ、プラトンのイデアのところで出てきたワニでもゾウでもないもの、あれのイメージをもっていたとしたって、ゾニがいるってことにはならないわ」

「デカルトなら、ゾニが存在するということは『ゾニ』という概念にはふくまれない、と言うだろうね。でも、完全なものが存在するということは、完全なものという概念に初めからふくまれる。デカルトにとってはそれは、円という概念には、円周上のすべての点は円の中心から等距離にある、ということがふくまれるのと同じくらいたしかなことだった。円についてなら、この必要条件をみたしていなければ円とは言えない。だから完全なものについても、いちばん重要な特性、つまり存在するということを欠いていたら、完全なものとは言えないんだ」

「すごくへんな考え方」

「これは極端に合理主義的な考え方だ。デカルトはソクラテスやプラトンのように、思考することと存在することはつながっていると考えた。考えて納得のいくものほどたしかに存在する、とね」

「デカルトは、自分が考える人だってことと、完全なものは存在するってことを認識したわけね」

「そう、デカルトはここから出発して先へと進んだ。ぼくたちが感覚をとおして外の現実から受けとるすべて、たとえば太陽や月なんかもふくめた、なにもかもはただの夢かもしれない。色とか匂いとか味のような『質的特性』はぼくたちのあいまいな感覚器官に結びついていて、外の現実なんか表していないんだ。でも外の現実にも、ぼくたちが理性で認識できる特性はある。それは数学にかかわるもの、つまり長さとか幅とか高さとかの、計ることのできる特性だ。理性にとってこの『量的特性』は、わたしは考える存在だ、ということと同じくらいはっきりしている」

「だとすると、自然は夢なんかじゃないのね？」

「そうだね。それを言うために、デカルトはもう一度完全なものという観念を出してくる。もしもぼくたちの理性が何かを、つまり外の現実のうちの数学にかかわることをはっきりと認識したならば、事実そのような状態が存在するはずだ。だって完全な神がぼくたちをだますはずはないんだから。デカルトは、ぼくたちが理性で、つまり数学で認識することが現実と一致することには『神の保証』がある、と言っている」

「なるほどね。デカルトは、自分が考える存在だということと、神はいるということと、それから外の現実もあるということをつきとめたわけね」

「でも外に存在する現実と思考のなかに存在する現実は、まったくちがった性質をもつ。そこでデカルトは、二つの異なった形の現実、『実体（スブスタンティア）』がある、ということを主張しはじめる。一つは『思惟するもの』あるいは精神、もう一つは『延長（ひろがり）』あるいは物体だ。精神は意識するだけで、空間のなかに場所をとらない、だからもっと小さな部分に分割されもしない。いっぽう物体はただ広がっているだけで、空間に場所をとり、だからどんどん小さな部分に分割される。でも何かを意識することはない。デカルトは、両方の実体は神から出ている、なぜなら神だけがほかの何かに頼らないで存在するからだ、と言った。でもたとえ思惟するものと延長が神に由来するとしても、二つの実体はたがいに独立している。思考は物質から自由だし、その逆も言える。だって物質の過程は思惟するものに関係なく進んでいくのだから」

「神の創造物は二つに分けられるということね」

「そのとおり。デカルトは二元論者と呼ばれるけれど、それはデカルトが精神の世界と延長の現実のあいだにくっきりと境界線を引いたからだ。たとえば、人間だけが精神をもっている。動物はそっくり延長の世界に属するだけだ。だから動物の生命と動きはどこまでも機械的だ。デカルトは動物を一種の複雑な自動人形（オートマトン）と見ていた。デカルトは延長の世界をとことん機械のようにとらえている。まるで唯物論者だ」

「わたしはヘルメスが機械か自動人形だなんて、ぜったい信じられない。デカルトは一度も動物を好きになったことなんてなかったのよ。でも、わたしたちはどうなの？　わたしたちも自動人形？」

「そうだとも言えるし、そうでないとも言える。デカルトがたどりついた結論は、人間は考えもすれば、空間に場所をとりもする二重の存在だ、ということだ。だから人間には精神と空間的な身体があるんだ。これとちょっと似たことは、アウグスティヌスとトマス・アクィナスが言っていたね。この人たちは、人間は動物のように肉体をもち、だけど天使のように魂ももっている、という言い方をしたのだった。デカルトは人間の身体を精密機械と見ていた。でも人間には精神もあって、精神は身体とは別にはたらく。私たちが理性で考えるということは身体での出来事ではなくて、延長するものに縛られない精神での出来事だ。いっぽう身体の過程には精神のような自由はなくて、身体の法則にしたがっている。それからついでに言っとくと、デカルトは、動物も考えることができるかもしれない、ということを否定してはいない。でも、もしも動物にそういう能力があるとしたら、動物も人間と同じように思惟する部分と延長する部分の二つからできていることになるね」

「それはさっきも話に出たわね。わたしがバスを追いかけることにしたら、わたしという『自動人形』はいっせいに動き出す。そしてバスに乗り遅れたら、わたしは涙を浮かべる」

「そういう相互作用が精神と身体にしょっちゅうくりかえされるということを、デカルトはどうしても無視できなかった。精神は身体のどこかにあって、特別な脳組織によって身体とつながっている、とデカルトは考えた。そして、松果腺がその脳組織にちがいない、と。この組織で精神と身体はたえずはたらきかけあっているのだ。デカルトによれば、そのため精神は、身体の欲求に結びついた感覚や感情にたえずかき乱されることになる。目指すは精神が主導権を握ることだ。だって、どんなにぼくのお腹が痛くても、三角形の内角の和は一八〇度だ。そんなふうに、思考は身体の欲求を超えて『知的に』ふるまうことができる。つまり、精神は身体から完全に独立しているんだ。ぼくたちが年をとると、足は弱くなる。腰はまがる。歯は抜ける。でも、ぼくたちに理性があるかぎり、二たす二はいつまでも四だ。身体は老いても、理性は年をとらないし、よぼよぼにもならないからだ。デカルトにとっては理性的であることが、ほかでもない、精神的だということだった。欲望や憎しみのような下等な感情は身体の機能に、つまり延長するものの世界にかたく縛りつけられている」

「デカルトが身体を機械か自動人形みたいに考えていたことが、どうしても引っかかるなあ」

「このたとえはね、デカルトの時代の人びとが、ひとりでに動くように見える器械や時計じかけに、すっかり夢中になっていたことからきてるんだ。自動人形は、まさにひとりでに動くしかけだ。自動人形がひとりでに動くように見えるのは、もちろんただの惑わしだ。当時、たとえば精巧な天文時計が人間の手によって組み立てられ、ねじを巻かれた。そこでデカルトはこう言った。そういう人工的な装置は、人間や動物の身体をつくっているたくさんの骨や筋肉や神経や動脈や静脈にくらべれば、ほんのわずかな部分からごく単純に組み立てられている。だったら、神ならばこういう機械の法則を踏まえて、人間や動物の身体をつくれないはずはないじゃないか、とね」

「今はよく人工頭脳って聞くけど」

「現代の自動人形だね。ぼくたちは、本当に思考しているんじゃないかと思うような機械をつくった。もしもデカルトが見たら、きっとパニックを起こしただろうな。人間の理性は彼が考えたほどに自由で独立しているんだろうか、と考えこんだにちがいない。事実、人間の精神生活は身体の活動からちっとも自由なんかではない、とする哲学者たちもいるしね。もちろん人間の精神はコンピュータのプログラムなんかよりもずっと複雑だけれど、ぼくたちは原則としてそうしたプログラムと同じで自由なんかもたないと考える人も多いんだ。でもまあ、ちょっといいものを見せよう、ソフィー」

アルベルトは部屋の反対側の隅に置かれた大きなライティングデスクを示した。小型のディスプレイがのっている。アルベルトは立ちあがってそちらに移動した。ソフィーもついていった。

アルベルトがコンピュータを立ちあげると、ほどなくスクリーンの左上の隅に「c:」という文字が浮かびあがった。アルベルトは「laila」と書きこんだ。

「これは最新の対話プログラムなんだよ」

スクリーンに文が現れた。

「ハロー、ライラです。リラックスしてますか?」

ソフィーがキーをたたいた。

「はい」

ソフィーはまだ立ったままだった。アルベルトが椅子をもってきてくれた。

「お名前は?」と、スクリーンに出た。

「ソフィー・アムンセン」ソフィーが打つと、コンピュータが答えた。

「クローバー通り三番地。はじめまして、ソフィー。十五の誕生日は楽しみですか?」

ソフィーはぎくっとして肩をすくめた。アルベルトはソフィーの肩に手を置いた。

「ライラには、きみの名前と住所と誕生日だけをインプットしておいた。だれかを紹介する時のようにね。あらかじめだれかについて少し知っておいてもらうのはいいことだ」

「まあね」と、ソフィーは打った。

「まあね、ですか、ソフィー。きちんとした文で話すようにしてください」

「わかりました、わたしは誕生日が楽しみです。少し質問していいですか？」

「それはよかった。どうぞ、質問してください」

「あなたはいくつですか？」

「わたしは一九八八年八月八日にアトランタで組み立てられ、一九九〇年三月二十八日にノルウェイ工科大学でノルウェイ語に翻訳されました」

「バリバリね！」

「きちんとした文で話すようにと言ったはずです」

「わたしは、バリバリですね、と言いました」

「俗語はわかりません。わたしには十万語以上登録されていますが、『バリバリ』はなにか硬いものをくだく音としてしか登録されていません」

「バリバリというのは、すごいということです」

「そうですか。ではソフィー、あなたはバリバリですか？」

「そんなこと知りません」

「知らないというのは、新しい認識にいたるステップです」

「同じことをソクラテスが言いました。デカルトも言ったと思います」

「ソクラテスはギリシアの哲学者で、紀元前四七〇年から三九九年の人です。もっと知りたければ、f7のキーを押してください。デカルトはフランスの哲学者で、一五九六年から一六五〇年の人です。もっと知りたければ、f8のキーを押してください」

「ありがとう、けっこうです。ほかの質問をしていいですか？」

「どうぞ、けっこうです。ほかの質問をしてください」

アルベルトはにっこりした。ソフィーは書いた。

「ヒルデ・ムーレル＝クナーグとはだれですか？」

「ヒルデ・ムーレル＝クナーグはリレサンに住んでいて、ソフィー・アムンセンと同い年です」

「なぜ知っているのですか？」

「なぜかはわかりませんが、わたしのハードディスクにそうありました」

ソフィーの肩に手がのせられた。

「ぼくたちがヒルデについて知っている、少しばかりのことをインプットしておいた」

「ヒルデについて、もっと知りませんか？」とソフィーは打った。

「ヒルデの父親はレバノンの国連監視団にいます。彼は少佐で、娘に絵はがきを送っています」

「彼を検索してください」

「できません。彼のデータはわたしの記憶装置に見当たりませんし、わたしはほかの端末と接続していません」

「彼を検索してください！！！！！」

「怒ったのですか？　ソフィー。そんなにたくさんエクスクラメーションマークを打つというのは、激しい感情の表れです」

「ヒルデの父親と話がしたいのです！」

「あなたは意志をコントロールする能力に問題があります。あなたの人格形成期について話したければ、f9のキーを押してください」

またアルベルトがソフィーの肩に手を置いた。

「ライラの言うとおりだ。これは占いの水晶玉じゃないんだよ。ライラはただのコンピュータプログラムだ」

「そんなこと話したくない！」とソフィーは書いた。

「あなたがお望みなら、ソフィー。わたしたちの対話は十三分五十二秒でした。わたしはこの会話をすべて記憶します。ここでプログラムを終わります」

スクリーンにふたたび「c:」という文字が浮かんだ。

「さて、話を再開しようか」とアルベルトが言った。

けれどもソフィーはもう、新たにいくつかの文字を打っていた。「knag」とソフィーは打った。

つぎの瞬間、スクリーンにメッセージが現れた。

「呼んだかな？」

驚いたのはアルベルトだ。

「あなたはだれですか？」とソフィーは書いた。

「アルベルト・クナーグ少佐、もっか軍務についている。わたしは直接レバノンからアクセスしています。みなさん、何がご要望ですか？」

「なんてことだ」アルベルトがうめくように言った。「こいつ、ぼくのハードディスクにしのびこんだな」

アルベルトはソフィーを椅子から押し退けて、キーボードの前に座った。

「どうやってぼくのコンピュータに侵入したんだ？」とアルベルトは打った。

「ちょっとしたことですよ、アルベルト。わたしは現れたいと思うところに現れるのです」

「コンピュータウイルスめ！」

「まあまあ、わたしは、言ってみれば誕生日おめでとうウイルスです。娘へのメッセージを伝えていいですか？」

「いや、けっこう。もういいかげんうんざりだ」

「でもすぐすみます。ヒルデ、十五歳の誕生日、心からおめでとう。こんななりゆきになってしまって、ごめん。でも、きみが行くところすべてに、わたしの祝福の気持をばらまきたいのだ。きみをこの腕にだきしめたいパパより　よろしく」

アルベルトが何か書くより早く、スクリーンにはまた「c:」が現れた。

アルベルトが「dir. knag *.*」と打つと、データが現れた。

knag. lib 147, 643　15/06-90　12:47
knag. lil　326, 439　23/06-90　22:34

アルベルトは「erase knag *.*」と打ってデータを消去してから、コンピュータを終了させた。

「さあ、消してやったぞ。でも、またどこから現れるか、わかったもんじゃない」

アルベルトはスクリーンをにらんだ。

「なんといっても、あの名前はひどい、ひどすぎる。アルベルト・クナーグとは」

ソフィーはやっと気がついた。アルベルト・クナーグとアルベルト・クノックス。どこか似ている。けれどもアルベルトのあまりの剣幕に、口を開く勇気をなくした。二人はテーブルに戻った。

スピノザ——神は人形使いではない

二人は長いこと黙りこんでいた。ついにソフィーが口を開いた。ただもうアルベルトの気分を変えたかったのだ。

「デカルトは変わった人だったのね。有名だったの？」

アルベルトは二度、重いため息をついてから言った。

「じわじわと、だけど最後にはとてつもなく大きな影響をおよぼした。いちばん重要なのは、デカルトの哲学がもう一人の偉大な哲学者にしっかりと受けとめられたことだろうな。一六三二年に生まれて一六七七年に死んだオランダの哲学者、バルフ・スピノザだ」

「その人のことも教えてくれる？」

「ああ、そのつもりだよ。軍人の挑発なんか、ほっとこうね」

「わたし、耳をダンボにして聞くわ」

「ユダヤ人のスピノザは、最初はアムステルダムのユダヤ教団に属していたんだが、無神論者として破門された。近代の哲学者で、スピノザのように思想のためにこっぴどく非難されたり迫害されたりした人もめずらしい。スピノザ暗殺計画すらあったらしい。本当かどうかわからないけどね。スピノザはみんなが認める宗教を批判した。キリスト教もユダヤ教も、コチコチの教義と空(むな)しい儀礼によって生きのびているだけだ、と考えたんだ。スピノザは歴史批判的方法を最初に聖書にあてはめた人だ」

「なに、それ？」

「スピノザは、聖書は一字一句まで神の霊感に満ちている、ということを否定したんだ。聖書を読む時は、それがどんな時代に書かれたのか、しっかりと見きわめなくてはならない、とスピノザは考えた。この批判的な読み方をすると、聖書のいろんな書や福音書のあいだに矛盾がぼろぼろ出てくる。しかしそれでもなお新約聖書のテクストを深くさぐれば、神の代弁人としてのイエスに出会う。イエスのメッセージはまさに、コチコチになってしまったユダヤ教からの解放を告げていた。イエスは、愛がなによりも貴いという、理性にもとづく宗教を説いた。スピノザはこの愛を、神への愛であり、ぼくたち人間同胞への愛だ、と考えた。でも、キリスト教もまたたくまにコチコチの教義と空しい儀礼にこり固まってしまった」

「なるほど、教会やシナゴーグとしてはそんなこと言われたら、すなおに、そうですか、なんて言えないわね」

「状況がむずかしくなってくると、スピノザは家族からも見離された。異端を理由に勘当しようとしたんだ。スピノザほど言論思想の自由と信仰の寛容を擁護した人はいないんだから、なんとも納得のいかないことだ。スピノザはたくさんの人びとを敵にまわしたおかげと言ってはおかしいけれど、最後には哲学に没頭できる静かな生活を手に入れた。生計は、光学ガラスを磨くことで立てた。そういうレンズのいくつかが、今ぼくの手元にあるんだよ、さっき見せただろ？」

「感動的」

「スピノザがレンズ磨きで食べていたということは象徴的だ。哲学者の仕事は、人びとが存在を新しい視点から見る手助けをすることだからね。スピノザの哲学の根本にあったのは、ものごとを『永遠の相のもとに』見たいという願いだった」

「永遠の相のもとに?」

「そうだよ、ソフィー。きみはきみの生を宇宙全体のなかに置いて見ることができる? しかもそうしながら、きみときみの人生は今ここにあるんだということを、いわば一瞬横目でちらっと見るんだ」

「うーん……簡単じゃないなあ」

「きみはただ一つの自然という大きな生命のほんのちっぽけな部分なんだって考えてごらん。きみはとほうもなく大きな一つのつらなりのなかにいるんだ」

「アルベルトの言うこと、わかったような気がする」

「それを身をもって体験もできるかな? 自然の全体を、そう、全宇宙を一瞬のうちにとらえることができるかな?」

「どうかな。あ、そうだ、望遠鏡を逆さにのぞけば……」

「今ぼくは、無限の宇宙のことだけを考えてるんじゃないんだ。無限の時間のことも言ってるんだよ。三万年前、一人の男の子がドイツのラインラントに住んでいた。男の子は自然全体のちっぽけな一部分だ。無限の海の小波(さざなみ)だ。ソフィー、きみもそんなふうに自然の生のちっぽけな一部分を生きている。きみと三万年前の男の子には違いなどない」

「でも、なんたってわたしは今生きているわ」

「そうだね、でもだからこそ、きみはきみを一瞬横目で見てみなければならないんだ。今のきみは三万年後、だれなんだろう?」

「そういう考え方が異端だったの?」

「まあね……スピノザは、存在するものはすべて自然だと言っただけではない。神と自然をイコールで結びもした。だから『神すなわち自然』という言い方をしている。スピノザは存在するすべてのなかに神を見た。そして、存在するすべてを神のなかにあるものとして見た」

「だったらスピノザは汎神論者だったのね」

「そのとおり。スピノザにとって神とは、かつてある時この世界をつくって、それからは自分の創造した世界をただ傍観している者ではなかった。ちがうんだ、神は世界であるのだ。スピノザはちょっとちがう言い方もしている。世界は神のなかにある、と言ったんだ。スピノザはアレオパゴスでのパウロの話を引用している。パウロは、『なぜならわたしたちは神のうちに生き、動き、存在しているからです』と言った。だけど、スピノザ自身の考えの道筋をたどってみよう。彼のいちばん重要な本は『幾何学的方法にもとづく倫理学（エチカ）』」

「幾何学的……倫理学？」

「ぼくたちにはちょっとヘンテコに聞こえるね。ふつう哲学で倫理学というのは、幸せでいい人生を送るにはどうしたらいいか、という教えのことだ。そういう意味で、たとえばソクラテスの倫理とか、アリストテレスの倫理と言うんだ。ぼくたちの時代には倫理というと、人間同士が足を踏んづけあわないで生きるためのルールみたいな、せちがらい意味になってしまったけどね」

「自分だけの幸せを考えたらエゴイストだと思われるからでしょう？」

「だいたいそうだね。スピノザの倫理学ということばは、生き方とかモラルと訳してもいいだろう」

「でも、そうすると……『幾何学的方法にもとづく生き方』？」

「幾何学的方法と聞けば、スピノザが使った用語や表現がどんなものだったのか、だいたい察しがつくだろう？　デカルトは数学の方法を哲学に応用したんだったね？　デカルトは、哲学が厳密な推論によって成り立てばいいと思った。スピノザも同じ合理主義の伝統に立っている。スピノザが『倫理学』で明らかにしたのはまず、人間は自然法則のもとに生きている、ということだった。だからぼくたちは感覚や感情から自由になって自然法則を知らなければならない、それでこそ初めてぼくたちは安らぎを得て、幸せになれる、とスピノザは考えたんだ」

「でも、わたしたちは自然法則に左右されるだけじゃないんじゃないの？」

「まあ、スピノザを理解するのはそう簡単じゃないな。きみはデカルトが、現実は二つのまったく別べつの実体、思惟と延長（ひろがり）でできていると考えたことは、憶えているね？」

「忘れてなんかないわ」

「実体は、何かを成り立たせているもの、何かの根本にあって支えている土台のようなもの、あるいはいろいろに変化するものの正体、というふうに言いかえることができるだろう。デカルトが考えた実体は二つだった。すべては思惟か延長のどちらかだ」

「もう一度言わなくても大丈夫よ」

「でもスピノザはこの分け方を受けいれなかった。スピノザは、あるのはたった一つの実体だ、と考えた。存在するすべては、もとをたどれば一つのものだ、と考えたんだ。そしてこの一つのものをズバリ『実体』と名づけた。ほかのところでは『神すなわち自然』とも呼んでいる。スピノザはデカルトのような二元論で現実をとらえなかったわけだ。だからスピノザは一元論者と呼ばれている。全自然とすべての生命をたった一つの実体へとさかのぼらせた、ということだ」

「じゃあ、二人は一致するところがまるでなかったのね」

「ところが、デカルトとスピノザの違いは、それほどでもないんだ。デカルトも、自分の力で存在するのは神だけだ、と言っていた。ただしスピノザが神と自然を、あるいは神と世界を同じものと見た時、デカルトからぐんと離れてしまったし、キリスト教やユダヤ教の考え方とも離れてしまった」

「だって、そうだとすると自然が神で*あ*る*っ*てことになってしまうものね。これは破門されるわ」

「スピノザが自然と言った時、彼の頭にあったのは空間に広がる自然だけじゃなかった。スピノザは実体とか、『神すなわち自然』ということばで、精神的なものまでふくめておよそ存在するすべてのものを考えていた」

「じゃあ、思惟も延長も？」

「そう、そうなんだよ。スピノザによるとぼくたち人間は神の二つの特性、あるいは二つの現れ方しか知ることができない。スピノザはこの特性を『属性』と呼んでいるけれど、スピノザの二つの属性はデカルトの思惟と延長そのものなんだよ。神すなわち自然はぼくたち人間には思惟として現れるか、延長として現れるかのどちらかだ。神は思惟や延長のほかにも無限に多くの属性をもつけれど、人間はこの二つの属性しか知ることができない、ということだ」

「もういいわ。スピノザのことばって、すごくこんぐらがっているのね」

「ほんとだね、スピノザのことばと格闘しようと思ったら、鎚(つち)と鑿(のみ)がいるね。ぼくたちとしては、すきとおるダイヤモンドのような考えを一つだけ掘り起こして満足することにしよう」

「どんな考え？　早く聞きたいわ」

「自然界にあるものはすべて、思惟か延長のどちらかだったよね？　ぼくたちがごくふつうに生活しているなかで出会う一つひとつの現象、たとえば一本の木とかヘンリック・ヴェルゲランの詩とかは、延長と思惟という属性の数かずの『様態(モードゥス)』なんだ。だから一つひとつの様態は、神すなわち自然という実体の特定の現れ方なんだ。一輪の花は延長という属性の一つの様態だし、その花をうたった詩は思惟という属性の一つの様態なんだ。でも、根本においては二つの現れは同じ一つのもの、つまり神すなわち自然という実体を表現しているんだよ」

「うわあ、まわりくどい！」

「でもスピノザは、ことばがこみいっているだけだよ。彼のかっちりとした定義には、すばらしい認識が隠れている。ただ、あんまり単純すぎて日常のことばでは追いつけないだけなんだ」

「でも、わたしは日常のことばのほうがいいわ」

「まあ、いいだろう。じゃあ、きみをたとえに使ってみよう。きみのお腹が痛いとすると、その痛みはだれのもの？」

「決まってるじゃない。わたしよ」

「そうだね。だったらきみが、さっきはお腹が痛かった、とあとから考えたなら、それはだれが考えてるの？」

「それもわたしよ」

「きみは、きょうはお腹が痛くて、あしたは何か別の気分に染まるかもしれない。でもきみは、きょうもあしたも同じ一人のソフィーだね？　スピノザも同じように考えたんだ。ぼくたちをとりまいているものや、ぼくたちの周りで起こっているあらゆる物質的な現象は、神すなわち自然を現している、とね。人の心に思い浮かぶすべての考えも、神すなわち自然の考えなんだ。なぜならすべては一つだからさ。あるのはただ一つの神、あるいは一つの自然、ただ一つの実体なんだよ」

「でも、もしもわたしが何かを思ったんだったら、そう思っているのはやっぱりわたしよ。わたしが動いたんなら、動いたのはわたしだわ。どうしてそこに神をもってくるの？」

「きみも言うね、じつにけっこうだよ。でも、きみはだれ？　きみはソフィー・アムンセンだ。でもきみはもっともっと無限に大きな何かの現れでもあるんだ。きみは、きみが思うとか、きみが動くと言ったっていいけれど、同時に自然がきみの思いを思っている、自然（ネイチャー）がきみのなかで動いている、というふうに考えてもいいんじゃないか？　これはもう、きみがどちらのレンズをとおしてものごとを見ようとするか、という問題だけど」

「わたしは自分で自分のことを決めてるんじゃないっていうこと？」

「そうだねえ……。きみにはたぶん、親指を思うように動かすとかの、ある種の自由がある。でも親指は親指にそなわった本性（ネイチャー）にしたがって動けるだけだ。親指には、きみの手からぴょんと離れて部屋じゅうを飛びまわるなんてことはできない。きみもこの親指のように、全体のなかにきみの場所をもっているんだ、ソフィー。きみはソフィーだ、でも神の体の一本の指でもあるんだよ」

「わたしがすることはなにもかも、神が決めてるわけ？」

「神か、それとも自然がね。あるいは自然法則が、と言ってもいいかな。スピノザは神がすべての出来事の『内なる原因』だと考えた。神は外にある原因ではない。神は自然法則をとおしてしか、語ったり現れたりしないんだ」

「その区別がわからないわ」

「神は人形使いではないってことだよ。糸を引いて何がどうなるかを決めるのではないんだ。人形使いは外から人形をあやつるから、彼は『外なる原因』だ。でも神はそういうふうに世界をあやつらない。神は自然の法則をつうじて世界をあやつる。だから神すなわち自然は、この世に生じてくるすべてのものの『内なる原因』なんだよ。ということは、自然界のすべては必然的に起こっているということだね。スピノザは決定論的な自然のイメージをもっていたんだ」

「前にも同じようなことを言わなかったっけ？」

「たぶんストア派のことだろう？　ストア派も、すべては必然的に起こると言っていた。だから、すべての出来事を『ストイックな落ち着き』でむかえることが大切だと考えたんだ。人間は感情に引きずられてはいけない。スピノザの倫理学も、うんと短く言ってしまえばそういうことなんだよ」

「スピノザが考えていたこと、なんとなくわかったような気がする。でも、わたしがわたしのことを決められないっていう考え方は、やっぱり気に入らないわ」

「もう一度、三万年前に生きていた石器時代の少年に戻ってみようか。彼は大きくなると、動物に槍を投げた。一人の女性を愛した。彼女は彼の子どもの母親になった。それから、部族の神々に祈りを捧げたりもしたんだろうね。こういうことを全部、彼が自分で決めたと思う？」

「わからない」

「じゃあこんどはアフリカのライオンを想像してごらん。猛獣として生きようって、ライオンが自分で決めたと思う？　自分で決めたから、か弱いカモシカに襲いかかるんだと思う？　ライオンは草食動物として生きる道を選ぶべきだった？」

「ううん、ライオンは本性（ネイチャー）に応じて生きてるのよ」

「それは自然法則と言いかえてもいいよね。きみもそうなんだよ、ソフィー。だってきみも自然の一部なんだから。もちろんデカルトに応援してもらって、ライオンは動物で、自由意志をもった人間じゃない、と反論したっていい。でも、生まれたばかりの赤ちゃんを考えてごらん。赤ちゃんは声をあげたり、泣きべそをかいたり、おっぱいが足りないと指をしゃぶったりする。こういう赤ちゃんに自由意志はあるかな？」

「ないわ」

「じゃあ、赤ちゃんはいつ自由意志をもつんだろう？　二歳になればそのへんを歩きまわって、目に入るものをなんでもかんでも指さす。三つになればだだをこねる。四つになると、暗いところを怖がるようになる。どこに自由意志がある？　ソフィー」

「わからない」

「十五になると鏡に向かって、お化粧してみたりする。この時はもう、個人の選択にしたがって、やりたいことをやっているのかな？」

「わかってきた」

「彼女はソフィー・アムンセン、それはたしかだ。でも彼女は自然法則にしたがって生きてもいる。大切なのは、彼女はそれに気づいていないということだ。なぜなら、彼女のすることなすことの裏には、とほうもなくたくさんの、とほうもなくこみいった原因が隠れているからだ」

「もう聞きたくないわ」

「だけど、最後にもう一つ、答えてもらうよ。同じ年輪を重ねた二本の木が広い庭にはえていた。一本は日当たりのいい場所にあって、栄養たっぷりの土と水にも恵まれていた。もう一本は地味の悪い、日もよく射さないところにはえていた。どっちの木にたくさん実がなる？」

「もちろん、成長に絶好の条件を満たしているほうよ」

「スピノザによると、この木は自由だ。本来もっている可能性をはばたかせる完全な自由をもっていたんだ。ところで、これがリンゴの木だとしよう。するとこのリンゴの木は、リンゴの実をつけるかプラムの実をつけるか、決める可能性をもっていない。ぼくたち人間も同じことだ。たとえば政治の状況が、ぼくたちの成長や人格の形成をさまたげることもありうる。外からの強制がぼくたちを制限する、ということも。ぼくたちは本来もっている可能性をはばたかせることができて初めて、自由な人間として生きるんだ。それでもなお、ぼくたちは内なる素質と外からあたえられる条件に左右されている。石器時代のライン地方の少年や、アフリカのライオンや、庭のリンゴの木とまるで同じだ」

「ああ、もうだめ。くたびれちゃった」

「スピノザは、自分で自分をひきおこす原因になれるものだけが自由だ、と考えた。そして『自分自身の原因』であり、完全な自由をほしいままにできるのは神だけだ、と言った。神すなわち自然だけが自由に、偶然にふりまわされずに自分を実現する、とね。人間は、外からの強制を受けずに生きるよう努力することはできる。でもけっして自由意志をものにすることはできない。ぼくたちは、ぼくたちの身体に起こることをすべて決めているのではない。だって身体は延長という属性の様態なんだから。ぼくたちはぼくたちの考えを選ぶこともできない。人間には自由な精神はない。精神は機械のような身体にとらわれているんだから」

「それもちょっと納得できないわ」

「スピノザは、野心とか欲望のような人間の感情は、ぼくたちが本当の幸せや調和を手に入れるのをさまたげている、と考えた。でもぼくたちが、すべては必然として起こるのだということを知れば、自然をまるごと直観的に認識できる。すべてはつながりあっている、それどころか、すべては一つだという、クリスタルのようにすきとおる体験にいたることができる。ぼくたちの目的は、存在全体を落ち着いて見おろしてとらえることだ。スピノザはこれを、すべてを『スプ・スペキエ・アエテルニタティス』に見る、と言い表している」

「またラテン語だ。どういう意味？」

「すべてを『永遠の相のもとに』見る、ということだ。ほら、最初に言ったよね？」

「じゃあ、最初に戻ったところで終わりにしない？　なんたって、もう帰らなくちゃ」

アルベルトは棚から大きな果物籠をもってきて、テーブルに置いた。

「帰る前に、少し何か食べていかないかい？」

ソフィーはバナナを取った。アルベルトは青リンゴにした。

ソフィーはバナナの皮をむきはじめた。

「ここになんかある」ふいにソフィーが言った。

「どこ？」

「ほらここ、バナナの皮の裏側。黒いフェルトペンで書いてあるみたい」

ソフィーは身を乗り出して、アルベルトにバナナを見せた。アルベルトは読みあげた。

『またわたしだよ、ヒルデ。わたしはどこにでもいるんだ。お誕生日、おめでとう』

「へんなの！」ソフィーが言った。

「ますます手がこんでくる」

「でもこんなの……ありっこないわ。レバノンにバナナははえているのかしら？」

アルベルトは首を横にふった。

「どうでもいいけど、こんなの食べたくない」

「置いときなさい。バナナの皮の裏に娘の誕生日へのメッセージを書くなんて、どうかしているよ。しかし巧妙なやつだなあ」

「ほんとね」

「なにしろばかではないな」

「わたし、そう言ったじゃない。それに、こないだアルベルトに突然わたしのことをヒルデって呼ばせることだってできた。彼は、わたしたちがしゃべっていることばのなかにだっているのかもしれない」

「否定はできないね。とにかく、これからはすべてを疑ってかかる必要があるな」

「だって、世界はすべて夢まぼろしかもしれないものね」

「早合点は禁物だ。最後にはすっきりした説明がつくだろうよ」

「でももうわたし、帰らなくちゃ。ママが待ってるわ」

アルベルトはソフィーを戸口まで送りに出た。ソフィーが行こうとすると、アルベルトが言った。

「じゃあまたこんど、ヒルデ」

つぎの瞬間、ドアが閉まった。

ロック――先生が来る前の黒板のようにまっさら

ソフィーが家に帰ったのは八時半だった。約束より一時間半の遅刻だ。でも、あれは約束とは言えない。ソフィーはただ、夕食は抜くことにして、母には七時までに帰る、と書き置いただけだった。

「もういいかげんにしなさいよ、ソフィー。番号案内に電話して、旧市街にアルベルトという人が住んでいるかどうか、問い合わせちゃったじゃないのよ。名字がわからなければだめですって、笑われちゃったわ」

「帰るわけにいかなかったのよ。もうちょっとで偉大な神秘に突破口が開けるところなんだもの」

「ばかみたい」

「ほんとなんだから!」

「ガーデンパーティにお招きした?」

「あ、忘れた」

「とにかく、ママはアルベルトさんと会います。それもあした。若い女の子がこんなにちょくちょくおじさんと会ってるなんて、ふつうじゃないわ」

「アルベルトなら、心配はいらないったら。ヒルデの父親なら、ちょっとアブナイかもしれないけど」

「ヒルデって?」

「レバノンにいる人の娘。そのレバノンにいる人が悪だくみしてるみたいなの。なんか、世界をあやつっているみたいな……」

「すぐにアルベルトさんをママに紹介しなければ、もう会っちゃいけません」

ソフィーはいいことを思いついて、自分の部屋に走っていった。

「どうしたのよ?」母が後ろからどなった。

ソフィーはすぐにリビングに戻ってきた。

「彼がどんな人か、百聞は一見にしかずよ。これ見たらもう、口出ししないでね」

ソフィーはビデオカセットをひらひらさせながら、ビデオデッキに近づいた。

「彼、あなたにビデオをくれたの?」

「アテネで写したの」

ほどなくアルベルトがスクリーンに現れた。アルベルトが進み出てソフィーにじかに話しかけると、母親はびっくりしてものも言わずに腰をおろした。

ソフィーは、最初に見た時に気づきながら、そのまま忘れてしまったことにあらためて気がついた。アクロポリスの場面で、団体ツアーのまん中に小さなプラカードがかかげられていたのだった。そこには「ヒルデ」の文字が……。

アルベルトはアクロポリスを歩きまわる。こんどはアレオパゴスに現れた。使徒パウロがアテネ市民に話をしたところだ。さらに古代の広場からソフィーに語りかける。

母親はとぎれとぎれに感想をもらした。「信じられない……。これがアルベルトさん? あら、兎のこと言ってる……。でも……この人ほんとにあなたに話しかけてるのね、ソフィー。パウロがアテネに行ったなんて、ちっとも知らなかった……」

ビデオは、廃墟から古代アテナイが立ちあがるクライマックスに近づいた。その直前で、ソフィーはすばやくビデオを止めた。これでもう、ママにアルベルトを見せた、プラトンまで紹介することはない。いっぺんに部屋は静かになった。

「どう？　けっこうかっこいいと思わない？」ソフィーがゆかいそうに言った。

「でも、ぜんぜん知らない女の子にプレゼントするために、わざわざアテネまで行ってビデオを撮るなんて、よっぽど変わった人ね。いつ行ったのかしら？」

「そんなこと知らないわ」

「でも、まだひっかかるのよね」

「何が？」

「何年かあの森の小屋に住んでいた少佐と、どこか似ているのよねえ」

「きっと彼だったのよ、ママ」

「ふうん……でも二十年以上も彼を見かけた人はいない」

「あっちこっちに行ってたんじゃない？　アテネとか」

母親は首を横にふった。

「七〇年代にどこかで見かけた時、きょうのビデオのアルベルトさんと年かっこうがちっとも変わらなかった。名字は外国風だった……」

「クノックス？」

「たぶんそんな名前よ、ソフィー。そうだわ、クノックスだったわ」

「クナーグではなかったのね？」

「ちがうわ、でもはっきり言ってよくわからない……。クノックスはともかく、クナーグってなんのこと？」

「一人はアルベルトで、もう一人はヒルデの父親」

「頭が混乱してきた」

「なんか食べるものある？」

「ハンバーグを温めて」


それからちょうど二週間、アルベルトからはなんの連絡もなかった。ヒルデ宛ての誕生日カードが一通きたが、ソフィーの誕生日ももうすぐだというのに、ソフィーには一通もこなかった。

そんなある日の午後、ソフィーは旧市街まで出かけていって、アルベルトの部屋のドアをノックしたことがあった。その時はアルベルトは留守で、ドアに小さな紙切れが貼ってあった。


《ヒルデ、誕生日おめでとう！

今、大きなターニングポイントが戸口まで迫っている。真実の瞬間がね。そのことを思うたびに大笑いがこみあげそうになる。これにはもちろんバークリがからんでいる。がんばって！》

ソフィーはメモをはがして、アパートを出る前にアルベルトの郵便箱につっこんだ。

頭にくる！　またアテネに行っちゃったのかしら？　わたし一人を難問のなかに置き去りにするなんて！

そして六月十四日、ソフィーが学校から帰ってくると、ヘルメスが庭をうろついていた。ソフィーが駆けよると、ヘルメスも飛びついてきた。まるでヘルメスがすべての謎を解く鍵をもっているかのように、ソフィーは両手で抱きしめた。

ソフィーはまた母親にメモを残した。こんどはアルベルトの住所も書いておいた。

ヘルメスと町を歩きながら、ソフィーはあしたのことを考えていた。自分の誕生日のことはあまり考えなかった。ちゃんとしたお祝いは夏至の前夜（イヴ）にすることになっていたし。でも、あしたはヒルデの誕生日だ。きっとなにかとてつもないことが起きる、とソフィーは思った。いずれにしても、レバノンからどしどし押し寄せていた誕生日のメッセージはこなくなるはずだ。

中央広場を横切って旧市街が近づいたところで、遊び場のある公園をとおりかかった。ヘルメスがベンチの前で立ち止まった。きっとソフィーに、ここに座れ、と言っているのだ。

ソフィーはベンチに腰をおろして、ヘルメスの目をのぞきこみながら、茶色い背中を撫でた。突然ヘルメスが、がばとはね起きた。吠えるつもりだ、とソフィーは思った。

ヘルメスの顎が小刻みに動いた。けれどもヘルメスはウーともワンとも言わなかった。口を開いて、こう言った。

「ヒルデ、お誕生日おめでとう」

ソフィーは心臓が止まりそうになった。今、この犬が話しかけた？

そら耳よ。ずっとヒルデのことを考えていたから、そんな気がしただけよ。けれどもソフィーは心の奥深くで認めていたのだ。ヘルメスは深い、よくとおる低い声であのとおりに言ったのだ、と。つぎの瞬間、なにごともなかったように、ヘルメスははっきりと二声吠えた。まるで、人間の声でしゃべったことをごまかそうとするみたいだった。そして、アルベルトのアパートを目指して歩いていった。アパートに入る前に、ソフィーは空を見上げた。その日は一日いい天気だったが、今、遠くの空に大きな雲のかたまりができていた。

アルベルトがドアをあけると、ソフィーは言った。

「まわりくどいごあいさつは抜きよ。アルベルトって、ほんとにうっかり屋さんね、わかってると思うけど」

「どうしたんだい？　ソフィー」

「少佐はヘルメスにことばを吹きこんだわ」

「なんてことだ！　事態はそこまで進んでいるのか」

「そうよ！　とんでもないでしょ！」

「ヘルメスはなんて言ったんだい？」

「きまってるじゃない」

「『お誕生日おめでとう』とかなんとか？」

「当たり」

アルベルトはソフィーをなかに入れた。きょうも仮装をこらしている。このあいだとそれほどちがわなかったが、モールやリボンやレースがほとんどついていなかった。

「それだけじゃないわ」ソフィーが言った。

「なんのこと？」

「郵便箱に紙切れが入ってなかった？」

「ああ、あれね、すぐに捨てた」

「バークリのことを考えるたびに大笑いしてるらしいわ。でもこの哲学者のどこがそんなに面白いのかしら？」

「じゃあ、それを見ていこう」

「きょうはバークリの話？」

「そうだよ」

アルベルトはゆったりと腰をおろした。

「こないだ会った時は、デカルトとスピノザの話をしたんだったね。そして、二人には重要な共通点がある、ということを確認した。つまり、二人とも筋金入りの合理主義者だってことだ」

「合理主義者っていうのは、理性が大切だと考える人のことね？」

「そう、合理主義者は、理性が知の源だとして信頼をよせる。人間には生まれつきそなわった観念がある、と考えているばあいも多い。生得観念っていうんだけど、そういう観念が経験とは関係なく、人間のなかにあるとされるんだ。そして観念が明らかであればあるほど、現実のものとますますぴったり一致する、とね。デカルトが『完全なもの』のはっきりとした観念を認めていたこと、憶えているね？　デカルトはこの観念から出発して、神は本当に存在すると結論した」

「わたし、そんなに忘れっぽいほうじゃないわよ」

「こういう合理主義的な考え方が十七世紀の哲学の主流だった。中世にもあったし、プラトンとソクラテスにもあったけど。ところが十八世紀になると、この合理主義に批判が出てきた。批判はするどくなるいっぽうだった。多くの哲学者たちは、感覚的経験をしないうちはぼくたちは意識の内容なんかもっていない、とする立場をとった。そういう見方が『経験主義』だ」

「きょうは経験主義者の話なのね？」

「うん、そのつもりだ。おもだった経験主義の哲学者は、ロックとバークリとヒューム。三人ともイギリス人だ。十七世紀の合理主義を最初にとなえたのはフランス人のデカルトと、オランダ人のスピノザと、ドイツ人のライプニッツだった。それでよく、『イギリス経験主義』と『大陸合理主義』という分け方をする」

「ちょっと待って、早すぎる。経験主義ってなんのことか、もう一度説明して」

「経験主義者は、感覚がぼくたちに語ることから世界についてのすべての知をみちびき出す。経験主義的態度の古典的な定義はアリストテレスがしている。アリストテレスは、まず先に感覚のなかに存在しなかったものは意識のなかには存在しない、と言った。人間はイデア界から生まれながらのイデアをもってくる、と考えたプラトンへのはっきりとした批判だね。ロックはこの、アリストテレスと同じことばを使って、デカルトを批判したんだ」

「まず感覚のなかに存在しなかったものは、意識のなかに存在しないって？」

「ぼくたちは世界について、生得観念（イデア・インナータ）なんかもってない。生み落とされたこの世界について、『知覚』しないうちはなにも知らない。だから、経験された事実とつながらない観念があるとしたら、それはまちがった観念なんだ。

　たとえば神とか永遠とか実体とかいうことばを使うのは、理性を空回りさせることなんだ。だってだれも神や永遠や、哲学者たちが実体と呼んでいるものを経験したことがないのだから。こうしたことばを使えば、いくらでも学術論文を書くことはできるけど、そこには本当に新しい認識なんか一つもないんだ。そういう、ぎゅうぎゅう考えぬかれた哲学は、すごいなあ、と思わせるだろう。でも、ただの思考のたわむれなんだ。
　十七、八世紀の合理主義の哲学者たちは、そういう学術論文を前の世代からどっさりとひきついでいた。そこで今や、そういう論文をルーペ片手に点検しはじめた。空疎な思考の産物は洗い流してしまわなければならなかった。これは黄金（きん）の洗鉱（せんこう）作業に似ているかもしれない。ほとんどが砂と土だ。でもそのなかに時おり砂金がきらりと光る」
「砂金って、本物の認識のこと？」

「少なくとも人間の経験とむすびつく思考ではあるね。イギリスの経験主義者たちは、人間のあらゆる観念を洗いなおして、現実の経験に裏打ちされているかどうか見きわめなくてはならない、と考えた。そんな哲学者を一人ずつ見ていくことにしよう」

「はい、スタンバイオーケーよ」

「最初はジョン・ロック、生まれは一六三二年、亡くなったのは一七〇四年だ。ロックのいちばん重要な著作は『人間知性論』、一六九〇年に刊行された。この本でロックは、二つの問題を解明しようとした。第一の問題は、人間はどこから観念を手に入れるのか。第二の問題は、感覚が語るものを信頼していいか」

「いいところに目をつけたのね！」

「一つずつ見ていこう。ロックは、ぼくたちの思考内容と観念はすべて、ぼくたちがかつて感覚したことのあるものの反映にすぎない、と考えた。ぼくたちが何かを感じるまで、ぼくたちの意識は『タブラ・ラサ』、つまりなにも書かれていない板のようなものだ、とね」

「わかりやすい」

「何かを感じる前のぼくたちの意識は、だから先生が来る前の黒板のようにまっさらなのだ。ロックは意識を、家具のない部屋にもたとえている。けれどもやがて、ぼくたちの感覚がはたらきはじめる。ぼくたちは周りの世界を見る。匂いをかぐ、味わう、さわる、そして聞く。小さな子どもほど熱心にそういうことをするよね。こうして感覚の単純な観念ができあがる。けれども意識は外からの印象に受け身なだけじゃない。意識のなかでも何かが起こる。感覚の単純な観念は、考えたり理由づけされたり、信じたり疑ったりされながら加工される。こうして、ロックが反省の観念と名づけたものができてくる。つまりロックは観念を『感覚』と『反省』に区別したんだ。意識は受け身なだけの受けとり手ではない。外から押し寄せる感覚を整理し、加工するのだ。ここで、ちょっと要注意」

「要注意？」

「ロックは、ぼくたちが感覚器官をとおして受けとめるのは単純な感覚だけだ、と言っている。たとえばぼくがリンゴを食べたとする。するとぼくは、リンゴをたった一つの単純な感覚で感じるのではない。本当はいくつもの単純な感覚をつぎつぎと受けとめるんだ。ちょっと青いとか、新鮮な香りがするとか、汁気が多いとか、すっぱいとかね。何度もリンゴを食べて初めて、今ぼくはリンゴというものを食べている、と考えるようになる。ロックによれば、リンゴの『複合観念』がつくられたということだ。ぼくたちが幼い頃、初めてリンゴを食べた時、そんな複合観念はもっていなかった。それでもぼくたちは青い何かを見た。新鮮で汁気たっぷりの何かを味わった。ガリガリ……あれ、なんだかちょっとすっぱいぞ、と感じた。でもこれはまだリンゴではないんだ。ぼくたちは、それからもっとたくさんの経験を重ね、似たような感覚を束ねていって、ようやくリンゴとかナシとかオレンジとかの概念をつくったんだ。こんなふうにぼくたちは、世界についての知を形づくる素材を、すべて感覚器官から手に入れている。だから、もとをたどっていっても単純な知覚が見当たらない知は偽物の知なんだから、捨てなくてはならない」

「わたしたちは、見たり聞いたり、かいだり味わったりするものが、感じるとおりに存在することを信頼していいってことね」

「そうでもあるし、そうでなくもある。それが、ロックが二番めに解こうとした問題だ。ロックはまず、ぼくたちはどこから観念を手に入れるか、ということを解明したね。そしてそのつぎに、では世界はぼくたちが感じるとおりのものだろうか、と問うたんだ。当然そうだ、とはもちろん言えないよね、ソフィー。早合点は禁物だ。これはたった一つ、本物の哲学者がしてはいけないことだ」

「お魚のように黙ることにするわ」

「ロックは感覚の性質を、彼の呼び方によると『第一性質』と『第二性質』に分けた。そしてここのところで、たとえばデカルトのような哲学者たちと仲直りしたんだ」

「どういうこと？」

「ロックは第一性質ということで延長、つまりものの重さ、形、動き、数のことを考えている。こういう特性については、感覚がものの本当の特性を再現していると、信じていい。でも、ぼくたちがものから受ける特性はまだある。ほら、ぼくたちは甘いとかすっぱいとか、青いとか赤いとか、温かいとか冷たいとか言うじゃないか。こういうことをロックは第二性質と呼んだ。色や匂いや味や響きのような知覚は、物体そのものにそなわっている本当の特性を再現してはいない。こういうものは物体の外的な特性がぼくたちの感覚にあたえた結果を再現するだけなんだ」

「たしかに感じ方って人によってちがうわ」

「そのとおり。大きさや重さといった第一性質についてなら、ぼくたちはみんな意見が一致する。それは、この性質がもの自体にそなわっているからだ。でも色や味のような第二性質は、それぞれの個体の感覚器官のつくりに応じて、動物それぞれ、また人それぞれでちがってくるんだ」

「ヨールンがオレンジを食べると、レモンを食べたみたいな顔をする。いつも、ちょっぴりしか食べない。『すっぱい』って言うのよ。わたしは同じオレンジをとても甘くておいしいと思うのに」

「それは、きみたちのうち、どっちが正しいとかまちがっているとかの問題じゃないね。きみたちは、オレンジが感覚にはたらきかけたありさまを言い表しただけだ。色についても同じことだ。きみはある赤が好きじゃなかったりする。その色の服をヨールンが買っても、きみがどう感じたかは言わないほうがいいだろうね。きみたちはその色合いをちがったふうに受けとめているだけで、その洋服そのものがすてきか、かっこ悪いかということじゃないんだから」

「でも、オレンジは丸いってことでは、みんな意見が一致する」

「そう、きみは丸いオレンジをサイコロのような形に感じることはできない。きみはオレンジを甘いとか酸っぱいとか感じることはできるけれど、たった二〇〇グラムのオレンジを八キロだと『感じる』ことはできない。オレンジが何キロもあると『思いこんだ』ら、きみはとんでもない思い違いをおかしているんだ。何人かで何かの重さを当てても、みんなだいたい似たりよったりのことを言う。ものの数も同じことだ。ビンに入っているグリンピースは、九百八十六粒なら九百八十六粒だ。動きについても同じことだ。あの自動車は走っているか、それとも止まっているかだ」

「そうね」

「『延長の世界』については、だからロックは、デカルトと同じように考えているわけだ。それは、人間が知性でとらえることができる特性を示しているんだ、とね」

「それはすんなり賛成できるわ」

「ほかのところでもロックは、直観的知や論証的知と呼ぶものを認めている。たとえばロックは、同じ倫理的な原則をだれもがもっている、と考えた。つまりこれは自然法の考え方で、ロックにはこういう合理主義的なところもあるんだね。もう一つ合理主義的なところをあげると、ロックは、神が存在するという認識は人間の理性にそなわっている、と信じていた」

「たぶんそのとおりよ」

「何がそのとおりなの？」

「神がいるってこと」

「もちろん、そうかもしれない。でもロックにとっては、これはただ信じればいいという問題ではなかった。ロックは、神の観念は人間の理性から生まれた、と考えたんだ。ここが合理主義的なところなんだよ。それから、ロックが思想の自由と寛容を擁護したことも言っておかなければ。男女同権もとなえた。女性を下に置いている状況は、ロックによれば、人間がつくりだしたものだ。だから変えることができるんだ、とね」

「全面的に賛成」

「ロックは、性役割の問題について考えた、近代の最初の哲学者の一人だ。男女同権問題の大立者、ジョン・スチュアート・ミルはロックから大きな影響を受けている。ロックはさまざまな自由思想の先駆者で、それは十八世紀のフランスの啓蒙主義の時代に一気に花開いた。たとえば権力分立の原則を初めてとなえたのはロックだった」

「国家権力をいくつかの機関に分けるってことね」

「どんな機関かも知っている?」

「立法府が議会でしょ。司法府が裁判所、それから行政府が政府」

「その三権はフランス啓蒙主義の哲学者、モンテスキューが言い出したものだよ。ロックは、専制政治をふせぐには、なによりもまず立法府と行政府を分けるべきだ、と主張した。ロックは、すべての権力を握ったルイ十四世の同時代人だった。ルイ十四世は『余は国家なり』なんて言った。ルイ十四世は絶対君主と呼ばれるけれど、今から見るとルイ十四世の国は法治国家なんかではなかったわけだ。これにたいしてロックは、法治国家をしっかりと基礎づけるには、人びとの代表が法律をつくって、それを王や政府が実行しなければならない、と言ったんだ」

ヒューム——さあ、その本を火に投げこめ

二人のあいだのテーブルを見つめていたアルベルトは、窓のほうをふりむいた。

「曇ってきた」ソフィーが言った。

「ああ、蒸(む)すね」

「つぎはバークリでしょう?」

「三人のイギリスの経験主義者の二人めだ。でも彼はいろんな点でちょっと特別なので、まずはデイヴィッド・ヒュームからいこう。一七一一年に生まれて一七七六年に亡くなった人だ。経験主義の哲学者のなかでも、ヒュームはもっとも重視されている。偉大な哲学者、インマヌエル・カントの哲学に影響をあたえたことでも、ヒュームの意味は大きい」

「わたしはバークリの哲学のほうに興味があるのに、無視する気?」

「ああ、無視するよ。ヒュームはスコットランドのエディンバラの近くで育った。家族は彼に法律家になってほしかったのに、ヒュームは『哲学と学問一般以外のすべてに、どうしようもない反発』を感じていた。ヒュームはフランスの偉大な思想家、ヴォルテールやルソーと同じように、啓蒙主義の時代のまっただなかに生きた。ヨーロッパじゅうを旅して、最後にエディンバラに落ち着いた。主著は『人間本性論』、ヒュームが二十八歳の時に出した本だ。ヒュームは、この本のアイディアはわずか十五歳の時にひらめいた、と豪語しているよ」

「わたしもおちおちしていられない」

「きみだってもう始めてるじゃないか」

「でも、もしもわたしが自分で哲学をつくるとしたら、おおごとなの。だって、今までに聞いたどの哲学ともちがっているんだもの」

「ここまでの話になにか足りないものがあった？」

「あったわよ。まず第一に、今まで出てきた哲学者はみんな男だった。男の人たちは自分たち男だけの世界で生きてるみたい。わたしは現実の世界に興味がある。現実の世界では、花や生き物や子どもが生まれて成長していく。アルベルトの哲学者たちは人間のことばかり話している。今もまた『人間本性論』、人間の本性についての本でしょ？　でもこの人間って、どれもみんな中年のおじさんみたいな感じなの。だけど命は妊娠と出産から始まるんだわ。ここまでの話には、おむつや赤ちゃんの泣き声がちっとも出てこなかった。それから愛や友情なんかもあまり出てこなかった」

「そのとおりだよ、きみはなにからなにまで正しい。でもヒュームは、これまでの人たちとはちょっとちがう考え方をした哲学者だったんだ。ヒュームは日常生活から出発した。それにヒュームは子どもたち、つまり新しい世界市民だね、彼らがどんなふうに世界を体験するかってことに、とってもいい勘をもっていた人だと思うんだ」

「じゃあ、ちゃんと聞くわ」

「経験主義者ヒュームは、きみの言う男たちがそれまでに考え出したあいまいな概念や思考の産物をすべて打ち消すことが自分の務めだと思っていた。当時は書かれるものにも話されることばにも、中世と十七世紀の合理主義哲学の残骸がはばをきかせていた。ヒュームは世界をういういしく、人間らしく感じとることからやりなおそうと思った。ヒュームによれば、どんな哲学も『わたしたちに日常の経験を超えさせることはできないし、日常生活の反省から得られるのとは別の生き方の指針をあたえることもできない』」

「ここまでのところ、期待がもてるわ。でも、なにか例をあげてくれる？」

「ヒュームの時代、人びとは天使を信じていた。ほら、翼のはえた人間みたいな形の。ソフィーはそんなものを見たことがある？」

「ないわ」

「でも人間は見たことあるだろう？」

「当たり前でしょう」

「翼も見たことあるね？」

「そりゃそうよ。でも人間の背中にはえてるのは見たことないわ」

「ヒュームによると、天使という観念は複合観念なんだ。二つの別べつの経験からできていて、その二つの経験は現実に組みあわさっていることはなくて、人間の想像力のなかで初めていっしょにされたものなんだ。つまりこの観念は嘘っぱちだってことだから、捨ててしまわなければならないんだ。そうやってぼくたちは、思考や観念をすっかり大掃除しなければならない。本棚も大掃除が必要だ。ヒュームはこう言っている。『神学の本でも学校の形而上学の本でも、なにかの本を手にとったら、そこには大きさや数についての抽象的な思考過程が書いてあるだろうか、と問うてみるべきだ。書いてない。事実や現実についての、経験に支えられた推論が書いてあるだろうか？　書いてない。だったら、さあ、その本を火に投げこめ。なぜならその本には、まやかしとペテンしか書いてないのだから』」

「大胆！」

「本は燃えても世界は無傷だよ、ソフィー。むしろ以前よりもくっきりと、ういういしくなっている。ヒュームは、子どもの心を思考や反省が占める前に子どもが世界を体験する状態に戻ろうとしたんだ。きみは、これまで話に出てきた哲学者たちは自分たちだけの世界に生きているって言わなかった？　きみには現実の世界のほうが興味があるって？」

「そんなようなことを言ったわ」

「ヒュームはきっと同じことを言ったと思うよ。彼の考えの道筋を少しきちんとたどってみよう」

「ええ」

「ヒュームはまず、人間は印象と観念をもっている、と考えた。ヒュームによると、印象というのは、外の現実から直接感じとったことだ。観念というのは、そういう印象の記憶だ」

「たとえば？」

「きみが熱いストーブで火傷をしたら、その時きみは直接の印象を受けたことになる。きみは、火傷したことをあとで思い出す。それがヒュームの言う観念だ。この二つの違いは、印象は、時間を置いた印象の記憶よりも強烈でなまなましい、ということだけだ。知覚をオリジナル、観念や記憶をかすれたコピーと言ってもいい。結局は印象が、心のなかに保存される観念の直接の原因なんだからね」

「ここまでのところ、オーケーよ」

「それからヒュームは、印象にも観念にも、単純なのと、複合されたのとがある、と言った。ロックのところでリンゴの話をしたことは憶えているね？　一つのリンゴの直接の体験は複合された印象だ。だからリンゴの観念も複合された観念なんだ」

「お話ちゅうすみませんけど、それってそんなに重要なことなの？」

「重要かどうかだって？　たとえ哲学者たちが山ほどの偽の問題にかかずらっていたからといって、順序だてて考えていくことにしり込みしちゃいけない。ヒュームは、デカルトが思考過程を根本から築きあげなければならないと考えたのは正しかった、と言うだろうよ」

「失礼しました」

「ヒュームが問題にしたのは、ぼくたちは現実とは一致しない観念を複合によってでっちあげることがあるってことだ。自然界にはないものの偽の観念は、そうやってできあがる。天使のことはさっき言ったね。それから、ゾニのことも前に話に出た。もっと例をあげれば、ペガサス、翼のはえた馬がそうだ。こういうものはみんな、ぼくたちの心がでっちあげたものだ。ぼくたちの心がある印象からは翼を、ある印象からは馬をもってきたのだ。それぞれの部分はかつてじっさいに受けとめられたもので、本物の印象として心という劇場に入ってきた。なに一つ、心が発明したものはない。心は鋏（はさみ）と糊（のり）で偽の観念を組み立てる」

「なるほどね。さっきのことが重要なんだってわかったわ」

「それならけっこう。ヒュームは、現実にあてはまらない仕方で観念が複合されていないかどうかを見きわめるために、観念を一つひとつ検査しようと思った。ある観念がどんな印象からできあがったのか、とヒュームは問う。まずつきとめなければならないのは、どんな単純な観念から複合観念が組み立てられているのか、ということだ。そうやっていって、ヒュームは人間の観念を分析する批判的な方法を手に入れた。そしてヒュームは、ぼくたちの思考や観念の大掃除にとりかかる」

「一つか二つ、たとえをあげてくれる？」

「ヒュームの時代、たくさんの人びとが天国についてのはっきりとした観念をもっていた。デカルトが、観念がはっきりしていることは、その観念にあたるものが現実に存在することを裏づけている、と言ったのは憶えてるね？」

「わたしは忘れっぽいほうじゃないって、言ったでしょ？」

「すぐに気づくことだけど、天国はいろんな要素を複合したものだ。天国には真珠の門や黄金（きん）の道なんかがあって、天使たちがいる。でも、真珠の門や黄金の道や天使たちにしても、それぞれが複合観念なのだから、これではまだ一つひとつの要素にばらしたことにはならない。天国という複合観念は、真珠や門や黄金や道や白い衣を着た者や翼といった単純な観念からできている、ということをまずはっきりさせてから、つぎに、ぼくたちはかつてそういう単純な印象を本当にもったことがあるか、と問えるんだ」

「わたしたちはそういう印象をもったことがある。そして全部の単純な印象を、一つの夢のようなイメージにつなぎあわせた」

「そのとおり。ぼくたち人間は夢をみるときも、いわば鋏と糊を使うんだからね。でもヒュームが強調しているのは、ぼくたちが夢のイメージや複合観念を組み立てる材料はすべて、かつて単純な印象としてぼくたちの心に入ってきたものだ、ということだ。黄金を見たことがない人に、黄金の道は思い描けない」

「ヒュームはほんとに冴えてる。じゃあデカルトの、神というはっきりとした観念はどうなの？」

「そのことにもヒュームは答えている。ぼくたちは神を、無限に聡明で無限に善の存在だ、と想像する。全知全能最善の神って言うじゃないか。ほらね、ぼくたちは無限に聡明な何かと、無限に善な何かという観念からできあがっている、神という複合観念をもっているんだ。もしも一度もだれか聡明な人やなにか善いものに出会ったことがなかったら、ぼくたちはそういう神の観念ももてないだろう。ぼくたちの神の観念には、神はきびしく公正な父だ、という要素もある。でもこれも、きびしさと公正さと父の組みあわせだ。多くの宗教批判者はヒュームにならって、そういう神の観念はぼくたちが子どもの頃に体験した父親がもとになっている、と言う。父親の観念が天にまします父の観念になったんだ、とね」

「きっとそうなんでしょうね。でもわたしは、神は男じゃなきゃならないってことには、どうしても抵抗がある。ママは釣りあいをとるために、時どきは『女神さま、ありがとう』とか言ってるわ」

「ヒュームは、ちゃんとした感覚にさかのぼれない思考や観念を片っぱしから槍玉にあげたわけだ。

ヒュームは、『長いこと形而上学的思考を牛耳って、すっかり形而上学の評判を落としてしまった、中味のないチンプンカンプンなことばをお払い箱にする』つもりだ、と言っている。でもぼくたちは日常の生活でも、適切かどうか考えもしないで複合観念を使っている。たとえば『わたし』や変わらない『自我』という観念なんかがそれだ。まさにデカルトの哲学の基礎になっていた観念だね。デカルトは、自我ははっきりとした観念だとして、自分の哲学すべての礎にしたのだった」

「ヒュームは、わたしはわたしだってことまで否定しようとはしなかったんでしょうね？　だとしたら、ヒュームってただのトンチンカンよ」

「ソフィー、この哲学講座からたった一つきみに学んでほしいことがあるとすれば、それは早合点をしないということだよ」

「ごめんなさい、つづけて」

「いや、こんどはきみの番だ。ヒュームの方法で、きみが『わたし』と言っているものを分析してごらん」

「ではまず、わたしという観念は単純観念か、それとも複合観念か、と考えてみるわ」

「で、結論は？」

「どっちかって言うとわたしはそうとう複雑だと思うわ。ほんとにそう思う。たとえばわたしはけっこうお天気屋さん。それから、どっちつかず。ある人を好きになったり嫌いになったりする」

「じゃあ、『わたし』は複合観念だってことだ」

「オーケー。さて、わたしはこういう『わたし』とぴったり重なりあう複合された印象をもっているか。もっている。いつももっている」

「そんなこと言っちゃっていいのかなあ？」

「わたしはくるくる変わる人なの。きょうのわたしは四歳の時のわたしじゃない。自分にたいする気分は一分ごとに変わる。突然、自分が別人になったような気がすることだってあるわ」

「だったら、変わらない自我っていうきみの感情は偽の観念なんだね。『わたし』という観念は、本当はけっして同時には体験できない一つひとつの印象の長い鎖みたいなものだ。ヒュームは『目にもとまらない速さで連続し、つねに流れ動いているさまざまな知覚の束』と言っている。ぼくたちの心は『劇場のようなものだ。さまざまな知覚がつぎつぎと登場しては去り、消えてはまた浮かびながら、際限なくいろいろなシーンをくりひろげている』と。だからヒュームによれば、ぼくたちは入れ替わり立ち替わり交代する知覚や気分の背後にも下にも、変わらない基本的な人格なんてもっていない。人格はスクリーンに映る動く映像のようなものだ。フィルムのコマは目まぐるしい速さで入れ替わるから、映像は一コマ一コマのフィルムの『合成だ』ということがわからない。映像は本当はつながってはいない。瞬間を無数に継ぎ足したものなんだ」

「降参するわ」

「わたしはわたしで変わらないという観念を放棄するってこと?」

「そう、そういう意味」

「ついさっきはぜんぜんちがう意見だったのに。でもね、ヒュームがやった人間の心の分析と不変の自我の否定を、とっくの昔、二千五百年も前に地球の裏側でやった人がいるんだよ」

「いったいだれ?」

「ブッダだ。この二人のことばは、気味が悪いほどそっくりだ。ブッダは、人間の一生とはとぎれのない一つながりの精神的、肉体的な過程だ、と言った。人は瞬間ごとに変わっていく。赤ちゃんはそのままおとなにはならない。きょうのわたしはきのうのわたしではない。『これはわたしのものだ』と言えるものはなにもない、『これがわたしだ』と言えるものもない、とブッダは言った。だから『わたし』もなければ変わらない人格もない、とね」

「ほんと、ヒュームとそっくり」

「変わらない『わたし』の観念の延長線上に、多くの合理主義者は、人間には不死の魂があるということも当然だと考えていたね」

「それも偽の観念なの？」

「ヒュームとブッダはそう言ってるね。ブッダが死ぬ直前に弟子たちになんて言ったか、知っている？」

「ううん、知ってるわけがないでしょう？」

「『諸行無常』、組み立てられたすべてのものはいつかは解体するって言ったんだ。ヒュームも同じことを言ったかもしれないよ。デモクリトスも言ったかもしれない。とにかくヒュームは、魂の不死や神の存在を証明しようとする試みを否定した。これは、ヒュームが両方ともありっこないと考えたということではない。信仰の問題を人間の理性で証明しようとするのは、合理主義のはったりだと考えていた、ということだ。ヒュームはキリスト教徒ではなかったけれど、おおっぴらな無神論者でもなかった。ヒュームみたいな人を不可知論者という」

「どういう意味？」

「神は存在するかどうかわからない、とする人のことだ。死の床のヒュームを見舞った友だちが、死後の生はあると思うか、とたずねた。ヒュームは、火にくべても燃えつかない石炭もある、と答えたそうだよ」

「まあ……」

「よくわからないことには決着をつけないってことだね。どこまでも先入見にとらわれないヒュームの態度を、よく言い表している答えだ。ヒュームは、たしかな感覚で体験したものだけを認めた。そのほかの可能性はすべて未解決のままにしておいた。ヒュームはキリストへの信仰も奇跡も否定してはいない。ただ、どちらも信仰の問題で、理性の問題ではない、と言ったんだ。信仰と知の最後のきずなはヒュームの哲学によってたち切られた、と言っていい」

「でもそれは、ヒュームは奇跡を全面否定はしなかったわけね？」

「ヒュームが奇跡を信じていた、ということではないよ。ヒュームは、人間には、こんにち超常現象と呼ばれているようなことを信じたいという、強烈な欲求があるらしい、と言っている。でも、きみも聞いたことのある奇跡はみんな、ずっと遠い場所や大昔に起こっているよね？　ヒュームは、自分が経験しなかったから奇跡を受けいれなかっただけだ。でも、奇跡はありえない、ということも経験しなかった」

「もっとよく説明して」

「ヒュームによれば、奇跡とは自然の法則に反することだ。でもぼくたちは、自然法則を経験した、とも主張できない。ぼくたちは、投げた石が地面に落ちることを経験する。そして、もし落ちてこなかったら、そのこともまた、ぼくたちは自然現象として経験するだろう」

「それが奇跡なのよ。それとも超常現象かな」

「ということは、きみは自然と超自然の、二つの自然を信じているわけだ。合理主義のおしゃべりに逆戻りかい？」

「でも、石は投げたら地面に落ちてくるって思うけど」

「それはなぜ？」

「アルベルトって、ほんとにいや味ね」

「ぼくはいや味でもなんでもないよ、ソフィー。哲学者にとって、問いをたてることはまっとうなことなんだ。ぼくたちは、ヒュームの哲学の山場にさしかかったらしいぞ。さあ、答えて。石はかならず落ちると、きみはどうして確信できるの？」

「それがたしかだってことを、なんべんも見たことがあるからよ」

「ヒュームなら、きみは石が地面に落ちることを何度も経験したことがある、でもつねに落ちるということは経験したことがない、と言うだろう。ふつうは、石は重力の法則で落ちる、と言うよね？　でもぼくたちはそういう法則を経験したことがない。ぼくたちはただ、ものが落ちるのを経験したことがあるだけだ」

「同じことじゃないの？」

「まるっきり同じではない。きみは、何度も見たことがあるから石は地面に落ちると信じる、と言った。ヒュームはそこを衝いてくるよ。きみはつぎつぎと起こることに慣れて、しまいには、石を投げれば同じことがまた起きる、と予測するようになる。ぼくたちが不変の自然法則と呼んでいる観念は、そんなふうにできあがっていくんだ」

「ヒュームは本当に、石が地面に落ちてこないってことも考えられると思っていたの？」

「ヒュームはきみと同じくらいたしかに、石は何度投げても地面に落ちてくると信じていたさ。でも、なぜそうなのかは経験できない、と言ったんだ」

「わたしたち、子どもや花からずいぶん離れちゃったんじゃない？」

「そんなことはない、その逆だよ。子どもはヒュームの考え方を理解するのに絶好の例だ。石が一時間か二時間、空中に浮いていたとしたら、きみと一歳の赤ん坊と、どっちがよけいに驚く？」

「わたしのほうが驚くでしょうね」

「それはなぜ？　ソフィー」

「それがどんなに自然に逆らったことか、赤ちゃんよりもわたしのほうがよくわかっているからよ」

「じゃあ、なぜ赤ん坊はわかってないの？」

「自然がどういうものか、まだ学んでないからよ」

「言い方を変えれば、自然にまだなれっこになっていないからだ」

「アルベルトの言いたいこと、わかってきた。その赤ちゃん、トーマスっていうんじゃない？ トーマスのパパは空を飛べるのよ。ヒュームは、人びとにもっと注意深くなってほしかったのね」

「じゃあ、問題を出すよ。きみと赤ん坊がいっしょにすごい手品を見たとする。たとえば、そうだな、何かを空中に浮かばせるとか。きみたちのうちどっちがこの手品をよけいに楽しむだろう？」

「そりゃ、わたしよ」

「どうして？」

「それがどんなにありえないことか、わかっているからよ」

「そうだね。赤ん坊はまだ自然法則を学んでいないから、自然法則がひっくり返っても面白くもなんともない」

「そういうこと」

「ヒュームの経験哲学の山場はまだ終わってないよ。ヒュームなら、赤ん坊はまだ習慣からくる予断の奴隷になっていない、と言うだろう。きみと赤ん坊の二人のうち、赤ん坊のほうが心が開かれている。赤ん坊は偉大な哲学者だ、というのはそこなんだよ。赤ん坊には先入観がない。そしてそれが、ねえソフィー、哲学者のいちばんいいところなんだ。赤ん坊は世界をあるがままに受けとめる。経験に尾ひれをつけたりしない」

「わたしも、先入観のとりこになってるって気づくたびに、いやになるわ」

「ヒュームは習慣の威力について考えていくなかで、因果律の問題に的（まと）をしぼった。すべての出来事には原因があるはずだ、とするのが因果律だね。ヒュームは二つのビリヤードの球を例にとる。黒い球を静止している白い球に向けて転がしたら、白い球はどうなると思う？」

「黒い球が当たったら、白い球は動き出すわ」

「そうだね、でもどうしてそうなるの？」

「黒い球にぶつかられたからよ」

「このばあい、ぼくたちは黒い球の衝突を白い球が動き出したことの原因としたんだね。でもぼくたちは、なにかを経験して初めて、確信をもってものを言ってもいいんだ、ということを忘れてはいけない」

「ビリヤードなら何度も見たことがあるもの。ヨールンちの地下室にはビリヤード台があるのよ」

「ヒュームなら、きみが経験したのは黒いのが白いのにぶつかったこと、それから白いのが台の上を転がったことだけだ、と言うよ。きみは白い球が転がった原因は経験していない。きみは二つの出来事を時間の流れにそって体験したかもしれないけれど、第二の出来事が第一の出来事にもとづいて起こったことを体験したのではない」

「それはちょっと屁理屈じゃない？」

「とんでもない。とても重要なことだよ。ヒュームによれば、何かが何かの結果起こるというのは予断なんだ。そして予断とは、対象そのものには関係ない、ぼくたちの心の出来事なんだ。その証拠に、予断をもたない赤ん坊は、球が別の球にぶつかって二つともじっと動かなくなっても、びっくりして目を丸くすることもないじゃないか。いっぽうでぼくたちは自然法則とか、原因と結果とか言うけれど、それは予断、つまり人間の習慣にもとづいて話しているので、理性にもとづく話ではないんだ。自然法則は、理性が推論すれば明らかにできるって代物じゃない。黒い球がぶつかったら白い球が動き出すってことは、ぼくたちに生まれつきそなわっている理性から出てくるものじゃないのさ。ぼくたちは、世界のものごとはどうなっているかという予断をもたずに生まれてくる。世界がどういうものか、ぼくたちはだんだんと経験して知っていくんだ」

「なんか、どうでもいいことみたいな気がするけどなあ」

「もしもぼくたちが予断のために早合点してしまうとしたら、重要かもしれないよ。ヒュームは、不変の自然法則があるということは否定しなかった。でも、ぼくたちは自然法則そのものは経験できないんだから、へたをするとまちがった推論をしかねないんだ」

「例をあげてくれる？」

「ぼくが黒馬の群れを見たからといって、すべての馬が黒いわけではない」

「もちろん、そのとおりだわ」

「ぼくがたとえ一生のうちに黒いカラスしか見たことがなくても、白いカラスがいないということにはならない。哲学者にとっても科学者にとっても、白いカラスがいるかもしれないってことが大切なばあいもあるんだ。白いカラスを探求することは、学問のもっとも重要な課題だ、と言うことだってできるのさ」

「なるほどね」

「原因と結果の話に戻ると、稲妻を雷鳴の原因だと思っている人は多い。なぜなら、雷鳴はいつも稲妻のあとに聞こえるからね。この例は、ビリヤードの例とそんなに変わらない。でも稲妻は本当に雷鳴の原因なんだろうか？」

「そうじゃないわ。本当は同時にピカッときてゴロゴロッと鳴るのよ」

「だって稲妻と雷鳴は両方とも、放電の結果なんだからね。たとえぼくたちがいつも雷鳴は稲妻につづいて起こるというふうに体験するとしても、稲妻は雷鳴の原因ではない。第三のファクターが両方をひきおこす、というのが事実だ」

「そうね」

「二十世紀の経験主義者、バートランド・ラッセルは、ちょっとグロテスクな例をあげている。雛鳥(ひなどり)は、飼い主が中庭を横切ってきたら餌がもらえる、ということを毎日経験している。それで雛鳥は、飼い主が中庭を横切ることと餌鉢のなかの餌には関係がある、と結論する」

「でもある日、餌をもらえないの？」

「ある日、飼い主は中庭をやってきて、雛鳥をしめる」

「うわあ、残酷！」

「時間を追って起こる出来事は、だからかならずしも原因と結果の関係にはないのさ。人びとに早合点をいましめるのは、哲学のとても重要な使命だ。早合点はいろんな迷信のもとにもなる」

「というと？」

「きみが道で黒猫を見る。同じ日のしばらくあとにきみは転んで手を怪我する。でも、この二つの出来事に因果関係なんてない。科学の分野で因果関係を考える時も、早合点は禁物だ。ある薬を飲んで病気が治る人がたくさんいたって、これはその薬がその人たちを健康にしたってことではない。たくさんの人びとに薬だと言って本当は小麦粉を飲ませる実験が必要だ。この人たちも健康になったとしたら、彼らを健康にした第三のファクターがあるはずだ。たとえば、この薬の効き目への信仰とか」

「経験主義ってどういうことか、だんだんわかってきた」

「倫理と道徳についても、ヒュームは合理主義の考えに反対している。合理主義者は、正しいことと正しくないことを見分ける力は人間の理性に宿っていると考えた。これは自然法の考え方だけど、ソクラテスからロックまで、たくさんの哲学者たちがこの考えに立っていたね。でもヒュームは、ぼくたちが言ったりしたりすることを理性が決定するとは考えなかった」

「じゃあ、何が決定するの？」

「ぼくたちの感情だよ。きみが困っている人を助けようと決めたら、それはきみの感情がそうさせたんだ。理性じゃない」

「助ける気が起こらなかったら？」

「それも感情がそうさせたんだ。困っている人を助けないのは、理性的なことでも非理性的なことでもない。あさましいことではあるかもしれないけど」

「でも、これはぜったいいっていうことはあるはずよ。ほかの人を殺してはいけないってことは、みんなが知ってるわ」

「ヒュームによれば、すべての人間はほかの人間の幸不幸にたいする感情をもっている。つまりぼくたちには共感する能力があるってことだ。でも、このことと理性はまるで関係ない」

「まだ納得できないなあ」

「だれかを抹殺することは、かならずしも非理性的とはかぎらないよ、ソフィー。何かを実現しようとする人にとって、それは合理的な手段だってこともある」

「そんな！　わたし、厳重抗議するわ！」

「だったら説明してよ。なぜ邪魔者を消してはいけない？」

「ほかの人だって命を愛しているからよ。だから殺しちゃいけないんだわ」

「それは論理的な説明？」

「さあ……」

「きみは、『ほかの人も命を愛している』という『事実を記述する文』から『だから殺してはいけない』という『行動方針を命じる文、あるいは規範を示す文』を引き出した。つまり事実判断をそのまま価値判断にしてしまったんだ。よく考えてみると、これはばかげている。だったらまったく同じように、税金をごまかす人がたくさんいるという事実から、きみもそうするべきだ、と結論することだってできる。ヒュームは、けっして『である文』から『べきだ文』は結論できない、と言っている。でも、そういうことがあまりにも目につくよね。とくに新聞記事とか、政党の綱領とか、議会での演説とか。いくつか例をあげようか？」

「ええ、そうして」

『旅行は飛行機で、と考える人が増えている。だからもっと飛行機をつくるべきだ』――この推論、なるほどと思う？」

「ううん、おかしいわ。環境のことも考えなくちゃ。それより新しい鉄道をつくるべきだと、わたしは思うな」

「こんなのはどうかな？『油田を一基つくれば国民の生活水準は一〇パーセント上昇する。だからできるだけ早く新しい油田を開発すべきだ』」

「ちがうわ。やっぱり環境についても考えなくちゃ。それに、ノルウェイの生活水準は今でもじゅうぶん高いわ」

「『この法律は議会で可決された、だからすべての国民はこれにしたがうべきだ』なんていうこともよく聞くね。でも、時にはどうかと思うような法律もあるよ」

「そうね」

「さっき、ぼくたちはどうふるまうべきかを理性で測ることはできない、と確認したね。責任ある行動は、ぼくたちの理性がたしかであることと同じではない。むしろ、他人の幸不幸にたいするぼくたちの感情のたしかさにかかわっている。自分の指にひっかき傷をつけるくらいなら全世界を破壊したほうがましだ、という考え方は理性に反してはいない、とヒュームは考えた」

「ひどい考え方！」

「もっとひどい話をするよ。ナチが何百万人ものユダヤ人を殺したことは知っているね？　ナチの人たちの何が狂っていたんだろう？　理性かな、それとも感情かな？」

「なんたって、感情がどうかしちゃってたんだわ」

「頭はとことん正常だった人はいくらでもいる。冷酷きわまりない決定には、氷のように冷たい計算がはたらいているものだ。戦後、たくさんのナチ党員が処刑されたけど、それは彼らが非理性的だったからではない。また反対に、精神が完全には正常ではない人が、犯罪を犯しても無罪になることがある。そういう人たちは『犯行の時点での責任能力を問えない』と言われる。でも、理性（あたま）は正常なのに感情が抜け落ちていたからって無罪になった人はいない」

「いたらたいへんよ！」

「グロテスクな例ばかりあげる必要もないか。でも、災害でたくさんの人びとが生命の危機にさらされているとして、救援ボランティアに参加するかどうか決めるのは感情だ。もしもぼくたちに感情が欠落していたら、決定は計算高い冷たい理性にゆだねられる。するとぼくたちはたぶん、こう考えるだろう。どうせ世界は人口過剰なんだ、何百万人か死ぬのはけっこうなことじゃないかって」

「だれかがそんなこと言ったら、わたし、カッカしちゃう」

「ほらごらん、カッカするのはきみの理性じゃないよ」

「そうね、そのとおりね」

アルベルトは窓辺に立った。ソフィーもその隣に立った。しばらくすると、セスナ機が家々の屋根の上に姿を見せた。長い幟（のぼり）を引いている。

まるで長いしっぽのように、セスナ機の後ろにひらひらとたなびいているその布には、大がかりなコンサートの予告か何かが書いてあるのだろう、とソフィーは思った。ところが飛行機が近づくと、ぜんぜんちがうことが書いてあった。

十五歳の誕生日おめでとう、ヒルデ

「しつこいなあ」それがアルベルトのたった一つのコメントだった。

黒い雲が南の丘から町のほうへと広がっていた。セスナ機は分厚い雲のなかに消えた。

「一荒（ひとあ）れくるかな？」アルベルトが言った。

「だったら、バスで帰るわ」

「この春の嵐も、少佐が陰で糸を引いているのでないといいんだが」

「彼ってそんなにオールマイティなのかしら？」

アルベルトは答えなかった。小さなテーブルに戻って、ソファに腰をおろした。

「バークリの話をしなければ」

ソフィーはもう座っていた。気がつくと、ソフィーは爪を噛みはじめていた。

「ジョージ・バークリはアイルランドの主教で、一六八五年に生まれて一七五三年に亡くなった」

そう口火を切ったきり、アルベルトはしばらくなにも言わなかった。

「バークリはアイルランドの主教だったのね？」ソフィーは先をうながした。

「でも哲学者でもあった……」

「それで？」

「バークリは、彼の同時代の哲学と科学はキリスト教の世界観をおびやかしている、と考えた。なによりも、ますます猛威をふるっていた唯物論は、神が自然界のすべてをつくり、生かしているとするキリスト教の信仰をおびやかすものだと……」

「それで？」

「同時にバークリは筋金入りの経験主義者でもあった」

「わたしたちは感覚をとおしてしか世界を知ることはできないって、バークリは考えていたわけね？」

「それだけじゃない。バークリは、外界はぼくたちが経験するとおりのものだが、でも『物』ではないと考えた」

「わかりやすく説明して」

「きみはロックが、物質には『第二性質』を押しつけることはできない、と言ったことを憶えているね？　つまりぼくたちは、あるリンゴそのものが青さやすっぱさをもつとは主張できないんだ。ぼくたちがリンゴをただそんなふうに感じるだけだ。でもロックは、硬さや重さのような『第一性質』は本当にぼくたちをとりまく現実に属するものだ、とも言っていた。つまり、外の現実には物質的な

『実体』があるのだと」

「よく憶えてるわ。あの時わたしは、ロックは大切な区別をしたんだなって思った」

「そうだね、ソフィー、話がそれだけだったら楽なんだけど」

「つづけて」

「ロックはデカルトやスピノザと同じように、物質の世界は本当に存在すると考えたわけだ」

「それで？」

「バークリはまさにそこのところを疑った。しかも経験主義の論理を使ってね。バークリは、存在するのはぼくたちが知覚するものだけだ、と言った。でもぼくたちは『物質』や『物体』は知覚しない。ぼくたちはものを手ごたえのある『物』としては知覚しない。ぼくたちが知覚するものには背後に隠れた実体がある、と仮定するなら、ぼくたちは論理の飛躍をおかしたことになる。ぼくたちはそんな主張を裏づけるような、経験できる証拠などもってない」

「うそよ！　ちょっと見て」

ソフィーはげんこつを固めて、したたかにテーブルをたたいた。

「痛い！　これは、このテーブルはほんもののテーブルで、物体だってことの証拠じゃないの？」

「どんな感じのものだった？」

「硬いものだった」

「きみは硬い何かというたしかな知覚を得た。でもテーブルの物質を感じたわけじゃない。同じように、きみは硬い何かにぶつかる夢をみることはあっても、きみの夢そのものが硬い物なんかではないだろう？」

「夢は硬くはないわよ」

「催眠術をかけられて、暖かさや寒さや、やさしい愛撫やげんこつパンチを『感じる』こともある」

「でもさっきの硬いものがテーブルそのものではないとしたら、わたしに硬いって感じさせたのは何だったの？」

「バークリは、それは『意志あるいは精神』だと考えた。ぼくたちのすべての観念の原因はぼくたちの意識の外にある。しかしそれは物質という本性をもたない、とも考えていた。バークリによれば、それが精神だ」

ソフィーはまた爪を嚙んだ。

「バークリによれば、ぼくの精神はぼくの観念の原因になりうる。たとえばぼくが夢をみるようなばあいがそうだ。でもぼくたちの物質の世界をつくっている観念の原因になることができるのは、もう一つの別の意志あるいは精神だけだ。すべてはこの精神から出ている。この精神は『すべてのなかにはたらいてすべてを行ない、すべてはこれによって存在する』とバークリは言っている」

「で、その精神ってなあに？」

「バークリの念頭にあったのはもちろん神だ。『神が実在することは、だれか一人の人間が存在することよりもはっきりと感じられる、と主張してもいいくらいだ』とバークリは言っている」

「わたしたちが存在することだって、たしかなんじゃないの？」

「まあね……ぼくたちが見たり感じたりするものはすべて、バークリによれば、神の力の結果なんだ。なぜなら神は『わたしたちの意識に親しく存在し、わたしたちがつねに周りから受けいれているさまざまな観念や知覚を、わたしたちの意識へ呼びこんでいる』からだ。ぼくたちをとりまくすべての自然とぼくたちの全存在は、だから神の心のうちにある。神は存在するすべてのもののたった一つの原因なんだよ」

「ひかえめに言って、ぶったまげたわ」

「『存在するかしないか』は、だから問題のすべてではない。ぼくたちは何なのか、ということも問題なのだ。ぼくたちは本当に、肉と血からなる人間なんだろうか？　ぼくたちの世界は現実だろうか、それともぼくたちは神の意識に取りこまれているだけなんだろうか？」

　ソフィーはまたしても爪を嚙みはじめた。

「バークリは、物質のリアリティを疑っただけではない。時間と空間は絶対的な存在か、つまり精神から独立した存在をもつか、ということも疑った。つまりぼくたちの時間体験や空間体験も、神の心のなかにしかないかもしれないんだ。ぼくたちにとっての一、二週間が、神にとっての一、二週間である必要はない」

「バークリにとっては、すべてがそこに存在するこの精神っていうのはキリスト教の神なのね？」

「そうだよ。でもぼくたちにとっては……」

「わたしたちにとっては？」

「『すべてのなかにはたらいてすべてを行なう』この『意志あるいは精神』は、ぼくたちにとってはヒルデの父親かもしれない」

　ソフィーは、はっと息をのんだ。顔がそっくり大きなクエスチョンマークになってしまった。そして同時に、本当にそうかもしれない、という思いが兆（きざ）してきた。

「そう思う？」ソフィーはたずねた。

「ほかに可能性は考えられない。たぶんそう考えなければ、ぼくたちが体験してきたすべてに説明がつかないだろう。あちこちに現れたあのはがきとメッセージ、ヘルメスが突然ことばをしゃべったこと、それからぼく自身の思ってもみない言い間違い」

「わたし……」

「ぼくはきみをソフィーと呼んでいる、ヒルデ！　ぼくはずっと、きみの名前がソフィーじゃないと知っていたんだ」

「なに言ってるの？　アルベルト、どうかしちゃってるわよ！」

「ああ、なにもかもがどうかしてしまったよ。まるで燃える太陽をめぐる惑星になったような気分だ」

「で、その太陽がヒルデの父親？」

「そう言っていいかもしれない」

「ヒルデの父親は、わたしたちにとっては神みたいなものだって、言いたいわけ？」

「はっきり言って、そうだ。でも、彼は恥を知るべきだ！」

「ヒルデは？」

「彼女は天使さ、ソフィー」

「天使？」

「ヒルデはこの『精神』が向かう先だ」

「アルベルト・クナーグがヒルデにわたしたちのことを話しているって思うの？」

「あるいは書いているかだ。ここまでに学んだことによれば、なにしろぼくたちは、ぼくたちの現実をつくっている素材を知覚できないいんだからね。ぼくたちは、外の現実が音波でできているのか、紙と文字でできているのか、知りえない。バークリによれば、ぼくたちは精神だということしか知りえない」

「そしてヒルデは天使……」

「そう、彼女は天使だ。きょうはここまでにしておこう。誕生日おめでとう、ヒルデ」

突然、部屋に青い光が広がった。数秒後、雷鳴がとどろいて、アパートにズシンとひびいた。

アルベルトは放心したような目をしている。

「帰らなきゃ」ソフィーが言った。そしてはじかれたように立ちあがって、戸口にいそいだ。ドアをあけた時、洋服掛けの下で眠っていたヘルメスが目を覚ました。ソフィーが出て行こうとすると、ヘルメスが口をきいたようだった。

「さようなら、ヒルデ」

ソフィーは階段を駆けおり、通りを走っていった。人っ子一人見当たらない。ほどなく、たらいをぶちまけたような土砂降りになった。

車が二台、水びたしのアスファルトをしぶきをあげて走り去った。けれども見わたすかぎり、バスは来ない。ソフィーは中央広場をつっきり、さらに町をつっきって行った。走っていくソフィーの頭のなかでは、たった一つの考えがぐるぐると渦を巻いていた。

あしたはわたしの誕生日。十五になる一日前に、人生はただの夢だと思い知らなければならないなんて、こんなにむごいことがある？　百万クローネの賞金を当てた夢をみて、もらおうとしたとたんに目が覚めるようなものよ。ううん、それどころじゃないわ。

ソフィーはびしょ濡れのグランドを走っていった。だれかがソフィーめがけて走ってくる。母だった。何度も稲妻が走って、荒あらしく空を切り裂いた。

母親はソフィーを抱きしめた。

「わたしたち、どうしちゃったの？　ソフィー！」

「わからない」ソフィーは泣いていた。「悪い夢でもみているみたい」

ビヤルクリ――曾祖母（ひぃおばあ）さんがジプシーの女の人から買った古い魔法の鏡

ヒルデ・ムーレル＝クナーグは、リレサンの古い船長館の屋根裏部屋で目を覚ました。時計はまだ六時をさしていたが、外はもうすっかり明るい。射しこむ朝日が壁いっぱいに広がっている。

ヒルデは起きあがって、窓辺に行った。とちゅう、机の上の日めくりカレンダーを一枚、破りとった。一九九〇年六月十四日。ヒルデは破いたカレンダーを丸めて、ごみ箱にほうりこんだ。

今、カレンダーは「1990年6月15日」。日付はぴかぴか輝いて見えた。一月からこのページには「十五歳」と書きこんであった。十五日に十五歳になるなんて、なにか特別な気分だ。こんな気持は生まれて初めてだった。

十五歳！　きょうはおとなになった第一日め！　ヒルデは、もう一度ベッドにもぐりこむ気がしなかった。それに、あしたからは夏休み。きょうは、先生も生徒も一時に教会に集まって、無事に一学期が過ごせた感謝のお祈りをする。それに、一週間のうちに父がレバノンから帰ってくる。聖ヨハネの夜（夏至の前夜）は家で過ごすという。

ヒルデは窓の外に目をやった。庭が下り坂になってフィヨルドに落ちこむところには、赤い小さな艇庫（ボートハウス）と桟橋が見える。ヨットは夏をむかえる整備がまだすんでなくて、ボートハウスに入っていたが、古いボートは桟橋につながれている。ゆうべは大雨だった。ボートにたまった水をかい出さなければ、とヒルデは思った。

小さな入り江をながめているうちに、ヒルデは六つか七つの時の出来事を思い出していた。たった一人であのボートによじ登ったら、ボートがフィヨルドに漂い出してしまったのだ。ヒルデはほうほうの体(てい)でボートから逃れ、やっとのことで陸に這いあがった。ずぶ濡れになって、しばらくは茂みのなかにうずくまっていた。家の前に立つと、母親が飛び出してきた。母の目に飛びこんだのは、フィヨルドの外へと遠ざかるボートとオール。今でもヒルデは、ぽつんと漂うボートの夢をみる。あれはとんでもない体験だった。

庭は草木がふんだんに生い茂っているわけでも、手入れが行き届いているわけでもなかった。でも広びろとしているし、なによりこれはヒルデの庭なのだった。一陣の風がリンゴの木とフサスグリの茂みを乱して吹きすぎた。どの果樹にも実はもう一つも残っていない。果樹たちはきびしい冬の吹雪を耐え抜いて、ほっとしているところだ。

庭の花崗岩のかたまりと茂みのあいだはちょっとした芝生になっていて、そこに背もたれ式のブランコが置いてあった。まぶしい朝の光に、ブランコはまるで見捨てられたかのようだ。クッションが取り外されているので、なおさらわびしい。ゆうべ激しい雨が降り出したので、母親があわてて取りこんだのだ。

広い庭はぐるりを白樺の木に囲まれていた。おかげで庭は疾風(はやて)の直撃をまぬかれている。白樺の木(ビャルク)にちなんで、ここは百年以上も前からビャルクリと呼ばれていた。ヒルデの曾祖父(ひいおじい)さんが十九世紀の末にここに家を建て、白樺を植えたのだ。曾祖父さんは大型帆船最後の世代の船長だった。今でもこの家を「船長館」と呼ぶ人は多い。

この朝、庭にはゆうべのとつぜんの土砂降りのあとが残っている。ヒルデは何度も雷鳴に目を覚ました。今、空には小さな雲一つない。

夏の大雨のあとはなにもかもがすがすがしい。ここ数週間、暑くて乾燥した日がつづいた。白樺の葉には汚い黄色の斑点ができた。今、世界はきれいさっぱり洗いたてられ、ヒルデの子ども時代もゆうべの雷といっしょにはるかかなたに遠ざかってしまったようだった。

「芽が傷んでないといいけれど……」あれ？　こんな詩をスウェーデンの詩人が書いていなかったっけ？　それともフィンランドの詩人だったかな？

　ヒルデは、お祖母さんの古い整理ダンスの上にかかっている大きな真鍮の鏡に向かった。

わたしはきれい？　とにかくブスではないわよね？　たぶん、わたしはその中間……。

　ヒルデの髪は長いブロンドだった。いつもヒルデは自分の髪がもうちょっと明るいか、もうちょっと暗い色だったらよかったのに、と思っていた。こんなどっちつかずの色は魅力ない。でも、ふんわりとしたウェーブは気に入っている。友だちはみんな、ウェーブをつけるのにさんざん苦労しているけれど、ヒルデはそんなことしなくていい。瞳の色も気に入っている。ヒルデの瞳は輝くような緑色だった。「ほんとに緑なのね！」叔父さんや叔母さんは、ヒルデにかがみこんではそう言う。

　今わたしが点検しているこの鏡の顔、女の子の顔だろうか、それとも若い女性の顔だろうか、とヒルデは考えた。そして、どっちでもない、と思った。体は若い女性らしさをそなえている。でも顔はまだ熟れていないリンゴのようだった。

　この古い鏡に向かうと、なぜかいつも父のことが思い出される。以前、この鏡はアトリエにかかっていた。アトリエは艇庫の向かいにあって、父親の書庫兼もの書き部屋兼隠れ家だった。アルベルト、とヒルデは自分の父親を呼ぶのだが、家にいる時のアルベルトはいつも、大作を書くんだ、と意気込んでいた。一度、小説に挑戦したが、今のところ未完の大作に終わっていた。アルベルトは、岩がちな小島が点々とちらばるこの近辺を描いた詩やエッセイを、時おり地元新聞に書く。ヒルデは、アルベルトの名前が新聞にのるたびに、本人と同じくらい鼻が高かった。アルベルト・クナーグ——この名前はリレサンでは特別の響きをもっていた。曾祖父さんもアルベルトという名前だった。

そう、この鏡よね。何年も前、パパが冗談を言ったっけ。鏡の自分にウインクはできるけど、両目ウインクはできない、でもこの真鍮の鏡だけは別だ、なぜならこれは、新婚当時の曾祖母さんがジプシーの女の人から買った古い魔法の鏡なのだから、と。

ヒルデは、父のアトリエに入りこんでは、ずいぶん両目ウインクをやってみたけれど、それは自分の影を追い抜くのと同じくらいむずかしかった。ついに形見の古鏡はヒルデのものになった。そして子ども時代ずっと、ヒルデはこの不可能なテクニックに挑戦してきたのだ。

きょう、わたしがちょっぴりもの思いにふけったとしても、不思議はないわ。自分のことばかり考えたとしても、へんじゃない。十五歳……。

ヒルデは初めてナイトテーブルに目をやった。とびきりきれいな空色の紙にくるまれ、赤いリボンをかけられた、大きな包みがのっている。きっと誕生日のプレゼントだ！

これがあのプレゼント？　これが、パパからのなんとも秘密めいた大きなプレゼント？　パパはレバノンからどっさりはがきをくれるけれど、いつもいつもヘンテコなほのめかしを書いてくる。パパは自分に「きびしく口止めをして」いるという。

どんどん大きくなるプレゼント、とパパは書いていた。それから、もうすぐヒルデが友だちになるという一人の女の子のことも匂わせていた。その子にも絵はがきの写しを送っているという。パパが何を考えているのか、ママから聞き出そうとしたけれど、ママも首をひねるばかりだった。

とびきりヘンテコなのは、このプレゼントはほかの人と分けあうことになる、というほのめかしだ。パパが国連で働いているのには、パパなりの理由がある。もしもパパに口癖があるとしたら――あるとしたらどころではない、山ほどあった――それは、国連が世界にたいしてリーダーシップのようなものをもたなければならない、というものだった。はがきにも、「いつかある日、国連が人類を本当に一つにできたら」と書いていたっけ。

ママがしきたりどおり、レーズンブレッドとジュースとノルウェイの旗をもって、誕生日の歌をうたいながら上がってくる前に、この包みはあけてもいいのかな？　いいのよ、きっと。だからここにあるのだわ。

ヒルデは部屋を横切って、ナイトテーブルから包みを取りあげた。ずしりと重い！　カードがはさんである。「ヒルデへ、十五歳の誕生日に、パパより」

ヒルデはベッドに腰かけて、ていねいに赤いリボンをほどいた。そして青い紙を開いた。

出てきたのは大判のバインダーだった。

これがプレゼント？　これが、さんざんはがきに書いてあった十五歳の誕生プレゼント？　どんどん大きくなる、ほかの人と分けあうことになるっていうプレゼント？

バインダーにはタイプで打った紙がごっそりはさまっていた。その書体は、父親がレバノンにもっていったタイプライターのものだった。

パパがこの本を丸ごと一冊、わたしのために書いた？

一枚目には、大きく手書きで『ソフィーの世界』とある。

その少し下にも何か書いてある。こっちはタイプだ。

黒い大地の国にふりそそぐ陽の光は
大地の国の族（うから）へのまことの光

N・F・S・グルントヴィ

ヒルデはぱらぱらとページをめくった。つぎのページから第一章が始まっている。章のタイトルはじめた。

「エデンの園」。ヒルデはベッドで楽な姿勢をとった。そしてバインダーを膝にもたせかけて、読みは

ソフィー・アムンセンは学校から帰るところだった。とちゅうまではヨールンといっしょだ。二人は道みちロボットの話をしていた。ヨールンは、人間の脳は複雑なコンピュータみたいなものだ、と言った。ソフィーはよくわからなかった。人間は機械なんかより上なんじゃないかなあ。

ヒルデは読み進んだ。そのうち、ほかのことはすっかり忘れてしまった。きょうが誕生日だということすら。けれども、時おりある思いが頭をもたげる。

パパは小説を書いたわけ？ 以前、長篇小説を書くんだと言っていたけれど、それにまた手をつけた？ そしてレバノンで書きあげるつもり？ 南の国では時間をもてあます、としょっちゅう言ってはいたけれど。

ソフィーの父親も家を遠く離れている。たぶんこの子が、わたしが友だちになるという女の子かしら……。

わたしはある日すっかり消えてしまう、と強く実感して初めて、命はかぎりなく尊い、という思いもこみあげてくる。……世界はどこからきた？……とにかく、いつか何かが無から生まれたはず。でも、そんなことってあり？ こんな考えは、世界はずっと前からあったというのと同じくらい、まちがっているんじゃない？

ヒルデはどんどん読んだ。そして、ソフィー・アムンセンがレバノンからの絵はがきを受けとった

ところでは、驚いて思わず膝を引き寄せた。「ソフィー・アムンセン様方、ヒルデ・ムーレル＝クナーグ様、クローバー通り三番地……」

《愛するヒルデ
十五歳のお誕生日おめでとう。パパはヒルデに、なにかおとなになるのに役立つようなプレゼントをしたいと思っている。このはがきはソフィーに送る。そうするのがいちばん手っとり早かったのだ。

愛しているよ　パパ》

いやだ、パパったら！　パパはとんでもないいたずら好きだとは思っていたけれど、きょうこそはまいってしまった。誕生日カードをプレゼントにそえる代わりに、本のなかに書きこんだりして。

それにしても、気の毒なソフィー！　きっと、なにがなんだかわからないでしょうに。

どうしてこの父親はバースデイ・カードをソフィーの住所なんかに送りつけたのだろう？　ぜんぜんちがうところに送るべきでしょう？　カードをお門違いのところに送って、誕生日に娘をがっかりさせる父親なんているかしら？　「いちばん手っとり早かったのだ」って、どういうこと？　それにしても、どうやってヒルデという子を捜したらいいのだろう？

むりよ、ソフィーもかわいそうに、どうやってわたしを捜せばいいのよ？　ヒルデはページをくって、つぎの章に進んだ。つぎは「シルクハット」。少し進むと、長い手紙が始まった。謎の人物がソフィーに宛てた手紙だ。ヒルデは息をつめて読んだ。

わたしたちはなぜ生きているのか、ということへの関心は、だから、たとえば切手のコレクションのような、いわば「ひょんなきっかけではまってしまう」興味とは別物です。この問題に関心をもった人は、わたしたち人間がこの惑星に生きてきたのとほとんど同じくらい長いこと議論されてきたことがらにかかわることになる……。

「ソフィーはすっかりぼーっとしてしまった」――ヒルデにしても同じだった。パパはわたしの十五歳の誕生日のためだけにこの本を書いたのではない。もっと大きな何かが、この風変わりで謎めいた本を書くようにと、パパをつきうごかしたのだ。

短いまとめ。白兎は空っぽのシルクハットから引っぱり出されます。とても大きな兎なので、この手品の仕込みには数億年かかります。か細い毛の先っぽに、すべての人の子が生まれるでしょう。だからすべての人の子は、このありえない手品に驚きあきれるでしょう。けれども、人の子たちは大きくなると、どんどん兎の毛の根元のほうへともぐりこむ。そしてそこにうずくまる……。

兎の毛の奥にぬくぬくとした場所を見つけようとしていたのは、ソフィーだけではない。わたしはきょう、十五歳になった。どんな方向に這っていくか、今決めなくてはならないのだ。

ヒルデはギリシアの自然哲学のところを読んだ。パパが哲学に関心をもっていることは知っていた。いつか、新聞に書いていたっけ。学校で全員が哲学の授業を受けるべきだって。そのエッセイには、「哲学を必須課目に」という見出しがついていた。それをパパはヒルデのクラスの保護者会でも話題にした。ヒルデはものすごく恥ずかしかったけれど。

ヒルデは時計を見た。もう七時半になっていた。でも、母親が誕生日の朝食をもって上がってくるのはまだ何時間もあとだ。よかった。なぜならヒルデはソフィーと哲学の問いに夢中になっていたからだ。ヒルデはデモクリトスの章を読んだ。ソフィーがまず考えなければならなかった問いは、「なぜレゴは世界一、超天才的なおもちゃなのか?」。そして郵便箱に「大きな茶封筒」を見つける。

デモクリトスは、自然界に見られる変化は何かが本当に変化したのではない、と考えたところまでは、今まで見てきた哲学者たちと同じでした。デモクリトスは、すべては目に見えないほど小さなブロックが組みあわさってできていて、そのブロックの一つひとつは永遠に変わらないにちがいない、と考えた。そしてこのいちばん小さなブロックを「原子（アトム）」と名づけた。

ソフィーがベッドの下からヒルデの赤い絹のスカーフを見つけたところでは、ヒルデの興奮は頂点にたっした。じゃあ、あれはここにあったわけ? でも、どうしてなくしたスカーフが物語のなかに出てくるの? そんなこと、あるわけがないわ。スカーフはきっとどこかほかのところにあるはずよ……。

ソクラテスの章は、ソフィーが新聞で「レバノンにいるノルウェイの国連軍のこと」を読むところから始まっていた。いかにもパパらしい! パパはいつも、ノルウェイの人びとは国連軍の平和維持活動に関心がなさすぎる、と言っていた。パパとしては、たとえだれも見向きもしなくても、せめてソフィーだけは国連に関心をもっているべきなのだ。そして国連軍についての記事を読むべきなのだ。そうすれば、せめて物語のなかではメディアが国連に関心をもっていることにできるから。

ソフィーに宛てた哲学者の手紙にこんな「追伸」を読んだ時、ヒルデは思わず笑ってしまった。

> もしも赤い絹のスカーフを見つけたら、大切にしまっておいてください。学校とかそういう場所で

は、ものの取り違えはちょくちょくありますよね。この講座もいわば哲学の学校なのです。

階段を上がってくる足音が聞こえた。母親が誕生日の朝食をもってきたのだ。ドアがノックされた時、ヒルデは、ソフィーが庭の隠れ家にアルベルトのビデオカセットを見つけたところまで読み進んでいた。

「きょうはヒルデの誕生日、トラレラレラ
おめでとうを言いに行こう……」

母親は、階段を半分上がったところでもううたい出した。

「トラレラレラ……」

「どうぞ！」とヒルデは言いながら、哲学の先生がアクロポリスからソフィーにじかに語りかけるところを読んでいた。哲学の先生のルックスは、「おしゃれな黒い髭」をたくわえて青いベレー帽をかぶっているいるところなど、ヒルデの父親とほぼそっくりだ。

「ヒルデ、お誕生日おめでとう！」

「うん……」

「なによ？　どうかした？　ヒルデ」

「そこに置いといて」

「どうしたのよ？」

「ちょっと手が離せないの、わかるでしょ」

「これでもほんとにもう十五？」

「ねえ、アテネに行ったことがある？　ママ」

「ないわ。どうして？」

「古代の神殿がまだあるなんて、ちょっとすごいじゃない。二千五百年前のものなのよ。いちばん大きいのは『乙女の家』っていうんですって」

「パパからのプレゼントをあけたの？」

「プレゼントって？」

「いいかげんこっち向きなさい、ヒルデ！　きょうのあなたは完全にどうかしてるわよ！」

ヒルデは大きなバインダーを膝に置いた。

母親はベッドにかがみこんだ。お盆にはキャンドルとパンとオレンジジュースがのっている。小さなパッケージもある。母には手が二つしかないので、ノルウェイの旗は小わきにはさんでいた。

「ありがとう、ママ。すごくうれしい。でも、今は暇がないの、わかって」

「でも、一時には教会に行くんでしょ？」

ヒルデはその時ようやく、教会に行かなくてはならないことを思い出した。母親は、お盆をナイトテーブルに置いた。

「ごめんなさい。これにすっかり夢中になってたもんだから」

ヒルデはバインダーを見せた。

「パパのプレゼント……」

「パパは何を書いてきたの？　ヒルデ。わたしもあなたと同じくらい、わくわくしちゃうわ。ここ何カ月も、パパったら一言もまともなことを言ってこないんだもの」

突然、なにかわからないものがヒルデを口ごもらせた。

「ああ、なんかお話みたい」

「お話？」

「そう、お話。兼、哲学の歴史の本。ま、そんなところね」

「わたしのプレゼントはあけて見ないの?」

プレゼントを分けへだてしてはいけない、とヒルデは思って、母のプレゼントもあけて見た。黄金(きん)のブレスレットだった。

「わあ、すてき! ありがとう!」

ヒルデは飛びあがって、母親にキスした。

二人はしばらくおしゃべりした。

「もう、一人にしてほしいんだけど」とうとうヒルデが言った。「ちょうど彼がアクロポリスに登ったところなの」

「彼って?」

「さあ、わたしにはわからない。ソフィーにもね。だから先に進まなくちゃならないの」

「やれやれ。とにかくわたしは仕事に行かなくちゃ。ちゃんと食べるんですよ。服は下にかかってるわ」

母親はようやく黙ってくれた。ソフィーの哲学の先生も黙った。彼はアクロポリスの階段を降りて、アレオパゴスの丘によじ登り、やがてアテナイの広場跡に現れた。ヒルデは読みながら、廃墟から突然古代の建物が立ちあがるさまをソフィーといっしょに目の当たりにする思いだった。そういえば、国連のすべての加盟国は協力してアテナイの古代広場を実物大で完全に復元すべきだ、というのもパパの口癖だった。そこで哲学を論じ、軍縮問題を話しあう、というのだ。そんな巨大プロジェクトは人類を一つの目的のために努力させるだろう、とパパは言っていた。「人類は石油採掘のための人工島だって月面着陸船だってつくれるんだ」

それからヒルデはプラトンについて読んだ。「魂は愛の翼にのってイデア界に飛んで帰りたいと思う。体という牢獄から自由になりたい、と思うのだ……」

ソフィーは生け垣をくぐり抜けてヘルメスを追いかけた。けれども、見失ってしまった。ソフィーはプラトンのことを読んでから、森の奥に分け入って、小さな池のほとりの赤い小屋にたどりついた。小屋にはビャルクリの絵がかかっていた。絵のありさまから、それがヒルデのビャルクリだということに疑いの余地はなかった。バークリという男の人の絵もかかっていた。「バークリとビャルクリ。なんか、おかしくない?」

ヒルデは大きなバインダーをベッドに置いて、本棚の三巻本の事典を引いた。それは十四歳の誕生日のプレゼントだった。バークリ……あった!

バークリ、ジョージ、一六八五―一七五三。イギリスの哲学者、クロインの主教。人間の意識の外にある物質世界の存在を否定し、五感による知覚は神によってひきおこされるとした。また、抽象的な普遍観念を批判したことでも有名。主著『人間の知識の原理』(一七一〇)

なにこれ、変わってる。数秒間、ヒルデは立ったまま考えこんでしまった。それから、ベッドのバインダーに戻った。

ここにこの二枚の絵をかけたのはパパだ。名前が似ているほかに、まだ別の関連もあるのだろうか?

とにかくバークリは、人間の意識の外にあるとされる物質世界の存在を否定した哲学者だ。人はヘンテコなことを思いつくものね。でも、そういう思いつきをくつがえすのも並たいていではない。それにこれは、ソフィーの世界にもよく当てはまる。なにしろ、ソフィーの「五感による知覚」はヒルデの父親によってひきおこされているのだから。

読むにつれて、いろんなことがわかってきた。ソフィーが、鏡の女の子が両目をつぶったのを見たところを読んだ時には、バインダーから顔を上げて笑ってしまった。「鏡の女の子がソフィーに向かって両目をつぶったようだった。まるで、こう言おうとしているみたいに。わたしはあなたを見ているわよ、ソフィー。わたしはもう一つの世界にいるの」

つづいてソフィーは、お金やいろんなものが入った緑の財布を見つけた！　どうしてこんなところに？

そんなばかな！　一、二秒のあいだヒルデは、ソフィーが本当に財布を見つけたように思いこんだ。それから、ソフィーの身になってすべてを味わってみようとした。すると、すべてはとてつもなく不可解で謎めいてきた。

ヒルデはこの時初めて、ソフィーとじかに知りあいたい、という熱い思いを感じた。すべてはどうつながっているのか、一度ソフィーと語りあいたい。

けれども今ソフィーは、家宅侵入の現場をおさえられたくなかったら、小屋をあとにしなければならなかった。もちろん、ボートは岸から流れてしまっている。パパったら、昔わたしがボートを流してしまったことを当てこすっているのかしら？

ヒルデはジュースを一口飲んで、カニサラダをはさんだパンをかじりながら、プラトンのイデア説を批判した「分類男」、アリストテレスについて読んだ。

アリストテレスは、あらかじめ感覚にとって存在しなかったものは意識のなかには存在しない、と言った。プラトンならこう言うところだろうな。あらかじめイデア界に存在しなかったものは自然界に存在しない、とね。そんなふうに、プラトンはものの数を二倍に増やしてしまった、とアリストテレスは考えた。

アリストテレスが「鉱物ですか、植物ですか、動物ですか」の「はい・いいえゲーム」を考えた人だったなんて、ちっとも知らなかった。

アリストテレスはつまり、女の子が部屋を片づけるように、自然をとことん整理整頓しようとしたのだ。自然界のありとあらゆるものごとは、さまざまなグループと、そこからもっと細かく分かれる小グループに分けられる、ということをはっきりさせようとしたんだ。

アリストテレスの女性観を読んだ時にはびっくりもし、また頭にもきた。こんなにすごい哲学者が、同時にこんなわからず屋だなんて!

ソフィーはアリストテレスで思いついて、自分の部屋を掃除した。そしてちらかった部屋に、一カ月前にヒルデの戸棚から消えた白いハイソックスの片っぽうを見つけた。ソフィーは、アルベルトからきたすべての手紙を一冊のバインダーにとじた。「もう五十ページ以上になっていた」。ヒルデのほうは一五九ページめだった。なにしろこちらは、アルベルト・クノックスの哲学についてのたくさんの手紙だけではなくて、ソフィーの物語をそっくり読んでいるのだ。

つぎは「ヘレニズム」。ソフィーはこの章で初めて、国連軍のジープの絵はがきを見る。その絵はがきには、六月十五日の国連軍の消印がおしてあったという。父親はヒルデ宛ての「はがき」を郵便で送らずにこのバインダーに貼りつけていた。

《愛するヒルデ!

まだきみの十五歳の誕生日だと思って書いている。それとも、もう過ぎてしまったかな? まあ、わたしのプレゼントは長いこと役立つものだから、そんなことはどうでもいいが。ある意味で、このプレゼントはきみの一生ものの宝になるだろう。ともあれ、あらためてもう一度、おめでとう。わたしがはがきをソフィーに送るわけは、もうわかっていると思う。ソフィーはきっと、きみに渡してくれるだろう。

追伸　ママから聞いたが、財布をなくしたそうだね。穴埋めに、百五十クローネ協力してあげよう。新しい身分証明書は、学校が夏休みに入る前に再発行してもらいなさい。

パパより》

やった、とヒルデは思った。百五十クローネ得した。パパはきっと、手づくりのプレゼントだけでは足りないと思ったのだろう。

ソフィーの誕生日も六月十五日だ。でも、ソフィーのカレンダーはまだ五月のなかば。パパはきっと、五月なかばにこの章を書いて、誕生日カードには先の日付を書いておいたのだろう。そうこうするうちに、かわいそうなソフィーはヨールンと落ちあうスーパーの前まで走っていった。

ヒルデってだれ？　わたしが彼女を見つけることを、なぜこの父親は当然のように思っている？　なんだって、はがきを娘に直接送らないでわたしに送りつけるの？　ナンセンスよ。……

プロティノスのことを読んでいるあいだは、ヒルデも宙を漂っているような気がした。

ぼくは今、目に見えるものすべてが神の神秘をなにがしか宿している、と言ったね。ぼくたちはひまわりの花やひなげしの花に、神の神秘がきらめいているのを見るのだ。ぼくたちはこのはかりしれない神秘を、ついと枝から飛びたつ蝶や、水槽を泳ぎまわる金魚の姿のなかに、おぼろげに感じとる。でも、ぼくたち自身の魂がもっとも神に近い。ぼくたちが大いなる生命の秘密と一つになれるのはここ、魂のなかしかない。そう、たぐいまれな瞬間には、ぼくたちはぼくたち自身を神の神秘として体験することだってできるのだ。

ヒルデは、何かを読んでこれほどめくるめく思いをしたことはなかった。けれども同時に、これほど単純なものも読んだことがなかった。すべては一つ。そしてこの「一者」は、すべてのものが分かちあっている神の神秘なのだ。

この一者については、信じなければならない教義なんてない。それはもう、ただあるがままのものなのだ、とヒルデは思った。だから「神」ということばには、だれもが自分にぴったりあうイメージを読みこめばいいのだ。

ヒルデはページをめくるのももどかしく、つぎに進んだ。ソフィーとヨールンが五月十七日の夜にテントでキャンプしようとしている。そして少佐の小屋へ行く……。

ヒルデはほんの少し読んで、驚いてベッドから飛びあがった。そしてバインダーを胸に、何歩か歩いた。

こんなに抜け抜けとしたいたずらは、見たことも聞いたこともない！　ヒルデの父親は森の小屋で二人の女の子に、五月なかばにヒルデに出した絵はがきのすべての写しを見つけさせたのだ。写しはどれも本物そっくりだ。ヒルデは父親のはがきを何度も読み返していた。一語一語、見覚えがあった。

《愛するヒルデ!
きみの誕生日のための秘密の計画で、わたしははちきれそうだ。一日に何度もたいへんな努力をして、電話をかけてなにもかもぶちまけてしまいたくなるのをぐっとこらえている。この思いは毎日ますますふくらむばかりだ。何かがどんどん大きくなると、自分の胸一つにしまっておけなくなるってこと、わかるだろう?……》

ソフィーはアルベルトから、ユダヤとギリシア、そして二つの偉大な文化圏のことを書いた、もう二通の手紙を受けとった。歴史を大きく見わたすことができて、ヒルデは大満足だった。学校ではこんなことは教わらなかった。なんの脈絡もなく、こっちではこのこと、あっちではあのことを学ぶだけだった。手紙を読み終わったヒルデは、父親から手渡されたイエスとキリスト教についてのまったく新しい見方を受けとめていた。ヒルデは、あのゲーテの引用はすてきだな、と思った。「三千年を解くすべをもたない者は、闇のなか、未熟なままに、その日その日を生きる」

つぎの章は、ソフィーの家のキッチンの窓に貼りついた絵はがきから始まっていた。

《愛するヒルデ
きみがまだ誕生日のうちにこのはがきを読んでいるのかどうか、わからない。そうであってほしいが。とにかくそんなに何日も過ぎていないことを願っている。ソフィーにとって二、三週間過ぎてしまうことは、わたしたちにとってもそっくりそのままだということではない。わたしは六月二十三日に帰る。夏至の一日前だ。そうしたら、いっしょにあの岸辺のブランコに乗ろうね、ヒルデ。話すことはいっぱいある……》

それから、アルベルトはソフィーに電話をかける。ソフィーは初めて、アルベルトの肉声を聞く。

「なんか、戦争のことみたいだけど？」

「ま、どっちかと言うと精神の闘いのことを言おうとしたんだけどね。ヒルデの父親がリレサンに帰る前に、ヒルデに、ぼくたちの味方についてくれるよう、はたらきかけてみなければ」

ソフィーは十二世紀に建てられた古い石造りの教会にやってきて、中世の修道士のかっこうをしたアルベルト・クノックスに会う。

あ、そうだ、教会だ。ヒルデは時計を見た。一時十五分過ぎ。すっかり時間を忘れていた。お誕生日に教会をさぼるのも悪くないだろう。けれども、ちょっぴり心がちりちりする。クラスメイトからお祝いのことばをかけてもらいそこねたのだから。でもそんなこと、どうでもいいわ。

ほどなくヒルデは、長い説教につきあうことになった。アルベルトには中世の説教師ははまり役だ。ヒルデガルトの幻視に現れたソフィアのことを読んだ時には、もう一度事典を引いた。ところが、ヒルデガルトもソフィアものってない。両方ともそんなにマイナーなのだろうか？　女性や女性に関係することとなると、事典は月のクレーターのようにそっけなかった。この事典、男の人たちが検閲したんじゃないの？

ヒルデガルトは説教師で著述家で医者で博物学者で作曲家だった。そればかりか、「中世の女性は男性とくらべてどっちかというと実践方面に強かった、そう、ずっと科学的だったんだが、そのお手本みたいな人だ」。なのに事典にはヒルデガルトのことなど、一言も書いてない。ひどい話！

神には女性的な面、母性があるなんて、聞いたこともなかった。事典をつくった人びとは、この女性的な面はソフィアと呼ばれるということにも、一グラムのインクも使う価値がないと考えていたのね。

事典のつぎの項目は、コンスタンティノープルのハギア・ソフィア教会だった。「ハギア・ソフィア」は「聖なる叡知（えいち）」という意味だ。ブルガリアの首都はこの「叡知（ソフィア）」にちなんだ名前だし、ソフィアという名のたくさんの女王や后がいる。でも事典には、この語が女性にまつわるものだとはひとことも書いてない。検閲さえなければ……。

読み進むうちに、ソフィーが本当にヒルデに「現れた」。ヒルデは読みながらずっと、黒い髪の女の子を目の当たりにしているような気がしていた……。

マリア教会で長いこと過ごしたソフィーは、家に帰ると、森の小屋からもってきた真鍮の鏡の前に立った。

ソフィーの顔の後ろから、もう一つ別の顔のぼんやりとした輪郭が浮かびあがった。

ソフィーは二度、大きく息をついた。勝手な空想をしているばあいじゃないでしょ！　ソフィーは鏡に目をこらした。くっきりとした像はソフィーの青白い顔で、自然のままに「てれんと」させておくしかない黒い髪に囲まれている。けれどもやっぱり、その顔の後ろというか、下というか、もう一つ別の顔が浮かび出ているのだ。

突然、鏡の中の見知らぬ女の子がいせいよく両目をつぶった。まるで、わたしは本当にこの鏡の向こう側にいるのよ、と合図を送るように。ほんの数秒のことだった。そして、女の子は消えた。

自分の顔の背後にもう一つの顔が見えないかと、ヒルデは何度鏡の前に立ったかしれない。けれども、パパはどうしてそんなことを知っているのだろう？　わたしが鏡の奥に探したのは、黒い髪の女の子だったのではなかっただろうか？　なにしろこの鏡は曾祖母さんがジプシーの女の人から買ったのだ……。

大きなバインダーをかかえた時、ヒルデは手がふるえてきた。ソフィーは向こう側のどこかにきっといる、とヒルデは確信した。

今、ソフィーはヒルデとビャルクリの夢をみている。ヒルデには聞こえもしなければ見えもしないけれど、ソフィーは桟橋でヒルデの黄金の十字架を見つける。そしてヒルデのイニシアルを刻んだ黄金の十字架は、ソフィーが目を覚ました時にはソフィーのベッドにある。

ヒルデは考えこんでしまった。黄金の十字架もなくした？　ヒルデは整理ダンスからアクセサリー箱を出した。お祖母さんが洗礼の時にくれたあの十字架は——ない！

本当になくしたのだ！　まあ、いいでしょう！　でも、わたしさえ気がつかなかったそんなこと、パパはどうして知っているのだろう？

まだある。ヒルデの父親がレバノンから帰ってきたことを、ソフィーははっきりと夢にみている。でもそれまでには、あと丸一週間ある。ソフィーは予知夢をみた？　パパは、自分が帰ってきた時、どういうふうにかはわからないけれど、ソフィーもまた居あわせると思っている？　パパは、新しい友だちができる、と書いていたけれど……。

すきとおるガラスのようにはっきりとした、でも同時に不気味な一瞬の幻視のなかで、ソフィーはもう紙とインクの存在ではない、とヒルデは確信した。ソフィーは存在する！

ヒルデがルネサンスにとりかかろうとした時、階下で物音がした。母が帰ってきたのだ。時計を見ると、四時だった。

母は階段を駆けあがって、いきなりドアをあけた。

「教会に行かなかったの?」

「ううん、行ったわよ」

「行ったって……そのかっこうで?」

「そうよ、このかっこうで」

「パジャマのまんまで?」

「マリア教会に行ってたの」

「マリア教会?」

「中世に建てられた古い石造りの教会よ」

「ヒルデ!」

ヒルデはバインダーを膝に置いて、母親を見あげた。

「時間をすっかり忘れてたの、ママ。ごめんなさい。でもこれ、すごく面白いんだもの」

母親はつい笑ってしまった。

「この本、魔法がかかってる」と、ヒルデは言い添えた。

「わかった、わかった。じゃあもう一度、お誕生日おめでとう、ヒルデ」

「ワオ、またまたおめでとうを追加されて、わたし窒息しそう」

「あら、わたしはそんなに何度も……。とにかく、ちょっと横になったら、腕によりをかけてお誕生日の特別メニューをつくるわね。苺、買ってきたのよ」

「じゃ、わたし、これ読んでる」


母は部屋を出ていった。ヒルデは先を読んだ。ソフィーはヘルメスと町をつっきる。そしてアルベルトのアパートのエントランスホールで、レバノンから着いたばかりのはがきを見つけた。日付は六月十五日。

この時、ヒルデにも日付のからくりが見えてきた。つまり、六月十五日より前の日付のはがきは、これまでにヒルデが直接父親から受けとったはがきの写しで、六月十五日付けのはがきは、今初めてバインダーといっしょに届く仕組みになっているのだ。

《愛するヒルデ
今、ソフィーが哲学の先生の家に入る。ソフィーはもうすぐ十五だが、きみの誕生日はきのうだったのかな、それともきょうかな、ヒルデ？　きょうだったら、少なくともまにあったわけだ。でも、わたしたちの時計はいつも同じようには進まない……》

ヒルデは、アルベルトがソフィーにルネサンスと新しい科学について語るのを読んだ。十七世紀の合理主義とイギリスの経験主義について語るのを読んだ。

ヒルデは、バインダーに貼られたはがきやお祝いのことばに出くわすたびに面食らった。父親はそんなメッセージをノートからひらりと落とし、バナナの皮の裏側に浮きあがらせ、コンピュータにしのびこませていた。アルベルトに失言させて、ソフィーをヒルデと呼ばせるなど、おやすい御用だった。とどめは、ヘルメスに「ヒルデ、お誕生日おめでとう」と言わせたことだった。

　アルベルトは、少佐が自分を神や神意にたとえているのはちょっと行き過ぎだ、と言う。ヒルデも同感だった。でも、いったいだれに同感しているのだろう？　父親にたいして批判めいたことをアルベルトに言わせているのは、結局は父親自身なのだ！　だったらこれは自己批判だ。でも、神になぞらえてもそんなにおかしくない、とヒルデは考えた。たしかに父親は、ソフィーの世界にとっては全能の神のようなものなのだから。

　アルベルトがバークリについて話しはじめた時には、ヒルデはソフィーと同じくらいのめりこんだ。これからどうなるのだろう？　人間の意識の外にある物質の世界の存在を否定したこの哲学者の番になれば、なにか特別なことが起きるだろうとは、もうずっと前からほのめかされていた。ヒルデは事典まで引いたのだった。

　この章は、二人が窓辺に立って、ヒルデの父親が飛ばした、誕生日おめでとうの長い幟（のぼり）をはためかせたセスナ機をながめるところから始まっていた。町の上空を黒雲がおおいはじめていた。

「存在するかしないか」は、だから問題のすべてではない。ぼくたちは何なのか、ということも問題なのだ。ぼくたちは本当に、肉と血からなる人間なんだろうか？　ぼくたちの世界は現実だろうか、それともぼくたちは神の意識に取りこまれているだけなんだろうか？

　ソフィーが爪を噛みはじめたのはむりもない。ヒルデにはそういう悪い癖はなかったけれど、やっぱり頭のてっぺんから足の爪先まで、ぴりぴりと神経をはりつめていた。

そしてついにアルベルトの口を借りて、「『すべてのなかにはたらいてすべてを行なう』この『意志あるいは精神』は、ぼくたちにとってはヒルデの父親かもしれない」、ということが明るみに出た。

「ヒルデの父親は、わたしたちにとっては神みたいなものだって、言いたいわけ?」

「はっきり言って、そうだ。でも、彼は恥を知るべきだ!」

「ヒルデは?」

「彼女は天使さ、ソフィー」

「天使?」

「ヒルデはこの『精神』が向かう先だ」

ソフィーはいたたまれなくなって、雨のなかに飛び出した。ゆうべビャルクリを襲ったのはこの嵐? 嵐はソフィーが町を駆けぬけた数時間あとに、ビャルクリに到達した?

あしたはわたしの誕生日。十五になる一日前に、人生はただの夢だと思い知らなければならないなんて、こんなにむごいことがある? 百万クローネの賞金を当てた夢をみて、もらおうとしたとたんに目が覚めるようなものよ。ううん、それどころじゃないわ。

ソフィーはびしょ濡れのグランドを走っていった。だれかがソフィーめがけて走ってくる。母だった。何度も稲妻が走って、荒あらしく空を切り裂いた。

母親はソフィーを抱きしめた。

「わたしたち、どうしちゃったの? ソフィー!」

「わからない」ソフィーは泣いていた。「悪い夢でもみているみたい」

ヒルデは目頭が熱くなった。「存在するかしないか、それが問題だ」

ヒルデはバインダーをベッドに投げ出して、はじかれたように立ちあがると、部屋を何度も行ったり来たりした。そして真鍮の鏡の前に立つと、母親が食事に呼びに来るまでそのまま身じろぎもしなかった。ドアをノックする音に気がついた時には、どれくらいそうして立っていたのかわからなかった。

けれども、鏡の像がヒルデに向かって両目でウインクしたことははっきりと、恐ろしいほどはっきりとみてとった。

食事のあいだ、ヒルデは誕生日にご満悦のふりをよそおっていた。けれども心のなかでは、ずっとソフィーとアルベルトのことばかり考えていた。

ヒルデの父親がなにからなにまで取り仕切っていると知った今、二人はこれからどうなるのだろう？　だけど、二人が知ったというのは、どういうこと？　二人が知った、なんてナンセンスよ。パパが、二人が知っているようにしただけじゃない？　だとしても問題は同じだ。すべてはどうなっているのかソフィーとアルベルトが「知った」時、二人はある意味でどんづまりに立っているのだ。

これと同じ問題はたぶんヒルデ自身の世界にもあてはまる、と思いいたった時、ヒルデはじゃがいもの大きなかたまりで喉をつまらせそうになった。人間は着々と自然の法則を解きあかしている。けれども、哲学と科学というジグソーパズルの最後の一ピースがぴたりとおさまっても、歴史はあいかわらずつづいていくのだろうか？　それとも人間の歴史はどんづまりをむかえるのだろうか？　いっぽうの思考と科学の進歩、そしてもういっぽうの、人類の滅びにつながるかもしれない大気の温室効果や熱帯雨林の伐採、そのあいだには関係がないのだろうか？　人間の知りたいという欲望が「堕罪」と言われるのは、そんなにナンセンスではないのでは？

その問いはあまりにも重く、恐ろしいほどだったので、ヒルデはもうこれ以上考えまいとした。とにかく、パパの誕生日のプレゼントの先を読もう。そうすれば、たぶんわかってくるだろう。

「さてと、これからなにをしようか?」イタリアの苺とアイスクリームを食べ終わると、母が言った。

「あなたのお望みどおりにするわ」

「へんに聞こえるかもしれないけど、わたし、パパのプレゼントの先が読みたいな」

「パパがあなたをへんな子にさせようったって、そんなのだめよ」

「ならない、ならない」

「じゃあ、あとでピザを食べながら『コロンボ』を見ない?」

「そうね、いいかも」

ヒルデは、まるでソフィーと母親のやりとりみたい、と思い当たった。パパは、ママをモデルにソフィーの母を書いた? だとしたら、念のためシルクハットから取り出された世界という白兎のことは言わないでおこう。少なくともきょうのところは……。

「あ、それからね」立ちあがりながら、ヒルデは言った。

「なあに?」

「わたしの黄金の十字架がないの」

母親は意味あり気にヒルデを見つめた。

「何週間も前に桟橋で見つけたわよ。あなた、あそこで落っことしたんでしょ? うっかりしてるんだから」

「そのこと、パパに言った?」

「さあ、どうだったかしら、たぶん、言ったかな……」

「今どこにある？」

「ちょっと待って」

母親は席を立った。ほどなく、寝室からすっとんきょうな声が聞こえた。

「どうなってるの？　ないのよ」いそいで戻ってきた母が言った。

「そんなことだと思ってた」

ヒルデは母親にキスすると、屋根裏の自分の部屋に戻った。ああ、やっとソフィーとアルベルトの話を読める。ヒルデはさっきと同じようにベッドに座りこんで、ずしりと重いバインダーを膝にもたせかけた。


朝、母親が部屋に入ってきたので、ソフィーは目を覚ました。母親の手にはプレゼントをいくつものせたお盆がかかげられていた。ジュースの空ビンには旗が立ててある。

「お誕生日おめでとう、ソフィー」

ソフィーは目をこすって眠気を追い払った。それから、きのうの出来事をすっかり思い出そうとした。けれども、なにもかもがごちゃごちゃのジグソーパズルのようだった。アルベルトのピース、ヒルデのピース、少佐のピース。そしてバークリ、ビャルクリ。最悪なのは、あのひどい土砂降り雨のピースだ。ソフィーはショックでどうかなってしまいそうだった。母親はソフィーの濡れた体を拭き、はちみつ入りのホットミルクを飲ませてベッドに押しこんだ。ソフィーはすぐに寝入った。

「わたし、生きてるみたいね」ソフィーはつぶやいた。

「もちろん、生きてるわ。で、きょう十五になったのよ」

「それはたしか？」

「たしかもたしかよ。たった一人の子どもがいつ生まれたか知らない母親がどこにいる？　一九七五年六月十五日、時刻は……一時半よ、ソフィー。わたしの人生でいちばん幸せな瞬間だったわ」

「なにもかもがただの夢なんかじゃないって、確信できる？」

「レーズンブレッドとジュースとお誕生日のプレゼントに目を覚ますっていうのは、美しい夢にはちがいないわね」

母親はプレゼントをのせたお盆をストゥールに置いて、一瞬、部屋から出た。戻ってきた時には、レーズンブレッドとジュースをのせたもう一つのお盆をかかげていた。母親は第二のお盆をベッドの足のほうに置いた。

それから、お決まりの誕生日の朝のセレモニーが始まった。プレゼントがあけられ、母親は十五年前の陣痛の思い出に胸を熱くした。母のプレゼントはテニスラケットだった。ソフィーはテニスをしたことはなかったけれど、クローバー通りからたった二分のところにテニスコートがあった。父親のプレゼントは、FMラジオ付きの液晶テレビだった。スクリーンはふつうのサイズの写真よりも小さかった。年とった伯母や家族ぐるみのおつきあいをしている人びとからのプレゼントもあった。

母親が言った。

「きょうは、仕事を休んだほうがいいかしら？」

「そんなことないわ。どうして？」

「きのうはあなた、ほんとにどうかしちゃってた。こんなことがつづくなら、いっしょにカウンセリングを受けなくちゃって思ってるんだけど」

「お金の無駄よ」

「あれはただ土砂降り雨のせいだったの？　それともアルベルトさんともなにか関係があるの？」

「ママはどうなの？　ママはあの時、『わたしたち、どうしちゃったの？　ソフィー！』って言った」

「わたしはね、あなたがおかしな人と会うために町をほっつき歩いてるって思ったの。で、それはわたしのせいだって……」

「わたしが暇な時に哲学の勉強をするのは、だれのせいでもないわ。いいから仕事に行って。わたしは十時に学校に行かなくちゃ。きょうは成績表をもらうだけ。あとはホームルームでお菓子を食べるのよ」

「成績の見通しは？」

「こないだより優が増えてるはず」

母親が出かけてほどなく、電話が鳴った。

「はい、ソフィー・アムンセンです」

「アルベルトだ」

「あら……」

「少佐はきのう、火薬を気前よく使ったもんだね」

「なんのこと？」

「あの雷雨のことだよ、ソフィー」

「アルベルトの言うこと、うのみにしていいのかどうか、よくわからない」

「それは本物の哲学者のいちばんの美点だ。きみが短いあいだにどんなにたくさんのことを学んだかと思うと、ぼくも鼻が高い」

「なに一つ現実じゃないなんて、わたし、怖いわ」

「それは実存的な不安というやつで、新しい認識への過渡期に現れる」

「ちょっと哲学講座をお休みしたほうがいいと思うの」

「きみのうちの庭に緑の蛙が異常繁殖した？」

ソフィーは思わず笑ってしまった。アルベルトは話しつづけた。

「ぼくとしてはつづけたほうがいいと思っている。あ、それから、お誕生日おめでとう。聖ヨハネの前日までには講座を終えなくてはならない。そうすることがぼくたちのラストチャンスにつながる」

「ラストチャンスって、何をするためのチャンス？」

「今、座って電話してる？　ちょっと長くなるけど、いいね？　デカルトは憶えてる？」

「わたしは考える、だからわたしは存在する」

「ぼくたち自身も方法的な懐疑をしなくてはならない。ぼくたちは今、ゼロから出発する。ぼくたちが考えているのかどうかすら、ぼくたちにはわからない。おそらく、ぼくたちは思考内容である、ということが明らかになるだろう。それは、自分で思考するということじゃない。ヒルデの父親がぼくたちを創作していると信じていいだけの根拠はじゅうぶんだ。ぼくたちはリレサンに住む少佐の娘の誕生日のアトラクションなんだ。わかる？」

「ええ……」

「でもここには矛盾も隠されている。もしもぼくたちがフィクションならば、何かを考える権利なんて、ぼくたちにはない。そうすると、この電話はありえないってことになる」

「そしてわたしたちにはほんのちっぽけな自由意志もない。わたしたちが言ったりしたりすることは、なにもかも少佐が仕組んでいるのだもの。だからもうこの電話は切ったほうがいいわ」

「ちがう、きみはものごとを単純化しすぎている」

「どうして？　説明してよ！」

「きみは、人は自分のみる夢まで計画すると言うのかい？　たしかにヒルデの父親は、ぼくたちがすることをなにからなにまで知っているだろう。すべてお見通しの彼の手から逃れるのは、自分の影を追い越すと同じくらいむずかしいだろう。でも少佐があらかじめこれから起こることをすべて決めているかどうかは、あやしいもんだ。ぼくはこのことから計画を練りはじめたんだけどね。彼はたぶん、書く直前まできっちりとは決めていない。書きながら決めているんだ。まさにそういう瞬間に、ぼくたちが言ったりしたりすることについて、ぼくたち自身がイニシアティヴを握れるんじゃないだろうか。もちろんぼくたちは、少佐の絶大な力とくらべたら、ほんのかすかなインパルスでしかない。ぼくたちは、しゃべる犬だとか、バナナのメッセージだとか、嵐だとかの、あらかじめ予定されていることにはお手上げだ。でも、どんなにささやかでも一矢を報いることをあきらめちゃいけない」

「でもそんなこと、どうすればできる?」

「少佐はぼくたちのささやかな世界のことはなんでも知っているけれど、それは彼が全能だということじゃない。とにかく、まるで少佐なんかいないと仮定してやってみようよ」

「アルベルトの言うことがわかってきたみたい」

「要は、少佐に絶対にかぎつけられないように、こっそりとぼくたちだけで行動するんだな、むずかしいけど」

「できないわよ、そんなこと。だって、わたしたちは存在しないんでしょう?」

「ぼくたちは存在しないだって? 問題は、ぼくたちは存在するかどうかってことじゃない。ぼくたちは何か、ぼくたちはだれかってことだよ。ぼくたちが少佐の支離滅裂な意識のなかのインパルスでしかないとはっきりしたって、ぼくたちのちっぽけな存在がなくなるわけじゃない」

「わたしたちの自由意志も?」

「ぼくはその筋の専門家だよ、ソフィー」

「でもヒルデの父親は、アルベルトが『その筋の専門家だ』ってちゃんと知ってるのよ」

「そりゃそうだ。でも彼はぼくの計画を知らない。ぼくはアルキメデスの支点を探してる」

「アルキメデスの支点？」

「アルキメデスはヘレニズム期の自然科学者だ。アルキメデスは、『しっかりとした支点をくれ、そうしたら地球を動かしてみせよう』と言った。少佐の心の宇宙から飛び出すために、ぼくたちもそういう支点を見つけなきゃならない」

「だけどそれはすごくむずかしいわ」

「たしかに。しかもこの哲学講座を終わらせないことには、ぼくたちは逃げ出せない。今までのところ、少佐はぼくたちの首根っこをがっちりと押さえている。彼のもくろみでは、ぼくがきみを何世紀も案内して現代までつれてくることになっている。でも、ぼくたちに残されている時間はあとわずかだ。もう何日かしたら彼は中東のどこかの空港から飛行機に乗る。少佐がビャルクリに着くまでに少佐のファンタジーから自由になれなかったら、ぼくたちはおしまいだ」

「怖がらせないでよ」

「まずはフランスの啓蒙主義について話さなければ。それからカントの哲学をざっとたどって、ロマン主義に突入する。そのつぎのヘーゲルはぼくたち二人にとって強い味方になるだろう。ヘーゲルをやったら、ヘーゲル哲学にたいするキルケゴールのきびしい批判も素通りするわけにはいかない。マルクスとダーウィンとフロイトにも、ちょっとふれよう。最後にサルトルと実存主義についてコメントしたら、計画の実行に移ろう」

「そんなにやることがあるんじゃ、何週間もかかるんじゃない？」

「だからすぐ始めなくちゃならないんだ。今すぐ来れる？」

「学校に行かなくちゃ。成績表をもらって、それからお菓子つきのホームルームをやるの」

「ホームルームなんてどうでもいいじゃないか！　もしもぼくたちがフィクションでしかないとしたら、ジュースやお菓子がおいしいってこともただの幻想だ」

「でも成績表が……」

「ソフィー、きみが数千億個あるうちの一つの星雲の一つの惑星のちっぽけな毛羽に宿った奇跡のような世界に生きるか、それとも少佐の意識のほんのわずかなインパルスにすぎなくなるかの瀬戸際なんだよ。なのに成績表がどうのこうのなんて！　よくもまあ、そんなことが言えるね」

「ごめんなさい」

「でも、学校に行ってからこっちに来たほうがいいかな。きみが終業式をさぼったら、ヒルデに悪い影響をおよぼすだろう。ヒルデは誕生日にも学校に行く。なんたって天使なんだからね、彼女は」

「じゃあ、大いそぎで帰ってくるわ」

「少佐の小屋で落ちあおう」

「少佐の小屋？」

カチャリ。

ヒルデはバインダーを膝に置いた。ここのところで父親はヒルデの良心にちくっと針を刺したことになる。なにしろヒルデは終業式をさぼったのだから。パパったらもう、いやな人！

ヒルデはしばらくそのまま、思いをめぐらせた。いったいアルベルトはどんな計画をたくらんでいるのだろう？　最後のページをのぞいてみようかな？　だめだめ、そんなズルは。それよりいそいで先を読もう。

アルベルトはいいところに目をつけた、とヒルデは思った。パパは、ソフィーとアルベルトがどうなるのかのおおよその見通しはもっている。けれども書いている瞬間は、なにもかもがどう動いていくのかは、パパにもはっきりとはわからない。パパは猛スピードで書きとばしているから、うっかり何かを書いてしまって、ずっとあとになってからようやくそれに気づくことになるのだ。そしてまさにこの「うっかり」のおかげで、ソフィーとアルベルトが自由にふるまう余地が生まれるのだ。

ヒルデはまたしても、ソフィーとアルベルトは本当に存在するという、ほとんど神々しいような感情におそわれた。静かに凪いでいる海の底にも大きな潮はうねっている、とヒルデは思った。

どうしてこんなことを思いついたのだろう?

とにかくそれは、水の面に小波をたてるだけの、はかない思いつきではなかった。

学校では、誕生日の子がいるといつもそうなのだが、みんながソフィーの周りに集まって大騒ぎした。誕生日の歌をうたってくれた。ソフィーのばあいは、成績表が渡されて夏休み前のお菓子つきの特別のホームルームがある日なので、たぶんみんなはほかの子の時よりも興奮して誕生日を祝ってくれるのだ。

先生が、すてきな夏休みを、と言ってみんなを送り出すと、ソフィーは学校を飛び出した。ひきとめようとしたヨールンには、大いそぎの用があるの、とことわった。

郵便箱にはレバノンからのはがきが二通、届いていた。両方とも、市販の誕生日のグリーティングカードで、『ハッピー・バースデイ　フィフティーン・イヤーズ』と印刷されている。

一枚の宛先は「ソフィー・アムンセン様方　ヒルデ・ムーレル＝クナーグ様」。ところがもう一枚はソフィー宛てになっていた。どちらのはがきも「国連軍　六月十五日」の消印になっている。

ソフィーはまず自分宛てのはがきを読んだ。

《親愛なるソフィー・アムンセン

きょうわたしはきみにも誕生日のお祝いを言おうと思う。心からおめでとう、ソフィー。そして、これまでヒルデのためにきみがしてくれたことすべてに、心からありがとう。

アルベルト・クナーグ少佐》

ヒルデの父親がついにはがきをくれたことに、ソフィーは戸惑った。なぜだか胸が熱くなった。
ヒルデのはがきにはこう書いてあった。

《ヒルデ
今リレサンは何日の何時なのか、わたしにはわからない。だが前にも言ったように、そんなことはどうでもいい。もしもわたしがきみのことをよくわかっているとすれば、こちらから出したこの前か、少なくともその前の誕生日カードは遅れなかったはずだ。だけど、朝寝坊なんかしないようにね!

アルベルトはもうじききみにフランスの啓蒙主義の話をするだろう。彼はポイントをこの七つにしぼっている。

一　権威への反逆
二　理性の時代
三　啓蒙運動
四　文明楽観主義
五　自然に帰れ
六　自然宗教
七　人権》

やっぱりね。少佐はあいかわらずわたしたちに目を光らせている。

ソフィーは家に入ると、優がいっぱいある成績表をキッチンのテーブルに置いた。そして生け垣をくぐり抜けて森へと走っていった。

また小さな池をボートで渡った。向こう岸では、アルベルトが戸口の前にしゃがんでいた。そしてソフィーを隣に座らせた。

晴れわたったいい天気だったが、霧をふくんだうすら寒い風が池から二人に吹きつける。池はまだ大雨のあとをとどめていた。

「すぐに要件に入ろう」と、アルベルトが言った。「ヒュームのつぎに体系をつくった偉大な哲学者は、ドイツのカントだ。でも十八世紀にはフランスにも重要な思想家がたくさんいた。十八世紀の前半、ヨーロッパの哲学の中心はイギリスにあったけど、中頃はフランス、世紀の終わりにはドイツが中心になった、と言っていい」

「西から東に移動したのね」

「そのとおり。多くのフランス啓蒙主義者に共通する考え方をいくつか、かいつまんで言っておこう。ビッグネームはモンテスキュー、ヴォルテール、ルソーだ。まだまだいっぱいいるけどね。ぼくはポイントを七つにしぼった」

「言わなくてもいいわ。もう頭にたたきこまれちゃった」

ソフィーはヒルデの父親からきたはがきを見せた。アルベルトは、ふうとため息をついた。

「はしょって楽しようという魂胆か……。最初のポイントは『権威への反逆』だ。たくさんのフランス啓蒙主義の哲学者たちは、イギリスに渡った。イギリスはいろんな点で祖国のフランスよりも自由思想がさかんだったからだ。彼らはイギリスの自然科学、なかでもニュートンの宇宙物理学にひきつけられた。でも、イギリスの哲学からもいろいろと考えるヒントをもらった。とくにロックの政治哲学なんかからだ。彼らはフランスに帰ると、だんだんと古い権威にたいして闘いを挑むようになった。彼らは、過去のあらゆる真理を疑うことが重要だ、と考えた。一人ひとりがあらゆる問いに自力で答えを見つけなければならないってね。こういうところにはデカルトの伝統が感じられるね」

「デカルトはすべてを基礎からつくりあげた人だから」

「そうだね。古い権威への反抗は、まずは教会と王と貴族の権力に向かった。十八世紀のフランスでは、そういう勢力がイギリスよりもうんと強かった」

「そしてフランス革命が起こった」

「そう、一七八九年のことだ。でも、革命の思想はもっと早くからあった。つぎのポイントは『理性の時代』だ」

「理性を重んじる合理主義は、ヒュームにやっつけられちゃったと思ってたけど」

「ヒュームは一七七六年に亡くなっている。モンテスキューより二十年あと、ヴォルテールとルソーよりもたったの二年前だ。この二人は一七七八年に亡くなっているからね。でもこの三人はみんなイギリスに行ったことがあって、ロックの哲学をよく知っていた。ロックは経験主義者としては徹底していなかったってこと、憶えているだろう？　ロックはたとえば神を信じることや、ある種の道徳規範は、生まれつき人間の理性にそなわっていると考えた。この考えはフランスの啓蒙主義哲学の核にもなっている」

「前にアルベルトは、どっちかというとイギリス人は経験を重んじる、フランス人は合理主義的、つまり理性を重んじるっていうようなことも言ったわ」

「そうだったね。その違いは中世にまでたどれる。イギリス人はよく『コモン・センス』と言うけれど、フランス人は『エヴィダンス』が口癖だ。コモン・センスというのは、『だれでも知っていること』、常識だ。エヴィダンスは、理性にとって『明らかなこと』だ」

「なるほど」

「ソクラテスやストア派といった古代の人間中心主義者たちと同じように、啓蒙主義者たちは人間の理性にゆるぎない信頼を寄せていた。そのために、フランスの啓蒙主義時代はよく『理性の時代』と呼ばれる。新しい自然科学が、自然は合理的にできている、理性にかなっている、ということを裏づけてくれた。そこで啓蒙主義者たちは、モラルや倫理や宗教についても人間の不変の理性にかなった土台をつくることは、自分たちの使命だと考えた。これが『啓蒙運動』へとつながっていく」

「第三のポイントね」

「まずは広く民衆を啓蒙することが先決だった。啓蒙っていうのは、暗いところに光をあてるってことだ。それが、社会をよくするための条件とされたのだ。啓蒙主義者たちは、貧困と抑圧があるのは無知と迷信がはびこっているせいだ、と考えた。そこで、子どもたちや民衆の教育が大いに注目された。教育学が始まったのが啓蒙主義時代だというのは、偶然じゃない」

「学校は中世に始まって、教育学は啓蒙主義に始まった」

「そう言っていいね。啓蒙主義が残したいちばんの記念碑は、象徴的なことに、膨大な事典だ。一七五一年から一七七二年にかけて、啓蒙主義の哲学者や作家がこぞって力をあわせてできあがった、二十八巻の『百科全書』だ。これには『ここにはなんでも載っている』と書かれている。『縫い針の作り方から大砲の鋳造まで』と」

「つぎのポイントは『文明楽観主義』ね」

「そのはがき、ぼくが話してるあいだはしまっておいてくれないか」

「ごめんなさい」

「理性と知識が広まりさえすれば人類は大きく進歩する、と啓蒙主義者たちは考えた。これはこの時代のたった一つのテーマだった。これさえ解決すれば、不合理も無知もあとを絶って、啓蒙された人類が出現するはずだった。こういう発想はほんの数十年前まで、西ヨーロッパでは当たり前だった。こんにち、ぼくたちはもう、どんな進歩も文句なしにいい、なんて考えてはいない。でも文明へのそうした批判の声は、フランスの啓蒙主義者たちからとっくにあがっていた」

「じゃあ、啓蒙主義者たちの言うことをしっかり聞かなきゃ」

「『自然に帰れ』が新しい合言葉になった。でも、啓蒙主義者たちは自然を、理性とほとんど同じ意味で使っていた。なぜなら、理性は人間が教会や文明から押しつけられたものではなくて、自然からさずかったものだからだ。文明化されていない自然の民のほうがヨーロッパ人よりもすこやかで幸せだ、ということがさかんに言われた。『自然に帰れ』は、ジャン＝ジャック・ルソーが言い出したスローガンだ。自然（ネイチャー）は善良で、したがって人間も本性（ネイチャー）上、もともとは善良なはずなのに、文明によって損（そこ）ねられている、というのだ。だからルソーは、子どもたちはできるだけ長いこと、汚れを知らない自然な状態におかれるべきだ、と考えた。子ども時代はかけがえがない、という発想は啓蒙主義の時代にできあがったと言っていい。それまでは、子ども時代はおとなになるための準備段階と思われていた。でもぼくたちは、おとなであれ子どもであれ、みんな人間だ。この世での人間の生は、子どもの時から始まっている」

「同感だわ」

「啓蒙主義者たちは宗教も自然なものにしようと考えた。それが『自然宗教』という考え方だ」

「なに、それ？」

「宗教も人間の自然な理性と調和させなければ、と考えたのさ。たくさんの人たちがこの自然宗教のために闘った。リストの六番目のポイントだね。もちろん、神を信じないで無神論をとなえる、徹底した唯物論者たちもたくさんいた。けれどもほとんどの啓蒙主義者は、神のいない世界を想定するなんて非合理だと考えた。神がいないにしては、世界はあまりにも合理的に、ということは理性にしたがってつくられている、とね。たとえばニュートンもそう考えた。同じように、魂の不死を信じることも理性にかなっているとされた。デカルトと同じように啓蒙主義者たちにとっては、人間には不死の魂があるか、という問題は、信仰よりはむしろ理性の問題だった」

「それはちょっとどうかと思うな。それは、信じることであっても知ることではない、いい例だと思うけど」

「きみは十八世紀に生きてはいないからね。教会が歴史を重ねるなかで、イエスの単純な教えにはおびただしい非理性的な教義や教理がつけ足された。啓蒙主義者たちは、そういうものからキリスト教を解放したいと思ったんだよ」

「それならわかるわ」

「理神論を信じる人もたくさんいた」

「それ、どういうこと？」

「『理神論』ということばでぼくたちが理解しているのは、こういう見解だ。神は悠久の昔にこの世界を創造したけれど、そのあとはその世界にたいして、奇跡というやり方では自分を明かさない。そうなると神は、自然と自然法則をつうじて人間に正体を明かすだけの至高の存在、ということになる。神を知るための超自然的な道なんてないんだ。こういう哲学的な神はもう、アリストテレスのところでおなじみだね。アリストテレスにとって神は宇宙の第一原因、第一起動者だった」

「残るポイントはあと一つ、『人権』よ」

「これがいちばん重要なポイントだろうな。全体としてフランスの啓蒙主義はイギリスの哲学よりも実践的と言える」

「フランスの哲学者たちは自分たちの哲学から結論を引き出して、うまいこと現実にあてはめたってこと？」

「そう、そのとおり。フランスの啓蒙主義者たちは、社会のなかの人間についての理論だけでは満足しなかった。彼らは、市民の自然な権利、自然権と呼んだもののために積極的に闘った。これはまず検閲にたいする闘いの形をとった。出版の自由のための闘いだ。個人には宗教やモラルや政治を自由に考え、発表する権利が保証されるべきだ、というわけだ。彼らはこのほかにも、奴隷制度の廃止や犯罪者の人道的な扱いのためにも闘った」

「全部賛成だわ」

「個人の不可侵性の原則は、一七九八年にフランス国民会議で採択された『人間と市民の権利の宣言』、いわゆる『人権宣言』に実を結んだ。一八一四年のノルウェイ憲法も、この人権宣言が基礎になっているんだよ」

「でも、今でもこの権利のために闘わなくてはならない人たちがおおぜいいるわ」

「そうだね、悲しいことにね。啓蒙主義者たちは、すべての人間が、人間に生まれたという、ただそれだけの理由でもっている権利を確立しようと思った。それは自然な権利だ、と彼らは考えた。この自然権は、国のおおやけの法律と対立することもある。いまでも権利を侵害されたり、自由を束縛されたり、抑圧されたりしている個人や国民が、この自然権を主張している」

「女性の権利はどう考えられていたの？」

「一七八九年の革命は、すべての市民の権利をかかげたけれど、市民とはほとんど男のことだった。でも最初の女性運動が起こったのは、このフランス革命期だったんだよ」

「やっとそういう時代になったのね！」

「早いところでは一七八七年に啓蒙主義哲学者のコンドルセが、女性の権利についての文章を発表している。彼は女性にも男性と同じ自然権があるとした。一七八九年の革命では、女性たちは封建支配にたいして激しく闘った。たとえばデモを先導して王をヴェルサイユ宮殿から追い出したのは、女性たちだったんだよ。パリにはさまざまな女性のグループができた。女性たちは男性と同じ政治的な権利を要求した。それだけではなくて、新しい結婚にかんする法律や、女性の社会条件を変えることも要求した」

「そういう要求はとおった？」

「いいや。革命のさなかには女性の権利の問題ももちだされた。でも、すべてが新しい秩序におさまると、またもや昔ながらの男性支配が新たに固まった。こういうことはフランス革命だけでなく、このあともしょうこりもなくくりかえされた」

「ひどい！」

「フランス革命で女性の権利のために力いっぱいつくした女たちのなかに、オランプ・ド・グージュがいる。一七九一年、ということは革命の二年後だけど、ド・グージュは女性の権利宣言を発表した。市民の権利宣言は女性の自然な権利にはふれていなかった。オランプ・ド・グージュは女性にも男性と同じ権利を要求した」

「それでどうなったの？」

「ド・グージュは一七九三年に処刑された。そして女性はすべての政治活動を禁止された」

「ばっかみたい！」

「十九世紀になると、フランスでもそのほかのヨーロッパでもようやく女性運動が本格的に始まる。この闘いはゆっくりと実を結んでいった。でもたとえばノルウェイでは、女性は一九一三年まで選挙権がなかった。今でもたくさんの国で女性たちは闘いつづけている」

「わたしもその人たちの味方よ」

アルベルトは小さな池を見ていたが、しばらくしてこう言った。

「これで啓蒙主義の哲学について、言いたいことは言ったと思う」

「『と思う』って、どういうこと?」

「まだ続きがあるって感じがしないってことだ」

アルベルトがそう言ったとき、ふいに水面に変化が起きた。まるで底から突然水が湧き出したように、池のまん中に気泡が立った。と見る間に大きな恐ろしげなものが水面に姿を現した。

「海蛇よ!」ソフィーが叫んだ。

黒い怪物は水面をくねくねと何度も行ったり来たりして、ふたたび池底へと姿を消した。池はもとのように静まった。

アルベルトは目をそらした。

「小屋に入ろうか」彼は言った。

二人は立ちあがり、小屋に入った。

ソフィーはバークリとビャルクリの絵の前に立った。そしてビャルクリの絵を指さして、言った。

「ヒルデはどこか、この絵みたいなところに住んでいると思うわ」

二枚の絵のあいだには、新たに一枚の刺繡(ししゅう)が張ってあった。「自由、平等、友愛」の文字が読めた。

ソフィーはアルベルトをふりむいた。

「これはアルベルトが飾ったの?」

アルベルトは悲しげな顔で首を横にふっただけだった。

その時ソフィーは、マントルピースの上に一通の封筒を見つけた。「ヒルデとソフィーに」と書いてある。差出人はすぐにピンときた。ソフィーは封筒をあけて、読みあげた。

《ヒルデとソフィー

ソフィーの哲学の先生は、国連の理想と原則にフランスの啓蒙主義哲学がどれほど大きな意味をもっているかを強調するべきだった。二百年前、「自由、平等、友愛」のスローガンはフランス市民を結束させた。こんにち、このことばは全世界を一つに結びつけなければならない。現代は人類が一つの大家族になることがこれまでになく重要だ。わたしたちの子どもたち、そして子どもの子どもたちは、どんな世界を相続するのだろう？》

母親が呼ぶ声がした。「コロンボ」があと十分で始まる、ピザをもうオーブンに入れた、というのだ。ヒルデはあまりにたくさん読んだために、ぐったり疲れてしまった。それにきょうは六時に起きたのだ。

寝るまでの時間、母といっしょに誕生日を過ごそう、とヒルデは決めた。でも、まずは事典を調べなくては。

グージュ……ない。ド・グージュで載ってるのかな？　やっぱりない。オランプ・ド・グージュならどうかな？　ないじゃない！　この辞書、女性の政治参加を主張したために死刑になった女性のことはなんにも書いてない。これって、ひどいことじゃない？

ということは、ド・グージュなんてパパのでっち上げだろうか？

ヒルデはもっと大きな事典を取りに、一階に駆けおりた。

きょとんとしている母には、「ちょっと調べごとがあるの」と言い訳した。

「FORV―GP」の巻を本棚からひっぱり出して、また二階に駆けあがった。

グージュ……あった！

グージュ、マリー・オランプ（一七四八―九三）、フランスの作家。社会問題や演劇にかんするおびただしいパンフレットを書き、フランス革命で活躍した。人権は女性にも適用されるべきだと主張した数少ない革命家。さかんに論を張り、一七九一年には「女性の権利宣言」を公表した。ルイ十六世を擁護し、ロベスピエールを批判したために、一七九三年、死刑に処された。（文献L・ラクール『現代フェミニズムの源流』一九〇〇）

カント——わたしの頭上の星空とわたしのうちにある道徳律

もう真夜中という頃、アルベルト・クナーグ少佐はようやく自宅に電話をかけて、ヒルデに誕生日のお祝いを伝えた。

電話をとったのはヒルデの母だった。

「ヒルデ、あなたによ」

「もしもし？」

「パパだ」

「どうしたの？　もうすぐ十二時よ！」

「わたしはただ、誕生日おめでとうと言おうと思って……」

「それならもう、きょう一日で耳にたこができたわ」

「でも、きょうの終わりに電話しようと思って……」

「どうして？」

「プレゼントは受けとった？」

「もちろんよ！　ありがとう、パパ」

「とぼけて気をもませないでくれよ。で、どうだった？」

「すごくすてき。夕方まで、ごはんを食べるのを忘れちゃったわ！」

「ちゃんと食べなきゃだめじゃないか」

「だって、面白すぎるんだもの」

「どこまで読んだ？」

「パパが海蛇なんかでからかったから、二人は小屋に入っちゃった」

「啓蒙主義のところか」

「それから、オランプ・ド・グージュ」

「だったら、わたしの計算にそれほど狂いはなかったんだな」

「『計算に狂いはなかった』って、なんのこと？」

「もう一つだけお祝いのことばが出てくるよ。こんどのは音楽つきだ」

「じゃあ、ベッドに入っても、眠るまで読むわね」

「むずかしくない？」

「ちっとも。きょうはいっぱい勉強したわ。今までこんなに勉強したことなんてなかった。ソフィーが学校から帰ってきて一通めの手紙を見つけたところを読んでからまだ一日しかたってないなんて、信じられない」

「読むのはあっというまだなんて、妙なもんだな」

「でも、彼女はちょっと気の毒だわ」

「彼女？」

「ソフィーのことよ、当たり前でしょ」

「ああ、そうか」

「かわいそうに、すっかり混乱してる」

「でもソフィーは……」

「ソフィーはパパの創作だって言いたいんでしょ？」

「まあ、そんなところだ」

「わたしは、ソフィーとアルベルトはきっとどこかにいるって思うの」

「それは帰ってからじっくり話しあおう」

「そうね」

「きょうがいい一日になるといいね」

「えっ、いまなんて言ったの？」

「お休みって言ったのさ」

「あ、そう。お休みなさい」

半時間後、ヒルデがベッドに入った時、外はまだ明るくて庭や入り江が遠くまで見わたせた。この季節は夜でも暗くならないのだ。

ヒルデはしばらくのあいだ、空想にふけった。森の小屋にかかっていたあの絵のなかに入りこんだらどんなだろう？　絵から外は見えるのだろうか？

眠りにつく前に、ヒルデは大きなバインダーの先を読んだ。


ソフィーはヒルデの父親の手紙をマントルピースの上に戻した。

「もちろん国連は重要だろうさ」とアルベルトが言った。「だけど、ぼくの話に口をはさむのは気に食わないな」

「そんなに気にすることないと思うけど」

「これからは海蛇だろうがなんだろうが、異常な現象は無視するぞ。窓際に座ろうか。カントの話をしよう」

ソフィーは、二つの椅子にはさまれたサイドテーブルに眼鏡を見つけた。レンズの色は赤だった。これは特殊なサングラス?

「もうすぐ二時だわ。遅くても五時までには帰らなくちゃ。ママがわたしの誕生日になにかしてくれるつもりでいると思うの」

「じゃあ、あと三時間あるね」

「始めましょう」

「インマヌエル・カントは一七二四年に東プロイセンのケーニヒスベルクという町の馬具職人の家に生まれた。八十歳で亡くなるまで、ほとんどこの町で過ごした。カントの一家は厳格なキリスト教徒だった。だからキリスト教の信仰がカント哲学の重要な土台になっている。カントもバークリと同じように、キリスト教の信仰の基礎を守りたいと思っていた」

「バークリなら、もういいわよ」

「カントは、これまで見てきた哲学者たちのなかで、大学で教えた初めての人でもある。カントはプロの哲学者だった」

「プロの哲学者?」

「『哲学者』と呼ばれる人たちには二つある。哲学の問いに自前の答えを見つけようとする人は、だれでも哲学者だ。ところがもういっぽうの哲学者というのは哲学史のエキスパートのことで、かならずしも独自の哲学をつくりだしているわけじゃない」

「カントはそういう哲学者だったの?」

「両方だった。もしもカントが研究熱心なただの教授で、いろんな哲学者の思想にくわしいだけのエキスパートだったら、哲学の歴史にこんなに大きくそびえてはいないよ。でも、カントが哲学の伝統にとことんつうじていた、ということも重要だ。カントはデカルトやスピノザの合理主義にも、ロックやバークリやヒュームの経験主義にもくわしかった」

「バークリのことなんかもう聞きたくないって言ったでしょ」

「合理主義者たちは、あらゆる認識の基礎は初めから意識のなかにある、と考えていたね？　それから経験主義者たちは、世界についてのあらゆる知識を感覚から引き出そうとしたね？　ヒュームは、感覚から引き出せる結論には限界がある、とも言っていたよね？」

「カントはだれに賛成だったの？」

「カントは、みんな一理ある、だけどみんな少しずつまちがっている、と考えた。この人たちが問題にしていたのは、ぼくたちはこの世界について何を知ることができるのか、ということだった。これはデカルトよりあとの哲学者すべてに共通した哲学の研究テーマだったのだけど、二つの考え方が張りあっていた。つまり、世界はぼくたちが感じとるとおりの姿で存在する、という考え方と、理性が描くような姿で存在する、という考え方だ」

「カントはどう思ったの？」

「カントは、ぼくたちが世界を経験するには、感覚も理性もそれぞれに一役買っている、と考えた。そして、合理主義者は理性にウエイトを置きすぎる、経験主義者は感覚にかたよりすぎている、と考えた。カントのばあいは理性じゃなくて悟性（ごせい）ということばを使っているので、ここから先はそのつもりで聞いてほしいんだけど」

「なにかわかりやすい例をあげてくれないと、いろんなことばだけがするするとおりすぎちゃう」

「カントは認識の出発点については、ヒュームや経験主義者たちの意見に賛成だった。ぼくたちの知識はすべて感覚をとおしてやってくる、と考えたんだ。でもいっぽうで、ぼくたちがこの世界をどのように把握するかを決める重要な前提条件はぼくたちの理性のなかにあるとした点では、合理主義者に近づいている。ぼくたちの世界のとらえ方を左右する制約のようなものがぼくたちのなかにある、ということだ」

「それが例なの？」

「いや。ちょっと実験してみよう。そのテーブルのサングラスを取ってくれる？　そうだ。じゃあ、それをかけてみて」

ソフィーはサングラスをかけた。ソフィーの周りにあるものは、なにもかもが赤く染まった。薄い色のものはピンクに、濃い色のものは暗い赤になった。

「何が見える？」

「かける前と同じもの。ただ、なにもかもまっ赤」

「サングラスに色がついているから、きみは現実をそういうふうに体験するわけだね。きみが見ているものはすべて、きみの外に広がる世界に属しているわけだが、それがどのように見えるかは、サングラスのレンズ次第だ。きみに世界が赤く見えるからといって、世界そのものが赤いとは言えない」

「そりゃ、そうよ」

「そのまま森や船長カーブに行ったとしたら、見えるのはいつも見なれたものだけど、なにからなにまでまっ赤だ」

「サングラスをはずさなければね」

「今サングラスは、きみにとって世界がどう見えるかを決定している前提条件だ。でもそれなんだよ、ソフィー、カントが言っているのは。カントは、ぼくたちの理性は経験にいわば片っぱしから色をつける前提条件だ、と考えた」

「条件、条件って、なんのこと？」

「ぼくたちは何を見ても、それを『時間』と『空間』のなかに現れたものとして受けとめている。この時間と空間がここでいう前提条件、つまりサングラスなんだ。カントは時間と空間を、人間の二つの『直観の形式』と呼んだ。この二つの形式はぼくたちの意識のなかに、あらゆる経験より前(アプリオリ)に存在する、と言っている。つまりだね、ぼくたちは何かを経験する以前から、その何かを時間と空間のなかに現れるものととらえるだろうということはあらかじめわかっている、ということだ。ぼくたち人間は理性というこのサングラスをはずせない、と言っていい」

「ものを時間と空間のなかにとらえるのは、人間の生得的(うまれつきの)性質だ、とカントは考えたわけ？」

「まあ、そういうことだ。何を見るかは、インドで暮らしているか、グリーンランドで暮らしているかによってちがってくる。でも世界のどこにいても、ぼくたちは世界を時間と空間のなかにある何かだと体験する。それだけはあらかじめ言えるんだ」

「でも、時間も空間もわたしたちの外にあるものなんじゃないの？」

「ちがうんだよ。カントは、時間と空間は人間の側にある、と言っている。時間と空間はぼくたちの意識の特性なんだよ。世界の特性ではないんだ」

「まるきり新しいものの見方ね」

「人間の意識は、だから、外からやってくる感覚の印象を記憶するだけの、受け身の『なにも書かれていない板』なんかじゃないわけだ。外から受けとったデータに積極的に形式(フォーム)をあたえる、クリエイティヴな装置なのだ。ぼくたちが世界をどう理解するかには、意識が深くかかわっている。ほら、水をガラスのピッチャーに入れるのと同じだよ。水はピッチャーの形(フォーム)になる。知覚されたものもぼくたちの『直観の形式』を受けいれるのだ」

「アルベルトの言うこと、わかったような気がする」

「カントは、意識がものにしたがうだけではない、ものも意識にしたがう、と言った。カントはこれを、人間の認識の問題の『コペルニクス的転回』と呼んだ。つまりコペルニクスは、地球が太陽の周りをまわっているのでその逆ではない、と主張したんだが、カントは自分の発想がそれと同じくらい新しくて、それまでの考え方をひっくり返すものだ、と言おうとしたんだね」

「なるほど、それでカントは、合理主義者も経験主義者も少しずつ正しいって言ったのね。合理主義者は経験の大切さを忘れていて、経験主義者は理性が世界のとらえ方に色をつけるということを見逃していた」

「因果律も、ヒュームは人間には経験できないと考えていたけれど、カントによれば人間の理性の側にある」

「どういうこと？」

「ヒュームは、ぼくたちが自然のあらゆるなりゆきに因果関係を見るのは習慣にとらわれているからだ、と言ったね？　ぼくたちは、ビリヤードの黒い球が当たったことが白い球が動き出したことの原因だ、ということは知覚できない、黒い球がつねに白い球を動かすだろう、ということも証明できないって」

「よく憶えているわ」

「でも、ヒュームが証明できないと言ったまさにそのことは、カントに言わせれば人間の理性の性質なんだ。因果律は永遠で絶対に正しい。その理由はただ一つ、人間の理性がすべての出来事を原因と結果の関係でとらえるからなんだ」

「因果律も自然界にあるもので、わたしたち人間のなかにあるものじゃないって、思ってたけど」

「カントは、因果律はぼくたちに生まれつきそなわっている、と言っている。ぼくたちには世界そのものがどうなっているのか、たしかにはわからない、ということでは、カントはヒュームに賛成だった。ぼくたちにわかるのは、世界がわたしにとって、つまり人間にとってどうなっているか、ということだけだ。つまりカントは、物自体と現象を区別したんだ」

「むずかしいこと言わないで！」

「『ものそのもの』と『わたしたちにとってのもの』を区別したってことだよ。これは、カントが哲学のためにやってくれた大きな仕事だ。ぼくたちはけっしてものをものそのものとして知ることはできない。ただ、ものがぼくたちにどう現れるかがわかるだけだ。その代わり、ものがどのように人間の理性に受けとめられるかは、いちいち経験なんかしなくても言えるんだ」

「それ、ほんと？」

「きみは朝、家を出るまで、その日どんなことを見たり聞いたりするかわからない。でもきみには、きみがその日何を見ても聞いても、時間と空間のなかの出来事だと受けとめる、ということはわかっている。それからきみには、その出来事にはかならず原因がある、ということもわかっている。その理由はただ一つ、きみが因果律を意識の一部として持ち歩いているからだ」

「じゃあ、わたしたちが今とちがうふうにつくられていたら？」

「そうだね、ぼくたちは別の感覚装置をもつこともできたかもしれない。そうすれば別の時間感覚や空間体験をもっていたかもしれない。ぼくたちは原因と結果を探さないように創造されていたかもしれない」

「というと？」

「猫が床に寝そべっていると想像してごらん。そこにボールが転がってきた。さあ、猫はどうする？」

「それなら何回もやったことがあるわ。猫はボールを追っかける」

「そうだね。じゃあこんどは、猫じゃなくてきみが部屋にいると想像してみて。ふいにボールがこっちに転がってきた。きみはすぐさまボールを追っかけるかな？」

「その前に、ボールはどこから転がってきたのかなってふりむくわ」

「そうだね。きみは人間だから、どうしたって結果の原因をつきとめようとするよね。つまり因果律はきみの一部なんだよ」

「ほんとに？」

「ヒュームは、自然法則は知覚も証明もできない、と言った。カントは、とんでもないと思った。カントは、自然法則と呼ばれるものは実際には人間にそなわった認識の法則だ、だから絶対に確実だと証明できる、と考えたんだ」

「だけどうんと小さな子も、だれがボールを転がしたか、確かめようとしてふりむくかしら？」

「たぶん、ふりむかないだろうね。でもカントは、子どもは感覚した素材をどうにかするほどには理性がまだ完全に成長してない、と言っている。とにかく、意識が空っぽだなんて、まったくナンセンスな話だ」

「ほんと、空っぽの意識なんて、あったとしたらすごくへんなものね」

「このへんでまとめてみよう。カントによれば、人間が世界を認識するためには二つの要素がいる。一つは外からやってくる、感覚によって感じとらなければ知りえないものだ。これは認識の素材だ。もう一つは、すべてを時間と空間のなかの因果律にそった出来事と見なすような、人間にそなわっている内的条件だ。こっちは認識の形式だ」

いっときアルベルトとソフィーは窓の外をながめた。ふいにソフィーは、向こう岸の木の間に、ひとりの小さな女の子の姿をみとめた。

「見て、だれかしら？」

「ぜんぜん見当もつかないな」

女の子はほんの数秒で姿を消した。ソフィーは、女の子がなにか赤いものをかぶっていたのをはっきりと見た。

「とにかく、横道にそれてはいられない」

「そうね、つづけましょう」

「カントはまた、人間が知りうることにははっきりとした限界がある、とも言った。理性というサングラスがこの限界をもうけていると考えていい」

「どうして？」

「カントより前の哲学者たちが立てた哲学上の『遠大（ビッグ）な』問いは憶えているね？　つまり、人間には不死の魂はあるか。神は存在するか。自然は分けられないごく小さな部分からなっているのか。宇宙に果てはあるか、それとも無限か」

「憶えてるわよ」

「カントは、こういう問いにはたしかな答えは出ない、と考えた。カントがこういう問いに手をつけなかった、ということではないよ。まるで逆だ。もしもカントがこういう問いをパスしたとしたら、哲学者だなんて言えない」

「じゃあ、カントは何をしたの？」

「ちょっとがまんして聞いてもらうよ。カントは、こうした哲学上の遠大な問いはぼくたち人間の理性のおよぶ範囲を超えている、と考えた。だから、理性でこれに答えようとするのは越権行為だ、とね。そのいっぽうで、人間の本性にはどうしてもこういう問いを立てたい、という欲求がある。けれどももし、たとえば、宇宙は有限か無限かとたずねたとしたら、ぼくたち自身がほんのちっぽけな部分でしかない全体について問うことになる。そしてこの全体については、ちっぽけなぼくたちはけっして知ることができないんだ」

「どうしてできないの？」

「さっききみに赤いサングラスをかけてもらって確認したのは、カントによれば世界についての知は二つの要素を手がかりにしている、ということだったよね？」

「何が見えるかと、どう見えるかってことね」

「そう、感覚の経験と理性だね。ぼくたちは感覚をとおして知の素材を手に入れる。けれどもこの素材はぼくたちの理性によって色づけされるのだった。たとえば理性には、出来事の原因をたずねるという色づけもあるのだった」

「なぜボールは床を転がるのか、とか」

「そのとおり。だけど、世界はどうしてできたのか、とたずねたり、いろんな答えを議論したりすると、理性はいわば空回りしてしまう。だって理性が加工の腕をふるえる感覚の素材がないんだから。つきあわせて確認できる経験がないんだからね。ぼくたちがそのちっぽけな部分でしかない大きな現実の全体なんて、ぼくたちは一度も経験したことがないからなんだ」

「わたしたちは、床を転がるボールの一部なのね。だから、ボールがどこからきたのか、知ることはできないんだわ」

「それでも、このボールはどこからきたんだろうと問うのは、人間の理性の抜きがたい性質なんだろうね。だからぼくたちは、遠大な問いの答えを見つけるために、一つひとつ問いを重ねていくのだし、『この先行き止まり』まで努力するんだ。でも、食らいつくにもたしかな素材がないばあいには、理性が空回りするので、ついにたしかな答えは得られない」

「そういう感じ、とってもよくわかるわ」

「現実の全体がかかわってくる遠大な問いには、かならず二つのまるで対立する見方があって、どっちももっともらしくも、まちがっているようにも思えるものだ、とカントは言っている」

「たとえば？」

「世界は時間のなかに始まりをもっている、という意見も、そんな始まりなんかもってない、という意見も、ぼくたちにはもっともらしく聞こえてしまうんだ。理性はこの二つの可能性に決着をつけられない。なぜなら理性にとっては、どちらもとらえどころがないからだ。世界はいつだってあらかじめ存在していた、つまり世界に始まりなんかない、と考えることはできる。けれども、何かが存在しはじめないでずっと存在していたなんて、ありうるだろうか？　そう考えて、こんどはもう一つの立場をとることにして、世界はいつか始まったにちがいない、つまり世界に始まりはあると言ったとする。すると世界は無から生まれたことになる。さもないと、ある状態が別の状態に変化しただけだ、ということになるからね。でも、何かが無から生まれるなんてありうるだろうか？　ソフィー」

「うーん、どっちも理解を超えてる。だけど、やっぱりどっちかが正しくて、どっちかが正しくないのよね」

「デモクリトスや唯物論者たちが、自然はもうそれ以上は分けられない小さな部分からできていて、それが組みあわさっている、と言ったのは憶えているね？　でも、デカルトのようなほかの人びとは、広がっている現実はどんどん小さな部分に分けられる、と言った。どちらが正しい？」

「どっちも正しい……どっちも正しくない」

「自由は人間のいちばん大切な性質だ、とたくさんの哲学者が言っている。でも、ストア派やスピノザのように、ぼくたちをふくめて世界はすべて自然法則にがんじがらめになっている、と考える哲学者もたくさんいた。カントによれば、これにも人間の理性はたしかな判断を下せない」

「どっちも理性にかなっているようだし、かなっていないようでもあるわ」

「さらに、神の存在を理性で証明しようとしてもうまくいかない。デカルトのような合理主義者は、ぼくたちは完全なものという観念をもっている、というただそれだけのことから、神の存在を証明しようとした。かたやアリストテレスやトマス・アクィナスは、ぼくたちの経験するすべてには、さかのぼっていくと第一原因があるはずだから神は存在するはずだ、という立場だった。神の存在を証明するのに、一方は理性に頼り、もう一方は経験に頼ったわけだ」

「じゃあ、カントは？」

「カントは、こういう神の証明はどっちもまちがっている、と考えた。理性も経験も、神は存在すると断定するためのたしかな拠り所にはならない。いずれにしろ、理論理性（あたまのなかのりくつ）の守備範囲では、神は存在していそうでもあるし、存在していなさそうでもある」

「でもアルベルトは最初に、カントはキリスト教の信仰を守ろうとしたって言わなかった？」

「言ったよ。カントは、経験も理性もおよばないところがあって、そこが宗教のための場所なんだ、この余地を埋めることができるのは信仰だけだって考えたんだ」

「そうやってキリスト教を守ったの？」

「そう言える。ここで、カントがプロテスタントだったことを押さえておくといい。宗教改革以来、プロテスタントは信仰にウエイトを置いてきた。いっぽうカトリック教会は中世の初めから、理性が信仰の支えになる、とする立場をとっていた」

「なるほどね」

「カントは、こうした究極の問いは個人の信仰にまかせるべきだ、としただけではなくて、もっと先まで進んだ。カントは、人間には不死の魂があり、神は存在し、人間には自由意志があると前提することは、人間の道徳に欠かせない、と考えた」

「デカルトと似ている。初めのうちデカルトは、わたしたちはいったい何を理解できるのかをとことん批判的に考えた。なのにそれから、神をもう一度裏口からこっそり運びこんだんだわ」

「でもデカルトとちがって、カントは、自分がそういう立場に立ったのは理論理性（あたまのなかのりくつ）によってではなくて信じることによってだ、と言っている。不死の魂や神や人間の自由意志を信じることは『実践的要請』だ、と言っている」

「なに、それ？」

「要請するっていうのは、証明できないけどそうあってほしいと仮定することだ。カントの実践的要請というのは、人間が実践するために、つまり道徳的にふるまうために仮定すべきこと、という意味だ。カントは『神の存在を仮定することは、道徳にとって欠かせない』と言っている」

ふいにドアをノックする音が聞こえた。ソフィーはすぐに立ちあがったが、アルベルトは身じろぎもしない。ソフィーは言った。

「あけちゃいけない?」

アルベルトは肩をすくめたが、結局は立ちあがった。ソフィーがドアをあけると、白いサマードレスを着て赤いずきんをかぶった小さな女の子が立っていた。向こう岸に見えた、あの女の子だ。バスケットをさげている。

「こんにちは」とソフィーは言った。「あなたはだあれ?」

「赤ずきんよ、わからないの?」

ソフィーはアルベルトを見上げた。アルベルトはうなずいた。

「ねえ、この子の言ったこと聞いた?」

「おばあさんのおうちをさがしているの」小さな女の子が言った。「おばあさんは年をとって病気なの。わたし、おばあさんにケーキとワインをもっていくところなのよ」

「ここじゃないよ」とアルベルトは言った。「もっと先に行ってごらん」

そう言いながらアルベルトは、まるでハエでも追い払うように手をふった。

「でもわたし、お手紙もとどけなきゃならないの」

赤いずきんの女の子は、ポケットから取り出した小さな封筒をソフィーに渡した。そしてすぐに、とことこと歩いていってしまった。

「狼に気をつけてね」ソフィーは後ろ姿に声をかけた。

アルベルトはもうもとの椅子に向かうところだった。ソフィーもあとを追って、さっきと同じように向かいあって腰かけた。

「赤ずきんが本当にいるなんてねえ！」ソフィーは頭をふった。

「あの子に用心するように言ったってむだだよ。あの子はお祖母さんの家に行って、狼に食べられてしまうんだ。あの子は、すべては永遠にくりかえすということを知らない」

「でも、赤ずきんがお祖母さんの家に着く前によその小屋をノックするなんて、聞いたことないわ」

「気にすることないさ、ソフィー」

ソフィーは封筒を見た。表書きは「ヒルデに」。ソフィーは封をあけて、読みあげた。

《愛するヒルデ
もしも人間の脳がわたしたちに理解できるほど単純だったら、わたしたちはいつまでたっても愚かで、そのことを理解しないだろう。

パパより》

アルベルトはうなずいた。

「まったくだ。カントも同じようなことを言ったと思うよ。ぼくたちが何者であるか理解するなんてことは望めないんだ。花や昆虫のことならわかるかもしれないけれど、ぼくたち自身のことはけっしてわからない。全宇宙がわかるなんてことも望めない」

アルベルトが話しつづけるあいだ、ソフィーはヘンテコな手紙を何度も読みなおさずにはいられなかった。

「海蛇だのなんだのの下らないことに気をそらせてはいられない。きょうは最後にカントの道徳の話をしよう」

「じゃあ、手っとり早くお願いね。わたし、帰らなくちゃ」

「理性と感覚はぼくたちに何かを教えることができるのだろうか、というヒュームの疑いを受けて、カントは、人生のたくさんの重大な問いについてもう一度とことん考えた。なかでも道徳について考えた」

「ヒュームは、何が正しくて何が正しくないかは証明できない、『である文』から『べきだ文』は結論できないって言ったんだったわ」

「ヒュームは、理性も経験も善悪の区別をつけられない、それができるのは感情だけだ、と考えた。カントは、感情はよしあしを区別する根拠としては弱すぎる、と考えた」

「わたしもそう思うな」

「カントは初めから、よしあしの区別を感情の問題として片づけるなんてできない、とはっきりと感じていた。ここではカントは、人間の理性には生まれつき善悪を区別する能力がそなわっている、と考えた合理主義者と同じ意見だった。すべての人間は何が正しくて何が正しくないかを知っている、それは、そういうことを学んだからだけではなくて、そういうことが生まれつきぼくたちの理性にそなわっているからだ、というのが合理主義の考え方だ。カントによれば、すべての人間は理論理性だけでなく、行動を正しくみちびく理性、つまり『実践理性』ももっていて、いつもこの理性が、何が正しくて何が正しくないかを教えてくれるのだ」

「じゃあ、それも生まれつきのもの？」

「善悪を区別する能力は、理性のほかのすべての性質と同じように生まれつきだ。ぼくたちには、出来事には原因があると考える理論理性があるのと同じように、ぼくたちはみんな、普遍的な道徳の法則も理解できるんだ。道徳法則は自然法則と同じように絶対正しい。すべてには原因がある、あるいは七たす五は十二だ、ということがぼくたちの知的活動の基礎であるように、『道徳律』はぼくたちの道徳生活の基礎でもある」

「道徳律って？」

「道徳法則と同じことだよ。道徳律はどんな経験よりも前にある。だから『形式的』だ。形式的というのは、道徳上の選択をせまる具体的状況（ケース・バイ・ケース）に縛られない、ということだ。道徳律はあらゆる社会、あらゆる時代の人間にあてはまる。道徳律は、これこれの状況ではこれこれのことをしなさい、なんて言わない。道徳律は、どんな状況でもそうしなさい、ということをきみに教えるんだ」

「でも、特定の状況でどうしたらいいかを教えてくれない道徳律なんて、意味があるの？」

「カントは道徳律を『定言的（カテゴリー）な命法』と言い表している。この反対が『仮言的命法』、これこれのばあいにはこれこれのことをしなさい、という条件つきの命令だ。でも『定言的命法』は、あらゆる状況に無条件にあてはまる命令だ。命令なんだから強制的で、絶対的な権威があるんだ」

「うーん……」

「カントはこの定言的命法をいろんなふうに表現している。まずはこんな言い方。『わたしたちはつねに、普遍的な法則になることが望めるような基準にしたがってふるまうべきだ』つまりカントはこう言おうとしたんだ。『いつどこでもみんなの決まりになるといいな、と思えるような基準にしたがってふるまいなさい』」

「なにかする時は、ほかのみんなも同じ立場なら、同じようにしてほしいって確信できるようでなくちゃだめだってことね」

「そのとおりだ。そうすればきみはきみの心のなかの道徳律にそってふるまうことになる。カントは定言的命法をこんなふうにも言っている。『ほかの人をつねに目的そのものとしてあつかうべきで、けない」


なにかの手段としてだけあつかってはならない』」

「自分が得するために、人を利用してはいけないってことね」

「そう。すべての人は目的そのものなんだからね。でも、これはほかの人にだけあてはまるんじゃないよ。ぼくたち自身にもあてはまる。ぼくたちは自分のことも、何かを得るための手段に使ってはいけない」

「『あなたが欲することを人にもしなさい』っていうイエスのことばを思い出すわ」

「そうだね。それは、道徳的な選択をしなくてはならないあらゆるばあいにあてはまる、『形式上の』基準だ。イエスのことばは、カントの普遍的な道徳律と同じことを言ってるね」

「でも、これはただの主張でしょ？　証明できるの？　ヒュームが、理性で善悪は証明できないって言ったのは、たぶん正しかったんじゃないかな」

「カントは道徳律を、因果律なんかと同じくらい絶対でいつどこでも通用する、と考えていた。たしかに理性で証明はできないけれど、人間として避けられない事実なんだ。道徳律に反論する人はいないだろう」

「それ、良心のことみたい。だって、良心はだれにもあるものなんだから。ちがう？」

「そうだね、カントの道徳律は良心のことだね。良心は証明できないけど、ぼくたちはちゃんと良心があることを知っているものね」

「でもわたしなんか、人に親切にしたりやさしくしたりするのは、ただ自分の得になるからってこともけっこうあるわ。だって、そうすれば好かれるもの」

「ただ好かれたいというだけでほかの人になにかしてあげるのは、道徳律にそった行動じゃないね。かっこうだけ道徳律にそってふるまってるんだ。それだってもちろん悪いことじゃない。でも道徳的なふるまいは、自分の損得を乗り越えた結果、出てくるものでなくてはならない。そうするのは自分の義務だと思ってふるまった時だけ、道徳的にふるまったと言えるんだ。カントの倫理学はだから『義務の倫理学』と呼ばれることがある」

「赤十字やユニセフのために募金運動をするのはわたしの義務だと思う」

「そう、そうするのは正しいと考えて行動する、ということが大切だ。たとえ集めたお金がとちゅうでなくなってしまったり、人びとをお腹いっぱいにしてあげるには足りなくても、きみは道徳律にしたがったことになる。きみは正しい動機で行動したのだし、カントによれば、行動が道徳的に正しいかどうかを決めるのは行動の結果ではなくて、心構えなのだ。だからカントの倫理学は『心情の倫理学』とも呼ばれる」

「道徳律を心にとめて行動することが、カントはどうしてそんなに重要だと思ったの？　いちばん重要なのは、わたしたちの行動の結果がほかの人の役に立つということだわ」

「そうだね、カントはきみに反論はしないだろうな。でもね、道徳律を心にとめて行動している、と自覚している時だけ、ぼくたちは自由意志で行動しているのだ」

「決まりにしたがっているから自由意志で行動しているんだなんて、なんかへんじゃない？」

「カントはそうは思わなかった。カントが、人間には自由意志があると仮定したというか、要請したのは憶えているね？　これは重要なポイントだ。なぜならカントは、すべては因果律にしたがっている、とも言っているのだから。だとしたら、ぼくたちに自由意志なんかあるだろうか？」

「当然、ないわ」

「そこでカントは、人間には二つの面があると考えた。人間は身体と精神をもつ二重の存在だ、と考えたデカルトと似ていなくもない。いっぽうで、感覚的な存在としてのぼくたちは因果律にがんじがらめにとらわれている、と考えた。何を感じとるかは、自分では決められない。感覚はどうしようもなくやってきて、望もうと望むまいと、ぼくたちに押しつけられる。でもぼくたちは感覚的存在であるだけではない。もういっぽうでは理性的存在でもあるんだ」

「なんか面白そう。それで？」

「ぼくたちは、感覚的存在としてはそっくり自然界に属している。だから因果律に支配されている。ぼくたちには自由意志なんかない、ということだ。だけど、理性的存在としてのぼくたちは世界そのもの、つまりぼくたちの感覚から独立した世界の一員なんだ。ぼくたちは、実践理性にしたがって道徳上正しい選択ができた時だけ、自由意志をもつことになる。なぜなら、ぼくたちが道徳律にしたがう時、そのルールを決めているのはぼくたち自身だからだ」

「そうね、そのとおりみたいだわ。ほかの人にズルをしてはいけない、とわたしに言っているのはわたしか、わたしのなかの何かなのだわ」

「たとえ自分の損になってもズルはよそうって、きみが自分で決めたのなら、きみは自由意志で行動したんだ」

「自分の楽しみにしたがってばかりいたら、自由でもないし、独立してもいないわ」

「人はどんな奴隷にもなれる。自分のエゴイズムの奴隷にだってなれる。欲や悪徳を押さえつけるには、どうしたって独立と自由がいるね」

「動物はどうなの？　動物は欲望や必要にしたがうだけみたいだけど。道徳律にしたがうような自由意志はないのかな？」

「ないね。そこが人間と動物の違いなんだ」

「なるほど、そういうことか」

「結局カントは、合理主義と経験主義が争ったせいで哲学が迷いこんでしまった袋小路から抜け出る道を見つけたということだね。だから、カントとともに哲学の一つの時代が終わる。カントが死んだのは一八〇四年、ロマン主義の時代と呼ばれる時代が始まろうとしていた。ケーニヒスベルクのカントのお墓には、カントの有名なことばが刻まれている――考える機会が多ければ多いほど、また考えることが長ければ長いほど、ますますあらたに増大してくる感嘆と崇敬とをもって心を満たすものが二つある。それは、『わたしの頭上の星空とわたしのうちにある道徳律』だ――ちょっとむずかしい言いまわしだけど、ここにはカントと彼の哲学をつきうごかしていた大きな謎が言い表されているんだ」

アルベルトは椅子に深く沈みこんだ。

「これでおしまいだ。カントについていちばん重要なことは話したと思う」

「もう四時十五分だわ」

「でも、もう少しあるんだ。ちょっとだけ待ってほしいな」

「先生が、きょうはこれで終わりって言うまで、生徒は帰らないものよ」

「カントは、ぼくたちはただの感覚的存在であるかぎり自由意志をもたないって言ったよね？」

「ええ、そうだったわ」

「でも、普遍の理性にしたがうならば、ぼくたちは自由で独立している。そうも言わなかった？」

「言ったわ。どうしてまた蒸し返すの？」

アルベルトはソフィーのほうに身を乗り出すと、じっと目をみつめながらささやいた。

「見えるものをなんでもかんでも信じてはいけないよ、ソフィー」

「なんのこと？」

「そっぽを向いてしまえばいい」

「なんのことなのか、さっぱりわからないわ」

「よく言うだろう？　『この目で見なければ信じない』って。でも目で見たことを信じてはいけないんだ」

「そんなようなこと、前に出てきたわね」

「パルメニデスのところだ」

「でも、アルベルトが何を考えているのか、まだわからない」

「さっき、ドアの前に座って話をしていたね？　そしたら突然、海蛇が騒ぎ出した」

「ほんと、不思議だったわ」

「そんなことないさ。それから赤ずきんがここのドアをたたいた。『おばあさんのおうちをさがしているの』なんて言って。くだらない！　みんな少佐のまやかしなんだよ、ソフィー。バナナの伝言もあのばかげた雷雨もなにもかも」

「ということは……」

「ぼくには計画があるって言ったろう？　ぼくたちが理性を手放さないかぎり、少佐のペテンはぼくたちにはつうじない。ある意味で、ぼくたちは自由なんだから。少佐はぼくたちになんだって『知覚』させることはできるだろう。でも、何を見せられても、ぼくは驚かないぞ。このつぎは空飛ぶ象を出してあたり一面を暗くしたって、せいぜい笑ってやるだけだ。でも、七たす五は十二だ。これこそが、少佐がどんなばかばかしい見物(みもの)をくりだしても、めげずに生きのびるための認識だ。哲学は悪ふざけとは正反対のものなんだからね」

ソフィーは驚いてアルベルトを見つめた。

「さあ、帰りなさい。こんどはロマン主義の話をする時に呼び出すよ。ヘーゲルとキルケゴールのことも勉強する。だけど、あと一週間で少佐がノルウェイに帰ってくる。それまでに、少佐のファンタジーから逃げ出す算段をしなくては。今はこれ以上は言わないよ、ソフィー。だけど、ぼくたち二人のためのすばらしい計画を練っているからね」

「じゃあ、帰るわね」

「ちょっと待った。いちばん大切なことを忘れていた」

「大切なことって？」

「誕生日の歌さ、ソフィー。きょうヒルデは十五になるんだ」

「あら、わたしもよ」

「そう、きみもだ。じゃあ、いっしょにうたおう」

二人は立ちあがって、うたった。

「ハッピーバースデー・トゥーユー！　ハッピーバースデー・トゥーユー！　ハッピーバースデー・ディア・ヒルデ、ハッピーバースデー・トゥーユー！」

五時半だった。ソフィーは向こう岸に漕ぎ渡った。ボートを葦の茂みに引きあげると、森を抜けて走っていった。

森の径までやってくると、木立のあいだに何か動くものが見えた。ソフィーは、一人で森を抜けてお祖母さんの家に行った赤ずきんだと思った。けれども、木の間に見え隠れする姿はもっと小さかった。

ソフィーは近づいた。相手は人形ほどの大きさだ。全体に茶色くて、赤いセーターを着ている。それがテディベアだとわかった時、ソフィーは金縛り（かなしば）りにあったように立ちすくんでしまった。だれかが森のなかにテディベアを忘れたのだったら、べつに不思議でもなんでもない。ところがこのテディベアは元気いっぱいで、ちょこまか動きまわっている。

「こんにちは」ソフィーは声をかけた。

おちびさんがふりむいた。

「ぼく、くまのプーさんだよ。森のなかでまいごになっちゃった。そうでなきゃ、すてきな一日だったのにな。でも、きみには会ったことがないね」

「たぶん、わたしがこのへんにはあまり来ないからでしょ。あなたはこの百ちょ森に住んでいるのね？」

「やめてよ、そんな大きな数はわからないよ。ぼくがくまだってこと、忘れちゃこまるな」

「あなたのことは聞いたことがあるわ」

「じゃあ、きみのなまえはアリスだね。クリストファー・ロビンがきみのことをうわさしてたよ。ぼくたち、おたがいに知ってたんだ。きみはビンの水をのみすぎて小さく小さくなっちゃった。だけど、もう一つのビンからのんだら、また大きくなったんだよね？　なにを口に入れるかは、よくよく考えなくちゃね。ぼくは、いっぱい食べすぎてウサギの穴につっかえちゃったことあるよ」

「わたしはアリスじゃないわ」

「ぼくたちがだれかなんて、たいしたことじゃないね。大切なのは、ぼくたちがいるってことだよ。フクロが言ってたよ。フクロはとってもかしこいんだ。七たす五は十二だって、いつかいいお天気の日に言っていた。イーヨーとぼくは困っちゃったよ。だって、数をかぞえるのはとってもむつかしいんだもの。お天気をかぞえるほうが、ずっとかんたんだ」

「わたし、ソフィーっていうの」

「友だちになれてうれしいよ、ソフィー。きみ、このへんは初めてみたいだね。でも、もう行かなくちゃ。コブタんとこに行く道を見つけなくちゃならないんだ。ぼくたち、ウサギんちのガーデンパーティに、コブタの友だちをおまねきしたんだ」

くまのプーさんは手をふった。その時ソフィーは、プーがもういっぽうの手に紙切れをもっているのに気がついた。

「何をもってるの？」

くまのプーさんは紙切れをかざして、言った。

「これのおかげで走りまわっちゃったよ」

「でも、ただの紙切れでしょ?」

「ちがうよ、ぜったいに『ただの紙切れ』なんかじゃないよ。鏡のヒルデへのお手紙だもの」

「まあ、だったらわたしが受けとってあげる」

「でも、きみは鏡の女の子じゃないでしょ?」

「そうよ、でも……」

「手紙はかならず本人にとどけなくちゃ。クリストファー・ロビンはきのうもせつめいしてくれた」

「でも、わたしはヒルデを知ってるの」

「たいしたことじゃないね。それに、とってもよく知っている人だって、ほかの人の手紙は読んじゃいけないいんだよ」

「わたしはただ、その手紙をヒルデに渡してあげられるなって思っただけよ」

「それなら話はべつだ。じゃあ、たのんだよ、ソフィー。この手紙をかたづけたら、コブタんちに行く道も見つかるのさ。鏡のヒルデを見つけるんだったら、まず大きな鏡を見つけなくちゃね。でも、このへんじゃ、なかなか見つからないよ」

くまのプーさんはもっていた紙切れを渡すと、短い脚でちょこちょこ歩いていった。プーさんが見えなくなると、ソフィーは紙切れを開いて、読んだ。

《愛するヒルデ
アルベルトがソフィーに、カントが「国際連盟」をつくるべきだと主張していたことを言い落としたのは残念だ。一七九五年、「永久平和のために」という文章のなかでカントは、すべての国ぐには国際連盟に団結すべきだ、そして国際連盟はさまざまな国が平和に共存するためにつくすべきだ、と言っている。この文章から百二十五年後、第一次世界大戦が終わったすぐあとに、国際連盟は実現した。第二次世界大戦後、国際連盟は国際連合、つまり国連にひきつがれた。カントは国連の理念の父と言っていい。人びとの「実践的理性」が、しょっちゅう戦争をひきおこすような「自然状態」を捨てるよう、国家にはたらきかけるべきだ、そして戦争を未然に防ぐような国際的な法秩序を打ち立てるべきだ、とカントは考えた。国ぐにの連合をつくりあげる道のりは遠いかもしれないけれど、地上のあらゆるところに恒久の平和を保障することはわたしたちの義務だ。カントにとってはそういう連合体をつくることは遠い目標だった。それは哲学の究極の目的と言っていい。

今はレバノンにいるパパより》

ソフィーは紙切れをポケットに入れて、家に向かった。さっきの出会いも、アルベルトなら用心するよう言っただろう。けれどもソフィーは、あの小さな熊がいつまでも鏡のヒルデを捜して森のなかをさまよっているのをほうってはおけなかった。

ヒルデは分厚いファイルを膝に落とした。ファイルはさらに床にすべり落ちた。

部屋はもう、ベッドに入った時よりも明るくなっていた。ヒルデは時計を見た。かれこれ三時だ。

ヒルデは羽根ぶとんにもぐりこんで、目を閉じた。そして眠りに落ちながら、どうしてパパはここのところで突然、赤ずきんとくまのプーさんを登場させたのかしら、と考えていた。

目が覚めると十一時だった。寝ているあいだずっと、生き生きとした夢をみていた名残りが全身に感じられた。でも、なんの夢だったかは思い出せない。なにか、まるでちがう現実のなかにいたような……。

ヒルデは階下におりて、食事の用意をした。母は青いつなぎの作業服を着ていた。ボートハウスでヨットの手入れをするという。あの大雨で水浸しにはならなかったけれど、夫がレバノンから帰ってきたらいつでも使えるようにしておきたいから、と。

「いっしょに手伝ってくれる？」

「その前に、もうちょっと読みたいの。あとでボートハウスにお茶とサンドイッチをもっていってあげようか？」

「期待してるわ」

ヒルデは遅い朝食を食べ終わると、また部屋に上がった。そしてベッドをととのえて楽な姿勢で座り、ファイルを膝にもたせかけた。

ソフィーは生け垣をくぐり抜けて、広い庭に帰ってきた。小さい頃から、この庭をわたしのエデンの園だと思っていたっけ……。

きのうの雨で、あたり一面に小枝や木の葉がちらばっている。はげしい雨と折れた小枝、赤ずきんとくまのプーさんに会ったこと、なぜかすべてはつながっているような気がした。

ソフィーはブランコに散りしいた樅(もみ)の針葉と小枝を払い落とした。ブランコのクッションがビニールでよかった。雨が降るたびにとりこまなくてもすむ。ソフィーは家に入った。母親はたった今帰ってきたばかりらしい。ジュースを冷蔵庫に入れている。テーブルにはカスタードクリームのケーキと小ぶりのバウムクーヘンがのっていた。

「お客さま?」ソフィーがたずねた。自分の誕生日をすっかり忘れていたのだ。

「本番のパーティは土曜日だけど、きょうもちょっとお祝いをしようと思って」

「だれと?」

「ヨールン一家をお招きしたわ」

ソフィーは肩をすくめた。

「ああ、そう」

ヨールン一家は七時半少し前にやってきた。これまで親たちが顔をあわせる機会はそれほどなかったので、初めのうち、雰囲気は少し固かった。

ひとしきりすると、ソフィーとヨールンはガーデンパーティの招待状を書きに、ソフィーの部屋に行った。ソフィーは、せっかくアルベルト・クノックスも呼ぶのだから「哲学ガーデンパーティ」にしよう、と提案した。ヨールンは反対しなかった。なんと言ってもソフィーのパーティなのだし、最近はテーマ・パーティがはやりだった。

二人は二時間以上かかって招待状を書きあげると、お腹をかかえて笑った。

《親愛なる……様
哲学ガーデンパーティにおいでください。六月二十三日土曜日（聖ヨハネの夜）十九時より、場所はクローバー通り三番地です。夕べのひとときを人生の神秘を解きあかして過ごしたいとぞんじます。暖かい上着と、哲学の謎の解明に役立つすてきなアイディアをお持ちよりください。山火事が心配されますので、残念ながらファイアーストームはいたしませんが、ファンタジーの炎を燃えあがらせるのはいっこうにさしつかえありません。ご招待した方がたのなかには、少なくともお一人、本物の哲学者もいらっしゃいます。したがいまして、このパーティは非公開とさせていただきます。（マスコミはご遠慮ください！）

ヨールン・インゲブリットセン
（実行委員）
ソフィー・アムンセン》

二人が降りていくと、親たちはもうだいぶうちとけておしゃべりをしていた。ソフィーは、ペンで清書した招待状を母に手渡した。

「十八枚、コピーして」母のオフィスのコピー機は、これまでにも使わせてもらったことがある。

母は招待状に目をとおすと、インゲブリットセン氏にまわした。

「ほらね、こうなんですよ。最近この子ったら、まったくどうかしちゃってるんだから」

「いや、じつに面白そうだなあ」ヨールンの父親は、妻に招待状を渡しながら言った。

「あら、いいじゃない！　わたしたちも来ていい？　ソフィー」

「だったらコピーは二十枚ね」ソフィーは言った。

「まじ？」ヨールンが言った。

この夜、ベッドに入る前に、ソフィーは長いこと窓の外をながめていた。いつか、闇のなかにアルベルトのシルエットを見たことが思い出された。もう一月(ひとつき)以上も前になる。今も夜中にはちがいないのに、白夜のほの明かりがあたり一面に広がっていた。


火曜日の朝、ようやくアルベルトから連絡があった。ソフィーの母親が仕事に出かけた直後に、電話をかけてきたのだ。

「ソフィー・アムンセンです」

「こちらアルベルト・クノックス」

「そろそろかかってくると思ってたわ」

「今まで電話しなくてごめん。計画にかかりきりだったんだ。少佐がきみに気を取られているあいだしか、仕事にならないんでね」

「へんなの」

「そのあいだだけぼくは姿を消していられる。そうだろう？　この世界の陰で糸を引いている秘密組織はたった一人の人間が動かしているから、どうしても限界がある……。きみの手紙、受けとったよ」

「招待状ね？」

「本当にパーティをやる気？」

「どうして？」

「パーティで何が起こるか、知れたもんじゃないよ」

「来てくれる？」

「もちろん、うかがわせてもらう。でもその日にはもう一つイベントがあるよ。ヒルデの父親がレバノンから帰ってくる」

「あっ、そうだったわ」

「少佐がビャルクリに帰るちょうどその日に、きみが哲学パーティを開くなんて、これが偶然であるはずがない」

「わたし、そんなこと考えてパーティの日取りを決めたんだったかしら？」

「考えたのは少佐だよ。とにかく、このことはあとで話しあおう。昼前に少佐の小屋に来れる？」

「花壇の草むしりをしなくちゃならないんだけど」

「じゃあ二時にしよう。それならいい？」

「いいわ」


ソフィーがやってきた時、アルベルト・クノックスはこんども戸口の前に座っていた。

「ここにおいで」アルベルトはすぐに本題に入った。「これまでのところで、ルネサンスとバロックと啓蒙主義はすんだ。きょうはロマン主義の時代の話をしよう。ヨーロッパの文化が最後に盛り上がりを見せた時代だ。長い歴史もそろそろ終わりに近づいた」

「ロマン主義の時代は長かったの？」

「十八世紀の終わりに始まって、十九世紀の中頃までつづいた。一八五〇年から先は、文学や哲学や芸術や科学や音楽を全部ひっくるめて『なんとか時代』と呼べるような時代はもうこなかった」

「でもロマン主義はそういう時代だったの？」

「そうだよ。さっき言っただろう？　ヨーロッパの最後の時代(エポック)だ。ロマン主義は、啓蒙主義の時代が理性を重んじたことへの反動として、ドイツに起こった。カントの冷たい理性の哲学が終わると、ドイツの若い人たちは、いわばほっとしたんだね」

「その人たちは理性のかわりに何をもってきたの？」

「新しいスローガンは『感情』『想像力』『体験』『あこがれ』だ。ルソーのように、啓蒙主義の思想家のなかにも感情を重んじて、理性一辺倒になることを批判した人はいた。そういう伏流(ふくりゅう)が、ここへきてドイツ文化の主流になったのだ」

「ということは、カントの人気はそんなに長つづきしなかった？」

「半分はそうだね。でも半分はちがう。ロマン主義者たちの多くは、自分はカントの路線を受けついでいると思っていた。カントは、ぼくたちがものそのものについて知りうることには限界がある、と言ったのだったね。でもまたいっぽうで、わたしが認識に果たす役割も強調したじゃないか。そこでロマン主義者は、だったら個人は人生を好きに解釈してかまわないのだ、と考えた。そしてそれを拡大解釈して、無制限にわたし、つまり自我をあがめたてまつった。そこから、芸術の天才こそがロマン主義を代表するタイプだということになった」

「この時代には天才がたくさんいたわけ？」

「けっこういたよ。ベートーヴェンとかね。ベートーヴェンの音楽は彼の感情やあこがれを表している。ベートーヴェンは自由な芸術家だった。おもに厳格な規則にしたがって、神の栄光に捧げる作品を作曲したバッハやヘンデルのようなバロックの巨匠とは明らかにちがう」

「わたしは『月光』ソナタと『運命』交響曲しか知らない」

「『月光』はロマンティックだし、『運命』ではベートーヴェンはじつにドラマティックに自分を表現しているね」

「ルネサンスの人文主義者も個人を重んじたんでしょう?」

「そうだね。ルネサンスとロマン主義には重なるところがたくさんある。なによりも、人間の認識にとって芸術はとても重要だ、と考えたことなんかがそうだね。このことでも、カントはロマン主義をお膳立てしているんだよ。カントは、ぼくたちが芸術作品のような美しいものに圧倒される時、いったい何が起こっているのかを追究した。ぼくたちが芸術作品をできるだけ深く『体験』しようとして、損得を捨てて作品にのめりこむとしたら、ぼくたちは知の限界、つまり理性の限界を踏み越えて、ものそのものに近づくことになる」

「芸術家は、哲学者には表せない何かを表せるってこと?」

「カントもロマン主義者たちもそう考えていた。カントに元気づけられて、芸術家たちは認識能力を自由にはばたかせた。作家のフリードリヒ・シラーはカントの思想を拡大解釈した。シラーは、芸術家のすることは遊びのようなものだ、人は遊んでいる時だけ自由だ、なぜならその時には自分でルールを作っているのだから、と書いている。ロマン主義者は、芸術だけがぼくたちを『ことばにならないもの』に近づけてくれる、と考えた。もっと過激な人たちは、芸術家は神のようなものだとすら考えた」

「芸術家は、神が世界を創造したように、自分自身の現実をつくり出すから?」

「そう、芸術家には世界を創造する想像力がある、と言われたんだ。芸術家は陶酔のうちに、夢と現実の境が消えてしまうという体験をする。作家のノヴァーリスはロマン主義の若き天才の一人だけど、『世界は夢になり、夢は世界になる』と言っている。ノヴァーリスの『ハインリヒ・フォン・オフターディンゲン(青い花)』は、中世を舞台にした小説だ。ノヴァーリスはこれを書きあげる前に、一八〇一年に亡くなったけれど、すばらしい作品だ。青年ハインリヒが、夢にみてあこがれた『青い花』を探しに行く小説だ。イギリスのロマン主義者コールリッジは、似たようなことをこんなふうに表現している。

きみが眠っていたとしたら？　眠りのなかで夢をみたとしたら？　夢のなかで天国に行き、見たこともない美しい花を摘んだとしたら？　そして目覚めた時、その花を手にしていたとしたら？ ああ、そうしたら？」


「すてきね」

「遠いところや手の届かないものにあこがれるのが、ロマン主義者の特徴だ。過ぎ去った時代もあこがれの対象だった。たとえば中世は、啓蒙主義時代には暗黒の時代と思われていたけれど、ロマン主義時代には評価がひっくり返って、すばらしい時代ということになった。神秘的な東方のような、遠い文化もあこがれの対象だった。夜、薄明、廃墟、超自然なものなんかがもてはやされた。人生の夜の側、つまり闇や怪奇や神秘などに関心が集まった」

「エキサイティングな時代だったみたいね。ロマン主義者って、どんな人たちだったの？」

「ロマン主義はおもに都市の産物だ。十九世紀の前半、ドイツだけでなくヨーロッパのあちこちで都市文化が花開いた。典型的なロマン主義者は若い男性で、たいていは大学生なんだけど、勉強にはあまり熱心ではなかったりする。小市民的なものにたいしては反発をむきだしにして、警察官や彼らの下宿のおかみさんを『俗物』とか『敵』とか呼んだ」

「わたしだったら、ロマン主義者になんかお部屋を貸してあげないわ」

「一八〇〇年頃のロマン主義の第一世代は若かった。だからロマン主義運動はヨーロッパの最初の若者革命と言っていい。百五十年あとのヒッピー文化とよく似ている」

「長髪をたらして花をもって、ギターを弾くだけでぶらぶらしてたっていう、あのヒッピー？」

「そうだよ。ぐうたらしていることは天才の理想だし、だらしのないことはロマン主義者としてかっこいいことだったのさ。人生を味わうこと、あるいは人生から逃れる夢を追うことが、ロマン主義者にとっての至上命令だった。日々の営みは俗物にまかせておけばいいのだ」

「ノルウェイにもロマン主義者はいたの？」

「ああ、ヴェルゲランとかヴェルハーヴェンとか。ヴェルゲランは啓蒙主義の理想をかかげていたけれど、人生はロマン主義そのものだった。ヴェルゲランは熱にうかされたような日々を送って、人気を集めた。でも、ここがいかにもロマン主義者らしいところなんだが、彼が愛の詩を捧げた星は、ノヴァーリスの『青い花』のように、彼方にあって手の届かないものだ。ノヴァーリスはわずか十四歳の少女と婚約した。少女は十五歳の誕生日の四日後に死んだんだが、ノヴァーリスは一生彼女を愛しつづけた」

「十五歳の誕生日のたった四日後に死んだって、本当？」

「ああ」

「きょう、わたしは十五歳と四日よ」

「じゃあきみは彼女と……」

「なんていう名前だったの？」

「ゾフィーだ」

「えっ、なんて言った？」

「ああ、きみと同じ綴り(つづ)の……」

「おどかさないでよ！　これは偶然？」

「心配するな、ソフィー。とにかく、彼女はゾフィーといった」

「それで？」

「ノヴァーリスは二十九歳で死んだ。彼もまた『夭折（ようせつ）の詩人』だ。ロマン主義者には早死（はやじに）する人が多かった。たいていは結核だ。自殺した人もいる」

「うそ！」

「若いうちに死ななかった人は、たいていロマン主義を卒業した。だいたい三十歳で卒業しちゃうんだ。コチコチの小市民になった人もいる」

「じゃあ、敵の陣地に寝返ったってことじゃない！」

「そうかもしれない。おっと、ロマン主義の愛の話から脱線してしまったな。片想いをテーマにしたゲーテの書簡体小説『若きヴェルテルの悩み』は、ロマン主義者たちのバイブルみたいなものだった。出たのは一七七四年だから、ずいぶん早いね。この小説は、恋した相手と結ばれなかったヴェルテルが自殺して終わる」

「過激すぎる！」

「でも、この時代の人たちには主人公の気持は他人事（ひとごと）ではなかった。この本が出ると、自殺する人が急に増えた。そのためデンマークとノルウェイでは、長いこと発禁になっていた。ロマン主義者になるのは危険なことだった。ロマン主義とはげしい情熱は切っても切れない」

「ロマン主義っていうと、大きな風景画を思い浮かべるの。神秘的な森や荒あらしい自然……。そこに霧がたちこめてたりして」

「たしかに、自然や自然の神秘へのあこがれはロマン主義の大きな特徴だ。ロマン主義は都市を背景にしていた、と言ったよね？　田園ではなかったんだ。『自然に帰れ』っていう、ルソーが言い出したスローガンを憶えているだろう？　ロマン主義の時代、このことばが表舞台に飛び出した。ロマン主義は啓蒙主義の機械的な世界観への反動だっただけでなく、かつての『宇宙（コスモス）意識』のルネサンスをもたらしたと言っていい」

「どういうこと？」

「自然を一まとまりのものとして見るということだ。ロマン主義者は自分たちのルーツをたどってスピノザに行きついた。それだけじゃなくて、プロティノスや、それからヤーコプ・ベーメやジョルダーノ・ブルーノのようなルネサンスの哲学者たちに行きついた。みんな、自然のなかで神のようなわたしを体験した人たちだ」

「汎神論者ね」

「デカルトやヒュームは、自我と延長の現実のあいだにくっきりと線を引いた。カントも、認識するわたしと自然そのものをきびしく区別した。ところがここへきて、自然はたった一つの大きなわたしだ、ということになった。ロマン主義者は『世界霊魂』とか『世界精神』という言い方もしている」

「なるほど」

「なかでも重要な哲学者は、一七七五年に生まれて一八五四年に亡くなったフリードリヒ・ヴィルヘルム・シェリングだ。シェリングは、分裂してしまった精神と物質をもう一度一つにしようとした。そして、人間の魂も物理的な現実もふくめた全自然は、一人の絶対者、世界精神の現れだ、と考えた」

「スピノザみたいね」

「自然は目に見える精神で、精神は目には見えない自然だ、とシェリングは考えた。なぜなら自然のいたるところには、秩序をつくりだそうとする精神が感じられるからだ。シェリングは、物質はまどろんでいる知性だ、と言った」

「もう少し説明してくれる？」

「シェリングは自然のなかに世界精神を見たけれど、この同じ世界精神を人間の意識のなかにも見た。そうすると、自然も人間の意識も同じ一つのものの現れということになる。それでシェリングの哲学は、『同一哲学』と呼ばれるんだ」

「なるほどね」

「世界精神は自然のなかにも、自分の心のなかにも見いだせることになる。だからノヴァーリスは、『神秘の道が内面につうじ』ている、と言ったんだ。ノヴァーリスは、人間は宇宙をそっくり自分のなかにもっている、だから自分自身のなかに降りていけば、世界の謎に近づける、と考えたんだね」

「すごくすてきな考え方ね」

「多くのロマン主義者たちは、哲学と自然科学と文学は一つだ、と考えた。自然が命をもたない機械なんかではなくて生き生きとした世界精神なら、書斎にこもって霊感のおもむくままに詩を書くことも、花の生活や石の組成を研究することも、同じ一つのコインの裏表なんだ」

「もっと聞いたら、わたし、ロマン主義者になってしまいそう」

「ノルウェイの博物学者ヘンリック・ステフェンスは、ヴェルゲランから『風にさらわれたノルウェイの月桂樹の葉』と呼ばれた人だけど、それはステフェンスがドイツに移り、それから一八〇一年にはデンマークのコペンハーゲンに行って、大学でドイツ・ロマン主義について教えたからなんだ。ステフェンスはロマン主義運動をこんなふうに言い表している。『道をきりひらくための、荒くれた物質との果てしない格闘に疲れて、わたしたちは別の道を選び、一気に無限へと駆けつけようとした。自分自身の内へと降りていき、新しい世界をつくった』」

「すごい暗記力ね」

「どうってことないよ、ソフィー」

「それから?」

「シェリングも、自然は石から人間の意識まで、一つながりの発展と考えた。命をもたない自然から複雑な生命の形態へと、なだらかに移行している、と。ロマン主義の自然観では、自然は一つの有機体、つまりもともとの可能性をだんだんと実現させていく一まとまりのものなのだ。自然は葉っぱを芽吹かせ花を開かせる草花のようなもの、作品を花開かせる詩人のようなものなんだ」

「ちょっとアリストテレスに似ていない？」

「たしかにね。ロマン主義の自然哲学にはアリストテレス的なところと、新プラトン主義的なところがある。アリストテレスは、自然のなりゆきを有機的にとらえていたものね」

「そう、そう言いたかったの」

「同じような発想は新しい歴史観にも見られる。一七四四年に生まれて一八〇三年に亡くなった歴史哲学者のヨーハン・ゴットフリート・ヘルダーは、ロマン主義者たちに大きな影響をあたえた。ヘルダーは、歴史の流れも目的に向かうプロセスだと考えた。それで、ヘルダーの歴史観は動的（ダイナミック）な歴史観と言われる。啓蒙主義の哲学者たちの歴史観は、たいてい静的（スタティック）だった。啓蒙主義者は、たった一つの普遍的な理性があって、それがさまざまな時代に強く現れたり弱く現れたりする、と考えた。これにたいしてヘルダーは、歴史のそれぞれの時代にはかけがえのない価値があるし、それぞれの民族にはそれぞれの個性、つまり民族の心がある、と言った。問題は、ぼくたちはどうすれば異なる時代や文化を理解できるか、ということだけだ」

「だれかを理解しようと思ったら、その人の身になって考えなければならないように、よその文化を理解しようとしたら、やっぱりよその文化に本当にひたらなければならないんじゃない？」

「今ではそれはほとんど当たり前みたいになっているね。でもロマン主義の時代には、これは新しい発想だった。ロマン主義のおかげで、それぞれの国には独自のアイデンティティがあるんだ、という感情が強まった。ノルウェイでも、独立のための戦いが一八一四年に始まった」

「なるほどね」

「ロマン主義はたくさんの分野でさまざまな新しい方向を打ち出したので、ふつう、二つのタイプに分けて考えられている。一つは普遍的なロマン主義とでも言えるロマン主義だ。このタイプのロマン主義者は、自然や世界精神や天才芸術家などにかかわっていく。普遍的なロマン主義は一八〇〇年頃にドイツのイェーナに現れて、そこで最盛期をむかえた」

「もう一つのタイプは？」

「民族的なロマン主義だ。こちらは少し遅れて現れて、ドイツのハイデルベルクを中心にしていた。民族的なロマン主義者たちは民族の歴史やことば、民俗文化一般などに関心をよせた。民族も自然や歴史と同じように、もともともっていた可能性を花開かせていく有機体と考えられたんだ」

「『生まれを聞けば、人がわかる』って言うわね」

「二つのタイプのロマン主義を結びつけていたのは、有機体というキーワードだ。ロマン主義者たちは、植物も民族も、それから文学作品もことばも、命ある有機体なんだと考えた。だから、二つのロマン主義を区別するはっきりした境界線もない。世界精神は、民族や民族の文化にも、自然や芸術にも宿っているのだ」

「なるほど」

「ヘルダーはいろんな国の歌を集めて、そのアンソロジーに『歌にこめられたさまざまな民衆の声』という、意味深いタイトルをつけた。ヘルダーは、民間の言い伝えは『民衆の母語』だ、と言った。これを受けて、ハイデルベルクでは民謡や民話の蒐集(しゅうしゅう)が始まった。グリムのメルヒェンは聞いたことがあるだろう？」

「もちろんよ。『白雪姫』でしょう、『赤ずきん』でしょう、『灰まみれ』でしょう、『ヘンゼルとグレーテル』でしょう……」

「まだまだあるよね。ノルウェイには、国じゅうをまわって民話を集めたアスビョルンセンとモーがいる。これは新発見の、おいしくて栄養がある、汁気たっぷりの果物を摘むのに似ている。しかも収穫はいそがなければならなかった。果物は熟れきって、もう木から落ちはじめていたのだから。ランスタは民謡を、イーヴァル・オーセンはノルウェイ語そのものを採集した。異教時代の神話や叙事詩、サガも、十九世紀の中頃につぎつぎと再発見された。そしてヨーロッパじゅうの作曲家は民謡を作品に取り入れた。国民楽派と呼ばれる人たちだ。彼らは、芸術音楽と民衆音楽の橋渡しをしたいと思ったんだね」

「芸術音楽?」

「芸術音楽というのは、たとえばベートーヴェンとかの、特定の人が作曲する音楽だ。民衆音楽は、だれか特定の人がつくったのではなくて、いわば民衆そのものから出てきたものだ。だから、ある民謡がいつできあがったのかは、はっきりとはわからない。創作メルヒェンと民衆メルヒェンの違いも同じだね」

「創作メルヒェンって?」

「ハンス・クリスティアン・アンデルセンのような、作家が書いたメルヒェンだ。ロマン主義者たちはこのジャンルですぐれた作品をたくさん書いた。ドイツではE・T・A・ホフマンが有名だ」

「『ホフマン物語』って、聞いたことがある」

「演劇がバロックをいちばんよく表現する芸術様式だったように、メルヒェンはロマン主義にもっとも適した文学形式だった。メルヒェンでは、作家は自分の創造力を自由にふるえるからね」

「フィクションの世界で神さまを演じることができた」

「そうだね。じゃあ、このへんでまとめをしておこうか」

「どうぞ」

「ロマン主義の哲学者たちは世界霊魂を、夢みるような状態で世界のあらゆるものを創造する自我だと考えた。哲学者のヨーハン・ゴットリープ・フィヒテは、自然は高次元の無意識のイマジネーションから生まれた、と言っている。シェリングはずばり、世界は神のうちにある、と言った。自然には神の意識が現れている、しかし神の無意識を表している面もある、と。なぜなら、神には暗黒面もあるのだから」

「その考え、怖いけど魅力的。バークリを思い出しちゃった」

「作家と作品の関係も同じようなものだと考えられた。メルヒェンは作家に、世界を創造する想像力をふるわせてくれる。でも創造という営みは、いつも意識をはりめぐらせながら進められるわけではない。作家は、もともと自分のなかにある、なんだかわからない力が物語を書いているような体験をすることがある。書いているあいだ、本当に催眠術にかかったみたいになっていることもある」

「そんなこと、あるの？」

「あるさ。でも作家はふと幻想から覚める。そして物語に割って入って、読者に向けてアイロニーをこめた短いコメントをはさんだりする。すると読者は、これはただの物語なんだ、ということをつかのま思い出す」

「なるほどね」

「同時に読者は、この虚構の世界を動かしているのは作家なんだ、ということも思い出すわけだ。この幻想破壊はロマン主義的イロニーと呼ばれる。『イロニー』はドイツ語で、英語の『アイロニー』、皮肉のことだ。ノルウェイの作家ヘンリック・イプセンは『ペール・ギュント』という戯曲のなかで、登場人物にこんなセリフを言わせている。『第五幕のどまん中で死ぬやつなんかいるものか』」

「そういう口答えは、なんかおかしいわ。だって、わたしはただの想像上の人物なんですよって言っているようなものなんだもの」

「ほんとに矛盾した言い方だね。こっちも一段落つけたくなるよ」

「一段落って、なんのことだったの？」

「ああ、なんでもないよ、ソフィー。さっき、ノヴァーリスの恋人がきみと同じゾフィーという名前で、しかも十五歳と四日で死んだって言ったよね」

「怖がらせないでって言ったでしょう？」

アルベルトはさっと表情をこわばらせて、ソフィーを見つめた。

「きみは、ノヴァーリスの恋人と同じ運命が待ち受けているのかなんて、おびえることないんだよ」

「どうして？」

「章はまだつづくんだから」

「なんのことを言ってるの？」

「ソフィーとアルベルトの物語を読んでいる人はみんな、この物語にはまだ先があるってわかっているのさ。ぼくたちはようやくロマン主義にたどりついたばかりなんだから」

「アルベルトの言うこと聞いてたら、頭がくらくらしてきちゃう」

「本当は少佐がヒルデの頭をくらくらさせようとしてるんだ。ずるいじゃないか、ねえ、ソフィー？一段落！」


アルベルトのことばが終わるか終わらないうちに、男の子が森から走ってきた。アラビア風の服を着て、頭にターバンを巻いている。手にはランプをもっていた。

ソフィーはアルベルトの腕をしっかりとつかんだ。

「だれかしら？」

すると、男の子が自分で答えた。

「ぼくはアラジン、はるばるレバノンからやってきたんだよ」

アルベルトはきびしい目つきで男の子を見まわした。

「そのランプには何が入ってるんだ?」

男の子はランプをこすった。するともくもくと煙が噴き出して、男の形になった。男はアルベルトとよく似た黒い髭をはやし、青いベレー帽をかぶっている。ランプの上にゆらゆら揺れながら、男は言った。

「聞こえるかい? ヒルデ。もう一度、誕生日おめでとうを言おうとしたんだが、もう遅すぎるかもしれないね。だから今はこれだけ言っておこう。ビャルクリと南ノルウェイは、今のわたしにはまさにメルヒェンの国だ。もう何日かしたらそっちで会おう」

言いながら男は消えていき、もとの煙になった。その煙もランプに吸いこまれてしまった。ターバンの男の子はランプを小わきにはさむと、走って森に姿を消した。

「こんなの……信じられない」ソフィーが言った。

「ただの悪ふざけさ、ソフィー」

「あのランプの精、ヒルデのお父さんみたいな口をきいてた」

「あいつなんだよ。一種の幽体離脱(ゆうたいりだつ)現象だ」

「でも……」

「きみとぼく、それからぼくたちの周りで起こること——なにもかもが少佐の意識の深いところで起こっているのだ。今は四月二十八日、土曜日の真夜中だ。国連軍の兵士がみんな眠っているなか、少佐は一人、起きている。彼ももうかなり眠い。でも、ヒルデの十五歳の誕生日にプレゼントしようと思っているこの本を書かなければならない。だからがんばらなければならないんだ、ソフィー。だから、このあわれな男はほとんど眠らないんだ」

「もうやめて!」

「一段落！」

　ソフィーとアルベルトは小さな池を見つめていた。アルベルトは、まるでトランス状態におちいったかのようだった。しばらくして、ソフィーは思いきってアルベルトの肩を指でつっついた。

「夢でもみてた？」

「敵は直接攻撃をかけてきたな。さっきの段落の最後のところは、句読点まですべて少佐の思惑どおりだった。よくもまあ、恥ずかし気もなく！　でも少佐は、前面にしゃしゃり出ることで、真相をばらしてしまったよ。これでぼくたちが、ヒルデの父親がヒルデの誕生日にまにあうように送った本のなかに生きているということが決定的になった。前にぼくはそう言ったよね？　そう言ったのが本当はぼくではなかったとしてもだ」

「そうだとしたら、わたし、こんな本から抜け出たい。自分の思いどおりに生きたいわ」

「ぼくの秘密の計画というのは、それなんだよ。でもまずはヒルデと話ができるよう、もっていかなければ。ヒルデは、今ぼくたちがしゃべっていることを一語一句読んでいる。でも、ぼくたちがいったんここから逃げ出してしまったら、もう一度ヒルデとコンタクトをとるのは何倍もむずかしくなる。だから今そのチャンスをつかまなければ」

「ヒルデにはなんて言うの？」

「少佐はタイプライターにおおいかぶさるようにして、もうすぐ眠ってしまうだろう。けれども少佐の指は熱にうかされたようなスピードでキーをたたきつづける……」

「想像すると、なんか不気味」

「少佐があとで後悔するようなことを書くとしたら、今しかない。しかも少佐は修正液をもってない。これがぼくの計画のキーポイントなんだ。だれか、アルベルト・クナーグ少佐に修正液をやったら、ただではすまさないぞ！」

「わたしも絶対、少佐に修正テープなんかあげないわ！」

「さあ、ヒルデに呼びかけて、父親に反抗してもらおう。もしもヒルデが、父親のばかげた影絵芝居を面白がっているとしたら、悪趣味と言われてもしかたないよ。少佐どのが今ここにいたら、ぼくたちがどんなに怒っているか、思い知らせてやる」

「でも、少佐はここにはいないわ」

「少佐の精神と魂はここにある。でもたしかに体はレバノンだ。ぼくたちの周りにあるものは、とにかくなにからなにまで少佐の自我(わたし)なんだ」

「でも少佐はわたしたちの周りにあるもの以上よ」

「ぼくたちは少佐の魂のなかのただの影法師だ。影法師がその主人に攻撃をしかけるのは生(なま)やさしいことじゃないよ、ソフィー。勇気と戦略がいる。でもぼくたちには、ヒルデにはたらきかけるという手がある。神に反抗できるのは天使だけだ」

「少佐が家に帰ったとたんに怒らせてしまうよう、ヒルデにやってもらってもいいわね。『パパなんてだいきらい』って言ったり。ヨットをこわしちゃうっていうのもいいわ。そこまで行かなくても、ヨットのランプを割ってしまうとか」

　アルベルトはうなずいた。

「ヒルデが家出をするっていうのもいい。脱走は、ぼくたちよりもヒルデにとってのほうが簡単だろう。ヒルデは家を出て、二度と帰らないんだ。少佐は、ぼくたちを出汁(だし)にして、世界を創造する想像力をふるったんだ。そのくらいの目にあって当然さ」

「今から目に浮かぶようだわ。少佐はヒルデを捜して世界じゅうをまわるの。でもヒルデはあとかたもなく消えてしまってる。なぜなら、ソフィーとアルベルトをおもちゃにした父親なんかといっしょに暮らしたくないからよ」

「そうだ、少佐はぼくたちをおもちゃにしたんだ。ぼくがいつか、ぼくたちを誕生日のアトラクションにした、と言ったのはそのことだったんだよ。でも、少佐は用心したほうがいいよ。ヒルデもだ」

「どういう意味？」

「ぼくたちが見聞きすることはみんな、だれかの意識のなかで起こっていることだと想像するんだ。ぼくたちはだれかの意識である。だからぼくたちには精神なんてない。ぼくたちはだれかの精神だ。ここまでのところ、ぼくたちはおなじみの哲学を踏まえているよね？　バークリとシェリングは聞き耳を立ててるだろうな」

「そう？」

「この精神はヒルデ・ムーレル＝クナーグの父親の精神だ。彼はレバノンにいて、娘の十五歳の誕生日のために哲学の本を書いている。ヒルデは六月十五日に目を覚まして、ナイトテーブルにその本を見つける。そしてヒルデは、それからだれかほかの人たちも、ぼくたちについて読むだろう。少佐は、このプレゼントはほかの人と分けあうことになる、とずっと以前からちらつかせてたじゃないか」

「そうだったわね」

「そしてヒルデが読むのは、ぼくが今こうしてきみに語っている、と父親がレバノンで想像した、とぼくがきみに語っている、と父親がレバノンで想像した、とぼくがきみに……」

ソフィーの頭のなかで、なにもかもが渦を巻きはじめた。ソフィーは、バークリとロマン主義について聞いたことをなんとか思い出そうとした。アルベルト・クノックスはかまわずつづけた。

「でも、だからと言っていい気になるのは禁物だ。笑ってはいられないんだ。笑いはすぐに凍りつく」

「だれのこと？」

「ヒルデと父親だよ。彼らのことを話していたんだろう？」

「どうして彼らはいい気になってはいけないの？」

「だって、彼らもただの意識かもしれないじゃないか」

「そんなこと、ありかなあ？」

「バークリとロマン主義者にとってありなら、彼らにとってもありだろうさ。たぶん少佐は、彼とヒルデのことを書いた本の影法師なんだろう。もちろん、その本にはぼくたちのことも書いてある。ぼくたちはヒルデと父親の世界の一部なんだからね」

「だとしたら、もっとひどいじゃない。わたしたちは影法師の影法師ってことになっちゃう」

「そうだとしても、どこかでまったく別の作者が、娘のヒルデに本を書いている国連軍の少佐についての本を書いている、ということは、やっぱりありうるかもしれないんだ。その本には、クローバー通り三番地に住むソフィー・アムンセンにささやかな哲学講座を送りつけるアルベルト・クノックスとかいう男のことが書いてある」

「ほんとにそう思ってるの？」

「そうかもしれない、と言っただけだよ。その作者はぼくたちにとっての隠れた神だ。ぼくたち、それからぼくたちが言ったりしたりすることはみんな、この隠れた神から出ている。ぼくたちは隠れた神の一部であるのだから、彼について、ぼくたちは何一つ知ることができないだろう。ぼくたちは彼の心という入れ籠細工の小箱の、いちばん奥の小箱のなかにいるんだ」

しばらくのあいだ、ソフィーとアルベルトは黙りこんだ。沈黙を破ったのはソフィーだった。

「でももしもよ、レバノンにいるヒルデの父親がわたしたちの物語を考え出しているように、ヒルデの父親の物語を考え出している、そんな作者がほんとにいるとしたら……」

「としたら？」

「だとしたら、その作者もそんなにいい気になるべきではないんじゃない？」

「どういうこと？」

「どこかにそんな作者がいて、彼の頭の奥深くにわたしとヒルデがいる。でも、彼だってもっと別の意識のなかにいるってことは考えられない？」

　アルベルトはうなずいた。

「もちろんさ、ソフィー。もしもそうだとしたらその作者は、そうした可能性を暗示するために、今ぼくたちにこういう哲学の会話をするよう、仕向けているってことになる。そうすることでその作者は、彼もまた無力な影法師だということを強調したいんだ。そして、ヒルデとソフィーが登場するこの本が本当は哲学のテキストなんだということもね」

「テキスト？」

「だってぼくたちの会話はみんな、対話（ダイアローグ）はみんな、ソフィー……」

「みんななんなの？」

「実際は長い長い独り言（モノローグ）なんだよ」

「なにもかもが意識と精神のなかに溶けていくような気がする。でも、まだ何人か哲学者が残ってるんでしょう？　よかったわ。タレスやエンペドクレスやデモクリトスから始まった誇り高い哲学は、ここで座礁（ざしょう）してしまうんじゃないんでしょう？」

「もちろんさ。こんどはヘーゲルの話をしよう。ヘーゲルは、ロマン主義者がなにもかもを精神（ガイスト）に溶かしてしまったあとに、初めて哲学を救おうとした哲学者だ」

「楽しみだわ」

「もうなにかの精（ガイスト）や影法師にじゃまされないように、なかへ入ろうか？」

「ちょっと寒くなってきたしね」

「一段落!」

音高く、分厚いファイルが床に落ちた。ヒルデはベッドに仰向けになって、天井を見上げた。なにもかもがぐるぐる回転しているようだ。パパったら、本当にわたしの頭をくらくらさせてしまった。ひどい！　よくもこんなことをするものね！

ソフィーはじかにわたしに語りかけようとしていた。パパに反抗するよう、そそのかしていた。そして本当に、わたしにある考えを、計画を植えつけることに成功した……。

ソフィーとアルベルトは、パパに指一本ふれることもできない。でもわたしならできる！　わたしをつうじてならソフィーにもできる！

ソフィーとアルベルトは、パパが自作の影絵芝居でちょっと羽目をはずしている、と言う。ほんと、そのとおりよ。たとえ二人はパパが考え出したキャラクターだとしたって、演出にもほどがある。

かわいそうなソフィー！　かわいそうなアルベルト！　映画のスクリーンがプロジェクターに逆らえないように、二人はパパの空想にきりきり舞いさせられている。

パパが帰ってきたら、とっちめてやる！　ヒルデはもう、いたずらの計画を思い描いていた。

ヒルデは窓辺に立って入り江をながめた。もうすぐ二時だ。ヒルデは窓をあけて、ボートハウスに向かって叫んだ。

「ママ！」

ボートハウスから母親が姿を現した。

「一時間したらサンドイッチをもっていくわ。それでいい?」

「頼むわ」

「それまでに、ヘーゲルのところを読みたいの」


アルベルトとソフィーは、池をのぞむ窓辺のソファに座った。

「ゲオルク・ヴィルヘルム・フリードリヒ・ヘーゲルはロマン主義の申し子だった」と、アルベルトは語りはじめた。「彼の生涯はドイツの思想の流れそのままだったと言っていい。ヘーゲルは一七七〇年にシュトゥットガルトで生まれて、十八歳の時、テュービンゲン大学付属の神学校に入った。一八〇一年からはイェーナでシェリングといっしょに研究した。当時イェーナではロマン主義運動がたいへんに盛り上がっていた。イェーナ大学で講師をつとめたあと、ドイツの民族的なロマン主義の中心地、ハイデルベルクで教授になった。一八一八年、最後にベルリン大学に移ったんだが、当時はベルリンの町がヨーロッパの思想の中心になりつつあった。一八三一年十一月にはコレラで亡くなるんだけど、その頃にはもうドイツのほとんどの大学にヘーゲル主義者が大量発生していた」

「有名な人だったのね」

「そうだ。ヘーゲルの哲学もね。ヘーゲルはあらかたのロマン主義思想を統一し、発展させた。でも、たとえばシェリングなんかにたいしてはきびしい批判もしている」

「何を批判したの?」

「シェリングやほかのロマン主義者たちは、世界精神が究極の存在だ、と考えていたよね? ヘーゲルも世界精神と言うけれど、新しい意味で使った。世界理性とも言うんだけど、ヘーゲルの世界精神は、人間が表現するもののすべてという意味だ。なぜなら、精神をもっているのは人間だけだからだ。ヘーゲルは、世界精神が歴史をつらぬいている、と言っているんだが、このことばもそういう意味で理解しないと。つまりヘーゲルは人間の生活や、人間の思考や、人間の文化について語ったんだ。これ、重要だよ」

「てことは、この精神（ガイスト）は幽霊（ゴースト）みたいなものじゃないのね。世界精神は、ノヴァーリスとかのロマン主義者が考えたような、目覚める時を待ちながら石や木のなかでまどろんでいる知性じゃないのね」

「カントの物自体（ものそのもの）を思い出してほしい。カントは、人間は自然の奥底にある秘密、つまり物自体を認識できない、と言ったのだった。でもそれはまた、たどりつけないにしても真理のようなものはどこかにある、と認めたことになる。ところがヘーゲルは、『真理は基本的には主観的なものだ』と考えて、人間の理性の上だか外だかに真理がある、というカントの考え方を否定した。すべての認識には人間の息がかかっている、と考えた」

「ヘーゲルは哲学をもう一度地面に引き下ろそうとしたわけ？」

「そうだね、たぶんそう言えると思うよ。ヘーゲルの哲学は広いし、内容がいっぱいあるので、ポイントをいくつか押さえるだけにしておこう。でもね、ヘーゲルが独自の哲学をもっていたかというと、これがちょっと首をかしげてしまうんだ。ふつうヘーゲルの哲学と言われているのは、おもに歴史の流れを理解するための方法のことだ。だからヘーゲルのことを語ろうとすれば、歴史の歩みについてもふれないわけにはいかないんだ。ヘーゲルの哲学は世界の深い本性についてはなに一つ教えてくれないけれど、そのかわりに考えるための方法を教えてくれる。これがけっこう使えるんだ」

「考える方法だって大切よね」

「ヘーゲル以前の哲学体系はどれも、人間は世界について何を知ることができるのか、ということの永遠に通用する基準を定めようとしてきた。デカルトやスピノザがそうだったし、ヒュームもカントもそうだった。みんな、人間の認識の基礎は何かということを探究した。けれどもこの人たちが議論していたのは、結局、人間が世界を知るための、時間を超えた前提条件についてだった」

「それが哲学者の務めなんじゃないの？」

「ヘーゲルは、そんなものは見つかりっこない、と考えた。人間の認識基盤は時代によって変化する、と考えたんだ。だから永遠の真理も永遠の理性もない。たった一つ、哲学者が当てにできるたしかなものは、歴史そのものだ、とね」

「それだけ言われたってわからないわ。歴史はたえず変化しているのに、なぜたしかなの？」

「川の水もたえず流れているよね。でもだからと言って、川についてなにも語れないということではない。言えないことがあるとすれば、それは、川のどこがいちばん本物の川か、ということだけだ」

「言えないわよ、そんなこと。だって川はどこをとっても川だもの」

「ヘーゲルは歴史も川の流れのようなものだと考えた。どこのどんな小さな水の動きにも、ずっと上流の滝や渦の動きがひびいている。でも、今きみが見ている地点の石やカーブも流れを決めている」

「そうね……そうだわね」

「思想の、というか理性の歴史も、そんな川の流れのようなものだ。そこにはきみより以前の世代が考えたあらゆる思想が流れこんでいて、きみの時代の生活条件といっしょになって、きみの思考を決定している。だから、ある考えが永遠に正しいなんてことは言えない。きみが今立っているところでは正しかったりするだけだ」

「なにもかもみんなまちがっているとか、みんな正しいとかいうことではないんでしょう？」

「ああ、そうではないよ。歴史に照らしてまちがっていたり正しかったりするだけだ。もしもきみが一九九〇年に奴隷制をとなえたとしたら、せいぜい笑われるだけだろう。でも二千五百年前だったら、笑われはしなかっただろう。もっとも当時でも、奴隷制の廃止をとなえた進歩的な人びともいることはいたけどね。もっと身近な例をあげようか。ほんの百年前には、農地をひろげるために大きな森を切り拓くのは理性にかなったことだった。でも今ではとんでもなく非理性的なことだ。ぼくたちが保護か開発かを判断する基準は、百年前とはがらりと変わったし、しかもかしこくなった」

「そうよね」

「理性もダイナミックなものだ、ひとつのプロセスだ、とヘーゲルは言っている。何がいちばん真実かとか理性的かとか決定する基準は、歴史のプロセスの外にはないのだから、真理とはまさにこのプロセスのことなのだ、とね」

「たとえをあげてよ」

「古代や中世や、それからルネサンスや啓蒙主義からいろいろな思想を引っぱり出して、これは正しいとか、これはまちがっているとか言うことはできない。プラトンはまちがっているとか、アリストテレスは正しいとかは言えないんだ。ヒュームは間違いでカントとシェリングは正しいなんてことも言えない。それは歴史を無視した考え方だ」

「ほんと、そんなこと言ったらおかしいわね」

「哲学も思想も歴史のコンテクストから切り離せない、とヘーゲルは考えた。しかし歴史にはもう一つ別の面もある。つまり、人はつぎからつぎへと新しいことを考えつくわけだが、それは理性が発展的だからなんだ。人間の認識はたえず広がり、進歩している」

「カントの哲学はプラトンの哲学よりもちょっと正しいということ?」

「そうだね。世界精神はプラトンからカントまでのあいだに発展し、進歩したんだ。川のたとえに戻ると、流れる水の量が増したんだ。なにしろ二千年以上もたっているんだからね。でもカントも、彼の真理が岸辺の岩のようにいつまでも残るだろう、と考えたら間違いだ。カントの思想も究極の真理ではないし、すぐにつぎの世代が力いっぱい批判してくるだろう。そういうことがずっとくりかえされてきたんだ」

「でも、アルベルトが言っている川って……」

「なんだい？」

「どこへ流れていくの？」

「ヘーゲルは、世界精神は自分自身をますます深く知る方向に向かっている、と言っている。海が近づくにつれて、川幅は広くなる。ヘーゲルによれば、歴史は世界精神がだんだんと自分に目覚めていく一つの物語だ。世界ならいつだってあったわけだけれど、世界精神のほうは、人類と文化の発展によって自分自身にだんだんと目覚めていく」

「そんなこと、どうして言いきれる？」

「ヘーゲルは、これは歴史が示す事実だ、ただの予言などではない、と言っている。だれでも歴史を学べば、人類が自分を知り、発展させることをずっと目指してきたことがわかる。人類の歴史ははっきりと、合理性と自由が増える方向に進んでいる。さんざん脱線もするけれど、全体として見ればたゆみなく前へ前へと進んでいる、とね。ヘーゲルは歴史を目的をもったものとしてとらえていた」

「わたしたちは発展しつづけているのか。いいな、だとしたら希望がもてるわ」

「歴史は一本の長い思考の鎖だ。ヘーゲルは、この鎖はきちんとした法則でつながっているとして、その法則を明らかにしたんだ。歴史をよく観察すれば、新しい思考はそれより前の思考を踏まえて立ちあがっていることに気づくだろう。けれども新しい思考が立ちあがると、かならずもう一つ別の新しい思考の反論を受ける。すると、二つの対立する思考が張りあうことになるよね。でもこの緊張は、二つの思考のいいところをとって第三の思考ができあがることによって解かれる。ヘーゲルはこれを『弁証法』的発展と呼んだ」

「例で話してくれないとわからない」

「ソクラテス以前の哲学者たちが元素と変化について議論していたことは憶えているね？」

「だいたいね」

「エレア学派は、何かが変化するなどありえない、と主張した。だから彼らは、いくら変化を見聞きしても、片っぱしから否定しないわけにはいかなかった。エレア学派は一つの主張をかかげたわけだけど、ヘーゲルはそれを『肯定』と呼んだ」

「肯定？」

「でも、ある主張が出されれば、かならず対立する主張が出てくる。ヘーゲルはこっちを『否定』と呼んだ。エレア学派の哲学にたいする否定は、『万物は流転する』と言ったヘラクレイトスの哲学だ。ほらね、二つのまっこうから対立する考え方が角（つの）突きあっているだろう？　でもこの緊張関係はエンペドクレスが、どちらも少し正しいけれど、どちらも少しまちがっている、と指摘した時に消えた」

「そうね、そうだったわ」

「エレア学派は、根本ではなにも変わらない、としたことでは正しかったけれど、感覚はあてにならないとしたことは間違いだった。ヘラクレイトスは、感覚はあてになる、としたことでは正しかったけれど、すべては流れる、としたことではまちがっていたんだ」

「元素はたった一つではない、元素の組みあわせは変わるけれど、元素そのものは変わらない、だったわね？」

「そのとおり。二つの対立する思考に橋渡しをしたエンペドクレスの思考を、ヘーゲルは『否定の否定』と名づけた」

「そう言われればそうだけど、へんなの！」

「ヘーゲルは認識のこの三つの段階を『定立（テーゼ）』、『反定立（アンチテーゼ）』、『総合（ジンテーゼ）』とも言い表している。デカルトの合理主義を定立として、それを否定するヒュームの経験主義を反定立としてみてもいい。でもこの二つの異なる考え方がつくりだす緊張関係は、カントの総合によって発展的に解消されてしまった。

カントは、合理主義者にも一理あるし、経験主義者にも一理ある、と言った。カントはまた、両方とも重大な間違いをおかしている、とも言ったのだった。でも、歴史はカントで終わりじゃない。カントの総合は新しい『トリオ思考法（トリアーデ）』、つまり三つ一組の思考の出発点になる。カントの総合はつぎの定立になって、そこへ新しい反定立が現れるんだ」

「うわー、理屈っぽい！」

「たしかに理屈っぽいね。でも、ヘーゲルは歴史に理屈のパターンを押しつけようとしたのではないよ。その逆で、ヘーゲルは、歴史そのものからこういう弁証法のパターンが浮かびあがってくる、と考えたんだ。ヘーゲルは、これが理性の発展の法則だ、つまり歴史をつうじて世界精神が発展する法則だ、と言ったんだね」

「なるほどね」

「ヘーゲルの弁証法があてはまるのは歴史だけではない。議論したり解明したりする時、ぼくたちは弁証法でものを考えている。ぼくたちはある考え方に欠点を見つけようとする。ヘーゲルはこのことを『否定的思考』と呼んだ。でも、ある考えに欠点が見つかれば、逆にその長所は救えることになるよね」

「たとえば？」

「社会主義者と保守主義者が、なにかの社会問題を解決するために話しあいをしたとするよ。二つの考え方はすぐにぶつかって、緊張関係が生まれるだろう。でも、どっちかが全面的に正しくて、どっちかが全面的にまちがっている、ということではない。たぶん、どっちもある点では正しくて、ある点ではまちがっているのだろう。もしも両方ともかしこい人間ならば、話しあっていくなかで、お互いの意見のいちばんいいところがはっきりしてくるだろう」

「理想のなりゆきとしてはね」

「もしもぼくたちがそんな議論に巻きこまれたら、どっちのほうが理性的か、判断に困ってしまうだろう。結局、何が正しくて何がまちがっているか、それを証明するのは歴史だ。ヘーゲルは、理性的なものだけが生きのびる、と考えた」

「生き残ったもののほうが正しいっていうこと？」

「ひっくり返して、正しいものが生き残る、と言ってもいい」

「なにか例をあげてくれる？　さもないと、抽象的でピンとこない」

「百五十年前、女性の権利のためにたくさんの人が闘っていた。それに猛反対する人たちもたくさんいた。今のぼくたちが両方の言い分を聞いたら、どっちが理性にかなっていたかはすぐにわかる。でも、それは後知恵というやつだ。女性の権利のために闘った人たちのほうが正しかったということは、あとから明らかになったんだ。自分のお祖父さんがこのテーマについてなんと言ったか読んだら、げっそりする人は多いだろうな」

「そうね、そうでしょうね。ヘーゲルはこれについてはなんて言ってたの？」

「女性の権利について？」

「そう。それとも、これは言わないでおいたほうがヘーゲルさんのため？」

「ちょっと長い引用だけど、いいかな？」

「どうぞ」

「『男性と女性の違いは、動物と植物の違いのようなものだ』とヘーゲルは書いている。『どちらかというと男性は動物の性質を、女性は植物の性質をもっている。なぜなら女性は穏やかに発展するからだし、あいまいな感情を原理とするからだ。もしも女性が政府のトップになったら、その国は危険にさらされる。なぜなら女性は公共のニーズによって事にあたるのではなく、その時どきの気分や好みで動くからだ。女性の人格形成は、わたしたちにはどうしてだかわからないが、ムード的に、知識を身につけることよりもむしろ生活をつうじてなされるものらしい。そのいっぽうで男性は、思考の成果や技術的な努力を重ねて地位を手に入れるのだ』」

「もういい。そんな引用はもう聞きたくない」

「だけどこれは、何が理性的かはたえず変化しているという、おあつらえ向きの例じゃないか。ヘーゲルだって時代の子だったんだということがよくわかる。ぼくたちだってそうだよ。今ぼくたちが当たり前だと思っていることも、歴史の試練には耐えきれないかもしれないよ」

「たとえばどんな？」

「わからない」

「どうして？」

「だって、もう当たり前ではなくなりはじめていることしか、例にあげられないじゃないか。なんなら、いつかある日、自動車に乗ることは自然を破壊するから、とんでもなくばかげたことだと思われるだろう、と言ってみてもいいよ。でも、今でもたくさんの人がそう思っているのだから、これはもう当たり前が崩れはじめている。だから、あんまりいい例じゃない。でもとにかく歴史は、ぼくたちが今は当たり前と思っているたくさんのことも時の試練には耐えないということを、いつか教えてくれるだろう」

「そういうことか」

「こんなこともあるよ。ヘーゲルの時代の男たちが、女性は劣っているなんてげっそりするようなことを言ったおかげで、女性運動はますます勢いづいたんだ」

「どうして？」

「ヘーゲル流に言えば、男性が定立、つまりある肯定の立場を打ち出した。なぜそうする必要があったかと言うと、もちろん、女性たちが立ちあがりはじめていたからだ。みんなが同意していることには、とりたてて賛成することもない。そして男たちが女性を見くだせば見くだすほど、反定立、つまり否定は強まった」

「そりゃそうだわ」

「ある考え方をつらぬくには、強力な反対者がいることがいちばんだ。反対者は強力なら強力なほどつごうがいい。なぜなら、反対が強ければ強いほど、否定の否定にも力がこもる。『麦も踏まれて強くなる』って、ことわざにあるじゃないか」

「わたしも麦みたいにぐいぐい力を感じてきたわ」

「純粋な論理や哲学の世界でも、しょっちゅう二つの概念が弁証法的に張りあっている」

「へえ、どんな？」

「存在、『あること』という概念について考えると、どうしてもこれと対立する非存在、『ないこと』という概念ももってこないわけにはいかない。きみは、わたしは存在する、と考えると、つぎの瞬間にはどうしても、わたしはいつまでも存在しはしない、という思いが頭をもたげるだろう？　存在と非存在の緊張関係はしかし、生成、『なること』という概念に『止揚』される。止揚されるというのは、発展的に解消される、ということだ。なること、つまり何かが生成過程にあるというのは、何かがあるけれどない、ということだからね」

「なるほどね」

「こんなぐあいに、ヘーゲルの理性はダイナミックなんだ。現実は対立矛盾だらけなんだから、現実を説明するにも対立や矛盾をたっぷり取り入れなくてはならないんだ。いい例をあげよう。イギリスの物理学者ニュートンが玄関に蹄鉄をかけたんだそうだ」

「幸運のお守りね」

「でもそんなの迷信じゃないか。しかもニュートンはまるで迷信とは縁のない人間だった。友だちが訪ねてきて、その友だちもやっぱりそう思った。それで、『きみはそんなものを信じているのか？』とたずねると、ニュートンは『いいや、でも効き目があるんだってよ』と答えた」

「あらまあ！」

「でもこの答えは弁証法的だ。矛盾している、と言う人も多いだろうね。デンマークの物理学者ニールス・ボーアとノルウェイの詩人ヴィンニエも、世界を弁証法的にとらえた。ボーアはある時こんなことを言った。真理には二種類ある。うわっつらの真理では、真理の反対物はもちろんまちがっているけれど、深い真理もあって、そこでは真理の反対物は真理と同じように正しい」

「そんな真理なんてあるかしら？」

「たとえばぼくが、人生は短い、と言ったとしたら……」

「わたしも、そうだなって思う」

「でも別の時には、ぼくは両手を広げて、ああ、人生は長いなあ、と言うかもしれない」

「それも当たってるわ。なぜだか、それも真実よ」

「終わりにもう一つ、弁証法的な緊張が、突然の変化につながるような行動をおのずからひきおこす例をあげよう」

「さあ、どうぞ」

「小さな女の子がいたんだ。その子はいつも、『はい、ママ』とか『そうね、ママ』とか『ママがそう言うなら』とか『はい、すぐするわ、ママ』としか言わないんだ」

「背筋がぞっとする」

「ある日母親は、あんまり娘がすなおすぎるのでかんしゃくを起こして、『すなおにするのもいいかげんにしなさい！』とどなった。そしたら娘は『はい、ママ』と答えた」

「わたしだったら、そんな子、ぶんなぐっちゃう」

「だろうね。じゃあ、これならどうする？　その子が『ううん、わたしはすなおでいたいの』と答えたら？」

「へんな答えね。たぶん、やっぱりなぐっちゃう」

「つまり、これはにっちもさっちもいかない状況だね。弁証法的な緊張はあまり高まると、どうしてもなにか起こらないわけにはいかなくなる」

「パンチが飛ぶとか？」

「もう一つ、ヘーゲル哲学の特徴にふれておこう。これで最後だ」

「オーケー」

「ロマン主義者は個人主義だったね」

「神秘の道が内面につうじている」

「この個人主義は、ヘーゲル哲学のなかで否定、つまり反定立に出会った。ヘーゲルが重視したのは非個人的なものだった。それをヘーゲルは『さまざまな客観的な力』と名づけた。具体的には家族や国家のことだ。だからと言って、ヘーゲルは個人をまったく見失ったのではない。ただ、個人は共同体の部分だ、と見た。理性あるいは世界精神は、なによりも人びとのたがいのはたらきかけから見えてくるものなんだ」

「どういうこと？」

「理性はまずことばに現れる。そしてぼくたちはことばのなかに生まれてくる。ノルウェイ語はハンセンさんがいなくても困らないけれど、ハンセンさんはノルウェイ語なしには生きていけない。一人ひとりの個人がノルウェイ語をつくるのではない。ノルウェイ語が一人ひとりの個人をつくっているんだ」

「そうね、そのとおりよね」

「個人は、ことばのなかに生まれてくるのと同じように、歴史的な環境のなかにも生まれてくる。だれもこの環境と自由な関係はむすべない。国家になじまない人は、だから非歴史的な人間だ。アテナイの偉大な哲学者たちもこういう考え方だったね。市民のいない国家も、国家のない市民も、同じように想像できない、と」

「そうだったわね」

「ヘーゲルによれば、国家は一人ひとりの市民より以上のものだ。国家はすべての市民をあわせたより以上のものなんだ。ヘーゲルは、社会からエスケープするなんてできないと考えていた。自分が生きている社会に背を向けて、社会よりも自分自身を見つけようとする人間は、ヘーゲルからすればおろかなんだ」

「そういう考えは、ちょっとどうなのかなあ……」

「ヘーゲルによれば、自分自身を見つけるのは個人ではなくて世界精神なんだ」

「世界精神が自分を見つける?」

「ヘーゲルは、世界精神が自分を見いだすステージは三つあって、目覚めの度合いにも三段階ある、と言っている」

「いったい、なんのこと?」

「まず、世界精神は個人のなかで自分に目覚める。ヘーゲルはこれを『主観的精神』と呼んだ。世界精神は家族や市民社会や国家で、もう一ランク高い目覚めにたっする。ヘーゲルによれば、これは『客観的精神』だ。人びとのたがいのはたらきかけのなかに現れる精神だね。だけど、第三の段階がある……」

「第三の段階って?」

「世界精神は『絶対的精神』のなかで自己認識の最高の形をとる。絶対的精神というのは芸術、宗教、哲学のことだ。なかでも哲学は精神の最高の形だ。なぜなら、世界精神は歴史における役割を哲学のなかで反省し、そこに自分を映し出しているからだ。哲学のなかで初めて、世界精神は自分に出会う。だから、哲学は世界精神の鏡だ、と言っていい」

「あんまり神秘的で、ちょっとひと休みしたくなったわ。でも、最後にアルベルトが言ったこと、すてきね」

「哲学は世界精神の鏡だっていうのが？」

「そうよ、すてきだわ。そのこと、あの真鍮の鏡ともなんか関係あると思う？」

「ああ、きみがそう聞くなら、そうだと答えるよ」

「どういうこと？」

「あの真鍮の鏡は、何度も出てきているところを見ると、どうも特別の意味があるらしい」

「どんな意味があるのか、わかってるんでしょう？」

「わからないよ。ぼくはただ、もしもあの鏡がヒルデと父親にとって特別の意味がないのなら、こんなにしょっちゅうは出てこないだろうと言っただけさ。鏡にどんな意味があるかは、ヒルデしか知らない」

「今のはロマン主義的イロニー？」

「絶望的な質問だね、ソフィー」

「どうして？」

「だって、イロニーをふるっているのはぼくたちじゃないんだよ。ぼくたちは、イロニーの無力な犠牲者でしかないんだ。子どもが紙に落書きしたとして、何が描いてあるのか、紙に聞くわけにはいかないじゃないか」

「ぞっとしてきた」

キルケゴール——ヨーロッパは破産への道をたどっている

見れば、時計はとっくに四時を過ぎていた。ヒルデはファイルを勉強机に置いて、キッチンに駆けおりた。ママがしびれを切らす前に、ボートハウスにサンドイッチをもっていかなくちゃ。真鍮の鏡の前を足早にとおりすぎた時、ヒルデはちらっとそちらに目を走らせた。

ヒルデは大いそぎでお茶をわかし、サンドイッチをつくった。

パパにはちょっと思い知ってもらおう。ソフィーとアルベルトの肩をもつ気持はますます強くなる。パパがコペンハーゲンの空港に着いた瞬間に作戦開始だ……。

ほどなく山盛りのお盆をかかげて、ヒルデはボートハウスにやってきた。

「はいどうぞ!」

大きなサンドペーパーを手にした母は、サンドペーパーの粉にまみれて白っぽく見える髪の毛を額(ひたい)からかきあげた。

「サンキュー、夕ごはんは遅くていいわね」

二人は栈橋に腰かけて食べた。

「パパはいつ着くの?」しばらくすると、ヒルデがたずねた。

「土曜日よ。あなた、知ってるでしょう?」

「でも何時? コペンハーゲンで飛行機を乗り継ぐって言わなかった?」

「そうよ」

母は、レバーパテときゅうりのサンドイッチを一口食べた。

「コペンハーゲン着が五時頃でしょ、クリスティアンサン行きの飛行機は八時十五分。だから、こっちに着くのは九時半頃じゃないかな」

「じゃあ、何時間かはコペンハーゲンにいるんだ」

「そうよ。どうして?」

「ちょっとね、パパの予定を知りたかっただけ」

二人は食べつづけた。しばらくたった頃を見計らって、ヒルデはさりげなくたずねた。

「最近、アンネとオーレ叔母さんから連絡がある?」

「ええ、時どき電話してくるわ。七月には休暇をとってこっちに来るって。まだいつかはわからないけど」

「それより前ってことはない?」

「ないと思うけど」

「じゃあ、今週いっぱいはコペンハーゲンにいるのね」

「ヒルデ、いったいなに考えてるの?」

「べつに。二人と話があるのよ」

「でもあなた、コペンハーゲン、コペンハーゲンって、二度も言ったわよ」

「そう?」

「パパのトランジットの話をしていて」

「そう、それでアンネと叔母さんのことを思い出したのよ、きっと」

食事がすむと、ヒルデは皿やカップをお盆に戻した。

「まだ読むものが残ってるの、ママ」

「じゃあ、読めば？」

今のママの答え、ちょっと非難めいてなかった？　たしかにわたしは、パパが帰るまでにいっしょにヨットの整備をするって、ママと約束したのだった。

「パパが、帰ってくるまでにあの本を読んでおきなさいって」

「ちょっとどうかと思うわ。パパはいつも家にいない。それはいいわよ。でも、ヒルデがすることを取り仕切ろうなんて……」

「それどころか、パパがもっといろんなことを取り仕切っているって知ったら」ヒルデは意味ありげに言い添えた。「ママはきっと、なんてパパはいい気なもんだろうって思うわ」

ヒルデは自分の部屋に上がって、続きを読んだ。


ふいに、ドアをノックする音が聞こえた。アルベルトはけわしい目でソフィーを見た。

「ほっておこう」

ノックはやまない。

「つぎは、ヘーゲルの哲学に反発したデンマークの哲学者の話だ」

ノックがいちだんとはげしくなった。今にもドアが壊れそうな勢いだ。

「少佐に決まっている。またファンタスティックなキャラクターを送りこんで、ぼくたちが餌に食いつくか、見るつもりだ。だけどそうはいかない」

「でも、わたしたちが無視することにしても、この小屋をめちゃめちゃに壊すのなんて、少佐にはわけないわ」

「それもそうだ。じゃあしかたない、あけてみるか」

二人は戸口に行った。ノックがあまりはげしいので、ソフィーは、大男かなにかがたたいているのかと思った。ところが表にいたのは、花柄のサマードレスを着てブロンドの髪をたらした小さな女の子だった。両手に一本ずつ、小さなビンをもっている。一本は赤で、もう一本は青だった。

「こんにちは」ソフィーは言った。「あなたはだあれ？」

「わたし、アリス」女の子ははにかんで、膝をちょっと曲げておじぎした。

「そんなことだろうと思った」アルベルトはうなずいた。「不思議の国のアリスだな」

「どうしてここがわかったのかしらね？」

するとアリスが答えた。

「不思議の国は境も見境もない国なの。どこもかしこも不思議の国なの。国連みたいなものね。だから不思議の国は国連の名誉加盟国になるべきなんだわ。そしたらわたしたち、すべての委員会に代表を送るのに」

「ふん、少佐のやつめ」アルベルトがつぶやいた。

「なんのご用？」ソフィーがたずねた。

「ソフィーに哲学の小ビンをとどけに来たの」

アリスはソフィーに二本のビンを渡した。すきとおるガラスでできた小ビンの、一本には赤い水、もう一本には青い水が入っている。赤のほうのラベルには「わたしを飲んで」、青のほうには「わたしも飲んで」と書いてあった。

その時、小屋をめがけて白兎が走ってきた。兎は二本の足でしゃんと立って、チョッキと上着を着こんでいる。小屋の前まで来ると、チョッキから懐中時計を取り出した。

「たいへんだ！　たいへんだ！　遅れちゃう！」

そしてまた走っていった。兎のあとからアリスも駆け出した。森に走りこむ直前に、もう一度ちょこんとおじぎをして、こう言った。

「また例のあれが始まるの！」

「猫のダイナと女王さまによろしくね！」ソフィーはアリスの背中に呼びかけた。

アリスは行ってしまった。アルベルトとソフィーは戸口にたたずんで、小ビンを見た。

「『わたしを飲んで』、『わたしも飲んで』ですって。うのみにしていいのかな？　毒かもしれない」

アルベルトは肩をすくめただけだった。

「このビンは少佐がよこしたものだ。少佐から出てくるものは全部、心に思うものだ。だからこれはただの『ジュースのつもりジュース』だろう」

ソフィーは赤のビンのコルクを取って、おそるおそる口にもっていった。ジュースは甘くて、へんてこな味がした。それだけではなかった。ソフィーの周りに何かが起こりはじめたのだ。池と森と小屋が一つになったと思うと、すべてが一人の人間のように見えてきた。それはソフィーだった。アルベルトを見ると、こちらもソフィーの一部になってしまったようだった。

「へんなの！」ソフィーは言った。「さっきとなんにも変わらないのに、なにもかもが一つのものみたい。なにもかもが一つの意識みたい」

アルベルトがうなずいた。けれどもソフィーは、自分が自分にうなずいたような気がした。

「それは汎神論か、さもなければ同一哲学だ」アルベルトが言った。「ロマン主義者の世界精神だよ。ロマン主義者は、すべてをたった一つの大きな自我(わたし)と受けとめた。ヘーゲルもそうだ。ヘーゲルは個人を軽く見て、すべてをたった一つの世界精神の表現と考えていた」

「もう一本の水も飲まなきゃいけない？」

「ラベルにそう書いてあるじゃないか」

ソフィーは青い水のビンのコルクも抜いて、一気に飲んだ。赤い水よりもさっぱりしていて、すっぱかった。また周りの光景ががらりと変わった。赤い水の効き目はまたたくうちに消え、すべてはもとどおりにおさまった。アルベルトはアルベルトになったし、森の木は森の木になった。池はもとの池だった。けれどもそれはつかのまで、ソフィーの目に映るものはなにもかも、滑るように広がって、ばらばらに離れていった。森はもう森ではなかった。いちばん小さい木でさえも、突然、世界そのもののように見えた。いちばん小さい枝でさえ、千の物語に物語られる、この世に二つとない宝物のように見えた。小さな池は果てしない大海原だった。池が深く、大きくなったのではない。どこまでも微妙に入り組みながらきらきらときらめく波のために、池が無限の海になったのだ。ソフィーは、この池だけを見ながらこれからの生涯を過ごしてもいい、それでも池の神秘はついにはかりしれないだろう、と思った。

ソフィーは梢を見上げた。三羽の雀が遊んでいる。赤い水を飲んだ時にも、梢の雀たちのことは意識のどこかにあったのだが、しっかりと目にとまってはいなかった。赤い水は対立も個々の違いも、すべて消し去ってしまったのだった。

ソフィーは、それまで立っていた石のステップを降りて、草の上にひざまずいた。するとそこにも新しい世界があった。深い海にもぐった人が海底で初めて目を開いたらこんなふうだろうか。草の葉や茎のあいだをびっしりと埋めつくして、小さなものたちがうごめいていた。ソフィーは、苔にしっかりと足を踏んばり、なにかを目指してひたむきに歩いていく蜘蛛を見た。草の茎を登り降りしている赤っぽいアリマキを見た。小さな蟻が群れをなし、力をあわせてはたらいているのを見た。けれども蟻たちは一匹一匹がそれぞれの流儀で足を動かしているのだった。

けれども何が奇妙と言って、立ちあがって、あいかわらず戸口に立っているアルベルトを見た時のことだった。まるで初めて見るような気がする。ほかの惑星から来た生き物か、魔法にかけられたメルヒェンの登場人物のようだった。同時にソフィーは、自分自身のこともとびきりユニークに感じた。こんな感じは初めてだった。ソフィーはただの人間ではなかった。ただの十五歳の女の子ではなかった。ソフィーはソフィー・アムンセンだった。ひたすらソフィー・アムンセンだった！

「何が見える？」アルベルトがたずねた。

「アルベルトが珍獣みたいに見える」

「ほんと？」

「アルベルトがアルベルトじゃないほかの人になったなんて、とてもじゃないけど、もう考えられない。世界じゅう捜したって、アルベルトと同じ人はいないわ」

「森はどう？」

「ありきたりには見えない。すごくファンタスティックな物語の世界みたい」

「思ったとおりだ。青い水は個人主義だ。ロマン主義の汎神論への、セーレン・キルケゴールのリアクションだ。キルケゴールがメルヒェン作家のアンデルセンの同時代人だったのは偶然ではない。アンデルセンもキルケゴールと同じように、自然の豊かなディテイルにするどい目を向けた。百年以上も前に同じようなものの見方をしたのがライプニッツだ。ライプニッツはスピノザの汎神論に反発した。ちょうどキルケゴールがヘーゲルに反発したようにね」

「アルベルトがなんか言うのを聞いていると、おかしくて吹き出してしまいそう」

「だろうね。じゃあ赤い水をもう一口飲んで、ここに座ろうか。きょうの話の最後はキルケゴールだ」

二人は戸口の石段に座り、ソフィーは赤い水を飲んだ。するとすべてはふたたび一つにとけあい、ソフィーはものごとの区別にはなんの意味もないような感情に襲われた。すぐさま青い水のビンの口をちょっぴりなめると、世界はアリスが二本のビンをもってくる前とだいたい同じようになった。

「それにしても、どっちが真実なのかしら？　世界の現実の正しい姿は、赤い水と青い水のどっちにひきおこされたほう？」

「どっちもだよ、ソフィー。ロマン主義者たちがまちがっていたとは言えない。ちょっと一面的だったとは思うけど」

「青い水は？」

「キルケゴールは青い水をがぶ飲みしたんだろう。キルケゴールは個人の意味にするどい目をもっていた。ぼくたちはただ時代の子であるだけではない。ぼくたちは一人ひとりが、この一回こっきりの生を生きるたった一人の個人なんだ」

「ヘーゲルはそういうことにはあんまり関心がなかったんでしょう？」

「そうだね、ヘーゲルは歴史の大きな流れのほうに関心をもっていた。キルケゴールがカチンときたのはそこなんだ。ロマン主義の汎神論とヘーゲルの歴史主義は、個人からその人ならではの人生を送る責任を取りあげてしまった、とキルケゴールは考えた。その点では、ヘーゲルもロマン主義者も同じ穴の狢（むじな）だ、と考えた」

「キルケゴールがカチンときたのも無理ないと思うわ」

「セーレン・キルケゴールは一八一三年にコペンハーゲンで生まれて、父親のたいへんきびしい教育を受けた。父親からは憂鬱な信仰観も受けついだ」

「なんか、暗そう」

「暗いよね。この憂鬱のおかげで、キルケゴールは若い頃、婚約を解消して、コペンハーゲン市民から白い目で見られてしまった。ごく若いうちからのけ者扱いされ、ばかにされるようになってしまった。やれやれだね。でもキルケゴールのほうも、周りにはげしく噛みつく人になっていった。のちにイプセンが『民衆の敵』と呼ぶ人が、こうしてできあがったんだ」

「婚約を解消したばっかりに？」

「いや、原因はそれだけじゃない。晩年、キルケゴールはヨーロッパ文明を徹底的に批判する、毒舌の批評家になった。ヨーロッパは破産への道をたどっている、とキルケゴールは言った。この時代には情熱もなければまじめさもない、と考えたんだ。キルケゴールはとくにデンマークのルター派教会のだらけぶりをこてんぱんに批判した。日曜日にしか教会に行かない態度をなあなあで認める『日曜キリスト教』へのキルケゴールの批判は、それこそ容赦なかった」

「今なら日曜キリスト教ならまだましね。『堅信礼キリスト教』って言わなくちゃ。わたしぐらいの年の子が教会に行って、これからはおとなとしてキリストの教えを守りますって、神さまに約束するんだけど、そんなのただのタテマエよ。たいていの子はプレゼントをもらえるから受けるだけよ」

「そうだね、きみの言うとおりだ。キルケゴールにとってキリスト教は圧倒的に重要だったし、しかも理性に反するものだったので、これはもう、あれかこれか、つまり信じるか信じないかのどちらかしかなかった。『あまり』信じないとか、『そこそこ』信じるなんてありえない。なぜならイエスは復活祭の日曜日によみがえったか、それともよみがえらなかったかのどちらかしかない。もしも神が本当に死者のなかからよみがえったのだとしたら、本当にぼくたちのために死んだのだとしたら、それはどうしようもない事実なのだから、ぼくたちの全人生はそのことに決定づけられないわけにはいかないんだ」

「そうよね」

「キルケゴールは、教会も信者も信仰の問題におざなりだ、と思った。キルケゴールには、これはとんでもないことだった。彼にとって、信仰と理性はまるで水と油だった。キリスト教を真理として信じるだけではだめだ、キリスト教を信じるとはイエスの生き方をなぞることだ、とキルケゴールは考えた」

「でも、それがヘーゲルとどういう関係があるの？」

「ああ、そうだった。話の順序が逆になったみたいだ」

「じゃあ、もとに戻ってもう一度最初から始めたら？」

「キルケゴールは十七歳から神学の勉強を始めた。でもその後だんだんと哲学のほうに関心が傾いていった。二十八歳の時、『イロニーの概念について』という論文で修士号をとった。この論文でキルケゴールは、ロマン主義者たちの幻想との無責任なたわむれとロマン主義的イロニーに挑戦状をたたきつけた。キルケゴールはロマン主義的イロニーにソクラテスのアイロニーをぶつけたんだ。ソクラテスもアイロニーを利用したけれど、それは、聞き手がもっと真剣な生き方をするよう手引きするためだった。ソクラテスは、キルケゴールによれば、ロマン主義者とは正反対の『実存的な』思想家だ。実存的な思想家というのは、自分のありようのすべてを哲学的な思索と結びつける人のことだ。幻想相手に遊びほうけているロマン主義者はそういうことをいっさいしない、とキルケゴールは考えた」

「なるほどねえ」

「婚約を解消してから、一八四一年、キルケゴールはベルリン大学に行って、とくにシェリングの講義に熱心にかよった」

「ベルリンではヘーゲルに会ったの？」

「いいや、ヘーゲルはもう十年前に亡くなっていた。でもヘーゲル主義はあいかわらずベルリンだけでなく、広くヨーロッパの主流だった。ヘーゲルの体系は、すべての問いを解く一種のマスターキーのように使われていた。それにたいしてキルケゴールは、ヘーゲル哲学の『客観的な真理』は一人ひとりの人間の存在にはちっとも重要ではない、と言った」

「じゃあ、どんな真理が重要なの？」

「キルケゴールは、たった一つの普遍的な大真理の探究なんかより、個人が生きる上で意味のある、個人の数だけの真理を探究することのほうが大切だ、と考えた。『このわたしにとっての真理』を見いだすことが大切だ、とね。体系に一人ひとりの個人、つまり単独者を対抗させたわけだ。キルケゴールは、ヘーゲルは彼自身もただの一人の人間だということを忘れていた、と考えた。そして、象牙(ぞうげ)の塔にのうのうとしているヘーゲル学派の教授たちをからかった。教授たちは、あらゆる存在の謎を解明しながら、自分の名前を忘れ、自分が人間だということ、ただの人間だということ、頭からひねり出した文章に手足がはえたものなんかではないということを忘れている、と」

「じゃあ、キルケゴールは一人ひとりの人間をどういうふうに考えていたの？」

「一般的なことばでは答えられない。人間の本性や本質を一般に通用することばで定義するなんて、キルケゴールにはまるでどうでもよかった。彼にとって大切なのは、一人ひとりの実存、つまり個人が事実どう存在するか、ということだった。しかも人は書斎で自分の実存を体験することはできない。行動して初めて、さらには自分の存在と深くかかわる重大な選択の前に立たされて初めて、ぼくたちは実存を体験する。ブッダが語ったエピソードは、キルケゴールの考えをよく表している」

「ブッダのエピソード？」

「そうだよ。ブッダの哲学も人間の実存から出発している。昔ある坊さんが、ブッダは、世界とは何かとか人間とは何かという重大な問いに、ちゃんと答えてないじゃないか、とくってかかった。ブッダは、毒矢で傷ついた人間をたとえに、こう答えた。この人はけっして、矢は何でできているのかとか、どんな毒を塗られているのかとか、どっちの方角から飛んできたのかとかの、冷めた関心なんかもたないだろう、とね」

「そんなことより、だれか早く矢を抜いて傷の手当をしてくれって思うんじゃない？」

「そうだよね。彼にとってはそれが存在にかかわる重大事なんだ。ブッダもキルケゴールも、人はほんのわずかな時間しか存在しない、とひりひりと感じていた。だとしたら、書斎にこもって世界精神について空想にふけってなんかいられないよ」

「そうよね」

「キルケゴールはまた、真理は主観的(サブジェクティヴ)だ、とも言っている。これは、ぼくたちは何を信じても何を考えてもいい、ということじゃないよ。キルケゴールは、本当に重要な真理は個人的だ、と言ったのだ。主体的(サブジェクティヴ)な真理だけが、このわたしにとっての真理なのだ」

「主体的真理ってたとえば？」

「キリスト教は真理か、なんていうのは重要な問題だね。この問いには、キルケゴールによると、理論も学問も通用しない。自分は実存している、と考える一人ひとりにとって、それは死ぬか生きるかの問題なのだ。議論のための議論のテーマじゃない。熱い心でかかわっていくべき問題なんだ」

「わかるわ」

「きみは池に落ちたら、これはおぼれるケースかどうかなんていう、冷めた関心のもちかたなんかするわけがない。そこにワニがいるかどうかということも、興味あるとかないとかいう問題じゃない。それは生きるか死ぬかの問題だ」

「当たり前よ！」

「だから、神は存在するかどうかという哲学的な問いと、この問いにたいする個人のかかわりは分けて考えなくてはならないのだ。人はみんなこの問いにたった一人で向きあう。こういう問いには信じることによってしか近づけない。理性や知識で答えが出たとしたって、そんなものは重要ではない、とキルケゴールは考えた」

「もう少し説明してくれなくちゃ、わからない」

「八たす四は十二だね、ソフィー。これは太鼓判をおせる。これが、デカルト以来のすべての哲学者が語ってきた理性の真理の例だ。でも真実だからって、こんなことをお祈りに織りこもうと思う？

こんなことで臨終の時に頭を悩ませると思う？　そんなことはないよね。こういう真理は客観的で一般的だけど、個人の生き方にとってはおよそどうでもいいことなんだ」

「信じるってことは？」

「もしもなにかまちがったことをしたら、人がそれを許してくれるかどうか、きみには知ることができない。だからこそ、それはきみのあり方にとって重要なんだ。きみにとってのっぴきならない問題なんだ。だれかがきみのことを好きかどうか、きみにはわからない。きみにはただそう信じるとか、望むとかできるだけだ。でもこれはきみにとっては、三角形の内角の和は一八〇度だ、という議論の余地のない事実よりも切実だよね。ファースト・キスのまっさいちゅうには、因果関係とか、カントの直観形式なんて考えないものだ」

「そんなこと考えたらヘンタイよ」

「信じるということが、宗教の問題のなかでもいちばん重要なんだ。キルケゴールは、もしも神が客観的にとらえることができるものなら、信じることもない、しかし客観的にはとらえられないからこそ、神は信じなければならないのだ、と考えた。そして信仰を守ろうとするなら、客観的な不確かさの『水深七万尋（ひろ）』にいても信じるぞ、と自分に言い聞かせなければならない、と」

「ちょっとむずかしくて、ついていけない」

「かつてはたくさんの人が神の存在を証明しようとした。理性で神をとらえようとした。けれどもそういう神の証明や論証で満足するなら、きみは信仰を、そして宗教的な情熱を失ったのだ。キリスト教は真理か、ということではない。キリスト教はわたしにとって真実か、ということが重要なのだ。中世にはこれと同じことが、『クレード・クイア・アプスルドゥム』と言い表されていた」

「なあに、それ？」

「不条理ゆえにわれ信ず、つまり、理性（あたま）で考えたらでたらめなことだから、これはもう信じるしかない、ということだ。そもそもキリスト教が理性に訴えかけるものだったら、信仰なんて問題にはならなかっただろう」

「なるほど、ようやくわかったわ」

「ここまでで、キルケゴールが『実存』とか『主体的な真理』とか『信仰』ということばで何を考えていたかを見てきたね。この三つの概念はみんな哲学の伝統への批判、なかでもヘーゲルにたいする批判から出てきたものだ。だけどここには痛烈な社会批判もこめられていた。近代の都市社会では個人は大衆の一人になってしまう、とキルケゴールは考えた。そして大衆のいちばんの特徴は無責任なおしゃべりだ、と。よく付和雷同（ふわらいどう）と言うけれど、さして深い思い入れもないのに、みんなが同じことを『そう思う』だの『そう信じる』だの言うことだ」

「ヨールンとこの両親みたい」

「キルケゴールはどんなばあいにも容赦しなかった。鋭いペンをふるって、痛烈な皮肉をとばした。『大衆は虚偽だ』とか、『真理はつねに少数の側にある』とか。ほとんどの人は人生をイージーに楽しみすぎている、とか」

「バービー人形を集めるのも一つの人生よ。でも、自分がバービー人形になるのは最低だわ」

「いまきみが言ったことをきっかけに、キルケゴールがとなえた人生の三つの段階に話を進めよう」

「どういうこと？」

「キルケゴールは、人生には三つのありようがある、と考えた。彼は『段階』ということばを使っている。『美的実存の段階』、『倫理的実存の段階』、『宗教的実存の段階』だ。キルケゴールが『段階』ということばを選んだのは、人は最初の二つの段階のどちらかに生きているけれど、ある日突然、より高い段階に『跳躍』する、ということも表現したかったからだ。もっとも、多くの人びとは一つの段階で一生を過ごしてしまうんだけどね」

「わたしはどの段階にいるのかな？　ドキドキしてしまうわ」

「美的実存の段階にいる人は刹那的に生きていて、楽しむ機会ばかり追い求めている。美しいもの、快いもの、心地よいものを重んじる。感覚の世界にどっぷりと浸かって生きているわけだ。自分の快楽や気分の奴隷になって、辛気くさいことや、今のことばで言うとダサイことはいっさい受けつけない」

「いるいる、そういう人」

「ロマン主義者がこのタイプだ。なぜなら、美的実存の段階というのは感覚的な快楽だけについて言うのではなくて、現実にたいして、あるいは自分がかかわっている芸術や哲学にたいして面白半分の態度をとる人はだれでも、美的実存の段階に生きていることになるんだ。苦悩にたいして美的というか、『鑑賞的』な態度をとることだってできる。そこで幅をきかしているのは虚栄心だ。イプセンの『ペール・ギュント』には、そういう典型的な審美家タイプが出てくるよ」

「キルケゴールが考えていたこと、わかるような気がする」

「きみはこういうタイプの人を知っている？」

「一〇〇パーセントじゃないけれど、少佐がちょっとこれかなって」

「ああ、そうかもしれないね、ソフィー。これも安っぽいロマン主義的イロニーだとしてもだ。うがいでもしてきたら？　口が汚れたよ」

「なんて言ったの？」

「まあ、とにかくきみのせいじゃないさ」

「話をつづけましょう」

「美的実存の段階にいる人は不安やむなしさの感情におちいりやすい。でも、こういう感情に襲われるならまだ希望がある。キルケゴールは『不安』を肯定的にとらえていた。不安は個人が『実存的な状況』にあると気づいたしるしなのだ。すると、人はより高い段階へ跳躍するかどうか、自分で決めることができる。跳躍するかしないか、どちらかだ。本当に跳躍しなければ、もうちょっとで跳躍するところだった、なんてなんにもならない。『あれかこれか』、どちらか一つだ。だれもきみのかわりに跳躍してあげるわけにはいかない。きみは一人で決断して、一人で跳ばなくてはならないんだ」

「お酒やドラッグをやめようとする人がそうよね」

「そうだね。キルケゴールの『決断』はどこか、本物の認識は自分の内からやってくる、と言ったソクラテスを思い出させるね。美的実存の段階から倫理的実存の段階や宗教的実存の段階に跳躍するようにうながす選択も、その人の内からやってくるはずだ。イプセンの『ペール・ギュント』はこれがテーマの芝居だ。心の欲求と絶望から出てきた実存的な選択をみごとに表現しているのが、ロシアの作家、ドストエフスキーの『罪と罰』だ。哲学講座が終わったら、ぜひ読むといい」

「そのうちね。キルケゴールは、まじめな人なら別の人生観を選ぶ、と考えていたわけね」

「ああ。そして倫理的実存の段階を生きはじめる。まじめに、道徳をかたく守って生きるんだ。道徳律にそって生きるよう努力するべきだ、と言ったカントの義務の倫理学に通じるね。キルケゴールはカントと同じように、人間の心構えに注目した。きみが何を正しいと考え、何をまちがっていると考えるかは重要ではない。正しいことやまちがったことに、どうかかわろうと決断するかが大切なんだ。美的実存の段階に生きる人は、何が楽しくて何が退屈か、ということにしか目が向かない」

「でも、そんな生き方はクソまじめすぎるんじゃない?」

「たしかにそうだね。キルケゴールもこの倫理的実存の段階には満足しなかった。義務の人、とキルケゴールは呼ぶんだが、そういう人は四六時中義務を感じていい子でいようとするから、いつかはうんざりしてしまう。中年を過ぎてからこの倦怠を経験する人はざらだ。そして美的実存の段階の浮かれた生活に逆戻りしてしまう人もたくさんいるだろう。でも、つぎの宗教的実存の段階に跳躍する人もいる。この人たちは、信仰という『水深七万尋』の『深淵への跳躍』を決行する。信仰を、美的なよろこびや理性が命じる義務の上に置くのだ。『生ける神の手に飛びこむのは恐ろしいこと』かもしれないけれど、人間はそうして初めて救済される、というのがキルケゴールの立場だ」

「キリスト教が救ってくれるの？」

「そう、キルケゴールが宗教的実存の段階で考えていたのはキリスト教のことだった。でもキルケゴールの哲学は、たくさんのキリスト教以外の思想家にも影響をおよぼした。二十世紀の『実存主義の哲学』は、キルケゴールから強いインパクトを受けているんだよ」

　ここまできた時、ソフィーは時計を見た。

「もうすぐ七時。わたし、帰らなくちゃ。さもないと、ママが半狂乱になるわ」

　ソフィーは哲学の先生に手をふって、ボートをめがけて走っていった。

マルクス――妖怪がヨーロッパじゅうを歩きまわっている

ヒルデはベッドから立ちあがり、窓から入り江をのぞんだ。ヒルデの土曜日は、ソフィーが十五歳の誕生日をむかえるところから始まった。ヒルデの誕生日はきのうだった。もしも父が、ヒルデはきのうのうちにソフィーの誕生日のところまで読むだろうと見当をつけていたとしたら、それは買い被りだったことになる。きのうは一日じゅう、何もしないでずっと読んでばかりいた。父が言っていたもう一つの誕生祝いは、アルベルトとソフィーがうたう「ハッピー・バースデイ」だった。ヒルデは読みながら照れくさかった。

パパがレバノンから帰ってくる日に、ソフィーは「哲学ガーデンパーティ」をするという。この日、わたしにもパパにも見当のつかない何かが起こる。

でも一つだけはたしかだ。ビャルクリに帰りつく前に、パパはしっぺ返しを受けるのだ。わたしがソフィーとアルベルトにしてあげられるのは、そのくらいのことしかない。二人はわたしに助けを求めていた……。

母はまだボートハウスだった。ヒルデはそっと階段を降りて、電話に近づいた。そしてコペンハーゲンに住んでいる従姉妹のアンネにダイヤルした。

「はい、アンネ・クヴァムスダールです」

「もしもし、ヒルデよ」

「あら、ヒルデ！　元気？」

「ありがとう。こっちはいいお天気よ。夏休みも始まったし。あのね、あと一週間したらパパがレバノンから帰ってくるの」

「わあ、よかったじゃない、ヒルデ！」

「うん。それでね、そのことで電話したの」

「なあに？」

「パパは二十三日の五時頃、コペンハーゲンに着くの。その日は家にいる？」

「うん、たぶん」

「ちょっとお願いがあるんだ」

「なんだって、まかしといてよ」

「へんなお願いなんだけど。うまくいくかどうかもわからないし」

「もったいつけるわねえ」

ヒルデは語った。バインダーのことも、アルベルトとソフィーのことも、洗いざらい打ち明けた。アンネが吹き出すたびに、ヒルデは話の腰を折られた。けれども電話を切った時、ヒルデの計画はほぼ固まっていた。

家でもいろいろと準備しなくては。でも、そんなにいそぐこともない。

その日の残りは母と過ごした。クリスティアンサンの町まで、映画を観に行ったのだ。それは、きのうの誕生日にちゃんとしたお祝いをしなかった埋めあわせのようなものだった。空港への分かれ道にさしかかった時、ヒルデが朝からずっと考えていた大きなジグソーパズルの最後のピースがぴたりとおさまった。

この日の夜遅く、ベッドに入ってから、ヒルデはようやくバインダーの続きにとりかかった。

ソフィーがほら穴から這い出た時は、かれこれもう八時だった。母は玄関前の花壇の手入れをしていた。

「どこから出てきたの？」

「生け垣から」

「生け垣？」

「知らないの？　裏側から道に出られるのよ」

「どこへ行ってたの？　またなんにも言わないで、ごはんを抜いたわね」

「ごめんなさい。お天気がよかったもんだから、遠くまで散歩に行ってきたの」

母はようやく立ちあがって、ソフィーの目を見た。

「あなたまた、あの哲学者と会ってたんじゃない？」

「そうよ。言ったでしょう？　彼、散歩が好きなの」

「ガーデンパーティには、いらっしゃるの？」

「うん、よろこんでた」

「それはよかったわ。その日が楽しみね」

ママの声、ちょっととげとげしくなかった？　念のため、ソフィーは言った。

「ヨールンのパパとママもお呼びしてよかった。さもないと、ちょっと気まずかったかもね」

「まあね……。とにかく、一度そのアルベルトとかいう人と、じっくりと膝をまじえてお話させていただくわ」

「その時はわたしの部屋を使ってもいいわよ。彼、きっとママの気に入ると思う」

「あ、それからあなたにお手紙」

「えっ」

「国連軍の消印がおしてある」

「じゃあ、アルベルトの弟だわ」

「もう、いいかげんにしてよ、ソフィー！」

ソフィーは必死に考えた。とっさにうまい答えがひらめいた。まるで、親切な精霊がインスピレーションをさずけてくれたみたいだった。

「わたし前に、珍しい消印を集めてるってアルベルトに言ったの。ね、兄弟とも親切な人たちでしょう？」

この答えに、母は安心したようだった。

「食べるものは冷蔵庫よ」いく分やさしい声で言った。

「手紙は？」

「冷蔵庫の上」

ソフィーはキッチンに飛びこんだ。手紙は一九九〇年六月十五日の消印になっている。ソフィーは封を切って、小さな紙切れを取り出した。

われら被造物を無へとひきさらう永遠の創造
そんなもの　なんになる？

そんなこと聞かれても答えようがない。食事の前に、ソフィーはこの手紙も、ここ数週間に舞いこんだいろんなものが入っている戸棚にしまった。なぜこんな問いが発せられたのかは、きっともうすぐわかるのだろう。

つぎの日の午前中、ヨールンが遊びにきた。二人はバドミントンをした。それから、哲学ガーデンパーティの計画を練った。万が一、パーティが盛り上がらなかった時のために、なにか趣向を用意しておかなければならない。

母が庭仕事を切りあげてきた時も、二人はまだパーティの相談でもちきりだった。母は同じことを何度もくりかえした。「ぱっと派手にやりましょ、派手に」その声に皮肉はこめられていなかった。

母は母で、哲学ガーデンパーティとやらを開けば、このところ何週間もソフィーの心をとりこにしている哲学の集中講座からソフィーを現実へと引きもどせる、とかたく信じているらしかった。

夕方までかかってようやく、ケーキはどこに置くのか、提灯(ちょうちん)はどの木に吊るすのかということから、哲学クイズの中味まで、三人のあいだで話がついた。クイズの景品はジュニア向けの哲学の入門書に決まった。でもそんな本、あるのだろうか？　ソフィーにはおぼつかなかった。

聖ヨハネの夜があとわずか二日に迫った六月二十一日の木曜日、アルベルトから電話があった。

「はい、ソフィーです」

「アルベルトだ」

「どうかしたの？」

「すごいぞ、抜け出る道が見つかった」

「抜け出るって、どこから抜け出るの？」

「わかってるだろう？　ぼくたちがもううんざりするほど過ごしてきた、この精神の牢屋からだよ」

「ああ、そのこと」

「計画はすべてが動き出してからでないと言えないけど」

「それでは遅すぎない？　どうすればいいのか、わたしだって知っておかないと」

「いいんだよ。きみは単純だなあ。ぼくたちはいつでもどこでも盗み聞きされてるんだよ。きみだってわかってるはずだ。だから、今はなにも言わないのがいちばんなんだ」

「事態はそんなにひどいの？」

「もちろんさ。ぼくたちが話をしてない時にいちばん重要なことが進行するようにもっていかなければ」

「ふうん……」

「ぼくたちはでっちあげられた世界、つまり一篇の長い物語のことばのなかに生きている。その一つひとつの文字を、今、少佐が安物のポータブル・タイプライターで打っている。だから書かれたものはなに一つ、少佐の監視から逃(のが)れられないんだ」

「そうね、わかったわ。でも、どうやって少佐の監視をごまかすの？」

「シッ！」

「はい？」

「行のあいだにも何かが起こる。そこに策略をありったけしのびこませようと思うんだ」

「ふうん」

「きょうもあしたも会うことにしよう。そして土曜日に決行だ。今から来れる？」

「ええ、行くわ」

ソフィーは小鳥と金魚には餌を、ゴーヴィンダにはサラダ菜をやった。シェレカンのためにキャットフードの缶詰をあけて、餌を入れた器を出掛けに玄関のステップに置いた。それから生け垣を抜けて、向こう側の道に出た。少し行くと、ヒースの野原のまんなかに大きな事務机があった。かなり年のいった男がしきりとなにか計算している。ソフィーは近づいて、名前をたずねた。

「エビニーザ・スクルージ」そう言うと、男はまた書類にかがみこんだ。

「わたしはソフィー。あなた、実業家？」

スクルージはうなずいた。

「しかも大金持ちのな。無駄金(むだがね)は一ポンドたりとも使っちゃいかん。それでこうして帳簿を管理しているのだ」

「たいへんですね！」

ソフィーはスクルージに手をふって、道をいそいだ。ところがいくらも行かないうちに、こんどは大きな木の下に、小さな女の子がぽつんとしゃがんでいた。ぼろぼろの服を着て、顔色も悪く、どこか体が悪いらしかった。ソフィーがとおりかかると、小さな袋に手をつっこんで、マッチ箱を差し出した。

「マッチはいかが？」

ソフィーはポケットに小銭を捜した。あった、一クローネもっていた。

「おいくら？」

「一クローネ」

ソフィーは硬貨を女の子に渡して、マッチ箱を受けとった。

「もう百年以上になるけれど、買ってくれたのはあなたが初めて。何度もお腹がすいて死んだわ。凍え死んだことも何度もあるわ」

ソフィーは、こんな森の奥でマッチなんか売れるはずがないじゃない、と思ったとたんに、さっきの大金持ちのことがひらめいた。あの人にはあんなにお金があるんだから、このマッチ売りの女の子も飢えることなんてないじゃない。

「ちょっといっしょに来て」

ソフィーは女の子の手を引いて、お金持ちのところにつれていった。

「この子がもうちょっとましな生活ができるようにしてあげてくれませんか？」

スクルージは書類から目を上げた。

「そういうことは金を食う。さっき言っただろうが、無駄金は一ポンドたりとも使っちゃいかんのだ」

「でも、あなたがそんなにお金持ちで、この子がこんなに貧乏だっていうのは不公平(アンフェア)だわ」

「ふん！　公平というのは平等な者同士のあいだでだけ成り立つのだ」

「それ、どういうこと？」

「わたしはがむしゃらに働いた。労働には報いがあって当然だ。これが公平というものだ」

「たしかにね！」

「あなたが助けてくれなければ、わたしは死んでしまう」貧しい女の子が言った。

実業家はもう一度、書類から目を上げた。そしてペンを机に投げて、言った。

「わたしの帳簿にはおまえへの未払金は載ってない。さっさと救貧院にでも行け」

「助けてくれないなら、この森に火をつけるわよ」女の子が言った。

スクルージはようやく机から立ちあがった。けれども女の子はもうマッチをすっていた。マッチを枯草に近づけると、あっというまに炎があがった。

スクルージは両腕をふりまわした。

「助けてくれ！　火事だ！」

女の子はいたずらっぽく笑いながら、金持ちを見上げた。

「知らなかったの？　わたし、共産主義者なのよ」

つぎの瞬間、金持ちも女の子も机も消えた。ソフィーはたった一人とりのこされた。乾いた草はますます燃えさかる。ソフィーは燃える枯草を踏みつけた。ほどなく火は消えた。

ああ、よかった！　ソフィーは黒こげの草むらを見た。手にはマッチ箱が一つ。

なにこれ？　ひょっとして、あの火はわたしが自分でつけた？


小屋の前でアルベルトと落ちあうと、ソフィーはさっそく今あったことを話した。

「スクルージはチャールズ・ディケンズの『クリスマス・キャロル』に出てくる欲張りな資本家だ。マッチ売りの少女はアンデルセンの童話でおなじみだろう？」

「でも、その二人にこの森で会うなんて、おかしくない？」

「いいや、ちっとも。この森はふつうじゃないんだ。きょうはカール・マルクスの話をするのだから、きみが十九世紀の中頃に起きた大規模な階級闘争のサンプルを見たとはつごうがいい。だけど、なかに入ろうか。そのほうが少しでも少佐の目から身を守れるだろう」

二人はまた、池に面した窓辺の机をはさんで座った。青い水を飲んだあとにこの池がどんなふうに見えたか、ソフィーはまざまざと思い出した。今、赤と青のビンはマントルピースの上に並んでいる。机にはギリシアの神殿のミニチュアがあった。

「これはなあに？」

「いや、順番にいこう。それはあとだ」

アルベルトはマルクスについて語りはじめた。

「一八四一年にキルケゴールがベルリン大学に行った時、シェリングの講義ではたぶんカール・マルクスといっしょになったんじゃないかな。キルケゴールはすでにソクラテスで修士論文を書いていたんだけど、同じ頃、マルクスはデモクリトスとエピクロス、つまり古代の唯物論者についての博士論文を書いていた。二人とも、将来のそれぞれの哲学のデッサンをしていたことになる」

「じゃあ、キルケゴールは実存主義の哲学者になったけど、カール・マルクスは唯物論者になったわけ？」

「マルクスは『史的唯物論者』と呼ばれている。でも、これについてはまたあとでふれよう」

「じゃあ、つづけて」

「キルケゴールとマルクスは、どちらもヘーゲルの哲学から出発した。二人ともヘーゲルの思考法に決定的な影響を受けはしたけれど、ヘーゲルの世界精神という概念や観念論とは距離をとっていた」

「二人は、世界精神なんて、なんだかつかみどころがないと思ったのね、きっと」

「そのとおり。ごくおおざっぱに言ってしまえば、壮大な哲学体系の時代はヘーゲルで終わったってことだ。ヘーゲルのあと、哲学はまったく新しい方向に向かう。頭でっかちの壮大な体系にとってかわったのは、いろんな『現実についての哲学』だ。『行動の哲学』と言ってもいいかな。マルクスは、哲学はこれまで世界を解釈するばかりで変えようとはしてこなかった、と言っている。哲学の歴史のターニング・ポイントをよく言い表しているね」

「さっきスクルージとマッチ売りの少女に会ったから、マルクスが言おうとしたこと、よくわかる」

「マルクスの思想には現実的な、政治的な目的があった。マルクスはたんなる哲学者ではなかったということも要注意だね。マルクスは歴史学者で、社会学者で、経済学者だった」

「マルクスはどの分野でも先駆者だったの？」

「とにかく、マルクス以外には現実の政治にこれほど大きな意味があると考えた哲学者はいなかった。でも、マルクスにちなんで『マルクス主義』と呼ばれているものとマルクス自身の思想は分けて考える必要がある。マルクスは一八四五年に『マルクス主義者』になったけど、時どき、自分はマルクス主義者ではない、と言い張ったそうだよ」

「イエスはキリスト教徒だったんでしょう？」

「それも議論の余地があるね」

「それで？」

「のちにマルクス主義と呼ばれる思想には、マルクスの友だちで同志でもあったフリードリヒ・エンゲルスが最初の最初からかかわっていた。二十世紀にはレーニン、スターリン、毛沢東などなど、たくさんの人びとがマルクス主義を推し進めた。旧東側の国ぐにでは、レーニンにちなんで『マルクス・レーニン主義』なんて言ったりする」

「だけどマルクスご本人について話を進めない？　さっき、マルクスは史的唯物論者だって言ったでしょう？」

「マルクスは古代の原子論者や十七、八世紀の機械的唯物論者のような哲学的な唯物論者ではなかった。マルクスは、社会の物質的な要素がぼくたちの考え方を決定している、と考えた。この物質的な要素は歴史の流れも決定しているって」

「ヘーゲルの世界精神とはえらい違いね」

「ヘーゲルは、歴史は対立物の緊張関係が突然の変化で消えてしまうことによって発展していく、と説明した。マルクスは、この考え方は正しいとした。だけど、ヘーゲルは逆立ちしてる、と思った」

「逆立ち？」

「ヘーゲルは、歴史を動かす力を世界精神とか世界理性とか呼んだ。マルクスは、これでは話が逆だ、と考えたんだ。マルクスが言いたかったのは、まず、物質的な状況の変化があるということだ。精神が物質的な状況の変化をもたらすのではない。まさにその反対だ。物質的な状況の変化が新しい精神をもたらすのだ。社会の経済という力がすべての変化をリードし、歴史を動かす、ということなんだ」

「たとえば？」

「古代には哲学や科学は、ただもう哲学や科学のためだけにあった。古代の哲学者は、自分たちの理論が現実をよくするだろうか、なんて考えなかった」

「へえ、そうだったの？」

「彼らの社会のしくみがそうさせたのだ。古代ギリシアでは、生産はおもに奴隷の労働にたよっていた。だから市民たちは、実用的な発明をして生産性を高める必要がなかった。これが、社会の物質的な状況が思考を決める例だ」

「なるほどね」

「マルクスは、物質的、経済的、社会的な状況を『下部構造』と呼んだ。そしてある社会の考え方、政治制度、法律、そしてなにより宗教、道徳、芸術、哲学、科学――こういうものをひっくるめて『上部構造』と呼んだ」

「下部構造と上部構造ね」

「じゃあ、ちょっとそのギリシアの神殿をこっちにくれる？」

「はい、どうぞ」

「これはアクロポリスのパルテノン神殿のミニチュアだ。本物も見たことあるよね？」

「あのビデオでね」

「この神殿の屋根は本当に優雅で、装飾もみごとだ。まず目につくのが、この屋根と屋根のフロント部分だね。これが上部構造だ。でも、屋根だけ空中に浮かんでいるわけにはいかない」

「柱に支えられているんだわ」

「さらに建物には、構造全体を支えるがんじょうな基礎、つまり下部構造が必要だ。同じように、物質的な条件が社会のすべての思考や理念を支えている、とマルクスは考えた。だから社会の上部構造は物質的な下部構造を反映するのだ」

「プラトンのイデア説はギリシア人たちの陶器づくりやぶどうづくりの反映だってこと？」

「そうじゃない。ことはそう単純ではない、とマルクスは言っている。社会の下部構造と上部構造はもちつもたれつだ。もしこれを否定すれば、マルクスは機械的唯物論者だ。けれども、下部構造と上部構造のあいだには相互関係、つまり弁証法的な緊張関係がある、と見ていたんだから、マルクスは『弁証法的唯物論者』だ。ヘーゲルが弁証法的展開ということばにこめた意味を思い出してほしい。ついでに言っとくけど、プラトンは陶器もぶどうもつくったことはなかったよ」

「わかった。この神殿の話はこれでおしまい？」

「いや、もう少しだ。この基礎をよく見て、どうなっているか説明してくれる？」

「柱が三段の基礎の上に立っている」

「社会の下部構造も同じように三層に分けられる。いちばん下は社会の『自然的生産条件』だ。自然が社会にあたえる条件、つまり気候や資源なんかだ。これが土台になって、その社会ではどんな生産ができるかということを限定している。さらには、社会の性質や文化も限定している」

「たとえばサハラ砂漠ではニシン漁はできないし、ラップランドではナツメヤシ栽培はできない、ということね」

「わかってるじゃないか。遊牧地域とノルウェイの漁村とでは、人間の考え方もまるでちがうよね。つぎの層は社会の『生産手段』だ。マルクスは人間の労働力だけではなくて、道具や機械などもふくめて考えている」

「昔は舟を漕いで魚を釣っていたけれど、今では大きなトロール船で魚をとっている」

「おや、きみはついでに社会の下部構造の第三の層も言ってしまったよ。それは、社会のなかで生産手段をにぎっているのはだれか、ということだ。労働の分配、財産の所有なんかもふくめて、マルクスはこれを社会の『生産関係』と名づけた」

「なるほど」

「ここまでで、社会の生産方式が政治や思想の状況を決める、ということを押さえたね。現代に生きるぼくたちが、たとえば昔の封建社会の人びととはちがった考え方や道徳観をもっているのは当然なんだ」

「そうするとマルクスは、いつの時代にも通用する自然法なんて信じてなかったのね」

「そうだね。道徳や習慣は、マルクスによれば社会の下部構造の産物なんだ。たとえば、昔の農村で結婚相手は親が決めることになっていたのは、それなりの理由があったからなんだ。だってそれは、ゆくゆくはだれが農園を継ぐか、ということなんだからね。現代の都市では社会関係はまたちがうから、パートナーはそれぞれが自分で見つけてくる。きみは未来の伴侶に、パーティやディスコで出会うかもしれない。そして、ただ愛しあっているというだけの理由で、さっさといっしょに住みはじめてしまうかもしれない」

「親が結婚相手を決めるなんて、わたし、いやだわ」

「それは、きみも時代の子だからさ。それからマルクスは、何が正しくて何がまちがっているかを決めるのは、たいてい社会の支配階級だ、とも言っている。マルクスによれば、これまでのすべての歴史は階級闘争の歴史だ。歴史とは、生産手段はだれのものかをめぐる争いなんだ」

「人間の思考や理想は歴史を動かさないの?」

「半分はイエスで、半分はノーだ。マルクスは、社会の上部構造の状況は下部構造に反作用をおよぼす、とは言っているけれど、上部構造だけの歴史なんてない、と考えていた。下部構造の変化こそが、古代の奴隷制社会から工業社会へと歴史を動かしてきたのだ」

「さっき言ってたことね」

「マルクスによれば、どの時代にも二つの大きな社会階級がせめぎあっていた。古代の奴隷制社会では自由市民と奴隷が、中世の封建制社会では封建領主と農奴が、もっと時代をくだれば貴族と市民が対立してきた。でもマルクス自身のブルジョワ社会、あるいは資本主義社会の時代には、資本家と労働者、あるいはプロレタリアが対立している。つまり、生産手段をもっている者ともっていない者の対立だ。そして、上層階級が進んで権力をひきわたすなんてことはありっこないんだから、変化は革命によってしか起こらない」

「共産主義社会だとどうなるの？」

「マルクスがとりくんだのは、それよりも、どうすれば資本主義社会から共産主義社会に移れるか、という問題だった。そのために、資本主義の生産方式をとことん分析した。だけどその前に、労働についてのマルクスの考えを押さえておこう」

「はい、どうぞ」

「共産主義者になる前の若い頃、マルクスは、働く人間に何が起こっているのか、ということに興味をもった。ヘーゲルもそういう分析をやっていて、人間と自然のあいだには相互的な、弁証法的な関係が成り立つ、と考えた。人間が自然にはたらきかける時、人間自身もはたらきかけられている、と考えたのだ。ちがう言い方をすると、人間が働くというのは、自然に手を出してそこに痕跡をつけることだけれど、この労働の過程で、自然も人間に手を出して、人間の意識に痕跡をつけるのだ」

「『仕事を聞けば、人がわかる』ってこと？」

「そういうことだ。マルクスは、働き方は意識に影響し、意識も働き方に影響する、と考えた。頭と手は相互関係にある、と言っていい。きみの思考はきみの労働とかたく結びついているのだ」

「だったら、仕事がなければ元気も出ないわね」

「そうだね、仕事のない人は、いわば宙ぶらりんなんだ。これにはすでにヘーゲルも気がついていた。ヘーゲルとマルクスは、労働は『人間であること』と密接に結びついているとして、肯定的にとらえていた」

「じゃあ、労働者だというのはいいことなわけ？」

「基本的にはね。でもまさにそのことから、マルクスは資本主義の生産方式をこてんぱんに批判したんだ」

「どういうこと?」

「資本主義のシステムでは、労働者はだれかほかの人の利益のために働く。働けば働くほど、その他人が得をするシステムなんだ。すると労働は労働者自身から抜け出して、労働者のものではなくなってしまう。労働者は自分の労働からへだてられてしまうんだ。さらには、気持の上で自分自身からもへだてられてしまって、労働者は人間であることのプライドを失う。マルクスはこういうことに『疎外』という、ヘーゲルの用語をあてはめた」

「わたしには、二十年以上も工場でチョコレートの箱詰めをしている叔母さんがいるんだけど、アルベルトの言うこと、とってもよくわかる。叔母さんは、ほとんど毎朝、仕事なんかうんざりって思うんですって」

「叔母さんが仕事にうんざりしてるとしたら、ソフィー、どこかで自分にもうんざりしてるんだ」

「とにかく、チョコレートはうんざりだって」

「資本主義社会は、労働者が事実上、ほかの社会階級の奴隷となるように組織されている。労働者はブルジョワに労働力を差し出すだけでなくて、人間としての存在をそっくり明け渡してしまうのだ」

「本当にそんなにひどいことになってるの?」

「今はマルクスの話をしているんだよ。だから、一八五〇年頃のヨーロッパ社会の状況を踏まえなければ。だとすれば、答えはイエスだ。労働者は凍えるほど寒い工場で、日に十四時間も働かされた。賃金はひどいもので、子どもや妊娠している女の人たちも働きに出なければならなかった。そうなると、社会状況はことばでは言いつくせないほどひどかった。賃金は安物の酒で支払われることもざらだったし、たくさんの女性が売春して生活費の足しにしなければならなかった。客はより上の階級の男たちだ。つまり、人間の高貴のしるしであるはずの労働が、労働者を動物にしてしまったんだ」

「ひどい、頭にくるわ」

「マルクスも頭にきた。同じ時代に、ブルジョワの子どもたちは風呂に入ってさっぱりしたあと、暖かい広間でヴァイオリンなんかをひいていられた。それとも、フルコースのディナーのあと、ピアノをひいたかもしれない。昼は馬で遠乗りをして、夜はヴァイオリンやピアノをひいたかもしれない」

「そんなの不公平よ！」

「マルクスも不公平だと思った。一八四八年、マルクスはフリードリヒ・エンゲルスといっしょに有名な『共産党宣言』を発表した。書き出しはこうだ。『妖怪がヨーロッパじゅうを歩きまわっている。共産主義という妖怪が』」

「怖いわね」

「ブルジョワたちも怖いと思った。なぜなら、実際にプロレタリアが立ちあがりはじめたからだ。宣言の終わりはどうなっているか、聞きたい？」

「聞きたい」

「『共産主義者は、意見と意図をひた隠しにすることを鼻で笑って拒否する。共産主義者は、彼らの目的はこれまでのあらゆる社会秩序を暴力でくつがえさなければかなえられない、と公言する。支配階級は共産主義革命にふるえるがいい。プロレタリアが革命で失うものは鎖よりほかになにもない。プロレタリアは世界を手にするのだ。すべての国ぐにのプロレタリアよ、団結せよ！』」

「アルベルトが言ったように、社会状況が本当にそんなにひどかったら、わたしだって宣言に署名したと思うわ。でも、今はちがうんでしょう？」

「ノルウェイではね。でも、そうでもないところもあるよ。今でもたくさんの人びとが人間としてふさわしくない状況で商品をつくって、資本家をますます豊かにしてやっている。マルクスはこういうことを『搾取』と呼んだ。しぼりとる、という意味だ」

「そのことば、もう少し説明してくれる？」

「労働者がつくった商品はある値段で売れる」

「そうね」

「その商品の価格、つまり販売価値から労働者の賃金やそのほかの生産コストを引いても、まだいくらかは残っている。これが儲けだ。マルクスは『剰余価値』と呼んだ。つまり資本家は、もともと労働者がつくり出した価値をぶんどってしまう。これが搾取だ」

「なるほどね」

「資本家は儲けの一部を新たな資本として投資することができる。たとえば生産施設を最新式にするとかね。それは、商品をもっと安くつくりたいと思うからだ。そして、つぎのラウンドではもっと儲けたいと思うからだ」

「そうね、それは理屈にあっているわ」

「そうだね、理屈にあっているように聞こえるね。でもどう考えても、長い目で見ると、資本家の思惑どおりにはいかないんだ。マルクスはそう予言している」

「どうして？」

「マルクスは、資本主義の生産方式は矛盾をいっぱいかかえている、と考えた。資本主義は理性にコントロールされていない、自滅の経済システムだ、とね」

「だったら、しいたげられている人たちにはつごうがいいんじゃない？」

「そう言えるね。マルクスは、資本主義のシステムはどのみち滅びると見ていた。その意味で、マルクスは資本主義を『進歩的』と受けとめていた。共産主義にいたる欠かせない一ステップだからだ」

「資本主義は自滅するっていう、例をあげてくれる？」

「オーケー。さっき儲けの一部で工場設備を新しくする資本家の話をしたね。もちろんそれだけじゃなくて、彼はヴァイオリンのレッスン料も払うし、奥さんにはぜいたくなものを買ってやる」

「はあ？」

「いや、そんなことはこの際どうでもいい。資本家は工場設備を新しくする。新しい機械を買う。すると、それほど労働者がいらなくなる。資本家は競争力をアップさせるために、機械化を進め、労働者減らしにつとめる」

「そうね」

「でも、そう考えるのは彼一人じゃない。社会全体の生産が小止(こや)みなく効率化されていく。工場はどんどん大きくなり、労働者はますます少なくなる。するとどうなると思う？　ソフィー」

「さあ……」

「労働者はどんどんお払い箱だ。失業者が増えるということだ。すると社会問題はますます深刻になる。こういう危機は資本主義が自滅に向かっている兆だ。でも、資本主義が自滅する要素は、まだいろいろある。商品を競争力のある価格にしておくために、そんなにじゅうぶんでもない儲けをますます生産手段につぎこもうとしたら……どうなるかな？　資本家はどうすると思う？」

「わからない。さっぱりわからないわ」

「きみが工場主だったらって、考えてごらん。経営状態はよくない。ライバルはきみをおびやかす。そこで質問だ。きみはどうやって出費をきりつめる？」

「お給料を下げるかな？」

「頭いいじゃないか！　それが、きみにできるいちばん頭のいいやり方だ。でも、もしもすべての資本家がきみと同じくらい頭がよかったら、まあ、実際にはそうなんだけどね、労働者たちはすごく貧しくなって、なんにも買えなくなってしまう。社会全体の購買力が下がるということだ。製品が売れなければ、資本家は儲からない。こうなると悪循環だ。資本主義の私有財産制の弔の鐘がひびく、とマルクスは言った。ぼくたちはまっしぐらに革命的な状況に向かってつき進んでいるのだ、と」

「なるほどねえ」

「かいつまんで言うと、マルクスは、最後にはプロレタリアが立ちあがって、生産手段を自分たちのものにする、と考えていたんだよ」

「それからどうなるの？」

「しばらくはプロレタリアがブルジョワを力で牛耳る新しい階級社会がつづく。この移行段階をマルクスはプロレタリア独裁と呼んだ。プロレタリア独裁は階級のない社会、つまり共産主義社会にとってかわられる。そこでは生産手段はすべての人びとのものになる。人民自身のものになるということだ。そしてそれぞれが能力におうじて働いて、それぞれが必要におうじて支払われる。労働は労働者のものになる。だからもう、疎外なんてこともない」

「すばらしい筋書きね。でも、それは本当に起こったこと？　そういう革命は本当に起こったの？」

「半分はイエスで、半分はノーだ。現代の経済学者なら、資本主義の危機の分析とか、重要なところでマルクスがおかした間違いをいくらでも指摘できる、現代のぼくたちをおびやかしている自然破壊についても、マルクスはじゅうぶんに配慮しなかった。それでもだよ……」

「それでもなんなの？」

「マルクス主義は大きな変革をもたらした。マルクスをかかげて社会正義のために闘った社会主義は、たとえばプロレタリア独裁は受けいれなかったし、なにからなにまでマルクスどおりではなかったとしても、人間らしい社会を闘いとることに成功した。これは疑いようがない。いずれにしても、ヨーロッパではこんにちぼくたちは、マルクスの時代の人びとよりも公平な、まとまりのある社会に生きている。これは少なからずマルクスや社会主義運動のおかげなんだ」

「社会主義運動？」

「マルクスよりあとの時代に、社会主義運動は大きく二つに分かれた。一つは社会民主主義、もう一つはレーニン主義だ。じっくりとおだやかな方法で公平な社会秩序を実現していこうとする社会民主主義は、西ヨーロッパ型だ。ゆるやかな革命、と言ったらいいかな。古い階級社会と闘うには革命しかないとするマルクスの信念をそのまま受けついだレーニン主義は、東ヨーロッパやアジアやアフリカで大きな影響力をふるった。二つの運動はそれぞれのやり方で、貧困や抑圧と闘った」

「でも新しい抑圧をつくり出しちゃったんじゃなかった？　たとえばソ連や東ヨーロッパなんかで」

「たしかにね。やっぱり、人間のすることは善と悪のごたまぜなんだな。でも、マルクスが死んでから五十年も百年もあとの社会主義の国ぐにのマイナス面をマルクスのせいにするのはおかしいよ。ただね、共産主義だって人間が実現させるものだ、そして人間とは間違いをおかすものだ、ということをマルクスはあんまり考えなかったとは言える。たぶん、地上の天国なんてどこにもないんだよ。人間はつぎつぎと問題をひきおこしては、それと闘っていくのだ」

「ほんとね」

「マルクスの話はこのへんで終わりにしよう、ソフィー」

「ちょっと待って。アルベルト、公平は平等な者同士のあいだでだけ成り立つって言わなかった？」

「言わないよ、スクルージだろう？」

「どうしてスクルージが言ったって、知ってるの？」

「きみもぼくも同一人物が書いているからだよ。ぼくたちは見た目よりもずっとしっかりと結びつけられているのさ」

「いやな人！　またロマン主義的イロニー？」

「わたしは見た目より二倍もたちが悪いんだよ！　今のは二重のイロニーなんだから」

「公平の問題に戻ってよ。マルクスは資本主義の社会を不公平だって言ったんでしょう？　だったら公平な社会って、どういうものだと思う？」

「マルクス主義の影響を受けた道徳哲学者のジョン・ロールスが、面白い頭の体操を考案している。ちょっと、未来社会のすべてのルールをつくる委員会のメンバーになったと想像してごらん」

「はい、そういう委員会に出席していると想像したわ」

「委員会はなにからなにまで考えるんだ。そして委員会が合意して、ルールにサインしたとたん、きみたちは死ぬ」

「わあ、ひどい話！」

「でもすぐに、きみたちがつくったルールで動いている社会に生まれ変わる。でもその社会のどこに生まれるか、つまりどんな社会的立場に立つかわからないというのが、この頭の体操のミソなんだ」

「なるほど」

「そういうのが公平な社会だろう。だれもが平等なあつかいを約束されているのだから」

「女性も男性もね」

「もちろんさ。なぜならロールスの頭の体操では、だれも男に生まれるか女に生まれるかわからないのだからね。確率が五分五分なら、社会は男性にも女性にも魅力的なようにつくられるだろう」

「いいなあ、そういうの」

「マルクスの時代、ヨーロッパはそういう社会だったかな？」

「ぜんぜん！」

「現代はどうかな？　そういう社会だと言えるかな？」

「そうねえ……。むずかしい問題だなあ」

「よく考えてみるといいよ。マルクスについて書くことはこれくらいかな」

「なんて言ったの？」

「一段落！」

ダーウィン――遺伝子を乗せて生命の海を行く舟

日曜日の朝、ヒルデは、ドサッという大きな音で目を覚ました。バインダーが床に落ちたのだ。ゆうべは遅くまで、マルクスをめぐるソフィーとアルベルトのやりとりを読んでいた。そしてそのままひっくり返って、バインダーを掛けぶとんにのせて眠ってしまったのだ。ベッドのわきの読書スタンドは一晩じゅうつけっぱなしだった。

ベッドテーブルのデジタル時計は緑色の文字で〈8：55〉を示していた。

ヒルデは夢をみた。巨大な工場と煤(すす)にまみれた大都会の夢だった。街角で、小さな女の子がマッチを売っていた。長いコートを着た身なりのいい人びとが、目もくれずにとおりすぎていく。

起きあがった時、自分がルールをつくった社会に目覚める委員会のメンバーのことを思い出した。目覚めたのがビャルクリで、ヒルデはほっとした。ノルウェイのどこかに、しかも時代もあてずっぽうに目覚めたらどんな気持がするだろう？　たとえば中世とか、数千年も前の石器時代とか。ヒルデは、ほら穴の入口にしゃがんでいる自分を想像してみた。毛皮で何かをつくっていたりして。文明以前の時代、十五歳の女の子はどんな暮らしをしていたのだろう？　わたしがその子だったら、何を考えるだろう？

ヒルデはセーターを着てバインダーを拾いあげ、父が書いた本の先を読もうと、ベッドに座った。

アルベルトが「一段落」と言ったとたん、だれかが少佐の小屋をノックした。

「あけるしかない?」ソフィーが言った。

「あけるしかないね」アルベルトが不機嫌な声で言った。

外には、髪の毛も髭も思いきり長い、かなりの年のおじいさんが立っていた。右手に杖を、左手には舟を描いた大きなポスターをもっている。舟にはいろいろな大きさの動物がうようよしていた。

「どなたですか?」アルベルトがたずねた。

「わたしの名前はノアだ」

「そうではないかと思いましたよ」

「あなたの先祖だ、お若いの。しかし先祖を思い出すなど、きょうび流行(はや)らないかな?」

「何をもっていらっしゃるんですか?」ソフィーがたずねた。

「大洪水の前に救い出したあらゆる動物のポスターだよ。さあどうぞ、おまえさんにもってきたのだ、娘よ」

ソフィーがポスターを受けとると、おじいさんが言った。

「さて、うちに帰ってぶどうに水やりでもするとするか」

ノアは、よく上機嫌のおじいさんがするように、ぴょんと飛びあがって両方のかかとを打ちつけると、スキップしながら森に消えていった。

ソフィーとアルベルトは椅子に戻った。ソフィーがポスターをながめようとすると、アルベルトが強引に横から取りあげた。

「気を散らしている暇はないよ」

「わかったわよ」

「言い忘れたが、マルクスは後半生の三十四年間、ロンドンに住んでいた。一八四九年にロンドンに移って、一八八三年に亡くなった。その頃、チャールズ・ダーウィンもロンドンの近くに住んでいた。ダーウィンが亡くなったのは一八八二年、イギリスの偉大な人物として盛大に葬儀がいとなまれ、ウェストミンスター寺院に葬られた。マルクスとダーウィンは、生きた時代と場所が重なっているだけじゃない。マルクスは大著『資本論』の第二巻をダーウィンに献呈しようとしたが、ダーウィンは断わった、という面白い伝説があるけれど、この二人が歴史に果たした役割には似通ったところがある。ダーウィンよりも一年後にマルクスが亡くなった時、友人のフリードリヒ・エンゲルスはこう書いた。『ダーウィンが有機体の進化の理論を発見したように、マルクスは人類史の進化の理論を発見した』」

「ふうん」

「もう一人、ダーウィンとつうじるところのある重要な思想家が、精神科医のジークムント・フロイトだ。半世紀以上もあとだけど、フロイトも晩年をロンドンで過ごしている。フロイトは、ダーウィンの進化論は自分の精神分析と同じように、人類の『素朴な自己愛』にメスをいれた、と言っている」

「いっぺんにいっぱい名前を出さないでよ。今話しているのはマルクスのこと？　ダーウィン？　それともフロイト？」

「広い意味で、十九世紀の中頃からぼくたちの時代まで届いている『自然主義（ナチュラリズム）』の流れを言っているのだ。自然主義というのは、自然や感覚世界のほかには現実を受けいれない、とする態度のことだ。だから自然主義者（ナチュラリスト）は人間も自然の一部として観察する。自然主義の科学者は自然現象だけが頼みだ。合理主義の思弁や神の啓示は当てにしない」

「で、それがマルクスやダーウィンやフロイトにあてはまるの？」

「そうなんだ。十九世紀なかばの哲学と科学のキーワードは、自然、環境、歴史、進化、成長だった。マルクスは、人間の意識は社会の物質的下部構造の産物だ、と言った。ダーウィンは、人間は長い生物学的な進化の結果だ、と言った。無意識についてのフロイトの研究は、人間は本性のなかの動物的な衝動あるいは本能で行動することがある、ととなえた」

「自然主義がどういうものなのか、だいたいわかったような気がする。でも、一人ずつ順番にいったほうがよくない?」

「ではダーウィンの話をしよう。ソクラテス以前の哲学者たちが、自然の過程を神話によってではなく、自然によって説明しようとしたことは憶えているね。古代の哲学者たちが神話の説明をしりぞけたように、ダーウィンも動物や人間の創造についての教会公認の教えをしりぞけた」

「でもダーウィンって、それでほんとに哲学者だったの?」

「ダーウィンは生物学者で博物学者だった。でも近代に入って、科学者ダーウィンほど聖書の人間観を強烈にぐらつかせた思想家はいなかった。聖書は、人間は被造物のトップにいるとしていたのだったよね」

「じゃあ、そのダーウィンの進化の理論を教えて」

「ダーウィンの人となりから始めよう。ダーウィンは一八〇九年にシルズベリーという小さな町で生まれた。父親のロバート・ダーウィン博士はその地方では有名な医者で、息子の教育にはたいへんきびしかった。シルズベリーの高校時代、校長はチャールズのことを、ふらふら歩きまわり、くだらないことを口走り、らちもないことを自慢し、まともなことはなに一つしない、と評価している。『まともなこと』というのは、ギリシア語やラテン語の単語を丸暗記することだ。ふらふら歩きまわるというのは、チャールズがカブト虫を片っぱしから集めていたことなんだね」

「校長先生、あとで後悔したでしょうね」

「大学の神学部に入っても、バードウォッチングや昆虫採集ばかりしていた。だから成績は悪かった。けれども在学中から、チャールズは博物学者としてけっこう評価されていた。地質学が関心の的だった。地質学は当時、もっとも将来性のある学問だったんじゃないかな。一八三一年四月にケンブリッジ大学の神学部を卒業するとすぐ、ダーウィンは北ウェールズ地方をまわって岩石の組成を調べ、化石を集めた。そして同じ年の八月に受けとった一通の手紙が、わずか二十二歳のダーウィンのその後の人生を決めてしまう」

「なんて書いてあったの?」

「手紙は友人でも先生でもあったジョン・スティーヴン・ヘンズローからだった。それによると、政府から派遣されて南アメリカ大陸の南端を測量することになったフィッツ・ロイという船長から、自然科学者を一人紹介してほしいと頼まれた、それでこの仕事には彼の知るなかでダーウィンがもっともうってつけだ、と言ったというのだ。手紙には、給料についてはなにも聞いていない、遠征は二年はかかるだろう、とも書いてあった」

「アルベルトの暗記力って、すごいわねえ!」

「どうってことないよ、ソフィー」

「それで、ダーウィンはオーケーしたの?」

「なんとかチャンスをものにしたいと思ったんだが、当時、若者は親の許しがなければなにもできなかった。ダーウィンは父親におうかがいをたてた。父親は、給料をもらえる見込みがないなら、息子の遠征には金がかかるというので、さんざん迷った。最後には同意したんだけどね」

「まあ……」

「船は海軍のもので、H・M・S・ビーグル号といった。一八三一年十二月二十七日、ビーグル号はプリマス港を一路南アメリカへ向けて出航した。ようやくイギリスに帰ってきたのは一八三六年の十月。二年の予定が五年になったわけだ。南アメリカに行く予定も、終わってみると世界を一周していた。しかもこの世界一周旅行は、近代のもっとも重要な学術遠征になっていた」

「本当に世界をぐるっとまわったの？」

「そうだよ、世界一周のことばどおりさ。南アメリカから太平洋を渡ってニュージーランドとオーストラリアと南アフリカに行った。そこからまたもう一度南アメリカを目指し、最後にイギリスに帰りついたんだ。ダーウィンはビーグル号の航海を、生涯最高の出来事だった、と言っている」

「海で自然研究っていうのはなかなかたいへんじゃない？」

「でも、一年めはビーグル号は南アメリカの海岸線を行ったり来たりしていた。それはダーウィンにはもってこいで、この大陸を内陸までつぶさに調査することができた。南アメリカ大陸の西、太平洋に浮かぶガラパゴス諸島にちょくちょく立ち寄ったことにも大きな意味があった。ダーウィンは資料をじゃんじゃん集めて、少しずつまとめて故国に送った。でも自然や生命の進化について書きためたものは手元に置いていた。二十七歳で故郷に帰ってきた時、ダーウィンは押しも押されぬ博物学者になっていた。この時点で、のちに進化論になるはっきりとしたイメージもひそかに抱いていた。でも、ダーウィンが本を発表するのは帰国してずっとあとのことだ。なぜならダーウィンは用心深い人だったからだよ、ソフィー。これは科学者としてふさわしい態度だ」

「その本はなんていうタイトルだったの？」

「そうだね、ダーウィンの本は何冊かあるけれど、イギリスに空前絶後の激しい論争を巻き起こしたのは、一八五九年に出版された『種（しゅ）の起源』だ。完全なタイトルは、『生存競争における有利な種属の保存による、すなわち自然選択による種の起源について』だ。この長ったらしいタイトルはダーウィンの理論そのものだ」

「ずいぶんと詰めこんだものね」

「少しずつ見ていこうか。『種の起源』にダーウィンは二つの理論、というか、二つのおもなテーマをかかげている。第一にダーウィンは、今あるすべての動植物は古い、単純な形のものから生物学的に進化した、と提唱した。第二に、この進化は『自然選択』の結果だ、ととなえたんだ」

「自然選択って、いちばん強いものが生き残るってこと?」

「そうだけど、まずは進化という発想にこだわってみようか。この発想はべつに独創的でもなんでもない。一八〇〇年頃、生物学的進化はとっくにあちこちのサークルで受けいれられ始めていた。この説のリーダー格はフランスの動物学者、ジャン・ド・ラマルクだ。ラマルクより前にもダーウィンのお祖父さん、エラズマス・ダーウィンが、植物と動物はいくつかのかぎられた原始的な種から進化した、という説を立てていた。けれどもだれ一人、進化はどのように起こるのか、納得のいく説明ができなかった。だから、この人びとは教会にとってそれほど脅威にはならなかった」

「でもダーウィンはちがった?」

「そう、それなりの理由があってね。当時は教会関係者も多くの科学者も、さまざまな動植物の種は不変だという聖書の教えをかたく信じていた。あらゆる動植物はいっぺんに創造された、と思いこんでいた。しかもこのキリスト教の見解は、プラトンやアリストテレスの見解とも一致していた」

「どうして?」

「プラトンのイデア説では、すべての動植物は永遠のイデアという型にしたがってつくられるのだから、不変だということが初めから見込まれているわけだよ。動植物は不変だというのは、アリストテレスの哲学でも基本の要素だった。ところがダーウィンの時代に、こういう伝統的な解釈に問題をつきつけるような観察や発見がつぎつぎと現れた」

「どんな観察や発見?」

「第一に、化石がぞくぞくと発見された。第二に、絶滅した大型動物の骨が発見された。ダーウィンも、内陸で海の生物の痕跡を見つけて首をひねっている。南アメリカのアンデスの高い山の上でもいろいろ発見した。海の生物がアンデスの高い山の上でなにしてたんだろうね？　ソフィー、きみはわかる？」

「だめ、わからない」

「人間か動物がそこに捨てた、と考えた人びともいた。不信心者をまどわすために、神が海の生物の化石や痕跡をつくったのだ、と言う人もいた」

「科学者はどう思ったの？」

「ほとんどの地質学者は『天変地異説』を支持していた。それによると、地球は大洪水や地震といった大災害に何度も襲われて、そのたびにすべての生き物が絶滅した。聖書にもノアの箱舟と大洪水の話があるよね。そういう天変地異のあと、神は新しい、より完全な植物や動物をつくって地上の生き物を更新した、というのだ」

「化石は、そういう天災で絶滅した昔の生き物なの？」

「そう。化石は、いわば箱舟に乗せてもらえなかった動物の痕跡というわけだ。ところでダーウィンはビーグル号で船出した時、イギリスの地質学者、チャールズ・ライエルの『地質学原理』第一巻をもっていった。ライエルは、山あり谷ありの現在の地球の地形はたえまない、ゆっくりとした変化が長いことかかってつくりあげたものだ、としていた。ごく小さな変化も長い時間のうちには大きな地形の変動をひきおこす、というのだ」

「どんな変化のことを言っていたの？」

「ライエルは、現に今もはたらきつづける力のことを考えていた。雨や風、氷が解けること、地震などだ。水滴が岩に穴をうがつことは知っているだろう？　それは水滴に力があるからではなくて、たえまなくしたたるからだね。ライエルは、わずかな変化も長い時間をかければ自然をがらりと変えてしまう、と考えた。そうはいっても、この理論だけでは、なぜアンデスの高山に海の生き物の痕跡が見つかったかは説明できない。けれどもダーウィンは、小さなたえまない変化は長い時間のうちには劇的な変動につながるということを、しっかりと心にとどめた」

「同じ説明が動物の進化にもあてはまると考えたわけ？」

「そう、ダーウィンはそう考えた。でもさっき言ったように、ダーウィンは用心深い人だった。しばらくは問題提起するだけで、答えを出すことに踏み切ったのはずっとあとだった。ダーウィンは『重要なのは問うことで、答えをいそぐことはない』という、あらゆる本物の哲学者と同じ方法をとったのだ」

「なるほど」

「ライエルの理論に重要なのが地球の年齢だ。ダーウィンの時代には、神はおよそ六千年前に地球をつくった、とみんなが信じていた。アダムとイヴから現代までの年代をぜんぶ足し算するとこうなる」

「単純！」

「人間は時代がくだればかしこくなるさ。ダーウィンは地球の年を三億年と見積った。なぜなら、とてつもなく長い時間を想定しなければ、地形は少しずつ変化するというライエルの理論もダーウィンの進化論も成り立たないからだ」

「地球はいくつなの？」

「今では四十六億歳とされている」

「うわあ！」

「ここまでに、ダーウィンの生物学的進化論の証拠の一つが出てきたね。つまり、岩石のいろいろな層から出土する化石だ。つぎの証拠は現存種の地理的な分布だ。これについてはダーウィン自身が、探査旅行から新しいデータをわんさと持ち帰った。ダーウィンは、ある地域の動物の種でもごく小さなディテイルがちがう、ということをその目でたしかめたのだ。とくにエクアドルの西に浮かぶガラパゴス諸島では、いくつかの興味深い観察をした」

「どんな？」

「ガラパゴス諸島は、火山活動でできた島がびっしりとつらなっている。だから島ごとの生態系はそれほどちがわない。でもダーウィンは小さな違いに目をつけた。どの島にも巨大なゾウガメがいたが、島によってほんの少しずつちがうのだ。神は本当に、それぞれの島にそれぞれ固有のゾウガメをつくったんだろうか？」

「そんなことはないでしょう？」

「ガラパゴス諸島での鳥の観察はもっと衝撃的だった。ガラパゴスのフィンチは、くちばしのとがり具合いが島によってはっきりとちがう。ダーウィンは、この違いはフィンチの餌が島によってちがうことと密接につながっていると実証した。とがったくちばしの地上フィンチは松の実を食べていた。小さなムシクイフィンチは昆虫を、樹上フィンチは木の幹や枝にいる昆虫を食べていた。どの種類のフィンチも餌をとるのにもっとも適したくちばしをもっていた。このフィンチはみんな、たった一つの種から枝分かれしたのではないだろうか？　新しい種を進化させて、長い歳月のうちにそれぞれの島の環境に順応したのではないだろうか？」

「それがダーウィンの結論？」

「そうなんだ。たぶんダーウィンはガラパゴス諸島で『ダーウィン主義者（ダーウィニスト）』になったんだ。ダーウィンは、この小さな群島の動物相が、南アメリカのたくさんの種ととてもよく似ている、ということにも気がついた。神は本当にいっぺんにこれらの動物を区別してつくったのだろうか？　それとも進化が起こったのだろうか？　すべての種は不変だなんて、ダーウィンはますます信じられなくなってきた。けれども、もしも進化があるとして、そういう進化はどのように起きるのかという、満足のいく説明はまだ見つからなかった。けれどもう一つ、地上のすべての動物は親戚だということを示す証拠があった」

「はあ？」

「脊椎(せきつい)動物の胎児の成長だよ。犬やコウモリや兎や人間の早い段階の胎児は、すごく似ていてどこがちがうのかほとんどわからない。ずっと遅い段階にならなければ、人間の胎児か犬の胎児か見分けがつかない。これは、ぼくたちが遠い親類だということのしるしではないかな？」

「でもダーウィンは、進化はどんなふうに起こるのかっていう説明はまだ見つけてないわね？」

「ライエルの、小さな変化が長い時の流れのうちには大きな結果を生むという学説を、ダーウィンはずっと考えつづけた。けれども普遍的な原則といえるような説明は見つからなかった。もちろんラマルクの説も知ってはいた。さまざまな種はよく使う性質を進化させる、というのがラマルクの考え方だ。たとえばキリンの首が長いのは、何世代にもわたって木の葉に首を伸ばしたからだ。ラマルクは、個々の個体が努力して手に入れた性質はつぎの世代に伝えられる、と考えたのだ。けれども、そういう『獲得形質』は遺伝するというラマルクの説を、ダーウィンは受けつけなかった。ラマルクはこの大胆な主張を論証できなかったからだ。ダーウィンはこれとは別の、もっとクリアな発想をたどりはじめていた。ダーウィンは種の進化のしくみにすぐそこまで迫っていた、と言っていい」

「どんなしくみ？」

「それはきみに当ててもらおう。そこで質問だ。きみは乳牛を三頭飼っていたとする。なのに餌は二頭分しかない。さあ、どうする？」

「一頭はつぶすことにするかな？」

「そうだね。じゃあ、どの牛をつぶす？」

「たぶん、いちばんミルクを出さない牛」

「そう?」

「そうよ。だって当然でしょう?」

「数千年ものあいだ、人間はまさにそうしてきたんだね。だけど、まだ二頭の牛の問題が残っている。きみはそのうちの一頭を交配させようと思う。どっちの牛を選ぶ?」

「ミルクをたくさん出すほう。きっとそのほうが、仔牛はいい乳牛になるから」

「きみはいい乳牛のほうをとるんだね。じゃあ問題をもう一つ。きみは狩猟が趣味で、猟犬のブラッドハウンドを二頭飼っている。だけど、そのうちの一頭を手放さなければならない。どっちの犬を手元に残す?」

「もちろん、狩りで獲物を探すのがじょうずなほうよ」

「じゃあきみはいいブラッドハウンドのほうをとるんだね。こんなふうにソフィー、人間は数千年以上も家畜を改良してきた。昔は鶏はかならずしも週に五個も卵を産まなかったし、羊からは今ほど毛はとれるとはかぎらなかった。馬はかならずしも頑丈で速くはなかった。植物だってそうだ。じゃがいものいい苗が手に入ったら悪い苗は植えないし、実の入ってない麦を刈り取るなんて無駄なことはしない。ダーウィンは、乳牛にも麦にも犬にもフィンチにも、完全に同じものはない、と言った。自然はとてつもなくヴァリエーションに富んでいる。一つの種でも、まったく同じ個体はないのだ。きみはあの青い水を飲んだ時にそういう体験をしたよね」

「そうね」

「そこでダーウィンは考えた。人間が手を出さない自然にも、同じしくみがはたらいているんじゃないか? どの個体が生き残るという選択を自然がする、ということがありうるんじゃないか? そしてなによりも、そういうしくみが長い長い時間のなかで新しい動植物の種をつくりだすんじゃないか?」

「答えはきっとイエスよ」

「ダーウィンはまだ、自然な選択が起こるありさまをきちんとイメージできないでいた。ところが一八三八年の十月、ビーグル号でイギリスに戻ってちょうど二年後、経済学者で人口問題の専門家、トーマス・マルサスが書いた『人口の原理』という小さな本に偶然出会った。マルサスにこの本を書くヒントをあたえたのは、避雷針を発明したアメリカのベンジャミン・フランクリンだった。フランクリンは、自然界に繁殖を限定する要素がなかったら、一種類の植物や動物が地上のいたるところにあるだろう、と言ったのだ。なのに現実にはさまざまな種があって、たがいにバランスを保っている、とね」

「そうよね」

「マルサスはこの考えを発展させて、人口問題にあてはめた。人間の生殖能力は大きいので、生き残れるよりもたくさんの子どもが生まれる。いっぽう人口が増えたからといって食糧生産は増えないのだから、たいへんな数の人間が生存競争に破れる運命だ。だから生き残って成長し、種族を存続させる者は、生存競争の勝者なのだ」

「そういうことよね」

「これが、ダーウィンが探していた普遍的なしくみだったんだ。これは進化はどのように起こるかの説明になっている。進化は、環境にもっとも順応した者が生き残り、種を存続させるという、生存競争の自然選択が起こすのだ。これが、ダーウィンが『種の起源』で明らかにした第二の理論だ。ダーウィンはこんなふうに書いている。『象の繁殖スピードはあらゆる動物のなかでももっとも遅い。わたしは苦労して象の自然な繁殖の最小数を算定した。ほぼたしかなところ、象は三十歳で繁殖を始め、九十歳代で終える。この間に六頭の子どもを産み、百歳まで生きる。もしもすべての仔象が生きのびたとすると、七百四、五十年後には一つがいの象からおよそ千九百万頭が生まれることになる』」

「鱈（たら）なんか、たった一匹で何千個も卵を産むわね」

「ダーウィンはさらに言う。生存競争は、もっとも近い種のあいだでもっとも激しい。同じ餌をめぐって闘うからだ。するとごく小さな違い、つまり普通よりもちょっとすぐれていることが決定的になる。生存競争が激しいほど新しい種への進化は速い。こうして、もっとも適したものが生き残り、そうでないものが死に絶えるんだ」

「だったら餌が少なければ少ないほど、一腹（ひとはら）の子どもが多ければ多いほど、進化は速いの？」

「そうだね。でも問題は餌だけじゃない。ほかの動物の餌食（えじき）にならないことも重要だ。たとえば保護色は生き残りに有利だろうし、足が速いもの、天敵を記憶する能力も、最悪のばあいは味がまずいということだって有利だろう。猛獣を殺す毒も役に立つだろう。だからサボテンには毒のあるものが多いんだよ、ソフィー。砂漠にはほとんどサボテンしか生えないので、サボテンは草食動物にとくにねらわれるからね」

「それに、サボテンにはふつう棘（とげ）もあるわね」

「繁殖能力ももちろん重要だ。ダーウィンは、植物の受粉のしくみがどんなにうまくできているかをくわしく研究した。植物が美しい色や甘い香りをふりまくのは、昆虫をおびき寄せて受粉を手伝ってもらうためだ。同じ理由で、鳥もきれいな声で鳴いてメスを引きつける。雌牛の興味を引かない元気のない雄牛は、血統のなかでの意味も軽い。そういうタイプの牛はすぐに絶滅してしまう。結局、個体のたった一つの課題は、性的に成熟して繁殖し、種族を保存することだ。これはちょっとリレー競走に似ている。なんらかの理由で遺伝子を伝えられないものたちはどんどんふり落とされて、種はつねにいい状態を保つ。病気にたいする抵抗力は、生き残る個体たちが代々積み重ね、保持していく、もっとも重要な特徴の一つだ」

「ということは、なにもかもがますますよくなっていくの？」

「長い目で見ると、たえまない選択の結果、ある特定の環境、あるいは特定の生態系にもっとも適したものが生き残ることになる。けれどもある環境では有利なものが、ほかの環境では役に立たないこともある。ガラパゴス諸島の何種類かの鳥はほとんど飛べない。けれども飛ぶ能力なんて、餌が地面にあって肉食の動物がいなければ、そんなに必要ではない。自然環境にはいろんな生態系があるから、時の流れにつれていろんな生き物が進化してきたのだ」

「でも人間はたった一種類ね」

「そうだね。それは人間がさまざまな生活条件に自分をあわせるすばらしい能力をもっているからだ。ダーウィンは南アメリカの南端のフエゴ島で、人びとがものすごい寒さをしのいで暮らしているのを見てびっくりしている。だからと言って、人間はみんな同じというわけではないよ。赤道地帯の人びとの肌の色が北の国の人びとよりも濃いのは、黒い肌のほうが太陽の光からガードしてくれるからだ。白い肌の人びとが太陽の光を浴びすぎると、たとえば皮膚ガンなんかになりやすい」

「だったら北のほうでは白い肌が有利なの？」

「もちろんさ。そうでなければ、どこの人も黒い肌でなくては理屈にあわない。白い肌は太陽の光をよく吸収して体内でビタミンがつくられるのを助けるから、あまり陽が射さないところでは重要なのだ。現代人はビタミンを食べ物からたっぷりとるから、それほどでもないけどね。でも自然界に偶然は一つもない。すべては、幾世代にもわたるほんの小さな変化の結果なのだ」

「考えると不思議ね」

「本当だね。このへんでダーウィンの進化論をおさらいしておこう」

「はい、どうぞ」

「同一の種にちょくちょく現れる個体の差異と、少数のものしか生き残れないほどの高い出生率が、地球上の生命の進化の素地だ。生存競争のなかでの自然選択がこの進化のしくみの、陰の原動力だ。

自然選択はもっとも強いもの、環境にもっとも順応したものの生き残りをはかるんだ」

「計算問題みたいに筋がとおっている。『種の起源』の評判はどうだったの?」

「すさまじい論争になった。教会はもっとも激しく非難した。学会はまっぷたつだ。そりゃそうだよ。だってダーウィンは神の創造にいいがかりをつけたのだから。もちろん、神はやがて進化する可能性も組み込んで生き物を創造したと考えたほうが、固定したものをいっぺんに創造したと考えるよりも、ずっと神をたたえることになる、と指摘する思慮深い人びとも少しはいた」

突然、ソフィーが椅子から飛びあがった。

「見て!」

ソフィーは窓を指さした。眼下に見おろす池のほとりを、男の人と女の人が手をつないで歩いていた。二人は素っ裸だった。

「アダムとイヴだね」アルベルトが言った。「ダーウィン以来、彼らも赤ずきんや不思議の国のアリスの仲間入りをしなければならなくなったんだよ。それでここに現れたんだ」

ソフィーは窓辺に近づいて、木立のあいだに消えていく二人を見送った。

「じゃあダーウィンは、人間も動物から進化したと考えたの?」

「一八七一年にダーウィンは『人間の由来』という本を出した。そのなかでダーウィンは人間と動物がたいへんによく似ていることを示して、人間と類人猿はいつか同じ祖先から分かれて進化したにちがいない、と論じた。その頃、絶滅した人類の頭蓋骨の化石が、最初はジブラルタルの岸壁で、その二、三年後にはドイツのネアンデルタールで初めて見つかった。おかしなことに一八七一年には、一八五九年に『種の起源』が出た時よりも抗議はそれほどでもなかった。人間が猿から進化したということは、最初の本にもそれとなくほのめかされてはいたんだが。ダーウィンが一八八二年に亡くなった時には、科学の先駆者として盛大な葬儀が行なわれたそうだよ」

「じゃあ、最後には尊敬されたの？」

「そう、最後にはね。けれども初めはイギリスでいちばん危険な人物とされていた」

「やれやれ！」

「当時のある上流の女性は、『そんなことは真実ではないと思いたいですわ』と言ったそうだ、『でも万が一真実なら、一般に知られないことを望みます』とね。有名な科学者も同じようなことを言っている。『まったく滅入るような発見だ。これについては黙っているのがいちばんだ』」

「人間がおくびょうなダチョウから進化したってことの証拠みたいな人たちね」

「そう言ってもいいけど、人間は時代がくだればばかしこくなるさ。当時の人びとは突然、聖書が伝える天地創造について態度をあらためなければならなくなったんだ。当時まだ若かった作家のジョン・ラスキンはこう言っている。『地質学者たちがわたしを放っておいてくれればいいのに！　聖書の行の終わりごとに、彼らのハンマーの音がガンガン響く』」

「ハンマーの音というのは神のことばへの疑いのこと？」

「だろうね。なぜなら、神が人間をつくったということがあやしくなっただけではなかった。ダーウィンは、それにかわる人間の起源まで説くことになったんだ。ダーウィンの学説の核心には、まったく偶然の差異がついには人間をつくった、ということもふくまれていたからね。まだある。ダーウィンは人間を下劣な生存競争の結果にしてしまったんだ」

「ダーウィンは、偶然の差異はどんなふうにできると言ってるの？」

「ダーウィンの学説の痛いところを突いたね。ダーウィンは遺伝についてはごく漠然とした考えしかもってなかった。交配の時に何かが起こる。両親とそっくりの子どもが二人生まれるのではない。子どもにはいつも親とは少し似ていないところがある。いっぽうで、まったく新しい性質の子どもも生まれない。さらには、単純な細胞分裂でふえる植物や動物がある。差異はなぜ起こるのかという問題については、いわゆる新（ネオ）ダーウィニズムがダーウィンの理論を完成させた」

「へえ、どんなふうに？」

「生命と繁殖には、おおもとのところですべて細胞分裂がかかわっている。一つの細胞が分裂すると、まったく同じ遺伝物質をもった二つのまったく同じ細胞ができる。細胞分裂というのは、一つの細胞が自分をコピーすることだ」

「はあ……」

「でもこのプロセスでは、時どきちょっとした間違いが起こる。コピーされた細胞が、もとの細胞とまったく同じでなかったりする。これを近代の生物学は『突然変異』と呼んでいる。突然変異はまるでなんの意味ももってないかもしれないし、個体にはっきりとした変化をもたらすかもしれない。また、命にとって危険ということもあって、そういう突然変異は数ある子孫のなかからたえず消し去られていく。突然変異がひきおこす病気も多い。けれども突然変異は、ある個体に生存競争を勝ち抜くのに有利な性質をあたえることもある」

「長い首とか？」

「キリンの首はなぜ長いかということを、ラマルクは、キリンがしょっちゅう首を伸ばしていたからだと説明した。けれどもダーウィニズムによると、獲得された性質は遺伝しない。ダーウィンはキリンの長い首を、自然な差異の結果と考えた。新ダーウィニズムは、そうした差異ができるはっきりとした原因をあげて、ダーウィンの説を完成させた」

「それが突然変異なのね？」

「そう、遺伝形質のまったく偶然の変異が、一頭のキリンの先祖に平均よりも少し長い首をあたえたのだ。もしも食べ物がじゅうぶんになかったら、長い首はとってもつごうがよかっただろうね。木のいちばん高いところに届くキリンがいちばん有利なんだから。さらには『原（ウル）キリン』のなかには、地面から食べ物をほじくり出す能力を進化させたのもいる、とも考えられる。そうやって長い時間ののちに、とっくに絶滅した動物種が二つの新しい種に分かれたのかもしれない」

「そうね」

「自然選択の最近の例をいくつかあげよう。原理はしごく簡単だ」

「どういうの？」

「イギリスにオオシモフリエダシャクという蛾がいる。この蛾はよく白樺の白い幹にとまる。十八世紀にはこの蛾はほとんどが白っぽかった。なぜだと思う？」

「そのほうがお腹のすいた鳥に見つかりにくいからでしょ？」

「でも、突然変異で時どき色の濃い個体も生まれる。この蛾たちはどうなったと思う？」

「見つけられやすいから、お腹のすいた鳥にすぐ食べられちゃった」

「そうだね、白樺の幹では濃い色は不利だった。ところが環境が変わった。工業化が進んで、工場のばい煙のために地域によっては白樺の幹が黒ずんでしまった。となると、この蛾はどうなったと思う？」

「こんどは濃い色の蛾が有利になった？」

「そうなんだ。あっというまに濃い色の蛾が増えた。一八四八年から一九四八年までのあいだに、いくつかの地域では黒いオオシモフリエダシャクの占める割合が、一パーセントから九九パーセントにはね上がった。環境が変わったために、白い色は生存競争に有利でもなんでもなくなって、反対に濃い色のほうが有利になったのだ。白い敗者は、幹にとまったとたん、鳥に襲われてまたたくうちに消滅した。ところがまた大きな変化が起こった。石炭の利用が減ったし、集塵装置の性能も上がったおかげで、最近は環境がふたたびよくなった」

「オオシモフリエダシャクはまた白くなったの？」

「そう、また白くなっていったんだ。これが順応と呼ばれるものだ。自然の法則の一つだね」

「なるほどね」

「人間が環境におよぼしたことの例はまだいくらでもある」

「たとえばどんな？」

「たとえば人間は害虫をいろんな薬で退治しようとしてきた。初めのうちは効果があがった。でも畑や果樹園にどんどん殺虫剤をまくと、害虫に小さな環境危機をまねくことになる。そして突然変異がくりかえされて、ついには薬に抵抗力のある害虫が出てくる。この勝者たちは退治するのがむずかしい。人間が薬をまいたおかげで、害虫たちはますます強くなったのだ。いちばん抵抗力のある変種が生き残るのが当然だからね」

「怖い話ね」

「考えさせられる話だね。もっと怖い話をしようか。ぼくたちの体のなかでも同じことが起こっているんだ。ぼくたちの体は有害な寄生生物、つまりバクテリアと闘っているよね」

「バックアップするために、ペニシリンとかの抗生物質を使うわね」

「ペニシリン治療はこの小さな悪魔たちにとっては環境危機だ。しかしペニシリンを投与すればするほど、バクテリアを強くすることになる。バクテリアの種類によっては、昔より手に負えないほど強くなったものもいる。そうすると、ぼくたちはますます強い抗生物質をとらなくてはならなくなって、しまいには……」

「しまいには口からバクテリアが這い出すとか？　そこをピストルでやっつけるとか？」

「それはちょっとオーバーだけど。とにかく、近代医学は深刻なジレンマにおちいった。しかもまだあるんだ。バクテリアが以前より元気になっただけじゃないんだ。昔は多くの子どもが育たなかった。いろんな病気に耐えられなかったからだ。生きのびるほうが少なかったぐらいだ。近代医学はこの自然選択にある程度ストップをかけた。しかし個体が危険な峠を越す手助けをすると、長い目で見ると、人類全体の抵抗力が弱くなってしまう。つまり、長い時間のあいだには、深刻な病気に打ち勝つ遺伝的な条件が低下してしまうのだ」

「暗い見通しね」

「でも本物の哲学者なら、これが真実だと信じたら目をそらさずに指摘しなければならない。そこからどんな結論を出すのかは、また別の問題だ。もう一度ちがう角度からまとめをしてみよう」

「どうぞ」

「生命は巨大な宝くじだ。そしてぼくたちは当たりくじにしか出会わない」

「突然なんのこと？」

「生存競争に敗れたものは消えてしまう。この世のあらゆる動植物は、数百万年ものあいだ、たえまなく当たりくじを引いてきたのだ。はずれくじには、過去か現在か未来に、たったの一回しか出くわさない。だから現在は、生命の巨大な宝くじに当たらなかった植物も動物もいないのだ」

「いちばんすぐれたものが残ったんだものね」

「そうだね。ちょっとそのポスターをこっちへ……あの動物の救世主がもってきたやつを」

ソフィーはアルベルトにポスターを渡した。ノアの箱舟を描いた裏には、おびただしい動植物の系統樹が描いてあった。アルベルトは裏のほうを見せて、言った。

「このイラストは個々の動植物が枝分かれしていったようすを表している。いろんな種がいろんな属や科に属しているね？」

「そうね」

「人間は猿といっしょに霊長類に属している。霊長類は哺乳類に、そしてすべての哺乳類は脊椎動物に、すべての脊椎動物は多細胞動物に属している」

「アリストテレスを思い出すわ」

「たしかにね。でもこのイラストに描かれているのは、現在のさまざまな種だけじゃない。生命の進化の歴史も表しているんだ。たとえば鳥類は大昔に爬虫類から分かれているし、爬虫類は両生類から、両生類は魚類から分かれている」

「ほんとだ」

「この系統が分かれるたびに、新しい種につながる突然変異が起こったのだ。そんなふうに、数億年のあいだにさまざまな動物の属や科ができあがった。でもこのイラストはごくごく単純化してある。本当は、こんにち地上には百万種以上の動物がいるし、それもこれまでに出現した動物種のごく一部だ。たとえば三葉虫のように完全に絶滅した種もある」

「いちばん下には単細胞動物がいるのね」

「なかにはたぶん二百万年ずっと変わっていないのもいるよ。それから、この単細胞の有機物のところから一本の線が植物界のほうに伸びているね。植物もおそらく動物と同じように、同じ一つの『原細胞』から分かれていったんだ」

「なるほどね。でも、一つわからないんだけど」

「なんだい？」

「この最初の原細胞はどこからきたの？　ダーウィンは説明している？」

「彼は用心深い人だって言ったけど、これについてはひかえめな憶測をめぐらしている。こんなことを書いているんだよ。『もしも（ああ！　なんという「もしも」！）あらゆるアンモニア塩と燐をふくむ塩と、光と温度と電流などがたっぷりあって、化学的にタンパク質の結合が起こり、それがもっと複雑な変化をしていくような、そんな生温い水溜りを思い浮かべたとして……』」

「思い浮かべたらどうだって言うの？」

「ここでダーウィンが夢想しているのは、最初の生命細胞は無機物から発生したのかもしれないってことだ。こんにちの科学は、ダーウィンが思い描いたように、最初の原始的な生命体は『生温い水溜り』で発生したと仮定している」

「もっとくわしく教えて」

「じゃあ、おおまかなところを話そうか。だけど、ここからはダーウィンから離れるよ、いいね。世界の生命の起源についての、最新の研究にひとっ飛びだ」

「でも、生命がどうやってできたかなんて、だれにもわからないんじゃない？」

「たぶんね。でも、生命はこんなふうに発生したんだろう、というジグソーパズルは、だんだんと埋まってきてはいるんだ」

「つづけて」

「まず、地上のすべての生命、ということは植物も動物も、まったく同じ物質からできているということを押さえておこう。生命のもっとも単純な定義は、新陳代謝をし、増殖する、ということだ。増殖はDNA、デオキシリボ核酸という物質に支配されている。すべての生命細胞にある染色体、あるいは遺伝物質がこのDNAでできているんだ。DNAはとても複雑な分子で、いわゆる高分子のひとつだ。問題は、最初のDNA分子がどういうふうにできたか、ということだ」

「そうね」

「地球は四十六億年前に太陽系とともに誕生した。最初は燃える巨大な火の玉だったが、地殻はだんだんと冷えていった。そして現代の科学は、生命はたぶん三、四十億年前に生まれただろうと考えている」

「なんか、ぜんぜんピンとこないわ」

「それは最後まで聞いてから言ってほしいな。まずは、その頃の地球は今とはまるでようすがちがっていた、ということを念頭に置いておこう。まだ生命は存在しない。大気中には酸素もない。酸素は植物が光合成をして初めてできる。で、この酸素がなかったということがすごく重要なんだ。ＤＮＡをつくる生命の素材は、酸素をふくんだ大気のなかには発生しないと考えられている」

「どうして？」

「酸素はとても敏感に反応する物質だからだ。もしも酸素があったら、ＤＮＡ分子の材料はそんな複雑なものをつくるずっと以前に酸化してしまっただろう」

「ふうん」

「だから、もしそうだったら、今も生命は存在していなかった。バクテリアもウイルスもね。地上のすべての生命はだからみんな同い年なんだ。象の発生系統樹もいちばん単純なバクテリアの発生系統樹も、同じ長さなんだ。象や人間は単細胞生物の群体（コロニー）と言ってもいいくらいだ。なぜなら、ぼくたちの体の細胞の一つひとつにはまったくそっくりの遺伝物質が入っているからだよ。ぼくたちがだれであるかということの、料理でいえばレシピ、薬でいえば処方箋のようなものは、ぼくたちのごくごくちっぽけな細胞のなかに書きこまれている」

「考えると不思議だわ」

「それなのに多細胞動物の細胞がそれぞれ別の機能を専門に受けもつというのは、生命の大きな謎の一つだ。だって、すべての細胞でさまざまな遺伝形質のすべてが使われるわけではないんだからね。こういう形質、あるいは遺伝子のあるものはスイッチ・オフされ、あるものはスイッチ・オンされる。肝細胞のタンパク質は神経細胞や皮膚細胞のタンパク質とはちがう。でも肝細胞にあるＤＮＡ分子は、神経細胞や皮膚細胞にあるのと同じもので、この同じＤＮＡ分子に有機体全体の設計図が書きこまれているんだ。ほら、アナクサゴラスのところでちょっと言ったろう？」

「それで？」

「大気に酸素がなかったから、地球をとりまいて保護するオゾン層もなかった。宇宙から降りそそぐ放射線をシャットアウトするものがなにもなかったということだ。これも重要だ。なぜなら、宇宙線は最初のこみいった構造の分子ができる時に重要な役を演じたらしいからだ。宇宙線はエネルギー源として、地上のさまざまな化学的な物質を高分子に結合させた」

「なるほど」

「まとめてみようか。すべての生命をつくる複雑な高分子が発生するには、少なくとも二つの条件が満たされなければならなかった。つまり、大気中に酸素がなかったこと、宇宙線が地表に届いていたこと、この二つだ」

「そういうことね」

「『水溜り』、あるいは現代科学の言い方だと『原始のスープ』から、いつかある時、とてつもなく複雑な高分子が発生した。この高分子には、自己分裂できるという奇妙な性質があった。こうして長い長い進化が始まったんだ、ソフィー。単純に言ってしまえば、ここでもう最初の遺伝物質、最初のDNA、最初の生命細胞が出てくるわけだよ。分子は分裂に分裂をかさねた。だけど最初から突然変異はしょっちゅう起こっていたんだろうな。とてつもなく長い時間がたって、この単細胞の有機体は寄り集まって複雑な多細胞の有機体になった。そして植物の光合成が始まって、酸素をふくんだ大気ができていった。この大気には二つの意味がある。酸素を呼吸する動物の進化をうながしたことがまず一つ。そして、生命を宇宙線から守ることがもう一つだ。なぜなら、最初の細胞がつくられるのに重要な機能を果たした放射線は、すべての生命体には危険なものだからだ」

「でも大気はある日突然できたんじゃないんでしょう？　だったら最初の生命体はどうやって放射線をくぐり抜けてできあがったの？」

「生命は、さっき原始のスープといった原始の海に生まれた。そこでは危険な放射線にさらされずに生きられたんだ。ずっとあとになってから、つまり海の生命が大気をつくったあとで、最初の両生類が陸地に這いあがった。そこから先はもう話したね。今ぼくたちはこの森の小屋で三、四十億年もかかったプロセスをふりかえってみた。ぼくたちのなかにもこの長いプロセスは記憶されているのだ」

「すべてはただの偶然だったの？」

「いや、そうは言ってない。その絵は、進化がある方向に向かっていることを示している。何十億年かかってますます複雑な神経系統をもった、そしてついにはますます大きな脳をもった動物がつくられていったんだ。これは偶然なんかじゃないとぼくは思うね。きみはどう思う？」

「人間の目が純粋に偶然にできたはずはないわ。わたしたちがこの世界を見ることには、なにか特別の意味があるとは思わない？」

「目の進化にはダーウィンも驚いている。目のような繊細なものが自然選択だけでできたなんて、彼の想像を超えていたんだね」

ソフィーはアルベルトを見つめた。わたしは生きている、たった一度生きている、そして二度とこの生命の世界には戻ってこない――なんて不思議なんだろう、とソフィーは思った。ふいにソフィーが口走った。

「われら被造物を無へとひきさらう永遠の創造
そんなもの　なんになる？」

アルベルトはきびしい目つきでソフィーを見た。

「そんなこと言うもんじゃないよ、ソフィー。それは悪魔のセリフだ」

「悪魔？」

「悪魔のメフィストフェレスさ。ゲーテの『ファウスト』に出てくる。『われら被造物を無へとひきさらう永遠の創造、そんなものなんになる？』」
「これはどういう意味なの？」
「ファウストが死ぬ時、長い生涯をふりかえって、よろこびのうちにこう言った。

瞬間よとまれ、おまえは美しい！
わたしの地上の日々の痕跡は
永劫へと滅びはしない
その幸せの予感のうちに
今味わうぞ、この至高の瞬間を」

「すてきなセリフだわ」
「でもそこに悪魔が登場する。ファウストが死ぬやいなや、悪魔は叫ぶ。

消えただと！　くだらない！　なぜ消えたなどと？
消えるも何もないも　しょせんは同じよ！
われら被造物を無へとひきさらう永遠の創造
そんなもの　なんになる？
消えただと！　それになんの意味がある？
何もなかったと　同じじゃないか
何かがあったかのような　堂々巡りの空回り

永遠の空のほうがよっぽどましだぜ」

「暗いわね。さっきのセリフのほうが好きだわ。命は終わっても、ファウストは自分が残した痕跡に意味を見つけたんだもの」

「これはダーウィンの理論ともつうじるんじゃないかな？　ぼくたちは小さな生命体かもしれないけれど、大きな関連のなかの大切な一部として、大きな何かの一端をになっているんだ。ぼくたちは命の惑星なんだよ、ソフィー！　ぼくたちは宇宙で燃えている太陽をめぐって航行する舟なのだ。けれどもぼくたち一人ひとりも、遺伝子を乗せて生命の海を行く舟なのだ。この積み荷をつぎの港に運んだら、ぼくたちの生は無意味ではなかったことになる。ビョルンスチャーネ・ビョルンソンはこのことを『賛歌II』にこううたっている。

すべてに吹きわたる
ささやかな春の息吹きをたたえなさい
復活はいと小さなものにも訪れる
失われるのは　ただ形のみ
世代から世代へ
営々とのぼりつめ
無限の時の流れに
種は種を産んで
世界は沈み　世界は昇る！

春の畦道（あぜみち）の花よ
命のよろこびに目覚めなさい
永遠に善なるものをたたえながら
つかのまあることを楽しみなさい
おまえもまた創造することで
つましい貢（みつ）ぎものを捧げなさい
小さくおずおずと
でも力のかぎり息をなさい
永遠のこの日　胸いっぱいに！」

「すてき！」

「だけどきょうはこれでおしまいだ。一段落！」

「そのロマン主義的イロニー、いいかげんにしてよ」

「一段落、とわたしは言ったんだ。言うことをききなさい！」

フロイト──彼女の心に兆(きざ)したおぞましい、身勝手な願望

ヒルデ・ムーレル＝クナーグは重いバインダーを胸に引き寄せて、乱暴にベッドから立ちあがった。バインダーを机に置くと、着替えをかかえてバスルームに飛びこみ、二分ほどシャワーをあびて大いそぎで服を着ると、ばたばたと階下へ駆けおりた。

「朝ごはんは？　ヒルデ」

「ちょっとボートに乗ってくる」

「ヒルデ！」

ヒルデは庭をつっきった。そして桟橋からボートのとも綱を解いて、飛び乗った。ヒルデはあてもなく入り江を漕ぎまわった。初めはまるで怒ったように力任せにオールを動かしていたが、やがてはそれもおさまった。

「ぼくたちは命の惑星なのだよ、ソフィー！　ぼくたちは宇宙で燃えている太陽をめぐって航行する舟なのだ。けれどもぼくたち一人ひとりも、遺伝子を乗せて生命の海を行く舟なのだ。この積み荷をつぎの港に運んだら、ぼくたちの生は無意味ではなかったことになる……」

このことばが頭にこびりついて離れない。そう、このことばは結局わたしに向けて書かれたのだ。ソフィーじゃない。わたしに向けられたことばだ。あのバインダーは丸ごと、パパからの長い長い手紙なのだ。

ヒルデはオールを金具からはずして、ボートの底に置いた。ボートは今、波のまにまに揺れている。チャプチャプとやさしい水音が舟底を打つ。

リレサンの小さな入り江に浮かぶ小さなボート、そしてヒルデは命の海に漂う胡桃(くるみ)の殻の舟。この世界のどこにソフィーとアルベルトはいるのだろう？　本当に、ソフィーとアルベルトはどこにいるのだろう？

二人がパパの脳のなかのただのインパルスだなんて、ぜったいに納得できない。二人はただの紙と、パパのポータブル・タイプライターのインクリボンの色素だなんて、ナンセンスよ。わたしだって、いつか生温い水溜りからかき集められたタンパク質の鎖の寄せ集めかもしれないけれど、わたしはそれ以上の何かだもの。わたしはヒルデ・ムーレル＝クナーグだもの！

あの分厚いバインダーは本当にすばらしい誕生プレゼントだ。パパはわたしの心の新しい弦をふるわせてくれた。でも、ソフィーとアルベルトをからかうことだけは許せない。

だからパパは家に帰るとちゅうで痛い目にあうのよ。それだけは二人のためにしてあげなくては。ヒルデにはすでに、コペンハーゲンの空港に降り立つ父親が目に見えるようだった。父親がロビーをうろうろ動きまわっているところが……。

やっと気分が落ち着いてきた。ヒルデは桟橋に漕ぎ帰って、ボートを杭につないだ。それから母と二人でゆっくりと朝食を食べた。卵はおいしいけど、ちょっと柔らかすぎかな、などと話ができるくらい、気分は爽快(そうかい)だった。

夜になってようやく、ヒルデは分厚いバインダーを開いた。残りはもうあとわずかだった。

またノックが聞こえた。

「耳をふさいでいようよ」アルベルトが言った。「そのうち行ってしまうさ」

「だめよ、わたしが見てくる」

ソフィーが立つと、アルベルトもついてきた。

外には裸の男が立っていた。偉そうにふんぞり返っているが、頭の王冠をのぞけば、あとは本当に素っ裸なのだった。

「どうだ?」男が言った。「余の新しい服をそなたたちはどう思うかな?」

アルベルトとソフィーは、驚きのあまり口もきけない。けれども裸の男はそんなことはおかまいなしだ。

「おじぎをせんか! おじぎを!」

アルベルトが勇気をふるって言った。

「なるほど、王様は裸だというのは本当だったんですね」

裸の男はふんぞり返ったままびくともしない。アルベルトはかがんでソフィーの耳にささやいた。

「自分をひとかどの者だと思ってるんだよ」

裸の男は不機嫌に顔をくもらせた。

「ただいまよりこの家を家宅捜査する。わかったか?」

「おことばですが」アルベルトは言った。「ぼくたちはまともな人間だ。陛下のその恥さらしなていたらくでは、この小さな家の敷居をまたいでいただくわけにはいきません」

突然ソフィーは、もったいぶった裸の男がおかしくなって、吹き出してしまった。すると、それが秘密の合図だったかのように、冠をかぶった男は自分がなにも着ていないということに気がついた。そして両手で前を隠すと、森に駆けこんで見えなくなった。森ではたぶん、アダムとイヴとノアと赤ずきんとくまのプーさんに出会うのだろう。

アルベルトとソフィーは戸口にたたずんで、ひとしきり大笑いした。アルベルトが言った。

「なかに入ったほうがよさそうだ。フロイトと無意識の話をしよう」

二人は窓辺に座った。ソフィーは時計を見て言った。

「もう二時半。わたし、ガーデンパーティの用意がいろいろあるの」

「ぼくだって用意がある。ジークムント・フロイトの話は手っとり早く切りあげようね」

「その人は哲学者？」

「広い意味で哲学者と呼んでいいと思うよ。フロイトは一八五六年に生まれて、ウィーン大学で医学を学んだ。生涯の大半をウィーンで過ごしたが、それはちょうどこの都市の文化が花開いた時期と重なっていた。若い頃からフロイトは、医学のなかでも神経科を専門に研究した。そして十九世紀末から二十世紀にかけて、『深層心理学』とか『精神分析』と呼ばれる分野をつくったんだ」

「もう少しくわしく説明してくれるんでしょう？」

「精神分析（プシュホアナリーゼ）というのは、ごく一般的には人間の心（プシュケー）を解明することで、いっぽうでは神経や心理の病気の治療にも使われる。ぼくはきみに、フロイトやフロイトの仕事をなにからなにまで話すつもりはない。でも人間とは何かを知りたかったら、フロイトの無意識の理論は避けてとおれない」

「どうしてもその先を聞きたくなるような話し方ね」

「フロイトは、人間と環境はいつも緊張関係にある、と考えた。もっとちゃんと言うと、人間の本能や欲望と、環境がつきつける要求とのあいだには緊張があるのだ。緊張ではなくて葛藤と言ってもいいけど。フロイトは人間の本能を発見したと言ってもオーバーではない。だからフロイトは、十九世紀末に主流だった自然主義の代表的な人物だと言われるんだよ」

「人間の本能って？」

「ぼくたちの行動はいつも理性にコントロールされているわけではない。人間は、十八世紀の合理主義者が思いたかったほどには理性的な存在じゃないんだ。非合理な衝動がぼくたちの思考や夢や行動を決めることはいくらでもある。この非合理な衝動は、ぼくたちの心の奥深くにひそんでいる基本的な本能や欲望の現れだったりする。たとえば人間の性欲は、赤ん坊がおっぱいを吸いたいと思うのと同じくらいに基本的な本能だ」

「そうね」

「それだけなら別に新発見でもなんでもない。けれどもフロイトは、この基本的な欲望は変装して、つまり姿を変えて現れるので、ぼくたちにはもとの姿がわからない、ぼくたちは自分でもよく知らないままに、欲望に引きずりまわされている、と言ったのだ。フロイトはさらに、幼い子どもにもある種の性的な生活がある、ということも指摘した。子どもの性という発想はウィーンの上品な市民たちからすさまじい反感をかって、フロイトは爪弾き(つまはじ)にあった」

「そりゃそうでしょうね」

「この時代、性にかかわることがらはいっさいタブーだった。フロイトは精神療法医として患者を診るなかで、子どもの性への手がかりをつかんだ。フロイトの発想は経験を踏まえていたんだね。フロイトはまた、さまざまな精神障害は子ども時代の葛藤が原因になっている、ということもつきとめた。こうしてフロイトは、『心の考古学』とでも呼べるような治療法を少しずつ発展させていった」

「どういうこと?」

「考古学者は地層を掘り下げて、はるかな過去の痕跡を探すよね? 十八世紀のナイフが出土するかもしれない。その下からは十四世紀の櫛(くし)が、もっと下からは五世紀の壺が出てくるかもしれない」

「それで?」

「精神分析家は患者と協力して患者の意識を掘り起こし、心の病をひきおこしている過去の体験を取り出す。フロイトによれば、ぼくたちは過去のあらゆる記憶を心の奥深くに保存してるんだそうだよ」

「ふうん」

「分析家は、患者が忘れたいと思いつづけているのに、心の深いところに巣くって患者の生きる力をむしばんでいる不幸な体験を見つける。そういう『外傷的体験』がふたたび意識され、患者に突きつけられると、患者はそれにケリをつけ、心の健康を取りもどす」

「なるほどね、説得力があるわ」

「しかしちょっと先走りしすぎたな。まずはフロイトが人間の心をどんなふうにとらえたかを見ていこう。きみは赤ん坊を見たことがあるよね？」

「四つになる従兄弟が生まれた時にね」

「生まれてすぐ、ぼくたちは身体的な欲望にも心理的な欲望にもわりとストレートに、いわば臆面もなく生きている。ミルクがほしければ泣く。おむつが濡れたといって、やっぱり泣く。やさしくしてほしいとか、スキンシップがほしいとか、率直に表現する。ぼくたちがもっているこの本能の原則、あるいは『快楽原則』を、フロイトは『エス』、ラテン語で『イド』と名づけた。赤ん坊のぼくたちは、ほとんどこのエスのかたまりだったんだ」

「それから？」

「エスはおとなになってからも一生、なくなるわけではない。けれどもぼくたちはだんだんと、快楽をコントロールすること、そうすることで現実の環境に順応することを憶える。快楽原則を『現実原則』にあわせることを学ぶ。フロイトの言い方だと、こうした調整機能をひきうける『自我』という機関をつくりあげるのだ。ぼくたちはたとえ何かをしたいと思っても、ある年齢になれば、願いや欲求がかなえられるまでしゃがみこんで泣き叫んだりしなくなる」

「そりゃそうよ」

「どうしても何かがしたいのに環境が許さないことがあると、ぼくたちは願いを抑圧する。つまり、願いをわきへ押しやって忘れようとするのだ」

「わかるわ」

「フロイトは、人間の心にはもう一つ、第三の機関がある、と言っている。幼い子どもの頃から、ぼくたちはたえず両親や社会から道徳上の命令を突きつけられている。なにか悪いことをすると、親たちは『いけません！』とか『だめ！』とか言う。おとなになっても、ぼくたちの耳にはそういう道徳上の命令や断罪のこだまが聞こえている。社会の道徳的な期待はぼくたちのなかに入りこみ、まるでぼくたちの一部になってしまったようだ。これをフロイトは『超自我』と呼んだ」

「それは良心のこと？」

「そうだね、あるところでフロイトは、超自我は自我にたいして良心として向きあう、と言っている。超自我は、ぼくたちがけがわらしい、あるいはふさわしくない願望をいだくと警告を発するんだ。とくにエロティックな願望や性的な願望のばあいなんかにね。そういう願望は、さっきも言ったように、すでに子どもの頃に兆すとフロイトは主張した」

「説明して」

「ぼくたちは、小さな子どもが性器をいじるのが好きなことを知っているし、見たこともあるよね？よく海岸なんかでさ。フロイトの時代には、二、三歳の子どもがそんなことをしたら、手をピシャッとやられたものだ。当時子どもたちは、しょっちゅう『こらっ！』とか『やめなさい！』とか『手はおふとんの上！』とか言われていた」

「ずいぶんピリピリしてたのね」

「でもそういうふうにして人間は、性器や性的なことがらと結びついた罪の意識をはぐくむんだ。この罪の意識は超自我に貯めこまれる。それで多くの人は、フロイトに言わせればほとんどの人は、一生、セックスを罪だと感じるようになる。フロイトはまた、性的な願望や欲求は人間にとって自然な、たいせつな一部だとも言っていたのだから、これで一生つづく快楽と罪の意識の葛藤のお膳立てがととのったわけだよ、ソフィー」

「でもこの葛藤、フロイトの頃からくらべると、今はずいぶん小さくなっていると思わない？」

「そのとおりだね。でもフロイトの患者の多くはこの葛藤が強すぎたために、フロイトが神経症と呼んだものになった。たとえば一人の女性患者は、姉の夫を好きになった。姉が病気で亡くなった時、臨終に立ち会いながら、彼女は考えた。『これで彼は自由だ。わたしと結婚できる！』この思いはもちろん、彼女の超自我とぶつかった。その思いはあまりにも怖ろしかったので、患者はそれを抑圧した、とフロイトは言っている。つまり願望を無意識のなかに押しこんだのだ。この若い女性は病気になって、深刻なヒステリー症状を起こした。フロイトが治療してみると、患者は姉の臨終のシーンと、その時彼女の心に兆したおぞましい、身勝手な願望をすっかり忘れていた。けれども治療が進むにつれて思い出し、病気のもとになった瞬間をもう一度たどりなおして、心の健康を取りもどした」

「心の考古学っていう意味がよくわかったわ」

「じゃあこんどは人間の心の一般的な解明のほうにとりかかろう。フロイトは長いこと患者を治療しているうちに、意識は人間の心の小さな一部でしかない、と考えるようになった。意識は、海面から突き出ている氷山の一角のようなものだ。水面下、つまり意識の敷居の下には『下意識』、あるいは『無意識』がある」

「無意識というのは、わたしたちの心に隠れているもの、忘れてしまったもののこと？」

「ぼくたちは四六時中すべての体験を意識しているわけではない。でも、過去に考えたり体験したり思いついたりしたことで、その気になれば思い出せることを、フロイトは『前意識』と呼んでいる。それにたいして無意識は、ぼくたちが抑圧したすべてを指している。つまり、不快でぶしつけでおぞましいので、どうしても忘れようとしたあらゆることだ。意識や超自我にとって耐えがたいような願望や欲求をいだくと、ぼくたちはそれを心の地下室に押しこんでしまうんだ」

「なるほどね」

「健康な人は、だれでもこのしくみをはたらかせている。けれども、おぞましい禁じられた考えを意識から追い出すことが負担になって、病気になる人も多い。抑圧されたものはくりかえし意識にのぼろうとするので、人によってはこの衝動を意識の批判から隠すのにたいへんなエネルギーがいる。フロイトは一九〇九年に精神分析についてアメリカで講演をした時、この抑圧のしくみがどのようにはたらくかを、やさしい例をあげて説明した」

「わたしも聞きたいな」

「フロイトは聴衆にこう語ったんだ。このホールに講演をじゃまする人がいるとしましょう。マナーを無視して笑ったり、おしゃべりしたり、床を鳴らしたりするので、わたしは話に集中できない。すると屈強な男性が何人か立ちあがって、少しもみあってじゃま者をロビーにつまみ出す。じゃま者は抑圧されたわけで、わたしは話をつづけられます。もちろんじゃま者はまたホールに押し入ろうとするから、男性たちは椅子を出入口にもっていって、ガードマンとして腰をおろすでしょう。ホールを意識、ロビーを無意識に置き換えれば、抑圧の過程をよく表す構図ができあがります、とね」

「これはわたしにもわかりやすいわ」

「でもじゃま者はまた入ってこようとするんだよ、ソフィー。抑圧された考えや衝動はなんとか浮上しようとする。ぼくたちは、無意識からもがき出ようとする抑圧された考えの突きあげを受けながら生きている。ぼくたちが思いもよらないことをしたり言ったりするのはそのためだ。そんなふうに、無意識はぼくたちの感情や行動をあやつっているんだ」

「なんかそういう例がある？」

「フロイトはそういうしくみをいろいろと取りあげている。そのうちの一つが言い間違いだ。これは、ぼくたちがかつて抑圧したことをひょこっと言ったりしたりしてしまうことだ。フロイトはたとえばあるサラリーマンの話をしている。その人は部長のために乾杯の音頭をとることになったんだけど、その部長というのが問題でね。いやなやつだったんだ」

「で、どうなった？」

「彼は立ちあがり、にこやかにグラスをかかげて、こう言った。『部長に、ハンタイ！』」

「やったね！」

「でも部長は、そうは思わなかったよね。このサラリーマンは、心のなかでは本当は部長をどう思っているかを、つまりぜんぜん評価していないってことを口に出してしまったんだ。もちろん、そんなこと言うつもりはこれっぽっちもなかったんだけど。もっと例を聞きたい？」

「うん、面白いわ」

「ある日、しつけのいい娘が九人いる牧師の家に、教会の監督がやってきた。この監督は異様に大きな鼻をしていた。それで娘たちは、鼻のことは話題にしないよう、きびしく言われていた。幼い子どもたちは、まだ抑圧のしくみがしっかりしていないから、そういう体の特徴につい吹き出したりするからね」

「それでどうなった？」

「監督が牧師の家に入ってきた。かわいい娘たちはいっしょけんめい大きな鼻のことは言わないようにした。それどころか、鼻を見ないようにした。鼻を忘れようとした。でも、心のなかではずっと鼻にばかりに気をとられていたんだね。娘の一人がみんなのコーヒーに砂糖を入れることになった。その子は偉い監督の前に立って、こう言った。『お砂糖をお鼻にお入れしましょうか？』」

「うわ、きまり悪い！」

「それから、ぼくたちはよく『合理化』ということをする。自分の行動に本当の理由ではなくてほかの理由を、自分にたいしても周囲にたいしても言い張ることをいう。もちろん、本当の理由を認めたくないからだよ」

「たとえば?」

「ぼくがきみに催眠術をかけるとしよう。ぼくは催眠状態のきみに、ぼくが指でテーブルをたたいたら、立って窓をあけなさい、と命令する。ぼくが机をたたくと、きみは窓をあける。あとからぼくは、なぜ窓をあけたのかってたずねるんだ。するときみはたぶん、暑かったから、と答えるだろう。でもそれは本当の理由じゃないよね? きみはぼくの催眠術にふりまわされたことを認めたくないんだ。きみは合理化、つまり自己正当化しているんだよ、ソフィー」

「なるほどねえ」

「こんなホンネとタテマエの二重構造は、現実にいくらでもあるよ」

「四歳の従兄弟がいるって言ったでしょう? その子、あまり友だちがいないみたいで、遊びにいくとすごくよろこぶの。いつか、ママが待ってるから帰るって言ったら、その子、なんて言ったと思う?」

「なんて言ったんだい?」

「『きみのママと会ったってつまんないよ』って」

「それは合理化のいい例だね。この子が実際に言ったことは、思っていたことではない。本当は、きみが帰らなくてはならないなんてつまらない、と思ったんだ。でも、そう言うのはちょっときまり悪かった。あと、『投影』というのがある」

「わかりやすく言って」

「投影というのは、抑圧しようと思っている自分の特徴をほかの人になすりつけることだ。たとえば本当にケチな人がほかの人のことをやたらとケチ呼ばわりしたがるようなものだ。いつもセックスのことで頭をいっぱいにしているのに、それを認めたくない人が、ほかの人びとがセックスにこだわると言って、いのいちばんに怒り出すようなものだ」

「わかる、わかる」

「フロイトは、ぼくたちの日常生活はこういう無意識のふるまいにあふれている、と考えた。特定のだれかの名前を度忘れする、話しながら服の端をいじくる、何気なく部屋にあるものを配置替えする。言おうとしたことがすらすら出てこない、一見さり気ない言い間違いや書き間違いをする。フロイトはそういう間違いを、むじゃきとも偶然とも思わなかった。どんなにぼくたちが、ただの間違いで他意はないんだと言い張ってもね。間違いは徴候だ、『しくじり(失錯行為)』は極秘の何かをばらしていることがある、とフロイトは考えたんだ」

「これからはことばづかいに気をつけようっと」

「それでもきみは無意識の衝動から逃れられないだろうな。対策としては、不快なことを無意識のなかに抑圧しようと、あまりしゃかりきにならないことだね。それは、モグラ穴をふさぐようなものだ。穴はふさげても、モグラはきっと庭の別のところから出てくる。いちばん健康なのは、意識と無意識のあいだのドアを少しあけておくことだ」

「もしもドアをきちっとしめたら精神病になる?」

「そうだね。神経症になりやすいのは、不快なことを意識から閉め出すのにエネルギーを使いすぎるタイプの人だ。そういう人は、ある特定の体験を抑圧していることが多い。それが、さっき先走って言ってしまった外傷的体験だ。フロイトはこれを『トラウマ』とも呼んでいる。『トラウマ』はギリシア語で、『傷』という意味だ」

「ふうん」

「フロイトは治療で、閉じたドアを用心深くあけようとした。あるいは新しいドアをあけようとした。患者と協力して、抑圧された体験をふたたび取り出そうとした。患者は、自分が抑圧しているなんて意識していない。けれども患者が医者に、あるいは精神分析で呼ばれているように分析家に望んでいるのは、隠されたトラウマを探してほしいということなのだ」

「お医者さんはどういうふうにするの？」

「フロイトはこのテクニックを自由連想法と呼んだ。患者に完全にリラックスして寝椅子（カウチ）に横になってもらって、つまらないことでも、ふとしたことでも、不快なことでも、ばつの悪いことでも、なんでも心に浮かんだことを話してもらうんだ。患者の連想にはトラウマや、トラウマが意識にのぼることをさまたげている抵抗のヒントがある、と分析家は考える。患者は、このトラウマに四六時中こだわっているのに、ただそれを意識していないのだ」

「何かを忘れようとすればするほど、無意識にそのことを考えてしまうということ？」

「そのとおり。だから無意識のサインに注意することが重要なんだ。フロイトによれば、無意識につうじるメインストリートは夢だ。フロイトのもっとも重要な著作は、一九〇〇年に出た『夢判断』で、そのなかでフロイトは、ぼくたちの夢はけっしてでたらめではない、と言っている。夢をとおしてぼくたちは無意識の思考を意識に伝えようとしているのだ」

「面白いわねえ！」

「長年、患者を診てきた経験から、そしてなにより自分自身の夢を分析して、フロイトは、すべての夢は基本的に願望充足の夢だ、と言った。これは子どもを観察すればよくわかる。子どもはアイスクリームやさくらんぼの夢をみるからね。けれどもおとなの夢は、願望を変装させた上でかなえることが多い。睡眠中も、きびしい検閲が、していいことといけないことを決めているからだ。眠っているあいだは起きている時よりも、この検閲という抑圧のしくみは弱まってはいるけれど、夢のなかでぼくたちの認めたくない願望をゆがめるだけの力はあるんだ」

「だから夢は判断しなくてはならないのね？」

「フロイトは、翌朝思い出す夢とその本当の意味は分けて考えなくてはならない、と言っている。夢そのもの、つまりぼくたちが夢にみた映画やビデオのようなものは顕在的夢内容だ。けれども夢には、意識に隠されている深い意味もある。フロイトはこれを潜在的夢思考と名づけた。夢とそこに出てくる小道具は、ほとんどがつい最近の過去から取ってこられている。前日の体験ということもよくある。けれども夢が本当は語っているこの隠された思考は、たとえばごく幼い時とかの、ずっとさかのぼった過去から出てきている」

「本当は何についての夢なのかを理解するために、夢を分析しなければならないのね」

「そうなんだ。患者はそれを治療者といっしょにやるわけだよ。でも医者が夢解きをするんじゃない。患者の協力がなければ医者にはなにもできない。医者は夢解きを手伝うために立ち会うだけだ。ソクラテスの産婆術に似ているね」

「なるほど」

「『潜在的夢思考』を『顕在的夢内容』に変形することを、フロイトは夢の作業と呼んだ。本来の夢の内容の偽装や暗号化だと思えばいい。夢の解釈はこれとは逆向きのプロセスだ。夢の本来のテーマを見つけるために、夢のモティーフの偽装をあばき、暗号を解くわけだね」

「たとえばどんなふうにするの？」

「フロイトの本にはそういう例がどっさり載っているよ。ぼくたちも簡単な、フロイト的な例を考えてみよう。若い男が従姉妹から風船を二つもらった夢をみた」

「それで？」

「きみがこの夢を解いてごらんよ」

「そうねえ……顕在的夢内容は今アルベルトが言ったとおりでしょ？　従姉妹が風船を二つ、くれた」

「それから？」

「夢の小道具は前の日の体験からとられることが多いんでしょう？　だからこの人は前の日ににぎやかなところに出かけたか、新聞で風船の写真を見た」

「そうだ、そうかもしれないね。でも、風船ということばを聞いただけかもしれないし、風船を思い出すようなものを見ただけかもしれない」

「でも潜在的夢思考はなんだろう？　この夢は本当は何を言っているのだろう？」

「さあ、ここからがきみの夢判断だ」

「ただ風船が二つほしかった？」

「いや、ちがうだろうな。でも、夢は願望を満たすものだという点では正しいよ。でもいい年をしたおとなが風船がほしくてたまらない、なんてことはないだろう。それに、もしそうだとしたら、わざわざ夢を解くこともない」

「じゃあ……本当はこの人は従姉妹がほしい。二つの風船は彼女のおっぱい」

「そうだね、その解釈は大いにありうるね。この願望はこの人にとってはちょっぴりきまりが悪いから、目が覚めている時にはとても言い出せない」

「わたしたちの夢は風船とかのまわり道をするのね？」

「そうなんだ。フロイトは、夢は変装した願望の変装した充足だ、と考えた。何をどう変装させるかは、フロイトがウィーンで開業していた頃と今とではがらりと変わっているだろう。でも変装のしくみはまったく同じだ」

「なるほどね」

「一九二〇年代には、フロイトの精神分析は神経症の治療などに大きな影響力をもつようになった。それだけではなくて、無意識についてのフロイトの理論は芸術や文学でたいへん重視された」

「芸術家は人間の意識されない心の生活を取りあげるようになった？」

「そのとおりだよ。もっとも文学では、フロイトの精神分析がまだ知られていなかった十九世紀の最後の十年に、もうそういう傾向がかなり強かったけどね。フロイトの精神分析がちょうどこの時代に始まったのは偶然ではないということだよ」

「そういう時代だったってこと？」

「フロイトは、自分が抑圧や言い間違いや合理化の理論を発明した、なんて言ってはいない。ただ、こういう人間の経験を初めて精神医学であつかったのがフロイトだったのだ。フロイトは、自分の理論を説明するのに文学作品を引用する。そのお手並みはみごとだよ。でもさっき言ったように、二十年代からは逆にフロイトの精神分析が芸術や文学に直接影響するようになった」

「どんなふうに？」

「作家や画家は、無意識の力を作品に応用しようとした。なかでも『シュルレアリスム』がそうだ」

「シュルレアリスム？」

「シュルレアリスムはフランス語で、翻訳すると『超現実主義』だ。一九二四年にアンドレ・ブルトンは『シュルレアリスム宣言』を発表した。そのなかでブルトンは、芸術は無意識から生まれるべきだ、と主張した。なぜなら、そうすれば芸術家は夢から自由なインスピレーションを取り出せるし、夢と現実の区別が消えてしまう超現実の世界を目指せるからだ。シュルレアリスムにかぎらず、芸術家にとっては、意識の検閲をぶちこわしてことばやイメージを解き放つことが必要なんだ」

「そうでしょうね」

「ある意味でフロイトは、人間はみんな芸術家だ、と証明したようなものだ。夢はささやかな芸術作品なんだよ。そしてぼくたちは毎晩新しい夢をみる。患者の夢を解くために、フロイトは凝縮された象徴と格闘しなければならないことがよくあった。ちょうど絵や文学を解釈するようにね」

「わたしたちは毎晩、夢をみるの?」

「最近の研究では、ぼくたちは眠っている時間の二〇パーセントくらいは夢をみているそうだよ。一晩にせいぜい二時間ってとこかな。そういう時に眠りをじゃまされると、ぼくたちはイライラ、ピリピリする。これはまさに、すべての人間は自分の生きている状況を芸術的に表現したいという欲求を生まれながらにもっている、ということだ。夢はぼくたち自身の物語なんだ。ぼくたちは自分で演出し、すべての小道具をそろえ、すべての役を演じる。芸術なんてさっぱりわからないと思いこんでいる人は、自分をよく知らないんだ」

「そうか」

「フロイトは、人間の意識がどんなに不思議なものかを証明してみせた。フロイトは患者の治療をしていて、ぼくたちは見たり体験したりしたことをすべて意識の奥に保管している、と確信した。このすべての印象を、ぼくたちはふたたび取り出すこともできる。『すっかり忘れる』、少しあとで『もうちょっとで思い出しそうになる』、そしてずっとあとになって『ひょっこり思い出す』——そんな時は、無意識のなかにあったものが、ふいに半開きのドアをとおって意識のなかにするりと戻ってきているんだ」

「時間がかかるのね」

「芸術家にはおなじみの経験だ。ふいにドアというドアがあき、記録保管所の抽斗という抽斗が開くように思える。すべてが流れ出し、ぴったりのことばやイメージが見つかる。無意識のドアをちょっとだけ開いておけば、そういうことが起こるのだ。これがインスピレーションなんだよ、ソフィー。絵に描いたりことばで表したりしていることが、まるでぼくたちの外からやってきたような気がするんだ」

「きっと不思議ですてきな感じでしょうね」

「でも、きみだって身に憶えがあるはずだよ。インスピレーションがおとずれる状態は、たとえば疲れきった子どもなんかによく観察できる。そんな子どもが、興奮状態でしゃべりだすことがある。まるでぜんぜん教わったことのないことばを、自分で考え出しているように思える。もちろん教わったことはあるのさ。ただ、疲れのために警戒がゆるんで検閲がはたらかなくなったので、意識のなかに潜在していたものが出てきたのだ。子どもと芸術家では状況はちがうけれど、とにかく理性や反省が自由で自発的で無意識な表現をコントロールしすぎないようにしないとね。こういうことをよく表している短い話をしようか？」

「して！」

「とても深刻で悲劇的な話だよ」

「早く！」

「昔、一匹のムカデがいた。ムカデは千本の足でみごとなダンスを踊った。ムカデが踊ると、森の生き物たちが見物にやってきた。そしてムカデのダンスにほとほと感心した。たった一匹、ムカデのダンスが気に食わない生き物がいた。蛙だ」

「ねたましかったのね」

「どうしたらムカデのダンスをやめさせられるだろう？　蛙は考えた。蛙は、ダンスが嫌いなわけではなかった。蛙のほうがダンスがじょうずかというと、そうでもなかった。だれも蛙のダンスには見向きもしない。そこで蛙は悪魔のようなたくらみをめぐらした」

「それで？」

「蛙はムカデに手紙を書いた。『並ぶものなきムカデ様、あなたのたぐいまれなダンスに、わたしはしんそこ心酔しています。そこで、ぜひ教えていただきたいのですが、あなたはどのようにしてダンスをなさるのですか？　まず二百二十八番めの左足を上げ、それから五十九番めの右足を上げるのですか？　それとも最初のステップは二十六番めの右足で踏み出して、それから四百九十九番めの右足を出すのですか？　お返事を心よりお待ちいたします。ごきげんよう　蛙』」

「ばっかみたい！」

「ムカデは手紙を受けとると、自分はいったいどうやって踊っているんだろう、と生まれて初めて考えこんだ。最初にどの足を動かしている？　そしてそのつぎは？　そしてどうなったと思う？」

「ムカデは二度と踊れなくなったんじゃない？」

「そう、踊れなくなってしまったんだ。思考が想像力の息の根をとめると、こういうことになる」

「ほんとに悲しいお話ね」

「芸術家にはだから、なりゆきにまかせることが大切なのだ。シュルレアリストたちはこれをとことん利用しようとした。すべてが自動的に起こる状態に自分をもっていこうとした。白い紙に向かって、なにも考えずにただもう書きはじめた。彼らはこれを自動筆記と呼んだ。このことばは心霊術からきている。心霊術では、死者が霊媒（れいばい）のペンを動かすと信じられていた。でも、この問題はあしたまたやろう」

「いいわよ」

「シュルレアリスムの芸術家も、ある意味で霊媒だ。自分自身の無意識の霊媒だ。創造のプロセスにはかならず無意識の要素がからんでいる。だって、創造的って、いったいどんな意味だと思う？」

「新しくてたった一つしかないものをつくるのが、創造的なんじゃない？」

「だいたいそんなところだね。創造は想像力と理性の微妙な共演から生まれる。理性がしゃしゃり出て想像力の息の根をとめるのはよくない。想像力がなければ新しいものはなにも出てこないんだから。想像力はダーウィン的なシステムだと思うよ」

「そんなこと言われても、よくわからないわ」

「ダーウィニズムは、自然界では突然変異がつぎつぎと新しいものをつくっていくって言ってたじゃないか。でも自然が必要とするのはたくさんの突然変異のうちのごくわずかだ。ごくわずかな突然変異が生きるチャンスをものにする」

「それで？」

「考えたり、インスピレーションがひらめいたり、新しいアイディアがどんどんわいたりする。これも同じことだよ。発想の突然変異は、あとからあとからぼくたちの意識に出てくる。もちろん、あまりきびしく検閲しなければの話だけど。でもそういう発想のうち、ぼくたちが実際に取りあげるのはほんのいくつかだ。ここは理性の出番だ。理性には理性の大切な機能があるんだよ。その日の獲物をテーブルに並べたら、選別するのを忘れちゃいけない」

「悪くないたとえね」

「だって考えてもごらんよ。思いつきを片っぱしから口に出したらどうなると思う？　メモしたり机の抽斗にしまっておいたものが全部表に出たらどうなると思う？　世界はあっというまに偶然の思いつきの洪水だ。選択もなにもあったもんじゃないよ、ソフィー」

「理性は、たくさんの思いつきのなかのいちばんいいものを選ぶのかな？」

「そうだよ。そう思わない？　想像力は新しいものをつくりだす。でも選択は想像力の柄じゃない。想像力は構成はしない。構成は、まあ芸術作品はみんな構成作品なんだから、芸術作品は、と言ってもいいんだが、想像力と理性の驚くほどみごとな共演から立ちあがるのだ。感覚と思考の共演と言ってもいいけど。創造のプロセスに偶然はつきものだ。そういう偶然の思いつきを封じこめないことが重要な段階はある。太った羊を集めようと思ったら、いったんは野原に放ってやらなければならないんだ」

　アルベルトはしばらく口をつぐんで、じっと窓を見つめた。ソフィーがその視線を追うと、小屋から見おろす小さな池のほとりが大騒ぎになっていた。鮮やかな色の洪水、それはディズニーのキャラクターたちだった。

「あれはグーフィーよ。それからドナルドと甥っ子のヒューイとルーイとデューイでしょ……デイジーもいる。チップとデールが見える？　ねえ、わたしの言うこと聞いてるの？　あ、ミッキーマウスだ！」

　アルベルトがソフィーのほうに向きなおった。

「ああ、情けないね、ソフィー」

「どういうこと？」

「少佐が想像力の羊を放っているというのに、ぼくたちはなすすべもないその犠牲者だ。でも、もちろんこれはぼくの落度だ。自由連想の話を始めたのはぼくなんだから」

「アルベルトが自分を責めることはないわ」

「想像力はぼくたち哲学者にも必要だ、と言おうとしたんだ。新しい思想を考えるには、なりゆきにまかせる勇気がいる。でも、ぼくの表現はちょっとあいまいだったようだ」

「そんなに深刻がらないでよ」

「静かに思いをめぐらせることの意味について話そうと思ったんだ。なのに少佐はあんな極彩色の悪ふざけで応じてきた。恥を知れ！」

「今のはアルベルトのロマン主義的イロニー？」

「少佐のだ、ぼくじゃない。でも安心したこともあるよ。ぼくの計画はそれを踏まえているんだ」

「わたしもう、なにがなんだかわからない」

「夢の話をしただろう？　そこにはちょっとばかりイロニーも入っていた。だって、ぼくたちは少佐の夢でしかないんだから」

「あっ！」

「でも、少佐は一つ忘れている」

「なんだろう？」

「たぶん少佐は自分の夢にとまどっている。夢をみている人が顕在的夢内容を憶えているように、ぼくたちの言うこともすることも、少佐がすべてを取り仕切っている。そのかぎりでは、少佐のことばは絶対だ。でも、ぼくたちが話しあったことを少佐がすべて憶えているとしても、まだぜんぜん気づいていないことがある」

「なにを？」

「少佐は自分の潜在的夢思考を知らないんだ、ソフィー。これは変装した夢でも、あ、る、ということを忘れているんだ」

「アルベルトって、へんなこと言うわね」

「少佐もそう思うだろう。少佐は自分の夢のことばを理解していないからだよ。それはぼくたちにはけっこうなことなんだ。つまりそこにぼくたちが自由に動ける小さな余地ができる。これを使って、もうすぐ少佐のケチな意識から抜け出よう。勇敢なモグラがよく晴れた夏の日に太陽の光の下に飛び出すように」

「そんなことできると思う？」

「できなくてどうする？　二日のうちに、きみに別世界を見せてあげるよ。少佐には、モグラがどこに行ったのかわからない。いつまた現れるかもわからない」

「わたしたちはただの夢かもしれないけれど、とにかくわたしは一人の女の子よ。もう五時。帰ってガーデンパーティの用意をしなくちゃ」

「そうか……帰り道、ちょっと手伝ってくれないか？」

「何をするの？」

「ちょっとした気を配ってほしいんだ。きみが家に帰るまで、少佐がきみから目を離せなくなるようにしてほしいんだ。少佐のことを考えながら帰るんだ。そうすれば、少佐もきみのことを考える」

「それがなんの役に立つの？」

「ぼくは心おきなく秘密計画に没頭できる。ぼくは少佐の無意識のずっと奥にもぐろうと思っている、ソフィー。そして、こんどきみに会うまでそこにいようと思うんだ」

わたしたちの時代——自由の刑に処されて

デジタル時計は〈23：55〉を表示している。ヒルデは天井を見つめていた。自由連想に挑戦してみよう。思考の鎖がとぎれるたびに、なぜつづかないのかと自問した。

わたしは何かを抑圧しようとしている?

すべての検閲をシャットアウトできれば、目覚めていながら夢をみる状態に入れる。そう考えると、ちょっと怖かった。

緊張を解いて思考とイメージを広げようとすればするほど、あの森の池のほとりの少佐の小屋にいるような気がしてくる。

アルベルトはいったい何をたくらんでいるのだろう? まあね、アルベルトが何をたくらんだとしても、それはパパがたくらんだことなのだ。パパはもうたくらみの中味を知っているのかしら? それとも手綱(たづな)を思いきりゆるめて、最後にはパパ自身もあっと驚くようなことを、アルベルトにさせるのだろうか?

残りページはあとわずかだ。最後のページをのぞいてみようかな? だめだめ、そんなズルは。それに、残りの何十ページかで起こることがあらかじめ決まっているなんて、ぜったいに認めたくない気分だった。

でもこんなこと考えるなんて、おかしくない? なにしろバインダーはここにあるのだから、パパはもうなにも書き足せない。残るはアルベルトだ。あっと驚くことができるのは……。わたしだって不意打ちを用意するわよ。クナーグ少佐だろうが、わたしには手が出せない。でも、わたしは自分自身をコントロールできるだろうか？

意識ってなんだろう？　これは宇宙の最大級の謎じゃない？　記憶ってなんだろう？　わたしたちが見たり聞いたりしたことをすべて憶えているのはなんのため？　いったいどんなしくみが、ほとんど毎晩、メルヒェンのような夢をみさせるの？　そんなことを考えながら、ヒルデは時どき目をとじた。そしてまた目を開いては、天井を見つめつづけた。そのうちヒルデは目をあけることを忘れた。ヒルデは眠った。

けたたましい鷗（かもめ）の声で目を覚ますと、デジタル時計は〈6：66〉になっていた。おかしな数字！　ヒルデはベッドから飛び起きた。そしていつものように窓から入り江をながめた。夏でも冬でも、そうするのがヒルデの日課だった。

窓辺に立っていると、ふいに体のなかで絵の具箱が爆発したような感覚が襲ってきた。夢がよみがえった。ありきたりの夢ではなかった。色も輪郭もあまりにもくっきりと、生き生きとしていた……。

父がレバノンから帰ってきた夢だった。でもそれはソフィーのあの夢、ソフィーが桟橋で黄金の十字架を拾った夢と重なっているようだった。

ヒルデは、ソフィーの夢のとおりに、桟橋の縁に座っていた。かすかな、本当にかすかな声がささやいた。「わたし、ソフィーよ」ヒルデはじっとしゃがんだまま、声がどこから聞こえるのか、耳をすました。もう一度、声がした。か細いその声は、まるで虫が話しかけているかのようだった。「あなたはきっと、見えないし、聞こえないのね」つぎの瞬間、国連軍の制服を着た父親が庭に出てきた。「ヒルデ！」父が呼ぶ。ヒルデは駆け寄って、父親の首に抱きついた。夢はそこでとぎれた。

アルヌルフ・エーヴェルランの詩が浮かんだ。

ある夜　不思議な夢からさめた
地下水のように遠い声が語りかけていた
わたしは起きあがった
わたしになんの用？

それからすぐ、母が部屋にやってきた。

「早いわねえ、もう起きてるの？」

「目が覚めちゃった」

「いつもどおり、四時頃帰るわ」

「オーケー」

「きょうもすてきな夏休みを過ごしてね」

「まかしといて！」

母が出ていく物音を確かめると、ヒルデはまたベッドに座ってバインダーを開いた。

「ぼくは少佐の無意識のずっと奥にもぐろうと思っている、ソフィー。そして、こんどきみに会うまでそこにいようと思うんだ」

ここからだ。右の人差指でさわってみると、残りページは本当にあとわずかだった。

ソフィーが少佐の小屋から出てくると、池のほとりには、まだディズニーのキャラクターが何人か残っていた。けれどもソフィーが近づくにつれて、薄れて見えなくなっていく。ボートまでやってきた時にはすっかり消えていた。

漕ぎながら、そして向こう岸でボートを葦の茂みに引きあげながら、ソフィーはにやにや笑ったり、腕をふりまわしたりした。小屋に残ったアルベルトが監視されないよう、少佐の注意をひきつけなくてはならないのだ。

森では時どき調子っぱずれにスキップした。あやつり人形のまねをして歩いてみたりもした。少佐が退屈しないように、歌もうたった。

ソフィーは一度立ち止まって、いったいアルベルトの計画ってなんだろう、と考えこんだ。そしてはっと気がついて、しまったと思った。それで木によじ登った。

ソフィーはできるだけ高いところまで登った。もうすぐてっぺんというところまで来て、突然、どうやって降りよう、と不安になった。あと少ししたら、またなにか別のことをしなければならないのに。ソフィーは木のてっぺんにおろおろしながらうずくまっていた。こんなところでもたもたしていたら、少佐はじきにわたしに飽きてしまう。そしてアルベルトに注意を向けて、彼が何をしているか見に行くだろう。

ソフィーは両腕をばたばたさせて、鶏のまねをして二声鳴いた。しまいにはヨーデルをうたった。これまでの十五年の人生で、初めてうたったヨーデルだった。初めてにしてはまずまずだと思って満足した。

ソフィーはあらためて木から降りようとした。でも、しっかりしがみついたまま身動きがとれない。ふいに一羽の大きなガチョウが飛んできて、ソフィーがしがみついている枝にとまった。ソフィーは、なにしろディズニーのキャラクターの大騒ぎを見たあとだったので、ガチョウが語りかけてもちっともびっくりしなかった。

「ぼくはモルテン」ガチョウが言った。「ほんとは飼われてるんだけど、きょうは例外で、野生の仲間といっしょにレバノンから来たんだよ。きみ、だれかに手伝ってもらわないと降りられないんじゃないの？」

「でもあなたは小さすぎるからだめよね」ソフィーが答えた。

「へんなこと言うね、おじょうさん。きみが大きすぎるんだよ」

「どっちでも同じでしょ？」

「ところで、前にきみと同じくらいの男の子を乗せて、スウェーデンじゅうを飛んだことがあるんだよ、ニルス・ホルゲルソンっていう男の子だけどさ。どう？ きみに耳寄りな話だと思うけどなあ」

「わたしは十五よ」

「ニルスは十四だったよ。一つぐらいの年の差なんて、どうってことないさ」

「でも、どうやってその子をもちあげたの？」

「ニルスに軽く一発くらわしたら気絶したんだよ。気がついたら、ニルスは豆粒みたいに小さくなっていたっけ」

「じゃあ、わたしにも軽く一発くらわしてみてよ。いつまでもこんなところにいるわけにはいかないの。土曜日には哲学パーティにお客さまをお迎えしなくちゃならないんだから」

「やあ、それは面白そうだなあ。だったら、この本は哲学の本なのか。ニルス・ホルゲルソンといっしょにスウェーデンを飛んだ時は、ヴェルムランドのモールバッカに一時着陸した。そこでニルスは、ラーゲルレーヴというおばあさんに会った。おばあさんは、小学生が面白がるような、スウェーデンについての本を書きたいって長いこと考えていたんだって。真実がたくさん書いてある、ためになる本なんだって。ニルスがいろんなことをしてきたって言うと、おばあさんは、ニルスがぼくの背中から見たことを書くことにしたんだ」

「そんなの、あり？」

「はっきり言って、今のはちょっとイロニーだよね。だってぼくとニルスのことはもうその本に書いてあるんだから」

突然、ソフィーはほっぺたをパチンとたたかれた。そしてつぎの瞬間、ソフィーは本当にちっぽけになっていた。木は森のよう、そしてガチョウは馬のように見えた。

「さあ、乗った！」ガチョウが言った。

ソフィーは枝の上を歩いていって、ガチョウの背中によじ登った。やわらかいはずのガチョウの羽根が、こんなに小さくなった今では、くすぐったいと言うよりもチクチクと痛かった。

ソフィーがちゃんと乗ったか乗らないうちに、ガチョウはもう飛びたっていた。ソフィーとガチョウは木立を越えて高く高く飛んでいった。池と少佐の小屋がはるか下に見えた。あそこでアルベルトがこんぐらがった計画を練っている……。

「いやあ、いいながめだろ？」ガチョウは言って、大きく翼をはばたかせた。

ほどなく、二人はさっきソフィーが登った木の根元に降りたった。ソフィーはガチョウの背中から転がり落ちた。ヒースの茂みで二回転して立ちあがると、驚いたことにソフィーはまたもとの大きさになっていた。

ガチョウはソフィーの周りを二回、よちよちと歩きまわった。

「助けてくれて、ほんとにありがとう」

「どうってことないよ。ときに、きみさっき、哲学の本って言わなかった？」

「言わないわ。あなたが言ったのよ」

「まあ、どっちでも同じことさ。きみを乗せて哲学の歴史をすみからすみまで飛んであげようか？ニルスを乗せてスウェーデンをすみからすみまで飛んだみたいにさ。ミレトスとアテナイと、エルサレムとアレクサンドリアと、ローマとフィレンツェと、ロンドンとパリと、イェーナとハイデルベルクと、ベルリンとコペンハーゲンをぐるっとまわってみないか？」

「ありがとう、でもいいわ」

「でもなあ、イロニーのとっても好きなガチョウとしては、何世紀も飛んでまわりたかったなあ。スウェーデンの領空を縦断するなんて、それにくらべたら小さい小さい」

そう言うと、ガチョウは助走をつけて大空に飛びたった。

ソフィーはすっかり疲れきっていた。それでも、いつもの生け垣のほら穴から抜け出た時、アルベルトは反撃作戦に集中できただろう、と考えた。この数時間、少佐はそれほどアルベルトには気を配れなかったはずだ。もしもアルベルトにも注意していたとしたら、少佐は深刻な二重人格に苦しまなければならなくなっていただろう。


ソフィーが玄関に飛びこんだとたん、母も仕事から帰ってきた。おかげで、よく馴れたガチョウに高い木の上から降ろしてもらったことを白状しないですんだ。

食事が終わると、ソフィーと母はガーデンパーティの準備にとりかかった。屋根裏から、ほとんど四メートルもある長いテーブルの天板を降ろして庭に運んだ。そしてまた屋根裏に引き返して、板を支える台をもってきた。

テーブルは果樹の下にしつらえる予定だった。この大きなテーブルは、両親の十回めの結婚記念日に使ったきりだった。ソフィーは八つになったばかりだったが、友だちや知りあいがみんな集まった大がかりなガーデンパーティのことは、今でもありありと憶えている。

天気予報は言うことなしだった。ソフィーの誕生日の前日の、あのとんでもない嵐の日から、雨は一滴も降らなかった。それでも、テーブルをセットするのは土曜日の午前中まで見あわせることにした。ソフィーの母は、きょうのところはテーブルを庭に運んだだけで満足した。

　この日の午後遅く、二人は二種類の生地で丸パンとねじりパンを焼いた。あと、鶏の丸焼きとサラダを用意しなくてはならない。それから、ジュースやコーラも。ソフィーは、だれかクラスの男の子がビールを持ちこむのではないかと、気が気ではなかった。酔っぱらって大騒ぎになってしまったら、なにもかもぶちこわしだ。

　ソフィーが寝に行こうとすると、母はもう一度、アルベルトさんは本当にパーティに来るのでしょうね、と念をおした。

「ぜったい来るわ。哲学トリックをご披露してくれるって約束したもの」

「哲学トリック？　なに、それ？」

「さあ……たぶん手品でもやるんじゃない？　シルクハットから白兎を出すとか」

「またその話？」

「でも、彼は哲学者として哲学トリックをするのよ。なんたって哲学ガーデンパーティなんですからね」

「ああ、哲学、哲学！」

「ママも何かやるのよ。もう考えた？」

「もちろんよ、ソフィー。わたしだってもうとっくに……」

「演説ぶつの？」

「今はないしょ。おやすみ」


　つぎの朝、ソフィーは母に起こされた。仕事に出かける前に、「じゃあこれ、よろしく」と声をかけて、ガーデンパーティのための買物リストを置いていったのだ。

母が出かけてすぐ電話が鳴った。アルベルトからだった。アルベルトは、何時頃なら家にはソフィーしかいないか、知っている。

「秘密計画はどうなった？」

「シッ！　黙って。少佐が少しでも計画を勘ぐるきっかけをあたえちゃいけない」

「きのうはうまいこと少佐の注意を引きつけておいたと思うわ」

「それはよかった」

「哲学はどうする？」

「それで電話したんだ。もう二十世紀まできた。これからはきみが自分で進んでいくんだ。その素地はできている。でも、ぼくたちの時代についても少しだけ話をしよう」

「でもわたし、町まで買物に……」

「ちょうどよかった。だって、ぼくたちの時代の話をするんだよ」

「だから？」

「いわば現代のまっただなかというのはもってこいだ」

「わたしがアルベルトのところに行くってこと？」

「いや、ちがうよ。ここはぜったいだめだ！　隠しマイクをそこらじゅう探しまわってるところだ」

「まあ……」

「中央広場に新しいカフェができた。『カフェ・ピエール』っていうんだけど、知ってる？」

「もち。何時に行けばいい？」

「十二時」

「十二時に『カフェ・ピエール』ね」

「じゃ、のちほど」

「じゃあね！」

十二時二分、ソフィーは「カフェ・ピエール」に首をつっこんだ。小さな丸テーブルに黒い椅子、逆さまにぶらさげられた、注ぎ口のついたベルモットのビン、バゲットにサンドイッチ――最近はこんな店が流行なのだ。

店内はそれほど広くない。ソフィーは一目でアルベルトはまだ来ていないとみてとった。ほとんどのテーブルは埋まっている。ソフィーは一人ひとりの顔を見た。けれども、アルベルトではないということが確かめられただけだった。

一人でカフェに入るのは慣れていない。引き返して、もう少ししてからまたのぞいてみようかな？そう思いながらも、ソフィーは大理石のカウンターに近づいて、レモンティを頼んだ。そしてカップを手に、空いているテーブルに座った。ソフィーは入口から目を離さなかった。たくさんの人びとが出たり入ったりする。けれどもソフィーは、アルベルトは来ない、ということばかり気にしていた。

新聞でももってくればよかった！

ソフィーはあたりを見まわした。目があって、ほほえみ返す人もいた。一瞬、ソフィーはなんだか自分がもっと年上のおねえさんになったような気がした。わたしはやっと十五になったばかりだけれど、十七歳と言ってもつうじるかもしれない。少なくとも十六歳半ならばなんとか。

こうしてカフェに座って、人びとはどんな人生を思い描いているのだろう？けれども、どうやら人びとはただ気分転換のために、カフェに来ているらしい。身振り手振りもてきぱきと、勢いこんでしゃべっているけれど、なにか大切なことを話しているようには見えなかった。

いやおうなしにキルケゴールが思い出された。キルケゴールは、大衆のいちばんの特徴は無責任なおしゃべりだ、と言っていた。この人たちはみんな、美的実存の段階に生きているのだろうか？

文通の初めの頃、アルベルトは、哲学者と子どもは似ていると書いていた。おとなになりたくない、とソフィーはあらためて思った。ソフィーもおとなになったら、シルクハットから取り出された宇宙という白兎の毛の奥深くにもぐりこむのだとしたら！

こんなことを考えながら、ソフィーは入口にちらちら視線を走らせていた。ようやく、アルベルトがつまずいてつんのめりながら入ってきた。夏だというのに黒いベレー帽をかぶり、ヘリンボンのツイードのハーフコートをはおっている。アルベルトはすぐにソフィーを見つけて近づいてきた。こんなに人のいるところでアルベルトとデートするなんて、なんだか新鮮、とソフィーは思った。

「もう十二時十五分よ、遅いんだから、もう！」

「『アカデミーの十五分』といってね、大学では先生は定刻を十五分過ぎないと来ないのさ。若い女性になにかお食事でもごちそうしようか？」

アルベルトは席について、ソフィーを見つめた。ソフィーは肩をすくめた。

「なんでもいいわ。サンドイッチかなんか」

アルベルトはカウンターに行った。ほどなく戻ってきたその手には、コーヒーと、チーズとハムをはさんだ大きなバゲットが二つあった。

「高いんでしょ、これ？」

「どうってことないよ、ソフィー」

「時間に遅れてごめんなさいって、言わないの？」

「言わない。だって、わざと遅れて来たんだから。なぜそんなことをしたのか、まずはその理由から話そう」

アルベルトはバゲットをむしゃむしゃ食べてから、口火を切った。

「きょうはぼくたちの二十世紀の話をする」

「二十世紀にも哲学があるの?」

「あるさ。ありすぎて収拾がつかないくらいだ。まずは『実存主義』から。人間が現実に存在する状況を踏まえたいろいろな哲学を、ひっくるめて実存主義と呼ぶんだけど、今は話を二十世紀にかぎろう。実存哲学者、あるいは実存主義者のなかには、キルケゴールから出発した人たちがいる。ヘーゲルやマルクスの影響を受けている人たちもいる」

「ふうん」

「二十世紀に影響力をふるったもう一人の哲学者が、ドイツのフリードリヒ・ニーチェだ。ニーチェは一八四四年に生まれて一九〇〇年に亡くなった。ニーチェもヘーゲル哲学と、そこから生まれたドイツ『歴史主義』に反発した。ニーチェは、ヘーゲルとヘーゲル学派の歴史観は貧血ぎみだと批判して、その向こうを張って生そのものを賛美した。ニーチェが『いっさいの価値の転換』を求めたことはよく知られている。くつがえされなければならない価値の筆頭は、ニーチェが『奴隷の道徳』と呼んだキリスト教の道徳だ。思うぞんぶん生きようとする強い者たちが、弱い者たち、つまり奴隷みたいな人たちにこれ以上足をひっぱられることがあってはならない。そのために、価値はくつがえされなければならない。キリスト教も旧来の哲学も、現世にそっぽを向いて『天上界』や『イデアの世界』を目指す。どちらも『真の世界』と思われているけれど、本当は幻でしかない。『大地に忠実であれ』とニーチェは言った、『この世ならぬ希望を語る者に耳を傾けるな』とね」

「ふうん」

「キルケゴールとニーチェから影響を受けたのが、ドイツの実存哲学者、マルティン・ハイデガーだけど、この人は飛ばして、フランスの実存主義者、ジャン゠ポール・サルトルに行こう。サルトルは一九〇五年生まれで一九八〇年に亡くなった。実存主義のリーダー的存在で、広く社会に向けてこの考え方を代弁した。サルトルは第二次世界大戦の終わった一九四〇年代から、独自の哲学を展開した。のちにはフランスのマルクス主義運動に参加したけれど、共産党には入らなかった」

「だからきょうはフランス風のカフェで会うことにしたの？」

「ま、そういうこともある。サルトルはカフェの常連だった。こんなカフェで、生涯の伴侶、シモーヌ・ド・ボーヴォワールに出会った。彼女も実存哲学者だ」

「ようやく女の哲学者が出てきた」

「そうだね」

「これでやっと人類の文明化が始まったんだわ、よかった」

「でも、ぼくたちの時代にもいろいろと困った問題が新しく出てきている」

「実存主義の話だったんじゃない？」

「サルトルは『実存主義はヒューマニズムだ』と言った。実存主義は人間自身から出発する、と言っているんだね。でもサルトルのヒューマニズムは、ルネサンスのところで見た人文主義（ヒューマニズム）とはちがっている。つまり人間が置かれた状況を暗いものとして見たんだ」

「どういうこと？」

「キルケゴールや、二十世紀でも何人かの実存主義者たちはキリスト教徒だった。これにたいしてサルトルは、無神論的実存主義の代表選手だ。サルトルの哲学は、人間の状況の容赦ない分析と考えていいだろう。なにしろ神は死んだのだから。この『神は死んだ』という有名なことばは、ニーチェが言ったんだよ」

「それから？」

「サルトルの哲学のキーワードは、キルケゴールと同じように『実存』だ。実存するということは、ただ存在するということとはちがう。植物も動物も存在するけれど、自分が存在することにどんな意味があるんだろう、なんて悩んだりしない。自分の存在が気がかりでしかたないのは人間だけだ。サルトルは、人間以外のものはただごろっとそこにあるもの、自分にべったりくっついて自分から距離をとれないものだけど、人間は自分から離れて自分に向きあうことができる、と考えた。そして、ものがこんなふうに自分べったりで存在していることを『即自存在』と呼んだ。もっとも、自分べったりなら自分というものもないのだけれど。そして人間のように、自分に対面することができる存在のしかたを『対自存在』と表現した。だから『人間である』ということは『ものである』というのとはちょっとちがうんだ」

「そのとおりね」

「サルトルはさらに、人間の実存は、人間とはどういうものかということより先にある、と言っている。わたしがこの世に来てしまっているという事実は、わたしは何であるかということよりも先だ、ということだ。つまり、わたしがあるということは、わたしが何であるかということよりも先なんだ、ということだ。これを縮めると、『実存は本質に先立つ』というサルトルの有名な表現になる」

「むずかしい言い方ね」

「人間の本質とは、人間は本来これこれこういうものである、という定義だ。サルトルによれば、人間にはそういう本質はない。人間は自分をゼロからつくらなければならない。人間は自分の本質をつくらなければならないんだ。そんなもの、もともとないんだからね」

「ちょっとわかってきたかな」

「哲学の歴史をつうじて哲学者は、人間とは何か、人間の本質とは何か、という問いに答えようとしてきた。ところがサルトルは、人間には拠り所となるような、そんな永遠の本質なんかない、と考えたんだ。だからサルトルによれば、ぼくたちはなぜ、なんのために生きているか、という問いに一般的な答えを出すことも、まったくナンセンスなんだ。別の言い方をすれば、ぼくたちは生を即興に演じなければならないという、ハードな運命にあるのだ。ぼくたちは役を仕込まれていない役者だ。シナリオもなければ、何をしたらいいかそっと耳打ちしてくれるプロンプターもなしで、気がついたら舞台に突き出されている。どうするかは、ぼくたち自身が決めなくてはならない」

「それは言えてると思う。もしも聖書とか哲学の教科書をのぞいて生き方を決めていいなら、うんと楽だろうな」

「わかってきたみたいじゃないか。人間は、自分が実存すること、いつかは死ななければならないこと、そしてなによりも、そういうことにはまるで意味なんかないことを知ると『不安』になる、とサルトルは言った。キルケゴールが表現した実存的な状況の人間にとっても、不安はとても重要だったのを憶えているだろう?」

「憶えてるわ」

「サルトルは、人間は意味のない世界で自分を疎遠(フレムト)に感じる、とも言っている。疎外感をいだくのだ。一人ぽっちで場違いなところに投げこまれて、周りはよそよそしいし、孤独だな、という感情だ。人間の『疎外(エントフレムドゥング)』と言う時、サルトルはヘーゲルやマルクスの思想の核心を受けついでいることになる。人間は自分がこの世界のよそ者だと感じると、絶望、倦怠(けんたい)、嘔吐(おうと)、不条理感に襲われる、とサルトルは言った」

「ひらたく言えば、いやになっちゃうとか、むかつくとかいうこと?」

「そうだね。サルトルは二十世紀の都市の人間を描いた。ルネサンスの人文主義者たちは、人間の自由と独立を高らかにうたいあげたよね。ところがサルトルにとっては、人間の自由は呪(のろ)いだった。サルトルは『人間は自由の刑に処されている』と書いた。自由は人間にとっては運命なんだ。人間は自分で自分を自由であるようにつくったわけではないからだ。世界に投げ出されていながら、何をしても自分の責任になってしまうからだ」

「自由な個人にしてくださいって、だれかにお願いしたわけじゃないものね」

「サルトルもそう考えた。なのにぼくたちは自由な個人であるのだ、そしてその自由のために、ぼくたちは自分でなにもかも決めるように、死ぬまで運命づけられている。頼りになる永遠の価値も基準もない。ぼくたちがどんな決断をするか、どんな選択をするかが、とてつもない重みをもってくる。人間は、自分がしたことの責任からぜったいに逃れられない、とサルトルは言った。この責任は軽くいなすわけにはいかない。仕事だからしかたないとか、どう生きるべきかは世間の期待にそうよりしかたないとか、言ってはいられないんだ。そんなふうにして顔のない群衆のなかにずるずるとずり落ちてしまう人は、人格や個性を失った大衆の一人になってしまう。そういう人は自分というものから逃げて、自分で自分をだましている。でも、人間の自由は黙っていない。ぼくたちに、自分自身で何かをするよう、真に実存して本物の人生を送るよう強いているのだ」

「なるほどね」

「そこで、まず問題になるのがぼくたちの道徳的な決断だ。ぼくたちは人間の本質や人間の弱さに、自分の行動の責任をなすりつけるわけにはいかない。よく中年のおじさんたちがいやらしいことをして、『これが男というものさ』と言い訳する。でも『これが男というもの』なんてどこにもない。この人が、自分の行動の責任に頬っかむりをしているだけなんだ」

「でも、これはこの人の責任だっていうけじめがどこかにあるはずだわ」

「サルトルは、生には決まった意味はないと主張したけれど、だからと言って、なにもかもどうでもいいとは思っていなかった。つまりサルトルは虚無主義者ではなかった」

「なに、それ?」

「意味のあるものなんかないのだから、なんでも許されるとする人のことだ。サルトルは、生には意味がないわけにはいかない、と考えた。これは逃れられない定めだ。しかも、ぼくたち自身がぼくたちの生の意味をつくらなくてはならない。実存するというのは、自分の存在を自分で創造するということだ」

「もう少しよく説明してくれる？」

「サルトルはまず、なにも知覚していないような意識は存在しない、ということを証明しようとした。なぜなら意識とはかならず何かについての意識だからだ。この何かは、ぼくたち自身と、ぼくたちをとりまく世界との合作だ。何を感じるかの決定には、ぼくたち自身も参加しているんだ。だって、ぼくたちは自分にとって意味のあることを自分で選んでいるのだから」

「たとえば？」

「二人の人が一つの部屋にいても、二人はこの部屋をまるでちがったふうに受けとめる。まわりのものを知覚する時、ぼくたちは自分の意向や関心をはたらかせるからだ。たとえば妊娠している人は、そこいらじゅうお腹の大きい人だらけに感じたりする。それまで妊娠している人がいなかったわけじゃない。彼女にとって妊娠が新しく意味をもったということだ。病気の人なら、いたるところで病人が目につくだろうし……」

「そういうことか」

「ぼくたち自身の存在のしかた、生き方が、部屋にあるものをどんなふうに知覚するかを左右している。ぼくにとってとるに足らないものは、見えてはいても見てはいないのだ。さてそろそろ、なぜぼくが遅刻したかを説明することにしようか」

「遅刻するつもりだったたって言ったわね？」

「最初にきみのほうから、カフェに来てまず何を見たか、話してくれないか」

「アルベルトがいないってこと」

「それはちょっとへんじゃないかい？　まず見たものがそこにないものだったなんて」

「そうかもね。でも、わたしはアルベルトに会うつもりだったのよ」

「サルトルはこういうカフェでの待ちあわせを使って、ぼくたちが自分に関係ないものは『無に』する、ということを説明している」

「そんなことのために遅れてきたの？」

「きみに、サルトル哲学のポイントをつかんでもらうためだよ。あれは予習問題だったと思ってほしいな」

「アルベルトったら、もう！」

「もしもきみが恋をして、彼の電話を待っていたとするよ。するときみは一晩じゅう、彼からの電話の鳴らない呼び出し音を聞いているのだ。きみが一晩じゅう確認しているのは、彼から電話がかかってこないということなんだ。電車でやってくる彼を迎えに行ったのに、ホームがすごい人混みで、彼とうまく落ちあえなかったとするね。その時、きみはおおぜいの人びとのだれ一人のことも見ていない。その人たちはじゃまなだけで、きみにはどうでもいいものでしかない。たぶん、きみにとってその人たちは感じ悪くてむかつくだろう。なんてあつかましい人たちなんだろうって思うよね。きみの心を占めているのはただ一つ、そこにいるのは彼ではない、ということだけだ」

「わかるわ、そういうの」

「シモーヌ・ド・ボーヴォワールは、実存主義を性役割の分析に応用した。サルトルは、人間はこういうものだという、人間の永遠の本質を頼ることはできない、と言ったのだったね。ぼくたちが何者かは、ぼくたちがつくるのだ、と」

「それで？」

「これは、性別のとらえ方にも言える。ボーヴォワールは、女性とはこういうもの、男性とはこういうものというような、永遠の女性の本質も男性の本質もない、と言ったんだ。そんなものは通説にすぎない、と。たとえば、男は『超越的』だ、つまり限界に挑戦して、どんどん乗り越えていく本質をもっている、と言われる。だから男は外に出て意味や目的を求めるのだし、またそうでなくてはならない、と。女はこれとは正反対の生き方をする。女は『内在的』で、現に自分がいるところにとどまろうとする。だから家庭や身の回りのこまごまとした世話をしたがるし、またそうでなくてはならない。女性は男性よりもこまやかなことに向いている、という言い方は、最近でもよく聞くね」

「ボーヴォワールはほんとにそう思っていたの？」

「とんでもない。ぼくの話の道筋をとらえそこなったなんて、きみにしちゃめずらしいね。ボーヴォワールは、そんな女性の本質も男性の本質もないって言ったんだ。まったく逆だよ。ボーヴォワールは、女性も男性もがんこに根を張っているそういう先入観からなんとしても解放されなければならない、と考えたんだ」

「だったらボーヴォワールに大賛成よ」

「ボーヴォワールのいちばん重要な本は、一九四九年に出た『第二の性』だ」

「そのタイトル、どういう意味？」

「女性、ということだ。女性はぼくたちの文化のなかで初めて『第二の性』へとつくられる、ということだ。この文化のなかでは男性が主体だ。これにたいして女性は男性にとっての客体にさせられる。そして女性は自分自身の生にたいする責任を取りあげられるのだ」

「はあ……」

「ボーヴォワールは、女性はこの責任を奪い返さなければならない、と言っている。女性は自分を取りもどし、安易にアイデンティティを夫に結びつけてはいけない。わたしはこれこれこういう男の妻です、なんてことで満足してちゃいけないのだ。女を抑圧しているのは男だけではない。女は、自分で生きていく責任をひきうけないかぎり、自分で自分を抑圧しているのだ」

「自分のことは自分で決めなければ、自由でもなければ独立してもいないのね？」

「そういうことだ。実存主義は四〇年代のヨーロッパの文学に色濃く現れている。とくに演劇がそうだ。サルトルも小説や戯曲を書いた。このほか重要な作家には、フランスのアルベール・カミュ、アイルランドのサミュエル・ベケット、ルーマニアのウージェーヌ・イヨネスコ、ポーランドのヴィトルド・ゴンブローヴィチなどがいる。この人たちをはじめとする多くの現代作家は不条理を表現した。不条理演劇って、聞いたことある？」

「聞いたことはね」

「じゃあ、『不条理』ってなんだい？」

「ナンセンスなこととか、理性で考えたらでたらめなこととか。キルケゴールのところで出てきた『不条理ゆえにわれ信ず』っていうの、あれでしょ？」

「いい記憶してるね。『不条理演劇』は存在の無意味さを表そうとする。観客はただ劇をながめるだけでなく、ぎくっとすることを求められる。無意味さを賛美することが目的ではないんだ。その反対に、日常生活のなかの不条理を表現して、その正体をあばくことで、観客に、もっとまともな生き方はないんだろうか、と考えさせるのだ」

「もっとくわしく話して」

「不条理演劇ではよく、ごく卑近な状況が取りあげられる。だから一種の『ハイパーリアリズム』と言ってもいいんだけど。人間がいやと言うほどありのままに描かれるんだ。でもね、ごくふつうの朝のごくふつうの家のごくふつうのバスルームの出来事を舞台でやったら、観客は笑ってしまうよ。そして、この笑いは自分自身が舞台の上で茶化されていることへの防衛反応だったんだな、と気づくんだ」

「なるほどね」

「不条理演劇はシュルレアリスム的な筋のこともある。登場人物たちはぜったいありえないような、夢のような状況をくりひろげる。彼らは、それがおかしなことだと驚くそぶりも見せないので、観客のほうでは、この驚きが欠けているということにぎょっとする。これはチャーリー・チャプリンの無声映画にも言える。チャプリンの映画がおかしいのは、チャプリンがいくら不条理なほどひどい目にあっても、ちっともへんだと思ってないからだ。観客はそれを笑うけど、同時に自分は何に驚いているのだろう、なぜぎくっとしたのだろう、といやおうなしに考えてしまうのだ」

「なんにも反抗しないでがまんしている人を見たら、たしかに驚くわ」

「出て行く先はわからないけど、とりあえずここにこうしていてはだめなんだって感じることが正しいばあいがある。不条理演劇が問いかけるのはそういうことなんだ」

「家が火事になったら、ほかに泊まるところがなくても飛び出さなくてはならないわ」

「ああ、そうだよね。ところで、紅茶をもう一杯どう？　それともコーラかなんかにする？」

「そうね。でも、どんなにおごってくれたって、遅刻は帳消しにならないわよ」

「まあ、なんとでも言ってくれ」

ほどなくアルベルトはエスプレッソとコーラをもって戻ってきた。ソフィーはカフェの居心地がよくなってきた。今では、ほかのテーブルで交(か)わされている会話がすべてくだらないとも思わなくなっていた。

アルベルトは、トンと音を立ててコーラのビンをテーブルに置いた。何人かの客がこっちをふりむいた。

「さてこれで、ぼくたちの旅は終わりだ」アルベルトは言った。

「哲学はサルトルと実存主義で終わりなの？」

「いや、そうじゃない。実存主義哲学は世界じゅうのたくさんの人びとに影響をおよぼした。見てきたように、実存主義のルーツはキルケゴールや、さらにはソクラテスにまでさかのぼれる。同じように、過去のいろんな哲学の流れが二十世紀にもう一度花を咲かせ、衣替えして登場している」

「たとえば？」

「新（ネオ）トマス主義はトマス・アクィナスの伝統につらなる思想をもう一度取りあげている。いわゆる分析哲学、論理実証主義はヒュームやイギリスの経験主義や、アリストテレスの論理学をとらえなおしている。それから二十世紀にはいわゆる新マルクス主義のたくさんの潮流が現れた。ネオダーウィニズムのことはもう言った。精神分析のもつ意味にもふれた」

「なるほどね」

「もう一つ、忘れてならない最後の流れが唯物論だ。このルーツも歴史と同じくらい古い。現代科学には、ソクラテス以前の哲学者たちの努力をひきついでいる分野がいくつもある。たとえば、すべての物質をつくっている、それ以上は分けられない小さな元素探しは、今でもつづいているんだよ。そして今でも、物質とは何か、だれもちゃんと説明できないんだ。また現代の自然科学、たとえば原子物理学や生化学はすごく魅力的で、ここから人生哲学を汲みとっている人も多い」

「現代は新しいことと古いことのごったまぜ……」

「そう言ってもいいね。なにしろぼくたちがこの講座の初めに立てた問いは、まだ答えが出てないんだから。実存に関する問いは一回こっきり『はい、これです』と答えが出るようなものではない、とサルトルは言ったけど、これは重要な発言だ。結局、哲学の問いとは、それぞれの世代が、それぞれの個人が、何度も何度も新しく立てなければならないんだよ」

「絶望的な話ね」

「そう？　絶望的って言っていいかどうか、ちょっとわからないね。でも哲学の問いを立てる時こそ、生きているって実感しないかい？　それに、人間は大きな問いの答えを探していて、ついでに小さな問いの正しい答えをいくつも見つけてきたじゃないか。科学や研究や技術はみんな、哲学の思索から生まれたんだ。とうとう人間を月まで行かせてしまったのは、もとはと言えば存在にたいする人間の驚きだったんだよ」

「そう言われればそうね」

「宇宙飛行士のアームストロングが月に足をおろした時、こう言った。『この一人の人間の小さな一歩は、人類の偉大な飛躍だ』アームストロングは、月に第一歩をしるした自分の経験には、自分より前に生きたすべての人の経験がこもっている、と言ったんだね。彼がなしとげたことは、彼だけの手柄ではないし、現代人だけの手柄でもない」

「もちろんそうね」

「ぼくたちの時代はいろんな新しい問題に直面している。まずは深刻な環境問題だ。だから、二十世紀の重要な哲学の流れの一つはエコロジーだ。エコロジストたちは、ぼくたちの文明はまちがった道を歩んできた、地球という惑星の存続に矛盾するようなコースをたどってきた、と主張している。エコロジストは環境汚染や環境破壊の具体的な結果をきわめるだけでなく、問題をもっと深く掘り下げて、ヨーロッパの思想はどこかおかしい、と言っている」

「エコロジストの言うとおりだと思うわ」

「エコロジーは、たとえば進歩の思想を問題にする。進歩の思想は、人間は自然界のトップにいるということを、つまりぼくたちは自然界の主人なのだということを踏まえている。そしてまさにこの考え方が命の惑星全体を生命の危険にさらすかもしれないのだ」

「考えただけでも腹が立ってくるわ」

「進歩の思想を批判するのに、多くのエコロジストは思想やアイディアを、たとえばインドなどのほかの文化から借りてくる。ぼくたちがとっくに失ってしまったものが見つかりはしないかと、自然民族と呼ばれる人びとの思想や生活を研究する」

「なるほどね」

「最近は科学の内部からも発言する人びとが出てきて、ぼくたちの科学的な思考は『パラダイムの変換』をせまられている、と言っている。科学的思考の枠組みをおおもとから組みなおさなければならない、ということだ。これはたくさんの専門分野で豊かな成果をあげている。それから、いわゆる『オルターナティヴ運動』の例ならいくらでも目にする。ものごとをトータルに考えて、新しい生活のスタイルをつくっていこうとする運動だ。オルターナティヴ、つまり『もう一つの選択』というのは、今ぼくたちが採用しているやり方よりももっといい、別のやり方はないのか、という問題提起の姿勢を表しているんだ」

「それ、いいわね」

「だけど、人間のすることはなにごとも玉石混交だね。だからいい悪いを選り分けなければならない。ぼくたちは新しい時代、『ニューエイジ』に近づいている、と言う人がいっぱいいる。でも、新しければなんでもいいとも言えないし、古いものはなんでも捨てればいいというものでもない。だからこの哲学講座をやったのだ。きみはもう、ぼくたちの思想の歴史という背景を知っている。だから石ころと宝石の見分けもつくだろう。それができれば、人生の方向が見つけやすくなる」

「アルベルト、ほんとに感謝してるわ」

「きみなら、ニューエイジの旗印をかかげている多くのことがただのイカサマだと見きわめられると、ぼくは信じているよ。なにしろ先進国のあいだでは、『新宗教』とか『新オカルティズム』とか呼ばれるものがここ十年ばかりやけに幅をきかせているからね。一大産業になっているほどだ。キリスト教が意味を失っていったいっぽうで、世界観の市場には、まるできのこみたいににょきにょきはえた新手の商品が売りに出されているんだ」

「なにかたとえをあげてくれる?」

「リストは長すぎて、どこから始めたらいいか迷ってしまうよ。それに、自分自身の時代を論じるのはそう簡単ではない。例をあげるかわりに、町を散歩しないか? きっといろんなものが見つかると思うよ」

ソフィーは肩をすくめた。

「時間はあんまりないな。あしたはガーデンパーティだって、忘れたの?」

「もちろん、憶えているさ。だって、すばらしいことが起こるんだからね。でも、まずはヒルデの哲学講座を終わらせなければ。そこから先は、少佐はなにも考えてない。だから、少佐はちょっと神通力を失うことになる」

アルベルトは空になったコーラのビンをもちあげて、テーブルにトンと音をたてた。


二人は通りに出た。人びとは蟻の大群のように、せわしなく行ったり来たりしている。アルベルトは何を見せる気だろう、とソフィーは考えた。

ほどなく二人は大きな電化製品の店の前をとおりかかった。テレビ、ビデオ、衛星アンテナ、携帯電話、コンピュータ、ファクシミリ——なんでもそろっている。

アルベルトは大きなショウウインドウを指して、言った。

「これが二十世紀だ、ソフィー。ルネサンス以来、世界は爆発的に広がっていった。現代の人びとは世界じゅうを旅行する。今では逆さまの爆発とでも言えることが起こっている」

「どういう意味?」

「全世界が一つのコミュニケーションネットで結ばれる、ということさ。哲学者たちが世界を知ろうとしたり、ほかの思想家と会おうとすれば、馬や馬車で何日もかかっていたのは、そんなに昔のことじゃない。なのに今では、この惑星のどこにいても、ありとあらゆる人間の経験をコンピュータのスクリーンに呼び出すことができる」

「そう考えるとすごくファンタスティックね。でもちょっぴり怖いわ」

「問題は、歴史は終わりに近づいているのか、それとも逆に、ぼくたちはまったく新しい時代のとば口に立っているのか、ということだ。ぼくたちはもう、ある町や国のたんなる住民ではない。ぼくたちは丸まる一つの惑星文明を生きているのだ」

「そのとおりね」

「とくにコミュニケーションの分野では、この三、四十年の技術の進歩はそれまでの歴史を全部あわせたよりもドラマティックだった。しかもぼくたちが経験しているのは、たぶんただの始まりで……」

「その例を見せてくれるの?」

「いや、ちがう。きみに見せようと思ったのは、あの教会の向かいだ」

二人が歩き出そうとしたちょうどその時、テレビに一群の国連軍兵士が映った。

「見て!」ソフィーが言った。

一人の兵士がアップになっていた。アルベルトとほとんどそっくりの黒い髭をたくわえている。ふいに兵士が何か書いた紙をかかげた。「もうすぐ帰るよ、ヒルデ!」兵士はウインクを一つして、スクリーンから消えた。

「あの野郎!」アルベルトが吐き出すように言った。

「あれが少佐かしら?」

「ぼくにきいたって無駄だよ」

二人は教会の前の公園をとおって、新しい中央通りにやってきた。アルベルトは少しピリピリしていたが、こんどは大きな書店を指さした。その「リブリス」という本屋は、町でいちばん大きな本屋だった。

「ここで何か見せてくれるの？」

「まあ、入ろう」

店に入ると、アルベルトは大きな書棚を示した。そこには、「ニューエイジ、オルターナティヴ、オカルト」の三つの分野の本が同居していた。

棚にならぶ本のタイトルはどれも刺激的だ。『死後の生はあるか？』『心霊術の神秘』『タロットの驚異』『UFO現象』『奇跡のヒーリング』『帰ってきた神々』『あなたは生まれ変わりだ』『占星術のすべて』――こんなタイトルが何百もならんでいる。棚の前の台には、同じようなタイトルの本が何種類も、うず高く平積みになっていた。

「これも二十世紀だ、ソフィー。ぼくたちの時代の寺院だ」

「アルベルトはこういうものは信じてないんでしょう？」

「たいていはいかがわしいよ。でも、ポルノと同じくらいよく売れる。ポルノと言ってもいいようなものもたくさんある。若い人たちがこのなかからとびきり刺激の強いものを買っていく。でも本物の哲学とこういう本の関係は、本物の愛とポルノの関係みたいなものだ」

「口の悪い人ね、まったく」

「公園にでも行って、座ろうか」

二人は本屋をあとにした。教会の前のベンチが空いていた。木陰を鳩たちが、わがもの顔に歩きまわっている。なかに何羽か、気ぜわしい雀も混ざっている。

「『超感覚的知覚（イー・エス・ピー）』だとか、『超心理学（パラ）』だとか」アルベルトが話しはじめた。「『テレパシー』『霊視』『念動（サイコキネシス）』『心霊現象』『占星術』『UFO学』『超能力』『霊能者』。名前はどうにでもつけられるもんだね」

「でも、こういうのが全部インチキだって言うの？」

「そりゃもちろん、なにもかもいっしょくたにすることは本物の哲学者にはふさわしくない。でも今言ったものは、たとえどんなにくわしくても、ありもしない国の地図だ、と断言したいところだな。ヒュームが見たら、ほとんどを『まやかしとペテン』と呼んで火に投げこもうとしただろう。ぼくはこういう本のなかで、本物の経験なんか一度もお目にかかったことがない」

「じゃあ、なぜこんなに信じられないくらいたくさんこういう本が書かれるの？」

「商売になるからだよ。こういうものを読みたがっている人がたくさんいるのさ」

「その人たちはなぜ読みたがるの？」

「退屈な日常を超えたものを教えてくれる、なにか『神秘的なもの』や『異質なもの』へのあこがれを感じているからだ。でも惜しいことに、どこかで道を踏みはずした」

「どういうこと？」

「ぼくたちは不思議な物語のなかを動きまわっているんだ、ソフィー。目の前には明るい陽の光に照らされたすばらしい創造の世界が広がっているんだよ、ソフィー！　これだけでも信じられないことじゃないか？」

「ほんとね！」

「なのに、どうして占い師におうかがいを立てたり、似非（えせ）科学に首をつっこんだりして、『ドキドキすること』や『日常の外に踏み出すようなこと』を体験する必要があるんだろう？」

「ああいう本の作者は嘘ばっかりのでっちあげをしているっていうこと？」

「そんなことは言ってない。じゃあ、これをダーウィンで説明してみようか」

「聞きたいわ」

「ある一日のうちに起こるかもしれないいろんなことを、全部考えてごらん。きみの人生の一日にかぎってみてもいい。見たり聞いたりしたことを、みんな考えてごらん」

「はあ？」

「いろいろ奇妙な偶然に出くわす。たとえば店で二十八クローネの買い物をする。そのすぐあとにヨールンと出会ったら、前に貸した二十八クローネを返してくれる。それから二人で映画を観に行って、座った席が二十八番だ」

「ほんとに不思議な偶然の一致ね」

「だけどつまりは偶然なんだよ。こういう偶然をコレクションする人があとを絶たないということなのさ。偶然を神秘な、あるいは説明のつかない経験と称して集めまくるのだ。本のなかから何十億もの人の人生のそういう偶然をピックアップして集めたら、圧倒的な証拠資料になるだろうさ。しかも資料はどんどん増える。だけどこれも、当たりくじだけ集めたくじ引きなんだよ」

「へえ、どんな？」

「でも、しょっちゅうそういう偶然を経験してる超能力者や霊媒だって、いるんじゃない？」

「いるさ。ただのペテン師たちは別とすれば、こういう神秘な体験には意味深い説明がつくんだ」

「フロイトの無意識の理論を憶えているね？」

「わたしは忘れっぽいほうじゃないって、何度言ったらいいの？」

「フロイトは、ぼくたちは自分の無意識のある種の霊媒になることがある、と言った。ぼくたちは、なぜだかはっきりとはわからないままに何かをしたり考えたりしていることに、はっと気がつくことがある。これはぼくたちが、意識しているよりもずっとたくさんの経験や思考をしているからだ」

「うん……」

「寝言を言ったり、眠りながら歩きまわったりするのは、いわば心の自動筆記だ。催眠状態でも自分から何かを言ったりしたりする。シュルレアリストたちは自動的に書こうとした。自分で自分の無意識の霊媒になろうとしたんだ」

「それも憶えているわよ」

「二十世紀になっても、霊媒が何百年も前の人のメッセージを受けとった、ということがちょくちょく報告されている。霊媒は死者の声で話すか、死者の言うことを自動的に書くかする。これが、死後にも生はあることや、人は何度も生まれ変わることの証明とされる」

「そうね」

「こういう霊媒をみんなペテン師だと言うつもりはない。下心のない人もいるだろう。その人たちはたしかに霊媒なんだろう。でもただ、彼ら自身の無意識を媒介する霊媒なんだ。トランス状態で、どうしてそんなことが可能なのか自分でも説明のつかない知識や能力を披露する霊媒を研究した例はいっぱいある。たとえば、ヘブライ語を知らない女の人が突然ヘブライ語をしゃべり出すとか。この女性は過去にも生きていたにちがいない！　それとも、ヘブライ語を話す死者の魂と本当にコンタクトをとっているのだ！　そうだろう？　ソフィー」

「アルベルトはどう思うの？」

「この女の人には、小さい頃にユダヤ人の遊び友だちがいたことがわかった」

「なあんだ」

「がっかりした？　でも、昔の経験を無意識のなかにずっとしまいこんでおけるなんて、それだけでもじゅうぶんファンタスティックじゃないか」

「アルベルトの言いたいこと、わかったわ」

「日常のなかの奇跡みたいなことには、これ以外にもいろいろフロイトの理論で解明できるものがある。突然、もう何年も会っていない友だちから電話がかかったのが、ちょうどこちらも電話しようと思って番号を探していた時だったり……」

「背中がゾクゾクっときたわ」

「この偶然と見える出来事の原因はたとえば、ぼくと友人が最後に会った時に流れていた古い歌がラジオから流れて、それを二人とも聞いたのだ。ただ、この隠された関連にぼくたちが気づいていないだけなんだ」

「ペテンか……当たりくじ効果か……それとも無意識ってわけ？」

「とにかく、ああいう書棚には眉に唾して近づいたほうが、心の健康にはいいよ。哲学者にはとくに大切なことだ。イギリスには懐疑家のクラブがある。何年も前にこのクラブは高額の賞金を出した。どんなささいなものでもいいから超常現象の例を提示してほしい、というのだ。テレパシーのほんのちょっとした例でもいいんだ。ところが今のところ、応募はぜんぜんないんだそうだよ」

「なるほどね」

「いっぽうで、ぼくたち人間には理解できないことはいくらでもある。たぶん、自然の法則もすべて解明されてはいないんだろう。十九世紀には磁気や放電のようなたくさんの現象が、一種の魔法と見なされていた。ぼくの曽祖父（ひいおじい）さんなんか、テレビやコンピュータのことを話したら、目を丸くするだろうな」

「でも、超常現象はぜったい信じない？」

「すべての真の哲学者は目を大きく開いていなければならない。たとえ白いカラスは見たことがなくても、探すことをやめてはいけないんだ。そしていつの日か、ぼくのような懐疑家だって、それまで信じようとしなかった現象を認めることもあるかもしれない。この可能性を認めなければ、ぼくは教条主義者になってしまう。真の哲学者ではなくなってしまう」

しばらくのあいだ、アルベルトとソフィーは黙ったままベンチに座っていた。鳩たちは首を伸ばし、クウクウと鳴いている。ときおり自転車がとおったりして、なにか急な動きがあると、鳩の群れは空高く舞いあがった。

「そろそろ帰って、パーティの準備をしなくちゃ」ソフィーが言った。

「別れる前に、白いカラスを見せてあげよう。意外とすぐそばにいるんだ」

アルベルトはベンチから立ちあがり、もう一度本屋に行く、と身振りで示した。

こんどは超常現象のコーナーは無視した。奥のほうのとても小さな棚の前で、アルベルトは立ち止まった。棚の上には「哲学」と、小さな表示がしてある。

アルベルトは一冊の本を示した。タイトルを読んで、ソフィーははっと息をのんだ。『ソフィーの世界』

「買ってあげようか?」

「どうしよう?」

けれどもそれからほどなく、ソフィーはいっぽうの手にあの本を、もういっぽうにはガーデンパーティのための買物を入れた袋をさげて帰っていった。

ガーデンパーティー――白いカラス

ヒルデは石になったようにベッドに座っていた。腕がこちこちだ。大きなバインダーを支えていた手はふるえがとまらない。

もうかれこれ十一時。時どき、バインダーから顔をあげて大声で笑った。目をそむけてため息をもらしたこともあった。家にいるのがわたし一人でよかった。

けさ読んだ部分には、たぶん核心がひそんでいる！　ヒルデは、ソフィーが森の小屋からの帰り道で、少佐の注意をひきつける陽動作戦に出たところから読みはじめたのだった。ソフィーはとうとう木登りまでした。そして救いの天使、ガチョウのモルテンがレバノンから飛来した。

ずっと前、パパは『ニルスの不思議な旅』を読んでくれた。そのあとかなりのあいだ、ニルスの物語にちなんだ、パパとわたしにしかわからないやりとりを楽しんだっけ。だからパパはここに、あのニルスのガチョウを登場させたのだ。

それから、ソフィーは生まれて初めて一人でカフェに入った。アルベルトの語るサルトルと実存主義の話に、ヒルデはとりわけ引きこまれた。アルベルトの言うことは、いちいちがとっくりと心にしみた。でもこのバインダーを読むなかで、これまでにもそういうことは何度もあった。

一年くらい前、ヒルデは占星術の本を買った。タロットカードをもち帰ったこともある。三度目は心霊術の本だった。父親はそのたびに、理性や迷信ということばをもち出して二言三言たしなめたが、今、その思いのたけをまとめてどさっとぶつけてきたのだ。娘には、そういううさん臭いものへのしっかりとした免疫をつけないでおとなになってほしくない、という父の思いがひしひしと伝わってきた。だめ押しのように、電気屋のテレビからウインクまで送ってよこした。なにもそこまでしなくてもいいのに……。

それにしても、この黒い髪の女の子のことはいったいどう考えたらいいのだろう？

ソフィー、ねえソフィー、あなたはだれ？　どこから来たの？　どうしてわたしの生活に割って入ったりしたの？

最後にソフィーはソフィー自身についての本を手に入れた。それはヒルデが今ここにもっているのと同じもの？　まあ、これはただのバインダーだけど。とにかく、自分についての本のなかで自分についての本に出くわすなんて、そんなことあるかしら？　ソフィーがその本を読んだらどうなる？

これから何が起こるのだろう？　いったい何が？

ヒルデはほんのわずかな残りページを指で確かめた。

家に帰ろうと町中からバスに乗ったソフィーは、母とばったり会ってしまった。まずい！　わたしがもっている本を見たら、ママはなんて言うだろう？

ソフィーは本を、パーティのための買った紙テープや風船が入っている紙袋のなかに押しこもうとしたが、だめだった。

「あら、ソフィー、同じバスだったの？　よかったわ」

「ああ、ママ……」

「本を買ったのね？」

「ううん、そうじゃ……」

「へえ、『ソフィーの世界』か。どんぴしゃりじゃないの」

ソフィーは、ここで嘘をついてもしかたない、と観念した。

「アルベルトが買ってくれたの」

「そんなことだろうと思ったわ。前にも言ったけど、お近づきになれるのが楽しみよ。ちょっと見ていい？」

「帰ってからにしない？　これはわたしの本よ」

「もちろん、あなたの本だわ。書き出しのところをちょっと見てみたかっただけ……あら、やだ！『ソフィー・アムンセンは学校から帰るところだった。とちゅうまではヨールンといっしょだ。二人は道みちロボットのことを話していた……』」

「うそ！」

「ほんとよ、そう書いてある。この本はアルベルト・クナーグって人が書いたのね。知らないな、こんな作家。あなたのアルベルトさんはなんて名字？」

「ははん、これはですねえ、その変わった方があなたについて丸ごと一冊、この本を書いたのよ、ソフィー。ペンネームでね」

「クノックス」

「アルベルトが書いたんじゃないったら！　どうしてすなおに認めないの？　ママはなんにもわかってないんだから」

「はいはい。でもあしたはガーデンパーティですからね。なにもかもはっきりするわ」

「アルベルト・クナーグはぜんぜん別の世界の人なの。だからこの本は白いカラスなの。ありっこないもの」

「もういいかげんにして。なによ、白いカラスって？　白兎じゃなかったの？」

「やめましょ！」

母と娘は、クローバー通りで降りるまで口をきかなかった。降りたった二人は、時ならぬデモ隊に巻きこまれた。

「なにこれ！」ソフィーの母が言った。「このあたりまでデモが出張ってくるなんて、思ってもみなかった」

デモ隊はせいぜい十一、二人だった。手に手にプラカードをもっている。「少佐がもうすぐやってくる！」「聖ヨハネの夜のごちそう大歓迎」「国連がんばれ！」

ソフィーは母がほとんどかわいそうになった。

「気にすることないわ」ソフィーは言った。

「だけどおかしなデモだと思わない？　ソフィー。頭で考えたらでたらめなことばっかりよ、これは」

「そうでもないわ」

「世界はどんどん変わってますからね。驚きはしないけど」

「自分が驚かないということに、ママは驚かない？」

「ちっとも。あのデモ隊、暴力的でもなかったし。ただ、うちの薔薇の植え込みを踏んづけてないといいけど。庭でデモなんかやったって仕方ないものね。でも、いそいでようすを見てみなくちゃ」

「あれは哲学者たちのデモだったの、ママ。本物の哲学者なら薔薇を踏んづけたりしないわ」

「言っときますけどね、ソフィー、わたしは本物の哲学者がいるなんて信じないわよ。この頃はほんと、まがい物だらけなんだから」

午後は丸まる、しつらえや料理でつぶれた。翌日の昼前、二人はテーブルをセットして、庭のかざりつけをした。ヨールンが来て、いっしょに手伝った。

「最低！」ヨールンが言った。「ほんとにうちのパパとママも来るんですってよ。どうしてくれるのよ？　ソフィー」

　お客の到着三十分前に、用意はすべてととのった。庭の木々には紙テープと提灯（ちょうちん）がかざられた。電源は地下室の窓から長いコードをひっぱってとる。門にも庭の道にならぶ木々にも家のファサードにも、風船がくくりつけてある。ソフィーとヨールンは風船をふくらますのに二時間もかかった。

　テーブルにはもう、鶏の丸焼きとサラダ、丸パンとねじりパンがならんでいる。キッチンではチョコレートケーキと生クリームのトルテとクッキーが出番を待っている。二十四段の大きなバウムクーヘンは、もう外のテーブルに運んだ。バウムクーヘンのてっぺんには、堅信礼の白いドレスを着た女の子の小さな人形がのっている。ソフィーの母は、これは堅信礼とは関係ないただの十五歳の女の子だ、と言い張ったが、ソフィーは真（ま）に受けなかった。十五になったらそろそろ堅信礼のことを考えなければならないのだが、ついこのあいだソフィーが、受けるかどうかわからない、と言ったので、母が牽制（けんせい）のためにこの人形を飾ったにきまっている、と思ったのだ。

「ぱっと派手にやりましょ、派手に」母はまだくりかえしていた。

　招待された人びとがやってきた。最初に来たのはクラスの三人の女の子。三人とも、夏のブラウスに薄いニットのカーディガンをはおり、長いスカートをはいている。うっすらとアイシャドウを入れていた。そのあとすぐにヨルゲンとラッセが、はにかみを男の子らしいふてくされた顔でごまかしながら、ぶらぶらと入ってきた。

「お誕生日、おめでとう！」

「おとなになったってことだね！」

　ソフィーは、ヨールンとヨルゲンがこっそり目をあわせたのを見逃さなかった。空気が微妙に変化した。さわやかな夏至の前夜だった。

　みんながプレゼントをもってきた。なにしろ哲学ガーデンパーティだ。来る前に、いったい哲学ってなんなの、と聞いてきた子もいた。みんながみんな、哲学にちなんだプレゼントを思いついたわけではなかったけれど、プレゼントにそえるカードには哲学にまつわることを書こうと知恵をしぼったあとがうかがえた。プレゼントのなかには哲学事典や、表紙に「わたしの哲学メモ」と書かれた、鍵のついた日記帳があった。

　お客たちが到着すると、ソフィーの母はワイングラスにアップルジュースを注いでまわった。

「ようこそ！　あなたお名前は？……お会いしたことないわよね？……あら、来てくれてありがとう、セシーリエ！」

　ようやく女の子や男の子が全員そろって、ワイングラスを手に、果樹のあいだを歩きまわっていると、門の前にヨールンの家の白いメルセデスがとまった。収入役氏は、仕立てのいいグレーのスーツを着ていた。インゲブリットセン夫人は、金ラメの赤いパンツスーツといういでたち。ソフィーは、夫人はこんな服を着たバービー人形をおもちゃ屋で買ってきて、仕立屋に同じ服を仕立ててもらったのだ、という気がしてならなかった。可能性はもう一つ、収入役氏がバービー人形を買ってきて、魔法使いに人間にしてもらって結婚した、というもの。でもこれはありっこないから、ソフィーは第二の可能性を捨てた。

　二人はメルセデスを降りて、若いお客たちが目を丸くしているなか、庭に入ってきた。収入役氏はソフィーに細長い小さなパッケージを差し出した。バービー人形だ、とピンときたが、ソフィーはお行儀よく受けとろうとした。けれどもヨールンはかっとなった。

「パパもママもどうかしてるんじゃない？　ソフィーはもうお人形なんかでは遊ばないのよ！」

　インゲブリットセン夫人は、ラメをきらきらさせながら、ちょこちょことやってきた。

「飾っておけばいいのよ、ヨールン」

「おばさま、おじさま、ほんとにどうもありがとう」気まずい雰囲気をなんとかしようと、ソフィーが言った。「コレクションが増えたわ」

そうこうするうちに、お客たちはテーブルの周りに集まっていた。

「あとはアルベルトさんだけね」ソフィーの母親が言った。気がもめるのをごまかそうとするのか、やけに元気な声だった。この特別ゲストのことは、とっくにみんなのうわさになっていた。

「来るって約束したんだから、きっと来るわ」

「でも、お待ちしないで始めてたほうがいいんじゃない？」

「じゃあ、始めてる？」

ヘレーネ・アムンセンは、みんなに長いテーブルについてもらった。母とソフィーのあいだの席はあけておいた。それから母は料理のこと、きょうのお天気のこと、そしてソフィーがおとなの仲間入りをしたことについて、ちょっとあいさつした。

そうやって三十分もテーブルを囲んでいると、黒い髭をたくわえてベレー帽をかぶった中年の男が、クローバー通りに面した門から庭に入ってきた。男は十五本のバラの花束をかかえていた。

「アルベルト！」

ソフィーは飛びあがって、アルベルトに駆け寄った。そして首にだきついて、花束を受けとった。アルベルトはポケットをさぐって、大きな爆竹を何本か取り出すと、火をつけて遠くに投げた。テーブルに向かって歩きながら、電気花火にも点火して、ソフィーと母のあいだから手を伸ばし、パチパチと火花を散らす花火をバウムクーヘンのてっぺんに立てた。

「お招きにあずかりまして光栄です」とアルベルトは言った。

いならぶみんなはあっけにとられている。インゲブリットセン夫人は意味ありげな視線を夫に投げた。ソフィーの母親はほっとしていた。この男がようやく姿を現したので、もうなにもかも水に流す気になっていた。誕生パーティの主役は、お腹の底からこみあげてくる笑いをこらえるのにやっきになっていた。

ソフィーの母が、手にしたグラスをチンチンとはじいて合図した。そして席がしずまったのを見はからって、こう言った。

「わたしどもの哲学ガーデンパーティにいらしてくださったアルベルト・クノックスさんに、歓迎の意を表したいと思います。クノックスさんはわたしのお友だちではありません。もっか、海に出ていてここにはいない夫のお友だちでもありません。この奇特な方はソフィーの哲学の先生です。クノックスさんは爆竹に火をつけることがおできになるだけではありません。黒いシルクハットから生きた兎を引っぱり出すこともおできです。それともカラスだったかしら？　ソフィー」

「おそれいります」とアルベルトは言って席についた。

「乾杯！」ソフィーが言うと、みんなは高だかとグラスをかかげた。

それからしばらく、みんなは鶏の丸焼きやサラダを食べることに専念した。突然、ヨールンが立ちあがり、つかつかとヨルゲンのところに歩いていって、心をこめて唇にキスした。ヨルゲンはヨールンを引き寄せて、キスに応じた。

「あらまあ、わたし気絶しそう！」インゲブリットセン夫人がけたたましい声をあげた。

「テーブルのそばではおやめなさい」というのが、アムンセン夫人の唯一のコメントだった。

「どうしてです？」アルベルトがソフィーの母に言った。

「おかしなことおききになるのね」

「本物の哲学者にはおかしな問いなど一つもないのです」

キスしてもらわなかった二人の男の子が、鶏の骨を屋根に投げはじめた。ソフィーの母がやんわりとコメントした。

「やめてくれない？　雨どいに骨が入ったら、あとで取るのがたいへんだから」

「あ、どうも」男の子の一人が言った。そしてこんどは生け垣めがけて投げはじめた。

「そろそろお皿を片づけて、ケーキにしましょうね」母が言った。

「コーヒーの方は？」

インゲブリットセン夫妻とアルベルト、そしてあと二人が手をあげた。

「ソフィーとヨールン、ちょっと手伝って」

キッチンに向いながら、ソフィーはたずねた。

「どうしてキスしたの？」

「彼の唇を見てたら、もうたまんなくなっちゃった。だって彼、かわいいんだもん」

「どんな味だった？」

「なんか、想像とちがった、でも……」

「じゃあ、あなたあれが初めてのキス？」

「最後のキスじゃないことはたしか」

ほどなく、テーブルにはコーヒーとケーキがならんだ。アルベルトは爆竹を男の子たちに渡した。

その時、ソフィーの母がコーヒーカップをチンチンと鳴らした。

「長ったらしいお話をするつもりはありません」と母は切り出した。「でもわたしには娘がたった一人しかいませんし、その娘が十五歳と一週間と一日になるというのも、たった一回のことなのです。ごらんのとおり、わたしはぱっと派手にやりたいと思いました。バウムクーヘンは二十四段あります。みなさんの数より多いということです。最初に手を出した方がたは二段ずつお取りください。上から取っていくと、輪は下にいくほど大きくなるわけですから。わたしたちの人生もこれと同じです。ソフィーがまだちっちゃな子どもだった頃は、このへんのほんとに狭い輪のなかをちょこちょこしていました。でも年がたつにつれ、輪はどんどん広がっていきました。今では旧市街まで一人ででかけます。父親が不在がちなものですから、世界じゅうに電話もかけまくります。お誕生日おめでとう、ソフィー！」

「なんてすてきなの！」インゲブリットセン夫人が言った。

ソフィーは、夫人が母のスピーチのことを言ったのか、バウムクーヘンのことを言ったのか、それともソフィーのことを言ったのか、よくわからなかった。

みんなは歓声をあげた。男の子の一人が梨の木めがけて爆竹を投げた。ヨールンは立ちあがって、ヨルゲンを誘った。ヨルゲンは同意して、二人は草の上に座り、もう一度キスした。しばらくすると、二人は転がりながらスグリの茂みに消えた。

「最近は女の子がイニシアティヴをとるんだなあ」収入役氏が言った。

彼はそう言いながら席を立つと、二人のようすを見に、スグリの茂みに近づいた。いあわせたほとんどみんながそれにならった。席に残っているのは、ソフィーとアルベルトだけになった。みんなはヨールンとヨルゲンの周りに半円をつくった。二人は小鳥のようにキスをするのはもうやめて、いちゃつきはじめていた。

「あの子たちったら、どうにもとまらないのよ！」インゲブリットセン夫人が言った。その声にはひけらかすようなひびきがあった。

「いつの世にも人間らしさは権利を主張するのだ」夫が言った。

われながら気のきいたコメントだ、と思ったインゲブリットセン氏は、同意を求めてあたりを見回した。みんなが黙ってうなずくと、インゲブリットセン氏はさらにつけ加えた。

「だれも手出しできないさ」

ソフィーは遠くから、ヨルゲンがヨールンの白いブラウスのボタンをはずそうとしているのを見ていた。ブラウスには点々と緑色の草のしみがついていた。ヨールンはヨルゲンのベルトに手をかけた。

「風邪ひかないようにね」インゲブリットセン夫人が言った。

ソフィーはとまどってアルベルトを見やった。

「思っていたよりも事態は速く進んでいる。少佐は不条理演劇できたか」アルベルトが言った。「できるだけ早いとこ、ここから脱出しなくては。その前に少し話をさせてもらおう」

それを受けて、ソフィーは手をたたいた。

「みんな、席に戻ってくれる？　アルベルトさんがお話があるんですって」

ヨールンとヨルゲンをのぞいた全員が小走りに戻ってきて、ふたたびテーブルを囲んだ。

「まあ、お話をしてくださるんですか？」ソフィーの母が言った。「楽しみだわ」

「おそれいります」

「散歩がお好きなんですって？　フィットネスは大切ですものね。散歩には犬をお連れなんですってね。すてきだわ。ヘルメスっていうんでしょう？」

アルベルトは立ちあがって、コーヒーカップをチンチンと鳴らして合図した。

「ソフィー」アルベルトは話しはじめた。「これは哲学ガーデンパーティだったね？　それでぼくは哲学の話をしようと思います」

早くもアルベルトはみんなの歓声にさえぎられた。

「浮かれたみなさんも、理性のかけらはおもちのようだ。ともあれ、十五歳の誕生日をむかえたきょうの主役に、おめでとうを言いたいと思います」

アルベルトが言い終わらないうちに、飛行機の爆音が降ってきた。ほどなく、低空飛行の一機が庭の上空を横切った。機尾には「十五歳の誕生日、おめでとう！」と書いた長い幟がくくりつけられている。

みんなは一段と大きな歓声をあげた。

「まあ、すごい！」ソフィーの母がうちょうてんになって言った。「爆竹だけじゃないのね！　こんなこともおできになるなんて！」

「おそれいります、でも、どうってことありませんよ。ソフィーとぼくはここ数週間、大々的に哲学を探究してきました。今この席をお借りして、ぼくたちの探究の結果明らかになったことをご報告します。ぼくたちの存在のもっとも深い秘密をお伝えしたいと思うのです」

テーブルはしんと静まり返り、いっとき鳥の声がひびいた。スグリの茂みの物音も。

「どうぞ、つづけて」ソフィーが言った。

「古代ギリシアから現代にいたる哲学を入念に研究した結果、ぼくたちは一人の少佐の意識のなかに存在する、ということが判明しました。少佐は国連監視軍としてレバノンにいましたが、リレサンの家に残した娘のために、ぼくたちについての本を書いたのです。彼女はヒルデ・ムーレル＝クナーグといって、ソフィーと同じ日に十五になりました。ここにいるぼくたち全員のことが書いてある本は、六月十五日の朝、ヒルデが目を覚ました時、ナイトテーブルの上にありました。正確には本ではなくて大きなバインダーです。今この瞬間、ヒルデはバインダーの最後のページを人差指でさぐっています」

テーブルを囲む人びとの顔色が変わった。

「ぼくたちの存在は、ですから、ヒルデ・ムーレル＝クナーグの誕生日のアトラクションでしかないのです。それ以上でも以下でもない。ぼくたちは全員、少佐が娘に書きあたえた哲学講座のなかの、でっちあげなのです。これがどういうことかというと、たとえば門の前の白いメルセデスはただ同然ということです。それはメルセデスなどではなくて、たった今、陽射しを避けて木陰に座っているケチな国連軍少佐の頭に浮かぶ、白いメルヘンデス。言うまでもなく、レバノンは暑いところですからね、みなさん」

「ばかな！」収入役氏が言った。

「なにもかもただのくだらないおしゃべりだ！」

「どうお考えになろうが、もちろん自由です」アルベルトは眉一つ動かさずに言った。「しかし真実は、このガーデンパーティがそっくり、ただのくだらないおしゃべりだ、ということです。ぼくのこの話が、この場に残されたたった一つまみの理性なのです」

やおら収入役氏が立ちあがった。

「われわれは、職務を果たすべくベストをつくしている。さらに、いかなるリスクにも保険をかけることにもおさおさ怠(おこた)りない。しかるに突然、知ったかぶりのなまけ者がいわゆる哲学的見解なるものをひっさげて、すべてを無に帰せしめようとするのだ！」

アルベルトはうなずいた。

「たしかに、こうした哲学的な認識をカバーする保険はありません。ぼくがお話ししているのは、あらゆる自然の大災害よりもたちの悪い破局についてなのです、収入役さん。おわかりと思いますが、これは保険の適用外です」

「自然災害なんてどこにある？」

「そうではなくて、これは実存的な破局なのです。たとえばスグリの茂みをごらんになれば、ぼくの言うことがおわかりでしょう。あなたの全人生がガラガラと崩壊することに保険はききません。太陽が燃えつきることにも」

「こんなことを言われて、がまんしなけりゃならんのかね？」ヨールンの父が夫人に言った。

夫人は首を横にふった。ソフィーの母も同じしぐさをした。

「ひどいわ！　ぱっと派手にやろうと思ったのに、こんなことになるなんて！」

男の子や女の子はしかし、大きく見開いた目をアルベルトにくぎづけにしていた。若い人びとは、年のいった人びとよりも新しい発想や考え方に柔軟な感受性をもっているものだ。

「アルベルトさんの話をもう少し聞こうよ」眼鏡をかけたブロンドの男の子が言った。

「ありがとう。でも、言うべきことはもうそんなにありません。ぼくたちが他人のもうろうとした意識のただの夢だということがはっきりした以上、沈黙するのがもっとも賢明だろうと思います。そうは言ってもぼくは、みなさん若い方がたに哲学の歴史のささやかな講座を受けることをおすすめして、この話をしめくくりたい。そうすれば、ぼくたちが生きているこの世界について、批判的な見方ができるようになる。親の世代の価値観にも批判的になることができる。ぼくがソフィーに伝えようとしたのは、まさに批判的な思考です。ヘーゲルはこれを否定的思考と呼びました」

収入役氏はまだ座っていなかった。立ったまま、指でテーブルをトントンたたいて、アルベルトの話を中断させようとしていた。

「この扇動家は、われわれが学校や教会と力をあわせて若者に植えつけようとしている健全な思想をぶちこわすつもりだ。未来は若者のものだ。いつかある日、わたしたちが築きあげたものを託すのは、若者なのだ。今すぐこいつがここから出て行かなければ、うちの弁護士に電話するぞ。きっと有効な手を打ってくれるだろう」

「あなたがなさろうと思っていることは、およそなんの役にも立ちませんよ。だってあなたはただの影法師なんですから。それに、ソフィーとぼくはもうすぐこのパーティから失礼します。なにしろ哲学講座はたんなる理論上のプロジェクトではなかったのです。実践的な面もあったのです。その時になれば、蒸発マジックをご披露しましょう。その方法で、ぼくたちは少佐の意識から抜け出すのです」

ヘレーネ・アムンセンは娘の腕をつかんだ。

「ママをおいて行っちゃうんじゃないでしょうね？　ソフィー」

ソフィーは片手で母親を抱いて、アルベルトのほうを見やった。

「ママが悲しんでる……」

「いや、それはおかしい。きみは学んだことを忘れてはいけない。こんなナンセンスな世界から、ぼくたちは解放されなくてはならないんだ。きみのママは心のやさしい、すばらしい女性だ。それは本当だ。でもこの世界では、バスケットをケーキとワインでいっぱいにしてお祖母さんのところへ行く赤ずきんに会ったことも、きみのママのすばらしさと同じくらい本当のことなんだ。さっき、少佐が本物のガソリンを一滴も使わないで、飛行機の誕生日おめでとう作戦を展開したように、少佐は本物の涙を一滴も使わないできみのママを悲しがらせているんだ」

「アルベルトの言うこと、わかってきたみたい」ソフィーは母親のほうに向きなおった。「だからね、わたし、アルベルトの言うようにしなければならないの、ママ。どうせいつかはママとお別れしなければならないんだし」

「さびしくなるわ」母親が言った。「でも、この空の向こうにもう一つの空があるのなら、あなたは飛んでいくべきなのよね。ゴーヴィンダはなんとか世話しておくわ。サラダ菜は一日一枚？　それとも二枚？」

アルベルトはソフィーの母の肩に手を置いた。

「あなたにも、それからだれにもさびしい思いはさせません。理由は簡単、なぜならみなさんは存在しないからです。みなさんは存在しないのですから、ぼくたちが存在しないと悲しむ心もおもちではないのです」

「こんなひどい侮辱、受けたことないわ！」インゲブリットセン夫人が言った。

収入役氏は大きくうなずいた。

「これ以上言わなくても、侮辱罪でじゅうぶん告訴するだけのことはある。わかったろう、こいつは共産主義者だ。わたしたちの愛するものをことごとく奪おうとしているのだ。こいつは悪党だ。骨の髄までならず者だ……」

アルベルトは席についた。収入役氏もつられて座った。その顔は怒りのあまりまっ赤になっていた。ヨールンとヨルゲンも戻ってきて、テーブルについた。二人の服は汚れて、しわだらけだった。ヨールンのブロンドの髪には泥がついていた。

「ママ、わたし子どもが生まれそう」ヨールンが宣言した。

「わかった。でもお願いだからおうちに帰ってからにしてね」

収入役氏がすかさず助け船を出した。

「そうだ、しっかりするんだ。今夜のうちに子どもに洗礼を受けさせなくてはならないとしても、全部自分一人でやるんだぞ」

アルベルトは真剣な表情でソフィーを見た。

「時間だよ」

「行っちゃう前に、コーヒーのお代わりをもってきてくれない？」ソフィーの母が言った。

「はい、ママ。すぐもってくるわ」

ソフィーはテーブルのポットをもってキッチンに行った。そして、コーヒーメーカーのスイッチを入れ、コーヒーができるまでに、小鳥と金魚に餌をやった。猫の姿は見えなかったが、大きなキャットフードの缶詰をあけ、中味を深い容器に入れてドアの前に置いた。目に涙が浮かんでくるのがわかった。

ソフィーがコーヒーをもって戻ってくると、ガーデンパーティは十五歳の誕生日というより、もっと年下の子どものパーティのような騒ぎになっていた。コーラやジュースのビンが転がり、チョコレートケーキが一切れ、テーブルにぬりたくられている。クッキーのバスケットは地面にひっくり返っていた。ソフィーがポットをテーブルに置いた時、男の子が爆竹をクリームトルテにつっこんだ。爆竹は破裂して、クリームがテーブルやお客たちに飛び散った。最悪は、インゲブリットセン夫人の赤いスーツだった。

おかしなことに、ソフィーもほかのみんなも、そういうことを平然と受けいれていた。ヨールンはチョコレートケーキをヨルゲンの顔になすりつけてから、きれいになめ取っていた。

母とアルベルトは、少し離れてならんでブランコに座っていた。二人はソフィーに手をふった。

「ようやく二人きりで話ができるじゃない」ソフィーは言った。

「あなたが正しかったわ」母がうれしそうに言った。「アルベルトさんはほんとに思いやりのある方ね。彼にあなたをおまかせするわ」

ソフィーは二人のあいだに座った。

男の子が二人、屋根に登った。女の子がヘアピンで風船をつっついてまわっている。そこへ、招かれざる客がバイクで到着した。荷台にはビールが一箱くくりつけてある。待ってましたと、男の子たちが出迎えた。

収入役氏が立ちあがった。そしてパチパチと手をたたいて合図すると、こう言った。

「いっしょに遊ぶか、子どもたち！」

収入役氏はビールの栓を抜いて、中味を一気に飲んでしまうと、草の上に立てた。そしてテーブルからバウムクーヘンのいちばん下の四段をもってきた。収入役氏はみんなに向かって、こうやってバウムクーヘンをビンに投げるんだよ、とやってみせた。

「最後のあがきだ」アルベルトが言った。「もう行こう。少佐が書きあげてヒルデがバインダーを閉じる前に」

「ママが一人で片づけなきゃならないのね」

「だいじょうぶよ、ソフィー。あなたの人生はここにはないわ。アルベルトさんがあなたにもっとすばらしい人生をくださるなら、わたしはだれよりもうれしいの。彼は白い馬をもっているって、あなた言わなかった？」

ソフィーは庭を見回した。庭はすっかり変わりはてていた。ビンや鶏の骨、クッキーや風船が草のなかに踏みしだかれていた。

「ここがわたしのエデンの園だったんだわ」

「そして今、ここから出て行くんだ」アルベルトが応じた。

男の子が白いメルセデスの運転席に座っていた。男の子が発進させると、メルセデスは閉じた門を突破し、砂利道から脱輪して庭に乗り入れた。

ソフィーはぐいと腕をつかまれた。だれかがソフィーをほら穴にひっぱっていく。アルベルトの声がした。

「今だ！」

そのとたん、白いメルセデスがリンゴの木にぶつかった。熟していないリンゴが、霰（あられ）のようにボンネットをたたいた。

「これはやりすぎだぞ！」収入役氏がどなった。「弁償しろ！」

お人形のような彼の妻は、全面的に夫を支持した。

「なにもかもあの悪党のせいよ。あら、どこへ行ったの？」

「地面にのみこまれてしまったみたいね」とソフィーの母が言った。その声には誇りのようなものがひびいていた。

ソフィーの母親はしゃきっと立ちあがって、哲学ガーデンパーティの残骸を片づけはじめた。

「どなたか、コーヒーのお代わりは？」

対位法――二つかそれ以上のメロディが同時にひびく

ヒルデはベッドに座りなおした。ソフィーとアルベルトの物語は終わった。けれども、結局なにがどうなったのだろう？　なぜヒルデの父親はこの最後の章を書いたのだろう？　ソフィーの世界にたいする自分の力をあくまでも誇示したかったから？

すっかり考えこみながら、ヒルデはシャワーを浴びて着替えをした。そしてそそくさと朝食をすませると、庭に出てブランコに腰かけた。

アルベルトは、あのガーデンパーティにたった一つまみでも理性が残されているとすれば、それは自分の話だ、と言っていた。たしかにそのとおりだ。でもパパは、わたしの世界もソフィーのガーデンパーティと同じくらいはちゃめちゃだと思っている？　わたしの世界もいつかはガラガラと崩壊すると思っている？

まだソフィーとアルベルトのことは決着がついていない。二人の秘密計画はどうなっているのだろう？

この続きはわたしが書くということ？　それとも、二人は本当に物語からの脱出に成功した？　だったら、今はどこにいる？

ふいにあることがひらめいた。もしもアルベルトとソフィーが本当に物語から抜け出せたのなら、そのことがこのバインダーにとじられた紙に書いてあるはずがない。パパにしっかりと把握されていることしか、ここには書いてないのだから。

行のあいだで何かが起こった？ そんなようなことが前に何度か暗示されていた。ヒルデはブランコを揺らしながら、最初からもう一度読みなおさなければ、と思った。


白いメルセデスが庭を暴走しているあいだに、アルベルトはソフィーをほら穴に引きずりこんだ。そして二人は少佐の小屋をめがけて走った。

「いそごう！」アルベルトがどなった。「少佐がぼくたちを捜しはじめる前に着かないと」

「今、少佐はわたしたちに気づいているのかな？」

「今が瀬戸際だな！」

二人は池を漕ぎ渡り、小屋に駆けこんだ。アルベルトは地下室のハッチをもちあげて、ソフィーを押しこんだ。なにもかもがまっ黒になった。


つづく何日か、ヒルデは着々と計画を進めていた。コペンハーゲンに住む従姉妹のアンネ・クヴァムスダールには何通も手紙を書き、電話も二度かけた。リレサンでも、友だちを応援部隊にスカウトした。クラスの半数近くが参加してくれることになった。

そうしながら、ヒルデは『ソフィーの世界』を読み返していた。それは一度読んだらそれっきりというような物語ではなかった。ガーデンパーティから消えたソフィーとアルベルトがその後どうなったか、いろいろな思いつきが浮かんでは消えた。

六月二十三日土曜日、ヒルデは九時頃に目が覚めた。パパはもうレバノンの駐屯地を出発している。あとは待つだけだ。パパのきょうは、どんな小さなディテイルまでも計画しつくされている。

もうすぐお昼という頃、ヒルデは母といっしょに夏至の前夜（イヴ）のお祭りの準備をした。ソフィーと母親がパーティを準備していたようすが頭にこびりついて離れない。

でもあれは過去のこと？　ソフィーと母親は、今この時テーブルをセットしているんじゃない？

ソフィーとアルベルトは、煙突や通気管をぶざまに突き出した二棟の大きな建物の前の芝生に座った。いっぽうの建物から若い男女が出て来た。男は青いブリーフケース、女は赤いショルダーバッグをもっている。建物の向こうの狭い道を、一台の車が走り抜けた。

「どうなってるの？」ソフィーがたずねた。

「うまくいったんだよ！」

「でも、ここはどこ？」

「このへんはマヨールストゥア、つまり『少佐の小屋』というところだ」

「でも……」

「オスロのね」

「ほんと？」

「本当だ。あの建物はシャトー・ヌフ、『新しい城』という意味だ。今は大学の音楽学部になっている。その隣は神学部。向こうの丘の上には自然科学系の学部がある。丘のてっぺん近くは文学と哲学の学部だ」

「わたしたち、ヒルデの本からも少佐のコントロールからも抜け出したの？」

「答えはどっちもイエスだよ。少佐はこんりんざい、ぼくたちを見つけられない」

「森を走っていた時、わたしたちはどうなってたの？」

「少佐が収入役の車をリンゴの木めがけて走らせるのにかまけていたあいだに、ぼくたちはうまいことほら穴に隠れた。ほら穴でぼくたちは胎児になったんだ、ソフィー。古い世界と新しい世界に同時にいたんだ。でもぼくたちがあそこに隠れたことは、少佐の思いの外だった」

「どうして?」

「さもなければ、少佐がぼくたちをそう簡単に外に出したわけがない。何もかも、夢みたいにうまくいった。まあ、少佐も一役買っていたんだろうが……」

「どういうこと?」

「白いメルセデスを発進させたのは彼だ。たぶん、ぼくたちから目を離したかったんだ。すべてが終わって、たぶんくたくたに疲れていたんだろう」

若いカップルが数メートルのところまでやってきた。ソフィーは、自分よりもうんと年上の男の人と芝生に座っていることが、ちょっぴりきまり悪かった。でも、だれかにさっきのアルベルトのことばを裏づけてほしかった。

ソフィーは立ちあがって、二人に近づいた。

「ここはなんというところですか?」

ところが二人は返事をしないどころか、ソフィーをまるで無視している。

ソフィーはとほうにくれて、もう一度話しかけた。

「ものをきかれたら答えてくれるのがふつうじゃありません?」

若い男は、女性になにごとか説明するのにすっかり気を取られているようだった。

「対位法は二つの次元で展開するんだ。水平方向と垂直方向、つまりメロディと和声だね。対位法では二つかそれ以上のメロディが同時にひびく……」

「お話ちゅうすみませんが……」

「メロディは、たがいにとってどんなふうにひびくかということとは無関係に組み立てられていながら、和声をつくらなければならない。それが対位法だ。音対音、というのが本来の意味だね」

なんて失礼な！　二人は耳も聞こえれば、目も見えている。ソフィーは二人の前に立ちはだかって通せんぼをしながら、もう一度話しかけてみた。

ソフィーはあっけなくやりすごされてしまった。

「いい風ね」女の人が言った。

ソフィーはアルベルトのところへ駆け戻った。

「聞いてくれないの！」ソフィーはそう言いながら、ヒルデと十字架の夢を思い出していた。

「これがぼくたちの代償なんだ、ソフィー。本から脱出しても、作者と同じ状態になれるわけじゃない。それでもぼくたちはここにいるし、これからは一日も年をとらないんだよ。いつまでも哲学ガーデンパーティに出ていた時のままなんだ」

「周りの人たちとはコンタクトがとれないってこと？」

「本物の哲学者は、ぜったいありえない、とはぜったい言わない。時計、もってる？」

「八時よ」

「パーティから出てきたのがちょうど八時だ、当たり前だけど」

「きょうはヒルデの父親がレバノンから帰ってくる日ね」

「じゃあ、いそごう」

「どういう意味？」

「少佐がビャルクリに帰ってきたらどうなるか、きみは楽しみじゃないのかい？」

「もちろんよ、でも……」

「さあ、行こう」

二人は丘を下って町へと向かった。何人もの人びととすれちがったが、彼らにはソフィーとアルベルトはただの空気であるらしかった。

道には車がずらりと駐車している。ふいにアルベルトが、オープンカー・スタイルの赤いスポーツカーの前で立ち止まった。

「これは使えるぞ。これはたしかにぼくたちの車だ」

「なにがどうなってるのか、もうわからない」

「じゃあ説明しよう。ぼくたちはこの町のだれかのふつうの車をちょうだいするわけにはいかない。だって、だれも運転していない車が走っていたら、どうなると思う？　それに、ぼくたちはそんな車を走らせることはできない」

「じゃあ、この車は？」

「この車には昔の映画で見憶えがある」

「悪いけど、わたしいらいらしてきちゃった。アルベルトったら、わけのわからないことばっかり言うんだもの」

「これはファンタジーの車なんだよ、ソフィー。ぼくたちと同じなんだ。この通りにいる人びとには、ここんとこに駐車の空きがあるようにしか見えないんだ。乗っていく前に、一つ確かめてみなくちゃ」

二人はそこに立って待っていた。しばらくすると自転車の男の子が赤い車のどまん中をつっきった。

「ほらね！　これはぼくたちの車なんだよ！」

アルベルトは助手席側のドアをあけた。

「さあ、どうぞ」アルベルトの声に、ソフィーは乗りこんだ。

アルベルトは運転席に座った。そしてイグニッションキーを差しこむと、車は勢いよく発進した。キルケ通りをあとにして、ほどなくドランメン通りにさしかかった。リュサカーもサントゥヴィカもとおりすぎた。ドランメンをあとにしたあたりから、最初のかがり火が見えてきた。夏至の前の日、聖ヨハネの夜に燃やす、厄除けのかがり火だ。

「あしたは夏至なんだね、ソフィー！　すばらしいじゃないか！」

「オープンカーって、風が気持いいわ。ほんとにだれもわたしたちのことが見えないの？」

「ぼくたちの同類以外にはね。そのうち会うだろう。今、何時？」

「八時半」

「じゃあ、近道をとらなくちゃ。どっちにしろ、いつまでもこんなトラックのあとをのろのろついていくわけにはいかないんだ」

アルベルトは広い麦畑に乗り入れた。ソフィーがふり返ると、二人の車の後ろに、なぎたおされた穂の道がついていく。

「あしたになったら、つむじ風のいたずらってことになってるよ」アルベルトが言った。


六月二十三日十六時二十三分、アルベルト・クナーグ少佐はコペンハーゲンに降り立った。長い一日だった。旅の最後はローマ発コペンハーゲン行きの便だった。

つねに誇りとする国連軍の制服に身をつつみ、少佐はパスコントロールを通過しようとしていた。少佐は彼個人であるだけでなく、国際的な法秩序、つまりこの惑星全体の百年におよぶ伝統を一身に代表しているのだ。

持ち物は小型のショルダーバッグ一つ。そのほかの荷物はローマ空港であずけた。少佐は赤いパスポートをちらりと示した。

「申告品はありません」

アルベルト・クナーグ少佐は三時間近くもコペンハーゲン空港で時間待ちし、それからクリスティアンサン行きに乗り換える。家族に二つか三つ、ちょっとしたおみやげを買わなくては。ヒルデの誕生祝いはもう二週間ほど前に送った。誕生日に目覚めた時にすぐ目に入るように、妻のマーリットがヒルデのナイトテーブルに置いた。その日の夜に電話をかけてからは、ヒルデの声を聞いてない。

　少佐はノルウェイの新聞を二、三紙買い、空港のカフェテリアでコーヒーを注文した。ようやく見出しに目を落そうとしたちょうどその時、場内アナウンスが聞こえた。

「アルベルト・クナーグ様、お言伝（ことづて）がございますので、スカンディナヴィア航空インフォメーション・カウンターまでお越しください。くりかえします。アルベルト・クナーグ様……」

　何があったんだ？　アルベルト・クナーグの背筋を冷たいものが走った。まさか、もう一度レバノンに戻れという指令ではないだろうな？　あるいはヒルデの身になにか悪いことでも……。

　少佐はただちにインフォメーション・カウンターにおもむいた。

「アルベルト・クナーグですが」

「これを。至急ということです」

　一通の封筒。少佐は封を切った。なかにはもう一まわり小さな封筒が入っていた。表書きは、「アルベルト・クナーグ少佐へ　カストラップ空港スカンディナヴィア航空インフォメーション・カウンター気付　コペンハーゲン」となっている。

　アルベルト・クナーグ少佐はどきっとした。封をあけると、小さな紙切れが出てきた。

《愛するパパへ

　お帰りなさい。パパがレバノンから帰ってくるので、うれしくてなりません。パパもわかっていると思うけど、わたしはもう待ちきれません。呼び出しなんかかけて、ごめんなさい。でもこれがいちばん手っとり早かったの。

追伸　残念なことにインゲブリットセン収入役さんは、乗り回されたメルセデスが起こした事故の損害賠償を請求しています。

もう一つ追伸　パパが帰ってきた時、わたしはたぶん庭にいます。でも、パパが家に着く前に、またわたしから連絡するつもり。

またもう一つ追伸　あまり長いこと庭に出ているのが怖くなりました。そんなところにいたら、地面にのみこまれてしまいそうなんですもの。

パパの帰りを待つ時間がたっぷりあるヒルデより》

アルベルト・クナーグ少佐は思わず笑ってしまった。そうは言っても、こんなふうにふり回されるのは気にくわない。少佐はいつも自分が主導権を握っていたいタイプだった。なのにリレサンの自宅にいるいたずら娘のために、空港じゅうを走り回らされてしまった！　いったいまた、なぜこんなことを？　少佐は封筒を胸ポケットにしまうと、空港ショップがたち並ぶ前をゆったりと歩いていった。デンマークの特産品を売っている店に入ろうとしたちょうどその時、ショウウインドウに貼りつけられた小さな封筒が目にとまった。「クナーグ少佐へ」と太いサインペンで書いてある。少佐は封筒をはがして読んだ。

《重要事項
アルベルト・クナーグ少佐へ
カストラップ空港　ダンスク・マート気付　コペンハーゲン

愛するパパへ
大きなデンマーク風サラミを買って！　二キロのがいいわ。ママはコニャック・ソーセージに大よろこびするでしょう。
追伸　リムフィヨール・キャヴィアも忘れないでね。

ヒルデよりよろしく》

アルベルト・クナーグはあたりをきょろきょろ見回した。どこかにヒルデがいるのだろうか？　わたしをここで出迎えるために、マーリットが飛行機のチケットを買ってやった？　これはヒルデの字だ……突然、国連監視軍少佐は、自分が監視されているような気がしてきた。だれかが少佐を遠隔操作するために、少佐のすることなすことに目を光らせている。

少佐は店に入って二キロのサラミ・ソーセージとコニャック・ソーセージとリムフィヨール・キャヴィアを買った。そしてまた、ショッピング街を歩いていった。少佐はヒルデの誕生祝いにもう少し何か買うつもりだった。電卓なんか、ほしがるのではないか？　それともCDウォークマンか？　そうだ、これがいい。

電化製品の店にやってくると、ここのガラスにも封筒があった。「アルベルト・クナーグ少佐へ空港でいちばんすてきなお店気付」とある。なかの紙切れには、こんなことが書いてあった。

《愛するパパへ
ソフィーがよろしくって。それから、ソフィーが気前のいいソフィーのパパから誕生日にもらったFMラジオ付き液晶テレビをありがとうって。あのプレゼントはほんとにすてきだわ。でも見ようによっては、あんなものどうってことないのよね？　とにかく、わたしもソフィーと同じように、ああいうどうってことないものにとっても興味があります。

追伸　食料品のお店や、ワインやたばこを売っている大きな免税店にはもう行った？　そこにもパパへのお知らせがあります。

もう一つ追伸　わたしはお誕生日のおこづかいをいただきました。だから、パパがわたし専用の液晶テレビを買ってくれるなら、わたしも三百五十クローネ、カンパできます。

もう七面鳥は下ごしらえをしてオーブンに入れるばかり、フルーツサラダは混ぜあわせ完了の
ヒルデよりよろしく》

液晶テレビは九百八十五クローネだった。もちろん、どうってことない金額だ。けれども、アルベルト・クナーグ少佐がこんなふうに娘のとっぴょうしもない思いつきに引きずり回されるというのは、どうってことはないではすまされないだろう。ヒルデは今ここにいるのか？　それともいないのか？

この時からというもの、少佐は一歩ごとに四方八方に目を配った。まるで自分が同時にスパイとあやつり人形になったような気がした。少佐は一挙手一投足から人間としての自由を奪われた。

大きな免税店にも行かないわけにはいかなかった。ここにも自分の名前の書かれた白い封筒があった。空港全体が、少佐をカーソルに見立てた巨大なテレビゲームになってしまったかのようだった。

紙切れにはこうあった。

《アルベルト・クナーグ少佐へ　空港の免税店気付
このお店でわたしがほしいものは、ワイン味のグミと、アントン・ベルクのマジパンが数箱です。どちらもノルウェイではものすっごく高いんだってこと、忘れないでね。それから、ママはカンパリが大好きです。

追伸　うちにつくまで、パパはずっと注意していなければだめよ。だって、大切なお知らせを見落としたくはないでしょう?

とってものみこみの早い娘のヒルデより》

アルベルト・クナーグは、観念してため息を一つつくと、店に入ってヒルデの指示どおりの買物をした。ポリ袋を三つぶら下げ、ショルダーバッグを肩にかけた少佐は、時間待ちをするために二十八番ゲートに向かった。まだ封筒があったとしても、もう知るもんか。

ところが二十八番ゲートの柱にも「アルベルト・クナーグ少佐へ　カストラップ空港　二十八番ゲート気付　コペンハーゲン」と書かれた白い封筒が貼ってあった。やっぱりヒルデの字だったが、ゲートナンバーだけは筆跡がちがっているように見える。しかし残念ながら数字と文字では、筆跡の違いを見きわめるのはそう簡単ではない。

少佐は壁際のソファに腰をおろした。ポリ袋は膝にのせた。誇り高い少佐は、初めて一人旅をする小さな子どものように、前方をしっかり見つめて座っていた。もしもヒルデがここに来ているなら、向こうが先にこっちを見つけようとしてもそうはさせないぞ。少佐は行き交う人びとをおどおどと見上げていた。いっとき、国際指名手配のテロリストになったような気がした。搭乗をうながすアナウンスが聞こえた時は、ほっと安堵の息をついた。少佐は搭乗の列の最後についた。

搭乗券を差し出しながら、少佐はまたしてもチェックイン・デスクに貼ってあった封筒を手早く引きはがした。

ソフィーとアルベルトはハイウェイを走っていた。ブレヴィック橋を渡り、ほどなくクラーゲレ方面出口を通過した。

「一八〇出してるわよ」ソフィーが言った。

「もうすぐ九時だ。少佐がクリスティアンサンのキェヴィック空港に着陸するぞ。いくらスピード違反したって、ぼくたちはお咎(とが)めなしだ」

「でも、だれかとぶつかったら？」

「ふつうの車ならどうってことない。ただし仲間の車だったら……」

「だったら？」

「気をつけなくちゃ。さっきヘンテコなカブト虫(フォルクスワーゲン)を追い越したろう？」

「あれが？　うそ！」

「うそなもんか。ヴェストフォルのあたりに駐車していた」

「あの前の観光バス、追い越すのはちょっとむずかしそうね。両側はびっしり森だし」

「どうってことないよ、ソフィー。見ててごらん」

アルベルトは森に車を乗り入れて、びっしりと立ちならぶ木立のなかをつっ走った。

ソフィーはため息をついた。

「びっくりさせないでよ」

「たとえ鉄の壁をとおったって、きみはなんにも気がつかないと思うよ」

「わたしたちは、周りにとっては空気の精みたいなものなのね？」

「いや、それはあべこべだ。周りの現実がぼくたちにとっては空気みたいな、メルヒェンみたいなものなんだ」

「それじゃ説明不足よ」

「いいかい、霊は蒸気よりも軽い、いわば空気みたいなものだという誤解が広まっているけれど、その反対なんだよ。霊は氷よりも硬いんだ」

「そんなの、考えられないわ」

「じゃあ、一つ話をしてあげよう。昔、天使を信じない男がいた。ある日、男が森で働いていると、目の前に天使が現れた」

「それで？」

「天使と男はしばらくいっしょに歩いていった。男は天使に言った。『なるほどね、天使はいるんだね。でもあんたは、おれたちみたいなしっかりした存在じゃない』『どういうことかな？』天使がたずねた。男は言った。『さっき大きな岩があったが、おれはぐるっと巻かなければならなかった。なのにおまえさんはすっと通り抜けた。木が倒れて道をふさいでいたところでは、おれはよじ登らなければならなかった。おまえさんはすっと通り抜けた』この答えに、天使はあきれた。『さっき沼地をとおったとき、気がつかなかったのか？　霧のなかをとおりすぎたじゃないか。ぼくたちは霧よりもずっと硬いからだよ』」

「あっ！」

「ぼくたちもそういうことなのさ、ソフィー。霊は鋼鉄の扉も通り抜けられる。霊だけは戦車にも爆弾にも破壊されない」

「よかった！」

「もうすぐリーセルを通過する。少佐の小屋（マヨールストゥア）を出発してから一時間か、そろそろコーヒーが飲みたくなってきたな」

センデレードの少し手前のフィアーネにさしかかると、左手にパーキングエリアが見えた。カフェテリアの名前は「シンデレラ」。アルベルトは道をそれて、正面の芝生の前に車をとめた。

カフェテリアで、ソフィーは冷蔵ケースからコーラを取ろうとした。ところがケースの扉があかない。扉はしっかりとくっついているようだ。アルベルトは、車のなかに見つけた紙コップにコーヒーを入れようと、コーヒーサーヴァーのレバーを押していたが、いくら押してもレバーは下がらない。

アルベルトはいらいらして、カフェテリアにいあわせた人びとに、手を貸してくれるよう頼んだ。ところが一人もふり向かないと見ると、アルベルトはわめき出した。あまりの大声に、ソフィーは思わず耳をふさいだ。

「コーヒーが飲みたい！」

けれども怒ってはいない証拠に、アルベルトはすぐにぷっと吹き出した。

「だれも聞こえないんだよ。ぼくたちはこのコーヒーは飲めないんだ」

二人がカフェテリアを出ようとすると、おばあさんが席を立ってこちらにやってきた。けばけばしい赤いスカートと氷のように青いししゅうの上着を着て、白いスカーフをかぶっている。その色づかいといい、全体のようすといい、カフェテリアにいる人びととは明らかにどこかちがう。

おばあさんはアルベルトに近づいて、言った。

「なんだか、わあわあわめいていたようだけど？　お若い方」

「もうしわけありません」

「コーヒーがほしいって、言ってなかったかしら？」

「ええ、でも……」

「近くにいいとこがあるわ」

二人はおばあさんについてカフェテリアを出て、パーキングエリアの裏の径を歩いていった。道すがら、おばあさんが言った。

「こちらは初めてみたいね？」

「はい、そのとおりです」アルベルトが答えた。

「まあ、まあ。よくおいでになりました、『永遠』に」

「あなたは？」

「わたしはグリム兄弟のメルヒェンの出身よ。百五十年前に書かれたメルヒェンのね。新入りさんたちはどちらのご出身？」

「哲学の本からやってきました。ぼくは哲学の教師、こっちが生徒のソフィーです」

「なんとまあ、おめずらしいことねえ！」

ほどなく伐採地(ばっさいち)にたどりついた。すてきな茶色い小屋がいくつも建っている。小屋にかこまれた小さな広場には、聖ヨハネの火がいせいよく燃えていた。焚火の周りで、色とりどりの群れが踊っている。ソフィーが知っているものもたくさんいた。白雪姫とこびとたち、メリー・ポピンズとシャーロック・ホームズ、そして長くつしたのピッピ。大きな焚火にはそのほかにもたくさんの、おなじみの顔ぶれが集まっていた。名もないこびとや妖精、ファウヌスや魔女、天使や小悪魔。ソフィーは正真正銘のトロールも見つけた。

「これはすごーい！」アルベルトが声をあげた。

「なにしろきょうは聖ヨハネの夜ですからね」おばあさんが言った。「こうして集まるのは、四月三十日のヴァルプルギスの夜祭り以来のことよ。あのときはドイツでお祭りしました。わたしはここにはちょっと顔を出しただけ。あ、そうそう、コーヒーがお飲みになりたいんだったわね？」

「ええ、お願いします」

この時ようやく、ソフィーは小屋がペファークーヘンとキャンディと砂糖でできていることに気がついた。小屋に取りついてかじっているものもいる。女のパン焼き職人が走り回って、すぐに損傷を修繕していた。ソフィーは屋根をほんのちょっとむしり取った。こんなに甘くておいしいものは、これまで食べたことがなかった。

ほどなく、おばあさんがコーヒーをもって戻ってきた。

「どうもおそれいります」とアルベルトは言った。

「お代は何で払ってくださるの？」

「お代？」

「みなさんたいてい、お話でお支払いになるわね。コーヒーだけならちょっとしたお話でけっこうよ」

「人間について、あっと驚くような物語をご披露することもできるんですが」とアルベルトは言った。「たいへんこみいった話なので、今はお話ししている時間がありません。ツケはききませんか？」

「もちろんけっこうよ。でも、『永遠』にいらしていながら時間がないなんて、いったいどういう事情がおありなの？」

アルベルトが用件を話すと、おばあさんは言った。

「あなたがたは新入りさんですものね。だけど、死すべき先祖とのへその緒は、早く切ったほうがいいわ。わたしたちにはもう、彼らの世界は必要ないの。わたしたちは『見えない種族』なのよ」

アルベルトとソフィーは、いそいでカフェテリア「シンデレラ」の前の赤いスポーツカーに戻ってきた。車のすぐそばで、母親が幼い息子を急き立てておしっこをさせていた。

切株や石を乗り越えて近道をとりながら、まもなく二人はリレサンに到着した。

コペンハーゲン発ＳＫ八七六便は、定刻どおり二十一時三十五分に着陸した。それに先立って、飛行機がコペンハーゲンの滑走路へと引かれていくあいだに、少佐はチェックイン・カウンターで見つけた封筒をあけた。表書きは、「一九九〇年の聖ヨハネの夜、搭乗券を渡すクナーグ少佐」だった。

《愛するパパへ
　わたしがコペンハーゲンにいると思ったでしょう？　でもわたしは、パパの行動をもっとスマートにコントロールしているの。どこにいてもわたしにはパパが見えます。昔むかし曾祖母さんに魔法の鏡を売ったジプシーの家をたずねました。わたしは水晶の玉も手に入れたのよ。いまこの瞬間、パパが飛行機に乗っているのが見えます。シートベルト着用のサインが消えるまでは、座席のベルトを締めて、背もたれをまっすぐにしておくのを忘れないでね。飛行機が高度にたっしたら、シートを倒して楽な姿勢になってもいいわ。パパには着陸まで、ゆっくり休んでおいてほしいの。リレサンのお天気は最高です。レバノンより数度はすずしいけれど。快適な空の旅を願っています。
あなたの娘にして魔女にして鏡の女王にしてイロニーの守護女神からよろしく》

　アルベルト・クナーグは、自分が腹を立てているのか、それともただ疲れて眠いだけなのか、よくわからなかった。少佐は突然、笑いの発作に襲われた。その声があまりにも大きかったので、ほかの客がふり返った。その時、飛行機は離陸した。

　少佐は、自分でまいた種を刈りとる羽目になったのだ。しかしここには見過ごしにできない違いがあるのではないだろうか？　少佐のまいた種が被害をおよぼしたのは、ソフィーとアルベルトだけだ。そしてこの二人は、しょせんはただのファンタジーなのだ。

　少佐はヒルデの忠告にしたがった。シートを倒してうとうとした。すっかり目が覚めたのは、パスコントロールもすませ、空港の到着ロビーに出た時だった。そこで少佐はデモ隊の出迎えをうけたのだ。

デモ隊は、ヒルデと同じくらいの年かっこうの八、九人の女の子たちだ。プラカードにはこんなことが書いてあった。「おかえりなさい、パパ！」「ヒルデは庭で待ってます」「イロニーをもっと！」

間の悪いことに、クナーグ少佐はすぐさまタクシーに乗りこむわけにはいかなかった。スーツケースが出てくるのを待たなければならないのだ。そのあいだ、ヒルデのクラスメイトたちは少佐にまとわりついて大騒ぎしている。おかげで少佐はプラカードをいやというほど読まされた。一人の女の子からバラの花束を渡されると、少佐はようやく顔をほころばせた。そしてポリ袋をひっかきまわして、デモ隊の一人ひとりにマジパンを配った。ヒルデには、二つしか残らなかった。スーツケースが出てくると、若者が声をかけてきた。鏡の女王の命令で、少佐をビャルクリまでおつれせよとの任務をおびているという。デモの少女たちは群衆のなかに消えた。

少佐と若者は車で国道十八号線を走った。橋という橋、トンネルの入口という入口に、プラカードや横断幕が出ていた。「おかえりなさい、パパ！」「七面鳥がお待ちかね」「わたし見てるわよ、パパ」

ついにビャルクリの庭へとつうじる門の前に降りたった時、アルベルト・クナーグはほっと息をついた。少佐は、若者に百クローネとカールスバーグ・エレファント・ビールを三本渡して、労をねぎらった。

妻のマーリットは家の前で少佐をむかえた。しばらく抱きあったあと、少佐はたずねた。

「あの子は？」

「桟橋に座ってるわ、アルベルト」

アルベルトとソフィーは、赤いスポーツカーをリレサンの中央広場のホテル・ノルゲの前にとめた。十時十五分前だ。海に浮かぶ島々に聖ヨハネの焚火があかあかと燃えていた。

「どうやってビャルクリを探すの？」ソフィーがたずねた。

「なんとしても探すのさ。小屋にかかっていた絵を憶えているだろう？」

「いそぎましょう。少佐よりも先に着きたいわ」

二人は狭い道を車で走った。丘のてっぺんにも行ったし、断崖のほうにも行ってみた。重要な手がかりは、ビャルクリが海に面している、ということだった。

ふいにソフィーが叫んだ。

「あった！　あそこよ！」

「そのようだな。だけどそんなに騒ぐんじゃないよ」

「あら、だれにも聞こえないんでしょ？」

「ソフィー、あれだけ長いこと哲学講座をやってきたのに、きみはまだ早合点の癖が治らないんだなあ、がっかりしたよ」

「だって……」

「このへんにはこびとやトロールはいないのかい？　森の精や親切な妖精はいないのかい？」

「あ、そうか、ごめんなさい」

二人は門から車を乗り入れて、家の前の砂利道を走っていった。アルベルトはブランコの隣の芝生に車をとめた。少し離れたところに、三人分の用意がととのったテーブルが出ていた。

「ヒルデだ！」ソフィーがささやいた。「桟橋にしゃがんでる。わたしがみた夢のとおりよ」

「この庭、クローバー通りのきみの庭とよく似ているね」

「ほんとね。ブランコもなにもかも。ねえ、彼女のところに行ってもいいかな？」

「もちろんさ。ぼくはここで待ってる」

ソフィーは桟橋まで一気に駆けおりた。あやうくヒルデにぶつかるところだったが、すぐそばで立ち止まった。

ヒルデは桟橋につないであるボートの索具(さくぐ)をもてあそんでいた。左手には小さな紙切れをもっている。ヒルデは待っていた。何度も時計を見た。

波打つ明るいブロンドの髪と輝くような緑の瞳。きれいだわ、とソフィーは思った。ヒルデは黄色い夏のワンピースを着ていた。どこかヨールンと似ていた。

ソフィーは無駄と知りながら話しかけてみた。

「ヒルデ、わたし、ソフィーよ」

ヒルデはまるで反応しない。

ソフィーはヒルデのとなりにひざまずいて、耳に口をあてた。

「聞こえる？　ヒルデ。あなたはきっと、見えないし、聞こえないのね」

ヒルデの目が一瞬大きくならなかった？　それは、たとえどんなにかすかでも、何かが聞こえたしるしじゃない？

ヒルデがふり向いた。突然、首を右にひねって、ソフィーの目をまっすぐに見つめたのだ。けれどもその焦点はソフィーには合っていなかった。ヒルデの視線はソフィーをつらぬいて、もっと遠くを見ていた。

「もっと小さい声で！　ソフィー」

上のほうにとめたスポーツカーのなかから、アルベルトが声をかけた。

「この庭に水の精を集合させたくはないからね」

ソフィーはじっとしゃがんでいた。けれども、こんなにヒルデの近くにいるなんて、それだけでうれしかった。

その時、低い男の声がした。「ヒルデ！」

少佐だ。制服を着て青いベレー帽をかぶった少佐が、庭の上のほうに姿を現した。

ヒルデは飛びあがって、少佐のほうに走っていった。ブランコと赤いスポーツカーの中間で、二人は出会った。少佐は女の子を抱きあげて、ぐるぐると回転した。


ヒルデは桟橋に座って父を待っていた。父がコペンハーゲンに到着してからは十五分おきに、今父はどこにいるのだろう、どんな目にあっているのだろう、それをどんなふうに受けとめているのだろう、と想像していた。ヒルデはその日のタイムスケジュールをこまかく書いたメモ用紙を、一日じゅう持ち歩いていた。

パパは怒っているかな？　でも、あんな不思議な本を書いてくれたんだもの、わたしがなに一つ変わらないなんて期待したら甘いわ。

ヒルデはまた時計を見た。十時十五分。父はいつ帰ってきてもおかしくない。

でもこれは何？　か細い息吹のようなものが聞こえなかった？　あの夢のなかのソフィーの声のようなものが？

ヒルデは首をまわした。何かがいる。ヒルデは確信した。でも何がいるの？

これはただの夏の夜の気配？

一瞬ヒルデは、これが霊視、とぞっとした。

「ヒルデ！」

ヒルデは目を上げた。パパだ！　パパが庭の上のほうにいる！

ヒルデは飛びあがって、少佐のほうに走っていった。ブランコのところで、二人は出会った。少佐は女の子を抱きあげて、ぐるぐると回転した。

ヒルデは泣き出した。少佐も涙を隠さなければならなかった。

「すっかりおとなになったんだね、ヒルデ」

「パパは作家になった」

ヒルデは黄色いワンピースの袖で涙をぬぐった。

「わたしたち、おあいこね？」ヒルデがたずねた。

「ああ、おあいこだ」

二人はテーブルに座った。ヒルデはいのいちばんに、コペンハーゲンやここまで来るとちゅうの道で何が起こったか、一から十まで聞きたがった。二人は何度も笑いころげた。

「カフェテリアの封筒は見なかったの？」

「あの時は、座る暇もなにか食べる暇もなかったよ、このいたずら娘。あー、腹がへって死にそうだ」

「かわいそうなパパ」

「七面鳥っていうのもただの冗談？」

「ちがうわ。わたしが全部下ごしらえしたのよ。ママがもってきてくれるわ」

二人はバインダーのこと、ソフィーとアルベルトの物語のことで盛りあがった。ほどなくテーブルには七面鳥とサラダとロゼのワイン、そしてヒルデがつくったねじりパンがならんだ。

父親がプラトンについてなにか言おうとした時、突然ヒルデが割って入った。

「シッ！」

「なんだい？」

「聞こえない？　何かがヒュウヒュウいわなかった？」

「いいや」

「ぜったい何か聞こえる。でもきっとノネズミだったのね」

母親がワインを取りに行ったあいだに、父親が言った。

「哲学講座はまだ完了していないんだ」

「それ、どういう意味？」

「今夜、宇宙の話をしよう」

食事が始まる前に、父親が言った。

「ヒルデはもう大きくなっちゃって、膝に乗せるわけにもいかない。でも、きみは別だ」

そして妻のマーリットの腰に手をまわして抱きよせた。マーリットはしばらく動きがとれず、食事に手がつけられなかった。

「きみはもうすぐ四十なんだ……」


ヒルデと父親が抱きあっているあいだに、ソフィーの目に涙があふれた。

ヒルデはソフィーの手の届かないところにいる！

肉と血をそなえた本当の人間。ソフィーはヒルデがうらやましかった。

ヒルデと少佐がごちそうのテーブルに座った時、アルベルトがクラクションを鳴らした。

ソフィーは目を上げた。ヒルデも目を上げたのでは？

ソフィーは走っていって、アルベルトの隣に座った。

「ちょっとここから見ていようか？」アルベルトが言った。

ソフィーはうなずいた。

「泣いてるの？」

ソフィーはもう一度うなずいた。

「何があったの？」

「ヒルデは幸せね、本当の人間なんだもの……おとなになって、きっと子どもができて……」

「孫もできるね、ソフィー。でも、なにごとにも二面があるって、哲学講座の初めのほうで言ったはずだよ」

「だから？」

「ぼくも、ヒルデは幸せだと思う。でも、生命(いのち)のくじを引き当てた者は、死のくじも引かなければならない。なぜなら、生命のくじの当たりは死なんだよ」

「でも、生きたってことは、ちゃんとは生きないってことよりもましだと思わない？」

「ぼくたちはヒルデのようには生きられない……。少佐のようにもだ。そのかわり、ぼくたちは死なない。森のおばあさんが言ったこと、憶えてない？　ぼくたちは『見えない種族』なんだ。おばあさんは、百五十歳以上だとも言っていたね。あの聖ヨハネの祭りには、三千歳以上のものたちもいた」

「ヒルデのことでいちばんうらやましいのは、たぶん、家族がいることだわ」

「きみにも家族はいるじゃないか。猫も二羽の小鳥も亀も……」

「全部捨ててきちゃったんでしょう？」

「とんでもない。少佐が捨てただけさ。最後のピリオドを打ってね。少佐はもう、ぼくたちのことを二度と見つけられない」

「わたしたちは戻れるってこと？」

「いつでも好きな時に。でも、『シンデレラ』の裏の森でも新しい友だちと近づきになろうよ」

ムーレル＝クナーグ一家が食事にそろった。ソフィーは一瞬、このディナーがクローバー通りの哲学ガーデンパーティのようになってしまうのではないか、と不安になった。少なくとも、少佐はマーリットを抱きしめたいと思っているらしい。でも、抱きよせただけだった。

車はテーブルからかなり離れていた。車のなかから、ソフィーとアルベルトはじっと庭を見おろしていた。テーブルの会話は時おり聞こえてくるだけだった。二人はあの呪われたガーデンパーティをありありと思い出していた。

ようやくクナーグ一家が席を立った時は、もう真夜中近かった。ヒルデと少佐はブランコに向かいながら、家に戻っていく母親に手をふった。

「先に寝てて、ママ。わたしたち、話すことがいっぱいあるの」

ビッグバン——わたしたちも星屑なんだ

ヒルデは父とならんで座り心地のいいブランコに腰をおろした。もうかれこれ十二時だ。二人は入り江を前にして、明るい空に星が淡く浮きあがってくるさまをながめていた。波が力なく桟橋の下の岩場に打ちつける。

父が沈黙を破った。

「わたしたちがこの宇宙の小さな惑星の上に生きているなんて、考えるとへんだね」

「ほんとね」

「地球は太陽の周りをまわるいくつもの惑星の一つだ。でも生命のいる惑星はわたしたちの地球だけだ」

「宇宙全部でも、たった一つの命の惑星なんでしょう?」

「そうかもしれない。でも、宇宙全体に生命がどよめいているのかもしれない。宇宙は信じられないくらい大きいんだ。何光分、何光年という光の速度で計らなければならないくらい大きいんだよ」

「光の速度って?」

「光分は一分に光が進む距離だ。これはすごい距離だよ。光はたった一秒で宇宙空間を三〇万キロ進むんだからね。一光分はだから三〇万の六十倍キロ、つまり一八〇〇万キロだ。一光年はだいたい九兆五〇〇〇億キロだ」

「太陽まではどのくらい？」

「八光分強ってとこかな。暖かい六月の日に、わたしたちの頬を照らす陽射しは、宇宙空間を八分かかってここまで来ているわけだ」

「それから？」

「冥王星は太陽系のなかでいちばん遠い惑星だけど、地球からはだいたい五光時離れている。天文学者が天体望遠鏡で冥王星をとらえたとしたら、五時間前の過去を見ていることになるんだよ。冥王星の姿はここに届くまで五時間かかるんだ」

「なかなか想像できないけど、なんとかついていけそう」

「だけど、まずはわたしたちの居場所をはっきりとつかんでおこう。わたしたちの太陽はある星雲の四千億個ある星の一つだ。この星雲は銀河系と呼ばれている。銀河系は、たくさんの腕を突き出した渦巻状の巨大な円盤の形をしていて、太陽はこの腕の一つにある。よく晴れた冬の夜には広い星の帯が見えるだろう？　あの帯のあるほうが、銀河系の中心なんだ」

「天の川ね。スウェーデン語では『冬の庭』ともいうのね」

「銀河系のなかでいちばん近い恒星までの距離は四光年、たぶんあの小島の上あたりに見えているあの星がそれだろう。もしも今この瞬間、あの星の天体観測家が高性能の望遠鏡でビャルクリをのぞいたら、四年前のビャルクリが見えるはずだ。十一歳の女の子がブランコを揺すっていたりして」

「そういうことか」

「でもこれはいちばん近い星の話だ。銀河系全体は九万光年、光が端から端まで到達するのにそんなにかかるんだよ。わたしたちが見ている銀河系の星が太陽から五万光年だとすると、わたしたちは五万年前の過去を見ていることになる」

「そういうスケールの大きな話は、わたしの小さな頭には入りきらない」

「宇宙を見るということは、過去を見るということだ。たった今宇宙がどうなっているかは、ぜったいに見ることができないんだ。数千光年離れた星を見るということは、宇宙の歴史を数千年さかのぼるということなんだよ」

「ピンとこないわ」

「わたしたちが見るものは、すべて光波としてわたしたちの目までやってくる。この波は空間を旅するのに、それなりの時間がかかる。雷は稲光がしてから少しして聞こえるけれど、これは音波が光波よりも遅いからだ。雷が聞こえたら、少し前に何かが大音響を発したということだ。星もこれと同じで、数千光年離れた星を見るということは、数千年前の過去に起こった雷を聞くようなものなんだ」

「そうか」

「でも、ここまではわたしたちの銀河系の話だ。宇宙にはほかにも銀河系と同じような星のかたまりがたくさんあって、星雲と呼ばれている。天文学者は、宇宙にはおよそ千億個の星雲があって、それぞれの星雲には数千億個の恒星がある、と言っている。銀河系からもっとも近い星雲はアンドロメダ星雲、銀河系から二百万光年離れたところにある。この星雲の光は二百万年かかってわたしたちのところまで届くのだ。ひっくり返して言えば、アンドロメダ星雲を見上げている時、わたしたちは二百万年前の過去を見ているのだ。もしも今この星雲に天体観測家がいて、地球に望遠鏡を向けたとしても、わたしたちのことは見えない。せいぜい、ちっぽけな脳をもった最初の人類がぱらぱらいるだけだろう」

「ショックだわ」

「今のところわかっているもっとも遠い星雲は、地球からおよそ百億光年。わたしたちがこの星雲の光をとらえる時、わたしたちは宇宙の歴史を百億年さかのぼることになる。これはわたしたちの太陽系ができてから今までの二倍の時間だ」

「くらくらしてきたわ」

「そうだね、そんなに遠い過去をのぞくなんて考えたら、くらくらしないほうがおかしいよね。でも天文学者たちは、わたしたちの世界観にとってもっと重要なことを発見している」

「どんなことを？」

「宇宙の星雲はどれもじっとしてはいない、ということだ。宇宙のすべての星雲はおそろしいスピードでどんどん離れていっているんだ。わたしたちから遠い星雲ほど、そのスピードは速いらしい。つまり、星雲同士の距離はどんどん広がっているんだよ」

「ちょっと待って、今想像してみるから」

「風船に黒い点々を描いたとしてごらん。きみが風船をふくらますと、点と点は離れていく。宇宙の星雲もそれと同じだ。宇宙はふくらんでいるのだ」

「なぜなの？」

「天文学者のあいだでだいたい一致している意見では、宇宙の膨張を説明するにはたった一つの可能性しかない。およそ百五十億年前、宇宙のすべての物質はごくごく小さな空間に集まっていた。物質はおそろしく密で、重力も熱もおそろしいほど高かった。それが突然、爆発を起こした。この爆発は『ビッグバン』と呼ばれている」

「考えただけでも鳥肌がたつわ」

「ビッグバンはすべての物質を宇宙のあらゆる方向にまきちらした。その物質が冷えて、星や星雲や月や惑星になった……」

「宇宙が広がっているっていうのは？」

「百何十億年も前のこのビッグバンが原因だ。宇宙は時間とは関係なく存在する場ではないのだ。宇宙は事件だ、爆発なんだ。星雲は今でもとほうもないスピードでどんどん離れていっているんだ」

「永遠に？」

「そうかもしれない。でも、そうではないかもしれない。アルベルトがソフィーに話した、太陽をまわる軌道に惑星をつなぎとめている二つの力のことは憶えているかい？」

「重力と慣性だったっけ？」

「それは宇宙にもあてはまる。宇宙がどんどん膨張しているとしても、重力もその逆の方向にはたらいている。そしてある日、数十億年先だけど、ビッグバンの力が弱まると、重力は天体がまたぎゅっとまとまる方向にはたらく。するとこんどは逆の爆発が起こる。これが収縮だ。風船から空気を抜くようなものだと考えていい。ただしこれにもビッグバンと同じくらい長い時間がかかる」

「しまいには星雲が全部、小さな空間に集まってしまうの？」

「そうだよ、わかってるじゃないか。でも、そのつぎのラウンドでは何が起こると思う？」

「また爆発が起こって、宇宙はまた広がっていく。いつも同じ自然の法則がはたらいているのだから。そしてまた新しい星や星雲ができる」

「そのとおりだ。天文学者は宇宙の未来に二つの可能性があると見ている。宇宙は永遠に膨張をつづけて、星雲はますますかけ離れていくか、宇宙はまた縮まるか、の二つだ。どちらになるかは、宇宙にどれだけの物質があるかで決まってくる。でもこれについては、天文学者にもまだよくわかっていない」

「でも、いつか宇宙がまた縮まるとしたら、宇宙はこれまでにも何回も広がったり縮まったりしてきたの？」

「そういう推論も大いにありうるね。でもほかの可能性もあって、宇宙は今一回きりの膨張をしているのかもしれないんだ。もしも宇宙が永遠に膨張をつづけるとすると、すべてはどのように始まったかということが大きな問題になる」

「突然爆発を起こしたものはどうやってできたのか、ということね?」

「キリスト教徒なら、ビッグバンを創造の瞬間にひきつけて考えるだろうね。なにしろ聖書には、神が『光あれ』と言ったと書いてあるんだから。アルベルトが、キリスト教の歴史観はまっすぐの線のようだ、と言っていたのを憶えてるね? キリスト教の世界創造にとっては、宇宙はどんどん広がっているとする発想がいちばんしっくりくるのだ」

「ふうん」

「きみも知っているように、東洋には回帰する歴史観がある。歴史は永遠にくりかえす、というものだ。たとえばインドには、宇宙はどんどん広がって、それからまた縮まる、という古い信仰がある。インド人が『ブラフマンの昼』と『ブラフマンの夜』と呼ぶものが交代するのだ。もちろんこの発想は、宇宙は広がって縮まって、そしてまた広がる永遠のくりかえしだ、という考え方とぴったり重なる。宇宙がまるで、ドキンドキンと打っている大きな心臓のようにイメージされているんだね」

「どっちの理論もスリリングで想像を超えてるわ」

「この二つの理論は、ソフィーが庭で考えこんでいた永遠の謎と重なる。宇宙はずっと前からあったのか、それともいつか何かが無から生まれたのか……」

「あっ!」

ヒルデが額をたたいた。

「どうしたの?」

「虫にさされたみたい」

「きっとソクラテスっていう名前の虻だ。きみの頭がぼんやりしてきたのをしゃきっとさせようとしたんだ」

ソフィーとアルベルトは赤いスポーツカーのなかで、少佐がヒルデに語る宇宙の話を聞いていた。

「役回りがすり変わってしまったって思わないか？」しばらくするとアルベルトが言った。

「どういうこと？」

「今までは彼らがぼくたちの話を聞いていた。ぼくたちには彼らが見えなかった。今はぼくたちが彼らの話を聞いていて、彼らにはぼくたちの姿が見えない」

「それだけじゃないわ」

「何かな？」

「初めのうちわたしたちは、ヒルデと少佐が生きているもう一つの現実があるなんて知らなかった。今は、向こうがわたしたちの現実を知らないわ」

「復讐は蜜の味だね」

「でも少佐にはわたしたちの現実に手出しできた」

「ぼくたちの世界はすべて少佐の手出しがつくっていたのだ」

「こっちからも彼らの世界に手出しできるっていう希望をなくしたくない」

「でも無理だよ、わかるだろう？　ハイウェイのカフェテラスのこと、憶えているだろう？　きみがコーラのケースをぐいぐいあけようとしていたのが、まだ目に見えるようだよ」

ソフィーは黙った。ソフィーは庭をながめながら、少佐のビッグバンの話を聞いていた。聞いているうちに、ソフィーにある思いが兆した。

ソフィーは車のなかをひっかきまわし始めた。

「どうしたの？」

「べつに」

ソフィーは工具箱をあけてスパナを取り出した。そして車を飛び出すと、ブランコのヒルデと父親の前に立った。ソフィーはヒルデの視線をとらえようとした。それが無駄とわかると、やおらスパナをふりあげて、ヒルデの額にふりおろした。

「あっ!」

つぎにソフィーはスパナを少佐の頭にふりおろした。けれどもこちらはぴくりともしなかった。

「どうしたの?」少佐が言った。

「虫にさされたみたい」

「きっとソクラテスっていう名前の虻だ。きみの頭がぼんやりしてきたのをしゃきっとさせようとしたんだ」

つぎにソフィーは、ブランコを押して動かそうとした。けれどもブランコはびくともしない。そうだろうか? ソフィーはほんのかすかにブランコを動かせたのでは?

「なんだかきゅうに足元がすうすう寒くなってきた」ヒルデが言った。

「そんなことないよ、すばらしく気持いい夜じゃないか」

「それだけじゃないわ。このへんに何かいる」

「わたしたちがいて、おだやかな夏の夜があるだけだよ」

「ううん、空気のなかに何かがあるの」

「何があるって言うんだい?」

「アルベルトの秘密計画、憶えてる?」

「ああ、もちろん」

「あの二人、ガーデンパーティからすーっと消えちゃった。突然、地面にのみこまれたみたいに」

「でも……」

「地面にのみこまれたみたいに……」

「物語はいつかは終わる。わたしがああいうふうに終わらせただけだよ」

「それはそうだけど、そのあとに何が起こるかは別よ。あの二人がここにいるとしたら……」

「そんなこと、本気で言ってるの？」

「だって感じるのよ、パパ」

ソフィーはアルベルトのもとに帰っていった。

「見物(みもの)だったね」アルベルトは、スパナをもったソフィーが車にもぐりこむと、言った。「あの子には特別の才能があるらしいね。どうなるのかな、待ってみようじゃないか」


少佐はヒルデの体に腕をまわした。

「波の音が聞こえる？　いいもんだね」

「うん」

「あした、ボートを出そうよ」

「でもパパ、風の音がへんだと思わない？　ほら、ポプラの葉っぱがふるえているわ」

「命の惑星なんだね」

「パパは『行のあいだに何かが起こる』って書いてたでしょ？」

「それがどうかした？」

「この庭でも、行のあいだに何かがあるんじゃないかな？」

「自然は謎に満ちている。空の星の話に戻ろうよ」

「もうすぐ海にも星が見えてくるわ」

「そうだね、きみは小さい頃、夜光虫のことを海の星って言ってたね。きみは正しかったんだ。なぜなら夜光虫もほかのすべての有機体も、かつてはひとかたまりの星だった元素でできているんだ」

「わたしたちも?」

「そうだよ、わたしたちも星屑なんだ」

「すてきなことばだわ」

「電波望遠鏡は数十億光年も向こうにある星雲の光をとらえて、原始の時の宇宙のありさまをかいま見せてくれる。いちばん遠い星雲は、ビッグバン直後のようすを示している。人間があおぐ空は、いわばべた一面の数十万年も昔の化石なんだよ。だから占星術師ができることはただ一つ、過去を占うことだけだ」

「星座の星たちは、光がここに届くまでにおたがいから遠ざかってしまうってこと?」

「数千年前の星座は、今のとまるきりちがっていたんだ」

「知らなかった!」

「よく晴れた夜にわたしたちは、宇宙の歴史を百万年前、十億年前までさかのぼる。星空を見つめるわたしたちは、始源を見つめているのだ」

「もう少し説明して」

「きみもわたしもビッグバンから始まっている。なぜなら宇宙のすべての物質は一つの有機体のようなものだからだ。原始のいつかある時、すべての物質は一つのかたまりに丸まっていた。このかたまりはとてつもなく中味がぎっしりと詰まっていて、針の先くらいでも何十億トンもあるほどだった。この原物質が、自分自身のとほうもない重力のために爆発した。そしてこなごなになった。わたしたちは空を見あげるたびに、始源への帰り道を探していることになるんだよ」

「パパの話を聞いてると、不思議な気分になってくる」

「宇宙のすべての星も星雲も同じ物質からできている。その一部分があっちこっちでくっついて星になった。星雲同士は数十億光年へだたっているけれど、起源はたった一つだ。すべての星は家族なんだ」

「なるほどね」

「だけどこの世界の物質ってなんだろう？　何が数十億年前に爆発したんだろう？　それはどこから来たんだろう？」

「大きな謎ね」

「この謎はわたしたちみんなに深くかかわっている。わたしたちもこの物質でできているんだからね。わたしたちは、何十億年も前にともされた巨大な火から飛び散った火花なんだ」

「そう考えるとすてきね」

「でも、大きな数なんかもちだすことはない。石ころを手にとってみるだけでじゅうぶんだ。宇宙がオレンジくらいの大きさの石だったとしても、やっぱり理解を超えているだろう。この石はどこから来たのかという問題は、同じようにむずかしい」


赤いスポーツカーのソフィーが、シートから飛びあがって入り江を指さした。

「ボートに乗ってみたいなあ」ソフィーが言った。

「しっかりつないであるよ。それに、ぼくたちはオールで漕げないし」

「やってみてもいい？　なんたって夏至の前夜(イヴ)だもの」

「とにかく水際まで行ってみようか」

二人は車を降りて庭を歩いていった。

そして桟橋で、鉄の輪にくくりつけられたロープをほどこうとした。けれどもロープをもちあげることもできない。

「釘でも打ってあるみたいだね」アルベルトが言った。

「でも時間はたっぷりあるわ！」

「本物の哲学者はけっしてあきらめないぞ。たとえぼくたちが……。ほどけたぞ……」

「星がさっきよりも増えたわ」ヒルデが言った。

「ああ、夏の夜がいちばん深くなる時刻だね」

「でも、冬には星はもっとちかちかとまたたくわ。パパがレバノンに行く前の夜のこと、憶えてる？あれはお正月だったわね」

「あの時、きみに哲学の本を書こうと決めたんだ。クリスティアンサンの大きな本屋に行っても、図書館に行っても、若い人にぴったりの本がなかったんでね」

「わたしたち、白兎の細い毛の先っぽにいるみたいな気分ね」

「おや、何万光年の星の夜に出ていく人がいるぞ」

「ボートがひとりでに離れていくんだわ！」ヒルデが叫んだ。

「本当かい？」

「どうなってるの？　さっきちゃんと、つないであるのを確かめたのに」

「たしかに？」

「ソフィーがアルベルトのボートを借りた時みたいね。ボートが池に流されてしまったじゃない？」

「じゃあ、こんども彼女のしわざだ」

「パパったら、冗談やめてよ。わたしはさっきからずっと、何かがいる気配がしてるんだから」

「だれか、海に飛びこんでボートを取りにいかないと」

「いっしょに行こう、パパ」

解説

須田 朗

もしもあなたがまだこの本を一度も読んでいないなら、横着をなさらずに、まず最初のページを繙(ひもと)いてください。読み始めたら、とまらなくなること受けあいです。その前にこの解説を読んでも、ミステリーの謎解きは書いてありません。もしもあなたがこの本を一度読んだなら、もう一度読むことをおすすめします。最初は気付かなかったヒントが、すでに「エデンの園」の章から、様々なかたちで仕掛けられていることに驚くことでしょう。

『ソフィーの世界』はミステリー小説です。謎があり、謎解きがあります。最初は、いろいろな謎があります。しかしそれらの中心をなすのが、「ソフィー、あなたはだれ?」と、「(ソフィーが属している) 世界はどこからきた?」という問いかけです。ソフィーは哲学の歴史を学びながら、この謎を少しずつ解いてゆきます。この問いについにはっきりと答えることができたとき、一連の謎はすべて氷解しますが、しかしそのとき、不思議なことが起こります。同じ問いが今やあなた自身に、突きつけられるのです。「あなたはだれ?」「あなたの生きている世界はどこからきたの?」今度はあなたがこの謎を自分で解かなければなりません。この本がミステリアスである本当の理由は、そこにあります。さあ、あなたはこの問いにどう答えますか。

「さてこまった、どうしよう!」ですって? いえいえ、全然困ることはありません。だって、あなたはもうソフィーと一緒に、この問いと悪戦苦闘した沢山の先輩たちの考え方を、学んだはずだからです。『ソフィーの世界』は、哲学史の宝石箱です。わたしたちが自分と世界の存在を考えるための様々なヒントが、ぎっしりとつまっているのです。

「でも、テツガクなんて。なんか難しそう」。まだ一度も読んでいないあなたから、そんな声が聞こえてきそうですが、この本は少しも難しくありません。世界で一番やさしい哲学の本といっても、いいでしょう。一般に哲学者たちは、常識やあいまいな知識を疑って、ものごとの根本に迫ろうとするため、どうしても厳密な概念や言葉を求めます。その結果、哲学の言葉はやたら難しくなります。ところがソフィーの先生は、実にうまい比喩でやさしく哲学を語ります。やさしいだけでなく、彼の語り口はすごく楽しいものです。素敵な詩やお馴染みのメルヘンに耳を傾けているうちに、いつのまにか哲学の世界に入ってしまいます。哲学が話題になっていない場面でも、やがて登場する哲学者の発想がさりげなく、会話のなかに織り込まれています。その手口は本当に見事というほかありません。

　語り口はやさしいけれど、西洋哲学史の主要な哲学者は、古代ギリシア哲学から現代哲学まで、ほぼ網羅されています。一人ひとりの哲学者についても、かなり突っ込んだ紹介がされています。だから、十四歳の女の子に向けられたこの哲学講座は、そのまま大学の一般教養の教科書に使えるくらいです。

「しかし、サルトルがあるのに、ハイデガーやウィトゲンシュタインは、どうしてないのだ！」と哲学の専門の先生にお叱りを受けるかもしれません。たしかにこの二人の哲学者には、ほとんど触れられていません。しかし彼らにつながる考え方は、この哲学講座にも組み込まれています。なかでも重要なのはハイデガーです。わたしは、この本の全体にハイデガーの考え方が生かされているのではないかと、ひそかに思っています。

　ハイデガーは、哲学とは今も昔も、存在の意味を解明することだといっています。この哲学観はそのままソフィーの謎を読み解く手助けになります。この本では、「存在」とか、「ある」とか、「いる」といったことばが、何回も強調されて出てきます。「わたしはだれであるのか？　わたしの世界は何であるのか？ ヒルデはいるのか？」とソフィーは自問します。その「存在」という言葉の意味を考えることが、ソフィーの哲学だといってもいいでしょう。そしてソフィーはついに、エッセ・エスト・ペルキピによって、つまり……おっとっと、これ以上はやめておきましょう……とにかくやがてその意味を突きとめます。自分の存在に驚きその意味をたずねるソフィーの物語。わたしには、この本の根本のところに「わたしたちの時代」の最大の哲学者ハイデガーの哲学の発想があるような気がしてなりません。

むろんこれは、この本がもっている一つの側面かもしれません。ほかにも色々なモチーフが、巧みに組み込まれています。フェミニズム、国際平和へのメッセージ、北欧文学の紹介、邪教狂信の批判など、興味深いテーマはたくさん指摘できます。ひとはそれぞれの関心でこの本を読むことができるでしょう。しかし私自身を一番引きつけるのは、やはり哲学的メッセージです。「あなたが存在しているということはどういうことか？」それは、ソフィーにではなく、明らかにわたしたちおとなに向けられた問いかけなのです。わたしたちは存在しながらも、自分が存在していることの不思議をいつしか忘れてしまっているからです。著者ゴルデルは、あるインタヴューのなかで「どんな読者を念頭において書いたか」ときかれたとき、「十四歳以上のおとな」と答えています。だとすれば、『ソフィーの世界』は、単なるエンターテインメントでも、「子どものための哲学入門」でもなくて、兎の毛の奥底でぬくぬくと暮らしているわたしたちおとなのための、素晴らしいプレゼントだといえるでしょう。だってこのファンタジーは、わたしたちが一度は兎の毛のてっぺんにいたことを、思い出させてくれるはずだからです。

一九九五年六月十五日

（中央大学教授）

訳者あとがき

池田　香代子

ここにお届けするのは、一九九一年にノルウェイの作家、ヨースタイン・ゴルデルが発表し、世界中でベストセラーになっている作品です。ドイツでは九四年の年間ベストセラー第一位に輝き、青少年文学賞、最優秀作品賞・作家賞・出版社賞を独占受賞しました。すべての世代に圧倒的に支持されたファンタジーとしては、エンデの『モモ』や『はてしない物語』以来でしょう。もちろんノルウェイでは『ソフィーの世界』は事件です。なにしろ、人口四三〇万の北欧の小さな国から世界に読者をもつ作家が生まれたのは、一九二〇年度のノーベル賞作家クヌート・ハムスン以来なのですから。

原書の副題は「哲学の歴史の物語」です。つまりこれは哲学史と物語の二兎を追う作品、しかもおとなも子どももとりこにしてしまう作品です。ですから、各国の本屋さんは哲学の棚にも児童書の棚にも、さらにはファンタジーや一般書、そしてベストセラーのコーナーにも『ソフィーの世界』を置くはめになってしまいました。

「哲学史ファンタジー」という奇想天外なスタイルには、書評する人びとも面食らっています。B・ラッセルの『西欧哲学史』とL・キャロルの『不思議の国のアリス』を足して二で割ったようなもの、と表現している人もいます。七〇年代に若者の心をとらえたR・バックの『かもめのジョナサン』を思い出す人、思想がらみのミステリが意外なブームになったということで、U・エーコの『薔薇の名前』を連想する人、『鏡の国のアリス』の現代版とたとえている人……まあ、じつにさまざまです。日本には楽しいお勉強小説、筒井康隆氏の『文学部唯野教授』がありますが、あのノリに、現実と非現実が入り乱れるI・カルヴィーノの作風を加味したもの、といっておきましょうか。

けれどもだれもがいうのは、じつによくできたファンタジーであること、哲学が本格的に、しかもこれ以上はないほど生き生きと面白く、みごとなほどわかりやすく説かれていること、この二点です。ゴルデルは、格別哲学の訓練をうけていない人を想定して書いた、といっています。そのため、たとえがふんだんに使われています。そればかりか『ソフィーの世界』そのものがヨーロッパ哲学史のたとえになっている。この奇観ぶりには舌を巻くばかりです。つまり、『ソフィーの世界』は哲学とファンタジーの二兎を追って、そのどちらもつかまえてしまうという離れ技をやってのけたわけです。

この作品は、情報の洪水のなか、生きることについて耳年寄りになるばっかりで、みずから生き始める前にすっかりくたびれてしまっている現代人のニーズに応えるものだといえます。そのニーズとは、命へのナイーブな不思議感覚を呼び覚まし、うけとめる器、そしてこの世に生きるとはどういうことか、原点に立ち戻って自分の頭で考えていくための道具、とでもいえるでしょうか。なんだか暗い、とっつきにくいと思われて、イージーな人生論やおどろおどろしいオカルトに押され気味だった哲学こそが、じつは生きてあることの新鮮な感覚をなによりもすこやかに肯定する装置だったのです。

ゴルデルは一九五二年生まれ。ベルゲンという美しい港町の高校で、十一年間哲学の先生をしていました。(ソフィーの先生よりも授業はヘタだったといっていますが、本当でしょうか?)その後、首都オスロに移って作家生活にはいりました。子どもは二人とも男の子で、女の子はいないそうです。少年が主役の前作『カード・ミステリー(仮題)』(徳間書店)の翻訳も出版される予定とか。

作者はいいます。わたしたちは、どんなメルヒェンも顔負けの冒険のなかに生まれ落ちる。幼い頃にもっていた、この世にあることへの驚きの感覚は、おとなになっても続いているはずで、生活のせわしなさのなかで眠っているだけだ。わたしは、このすべての人のなかの子どもをよみがえらせたいと思った、と。

最後に日本語版について。最初に池田が、おもにドイツ語版によって訳しましたが、英米の二種の英語版も参考にし、より簡潔でわかりやすいと判断したところは採用しました。版によってかなり個性が異なるのです。ノルウェイ語版も参照しました。日本の読者向けに補った部分もあります。あくまでも物語として読んでいただくために、註はつけたくなかったのです。

このことは、須田朗氏との共同作業にもかかわってきます。池田の訳稿を須田氏が厳密にチェックし、哲学書としてじゅうぶん通用するように、用語や表現をととのえました。けれども、物語性を重んじたために、須田氏が譲歩を余儀なくされた場面も多々ありました。そういうばあいも、哲学の専門書へと跳び移れるよう配慮はしたつもりですが、この点もふくめて、最終的な文責は池田にあります。画家の高橋常政氏とデザイナーの坂川栄治氏は、原稿の段階で作品を読んで『ソフィーの世界』を表現してくれました。そしてノルウェー王国大使館の広報部始め、いちいちお名前は挙げませんが、たくさんの方がたの親身のご教示がなければ、日本語版は日の目をみなかったでしょう。本当にありがとうございました。

さらにはNHK出版のみなさんの熱意、なかでも、よりよい形で日本の読者に手渡したいという須田氏やわたしの思いを束ね、心おきなく作業に専念できる環境をととのえ、みずからも英語版を読みこんで訳稿の検討に加わった編集の猪狩暢子さんの情熱を、ここに記録しておきたいと思います。

一九九五年六月二十三日

（ドイツ文学者）

マ　行

ラ　行

ナ 行

ハ 行

サ　行

タ　行

人名さくいん

ア 行

カ 行

著　者　**ヨースタイン・ゴルデル**（Jostein Gaarder）

1952年ノルウェイのオスロに生まれる。高校で哲学を教えるかたわら、児童・青少年向けの作品を書きつづけた。本書は5作めにあたり、1991年の出版以来、世界各国で驚異的なベストセラーとなっている。現在は作家活動に専念している。

監修者　**須田　朗**（すだ　あきら）

1947年千葉県生まれ。中央大学文学部教授。哲学専攻。おもな編著書に『哲学の探究』（中央大学出版部）、訳書にヘンリッヒ『神の存在論的証明』、ガダマー『理論を讃えて』（共に法政大学出版局、共訳）、オニール『語りあう身体』（紀伊國屋書店）などがある。

訳　者　**池田　香代子**（いけだ　かよこ）

1948年東京都生まれ。ドイツ文学者。口承文芸研究。おもな訳書に『グリム童話（１～４）』（講談社）、ベラ・シャガール『空飛ぶベラ』（柏書房）、ピリンチ『猫たちの聖夜』（早川書房）など、共著書に『ドイツ文学史』（放送大学振興会）、『ウィーン大研究』（春秋社）などがある。

編集協力　ノルウェー王国大使館広報部
榊　直子
神力　由紀子

ソフィーの世界
〜哲学者からの不思議な手紙

1995年6月30日　第1刷発行
1995年7月27日　第11刷発行

著　者——ヨースタイン・ゴルデル
監修者——須田　朗
訳　者——池田　香代子
発　行——日本放送出版協会
〒150-81 東京都渋谷区宇田川町41-1
電話　(03)3464-7311(代表)
振替　00110-1-49701
印　刷——亨有堂/大熊整美堂
製　本——石毛製本

乱丁・落丁本はお取り替えいたします。
定価はカバーに表示してあります。

Printed in Japan
ISBN 4-14-080223-5 C0097